Cultura, Sociedade, Religião
O **MAL-ESTAR** NA CULTURA
e outros escritos

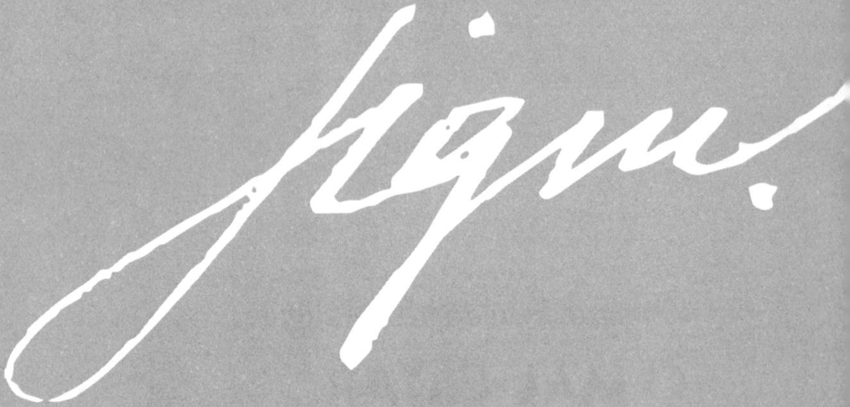

OBRAS INCOMPLETAS DE **SIGMUND FREUD**

Freud

Cultura, Sociedade, Religião

O **MAL-ESTAR** NA CULTURA

e outros escritos

3ª reimpressão

TRADUÇÃO
Maria Rita Salzano Moraes
REVISÃO
Pedro Heliodoro Tavares
PREFÁCIO
Gilson Iannini
Jésus Santiago
POSFÁCIO
Vladimir Safatle

autêntica

7 Apresentação

Para ler o mal-estar

Gilson Iannini e Pedro Heliodoro Tavares

33 Prefácio

Mal-estar: clínica e política

Gilson Iannini e Jésus Santiago

65 A moral sexual "cultural" e a doença nervosa moderna (1908)

99 Considerações contemporâneas sobre a guerra e a morte (1915)

137 Psicologia das massas e análise do Eu (1921)

233 O futuro de uma ilusão (1927)

299 Uma vivência religiosa (1928)

305 O mal-estar na cultura (1930)

411 Sobre a conquista do fogo (1932)

421 Por que a guerra? (1933)

    421 Carta de Einstein a Freud

    426 Carta de Freud a Einstein

445 Comentários sobre o antissemitismo (1938)

Posfácio

449 Medo, desamparo e poder sem corpo

Vladimir Safatle

Apresentação
PARA LER O MAL-ESTAR

Gilson Iannini
Pedro Heliodoro Tavares

Não é possível compreender nosso tempo sem ler *O mal-estar na cultura*. Sem ele, os séculos XX e XXI, seriam, simplesmente, ilegíveis. O texto mais difundido, mais comentado e mais traduzido de Sigmund Freud é um daqueles poucos livros que já nasceram clássicos. Não por acaso, a categoria de "mal-estar" espraiou-se pela cultura de uma maneira sem precedentes. Para medir seu alcance, basta elencar alguns títulos que fizeram dela o centro de análises nos mais diversos domínios: *Mal-estar na modernidade*; *Mal-estar da pós-modernidade*; *Mal-estar na democracia*; *Mal-estar na estética*; *Mal-estar no trabalho*; *Mal-estar na maternidade*; *Mal-estar na educação*, etc.[1] Escrito em 1929, mas publicado em 1930, *O mal-estar na cultura* retoma e aprofunda um *topos* central do pensamento de Freud: a vida social se funda numa espécie de renúncia, ou, mais precisamente, no impedimento da satisfação pulsional. O saldo subjetivo dessa renúncia é a inescapável sensação de mal-estar.[2] Apesar de todas as técnicas, de todas as ilusões, de todos os métodos e subterfúgios que os indivíduos e as sociedades inventam para tornar a renúncia suportável, há ainda um *resto* que perturba a equação, tornando o mal-estar incontornável. Numa primeira camada da reflexão, o cimento da vida social é construído a partir dos impedimentos infligidos à vida sexual. A energia necessária para a constituição de laços sociais é retirada da inibição do curso de Eros: a libido é canalizada para fins não sexuais. Mas essa drenagem não é suficiente. Freud acrescenta então um fator desestabilizador desse arranjo. Ao contrário de sociedades animais como a das abelhas, das térmitas e dos cupins, que, no curso de sua evolução, fixaram as funções de cada indivíduo, alcançando uma espécie de equilíbrio social, as sociedades humanas são fundamental e estruturalmente desequilibradas. Entra em cena a pulsão de morte: quanto mais uma sociedade se consolida, quanto menos uma comunidade tem necessidade de se afirmar contra obstáculos exteriores, mais a agressividade que articulava contra aqueles obstáculos se volta contra o próprio indivíduo. A partir de então, o antagonismo não se reduz apenas ao conflito entre pulsões sexuais e moral cultural, mas também se redobra na oposição entre Eros e pulsão de morte. Sem essa camada de reflexão – sobre a face obscura do gozo, sobre as exigências obscenas do Supereu – não é possível compreender como sociedades que se autorrepresentam como hedonistas e permissivas não conseguiram promover a felicidade pessoal ou eliminar o sofrimento neurótico. Ao contrário: os novos sintomas estão aí, ao lado dos velhos, para nos mostrar isso.

Um texto se torna clássico quando realiza duas tarefas: sobreviver à prova do tempo e resistir a leitores e leituras diferentes. "Os textos inertes permanecem em suas épocas: aqueles que se contrapõem vigorosamente às barreiras históricas são os que permanecem conosco, geração após geração" (SAID, 2004, p. 57). Virado e revirado do avesso por interpretações as mais diversas, *O mal-estar na cultura* continua oferecendo um manancial de ferramentas para leitura do nosso tempo. Na verdade, não lemos *O mal-estar na cultura*; é ele que nos lê.

***

Para ler *O mal-estar na cultura* é necessário ter em mente que estamos diante de um texto de maturidade, no qual desaguam diferentes vertentes da obra de seu autor. Tudo que Freud escrevera até então sobre sociedade, cultura e religião passa a gravitar, agora, em torno da noção de *mal-estar*. O presente volume reúne não apenas os textos sobre esses temas que antecederam o ensaio de 1930, mas também os que o sucederam. Trinta anos de investigação separam o primeiro do último artigos aqui publicados ("Moral sexual 'cultural' e doença nervosa moderna" é de 1908; "Comentários sobre o antissemitismo", de 1938). Qual o estatuto desses textos?

"A psicologia individual é também, de início, simultaneamente psicologia social" (neste volume, p. 137). A fórmula lapidar de Freud em 1921 explicita o que está em jogo nos textos reunidos neste volume. Entre artigos curtos, cartas e ensaios originalmente publicados como livros, os nove textos que compõem a presente obra documentam as principais incursões de Freud em temas como sociedade, religião e cultura. Chamados algumas vezes de "antropológicos", "sociais" ou "culturais", os textos aqui coligidos nem sempre obtiveram entre os psicanalistas o mesmo prestígio que os trabalhos explicitamente metapsicológicos, os artigos técnicos ou as histórias clínicas, que seriam, para muitos, os três eixos fundamentais da "ortodoxia" psicanalítica. Como se textos sobre a sociedade e as religiões, sobre a cultura e as massas, sobre a violência e as guerras fossem especulações marginais ou exercícios de diletantismo. Situados numa espécie de limbo, alguns desses escritos não seriam suficientemente clínicos, nem metapsicologicamente originais, sendo, portanto, dispensáveis ao ofício do psicanalista; tampouco seriam úteis a sociólogos, historiadores da religião, antropólogos ou cientistas políticos, justamente pela razão inversa: seriam excessivamente "psicológicos". Contudo, a história efetiva desses textos frustrou a expectativa tanto de uns quanto de outros. De fato, ao longo do tempo, trabalhos como *Psicologia das massas e análise do Eu* ou *O mal-estar na cultura* foram se firmando entre os mais citados e mais difundidos de todo o *corpus* freudiano. E não apenas por psicanalistas, mas também por pesquisadores de diferentes domínios. Não pode haver dúvidas de que se tornaram textos indispensáveis para a compreensão do mal-estar contemporâneo e de seus sintomas. De um lado, são profundamente clínicos: "Considerações contemporâneas sobre a guerra e a morte" demonstra o paradoxo de nossa relação com a morte – nos sabemos mortais, mas não acreditamos nisso; *O futuro de uma ilusão* nos oferece uma abordagem aprofundada do estatuto do desamparo e do anseio pelo pai, assim como sobre o que significa a satisfação do desejo, além, é claro, de uma delimitação precisa de conceitos capitais, como ilusão, erro e verdade; *Psicologia das massas e análise do Eu* não apenas lança a teoria da identificação e das instâncias ideais a outro patamar, como também consiste numa das mais detalhadas apresentações do conceito de libido; o texto que foi mais longe na discussão do Supereu, da sublimação e da pulsão de morte é justamente *O mal-estar na cultura*. Por outro lado, a crítica cultural e a teoria social produzidas nas últimas décadas seriam incompreensíveis sem o que Freud escreveu, nesses mesmos textos, sobre o caráter regressivo das massas, os processos de identificação, o caráter irredutível da pulsão de morte, a gênese do direito na violência, etc.

Isso tudo não deixa de estar relacionado ao complexo estatuto do sujeito freudiano, que não se reduz ao *homo psychologicus*, não se eleva a uma categoria transcendental, tampouco se contenta em ser apenas um reflexo passivo de estruturas ou condições sócio-históricas determinadas. O sujeito freudiano – ainda que o termo *"Subjekt"* tenha sido empregado com extrema parcimônia – não coincide com o Eu dos filósofos, seja esse Eu uma espécie de instância sintética capaz de ligar e estabilizar representações diversas, seja um mero feixe instável de impressões sensíveis. Como mostram os textos aqui reunidos, o Eu não é uma instância psíquica primária ou original, mas constitui-se tomando o outro "como modelo, como objeto, como auxiliar e como adversário" (neste volume, p. 137). Do mesmo modo, o "mal-estar" não é uma categoria solipsista: antes, o sujeito é o resultado do antagonismo estrutural das exigências da vida pulsional e das restrições postas pela cultura. Essa forma de raciocinar não é excepcional: ela constitui um dos eixos fundamentais do estilo freudiano de pensar, atravessando, como um fio invisível, até mesmo a própria tessitura dos casos clínicos. Afinal, não é difícil ler as histórias clínicas freudianas, para além do caráter paradigmático dos casos que elas analisam, também como verdadeiros retratos sociais de uma época histórica, ao mesmo tempo que podemos ler os textos "culturais" como uma espécie de clínica da constituição "social" do sujeito.

Ao fim e ao cabo, os textos aqui reunidos ocupam uma posição central no conjunto da obra freudiana, mostrando como a clínica psicanalítica nunca esteve desenraizada. Ao contrário, a economia psíquica – cuja moeda é a libido e cujo lastro é a pulsão – não é sem relação com as estruturas normativas da sociedade, da cultura e da religião. Ali são cultivados e transmitidos não apenas gramáticas de reconhecimento, modelos de conduta individuais e sistemas de valores contendo restrições e exigências de conduta sexuais, mas também energia para mecanismos de repressão, móbeis para instâncias ideais, pacotes de afetos e regimes de identificação, os quais determinam modos de constituição do sujeito. Em suma, tudo aquilo que fornece o "envelope formal do sintoma" (LACAN, 1998, p. 66), os esquemas narrativos do sofrimento ou as imagens que povoam nossas fantasias. Nada disso impede que certas estruturas lógicas e gramaticais do sintoma e da fantasia sejam, de certa forma, imunes ao regime de visibilidade e invisibilidade de imagens disponíveis em uma dada época ou em uma determinada forma cultural; nada disso obsta o reconhecimento de mecanismos psíquicos profundamente associais, tais como o recalque (*Verdrängung*), a rejeição ou forclusão (*Verwerfung*) ou a recusa ou desmentido (*Verleugnung*). Não por acaso, estruturas clínicas aparecem como *caricaturas*, *distorções* ou *desfigurações* de produções sociais, tal como sugere uma conhecida passagem de *Totem e tabu* (1913):

> as neuroses, por um lado, apresentam concordâncias marcantes e profundas com as grandes produções sociais da arte, da religião e da filosofia; por outro, aparecem como distorções destas. Poder-se-ia ousar dizer que uma histeria é figura distorcida de uma obra de arte, uma neurose obsessiva, uma figura distorcida de uma religião, e uma mania paranoica, uma figura distorcida de um sistema filosófico (FREUD, 1999 [1913], p. 91).

***

Não é difícil perceber que a maioria dos textos aqui coligidos foi escrita depois da Primeira Guerra Mundial. Apesar disso, o interesse de Freud por essas temáticas recua muito mais longe. Aliás, uma de suas hipóteses fundamentais, explicitada com todas as letras apenas em 1930, foi formulada parcialmente já no contexto da troca epistolar com Fließ. A competente nota de James Strachey à edição inglesa de *Das Unbehagen* refere que a primeira ocorrência da temática central do livro – o antagonismo estrutural entre exigências pulsionais e restrições culturais – remonta à carta datada de 31 de maio de 1897. A missiva trata de diversos assuntos e traz anexado o famoso "Rascunho N". Logo no início, "Sigmund" confessa ao "querido Wilhelm": "Uma intuição ainda me fala como seu eu já soubesse – mas não sei de absolutamente nada – que estou a ponto de desvelar a fonte da moral. Logo isso cresce em minhas esperanças trazendo-me a maior das alegrias" (FREUD, 2013, p. 1936. [Carta de 31 de maio de 1897]). No rascunho anexo à carta, entre várias anotações, consta um item curioso, para dizer o mínimo. Um curto parágrafo separado, encabeçado com o título "A definição de Santo/Sagrado [*Heilig*]". Ei-lo, na íntegra:

> "Santo/sagrado" é o que diz respeito à parte que as pessoas sacrificaram de sua liberdade sexual para a perversão em benefício da coletividade em maior âmbito. O horror ao incesto (ímpio) diz respeito ao fato de que em consequência da comunidade sexual (inclusive na infância) os membros da família assumem uma coesão duradoura, tornando-os incapazes de assimilar pessoas estranhas. Logo, ele é antissocial – a cultura consiste nessa renúncia progressiva (Contra isso, o "Super-homem" [*Übermensch*]) (FREUD, 2013, p. 1936. [Carta de 31 de maio de 1897]).

Muita coisa poderia ser dita sobre esse fragmento, que se assemelha, tanto em forma quanto em teor, aos aforismos Nietzschianos. Mas o que importa aqui é apenas registrar a primeira ocorrência textual desta hipótese de que a cultura consiste em renúncia pulsional. E a sugestão do caráter inevitável do mal-estar, ao qual estaria imunizado apenas e tão somente o "super-homem", o "além-do-homem"! Hipótese que será desdobrada teoricamente apenas cerca de dez anos mais tarde, no artigo "Moral sexual 'cultural' e doença nervosa moderna" (neste volume, p. 65.) e alcançará sua forma definitiva somente três décadas depois, em *O mal-estar na cultura*.

***

Na preparação da presente coletânea, foram deixadas à parte apenas duas obras que tratam de temas correlatos, mas cuja extensão tornaria impossível agrupá-las num único volume. Trata-se de *Totem e tabu* (1913) e *O homem Moisés e a religião monoteísta* (1939), que serão publicados em volumes monográficos. É absolutamente claro que esses dois clássicos merecem ser lidos na íntegra. Não obstante, o leitor que não conhece o conteúdo, por exemplo, de *Totem e tabu*, não ficará desamparado ao ler o livro que tem em mãos. Isso porque o próprio Freud se encarregou de acusar a recepção de suas próprias teorias. Nesse sentido, podemos dizer que o primeiro retorno a Freud foi promovido pelo próprio Freud! Isso é válido sobretudo para *Totem e tabu*. Com efeito, as teses fundamentais daquele livro, concernentes principalmente ao mito da horda primitiva e ao assassinato do pai primevo, são retomadas e reconstruídas pelo próprio autor nos textos aqui publicados, à medida que sua necessidade se impõe à economia argumentativa de cada texto e contexto.

Quanto a *O homem Moisés e a religião monoteísta* (1939), basta dizer que a percepção acerca da relevância teórica e política desse último grande ensaio de Freud é crescente na contemporaneidade e remeter o leitor para o original.

***

CULTURA E CIVILIZAÇÃO: SEMÂNTICA E POLÍTICA

Não é possível entender a recusa freudiana da distinção conceitual dos termos *Kultur* e *Zivilisation* sem levar em consideração sua "considerável instrumentalização" que, em torno de 1914, ganhou ares de propaganda nos países de língua alemã (CRÉPON; DE LAUNAY, 2010, p. 275; CASSIN, 2004, p. 204). Àquela altura, *Zivilisation* designava o mundo franco-inglês, utilitarista, caracterizado pelo domínio da técnica, da economia e da política, ao passo que *Kultur* remeteria ao conjunto dos altos valores espirituais germânicos, ligados às artes e às ideias, cujas finalidades seriam irredutíveis à natureza e ao reino dos fins. É a instrumentalização desse antagonismo que Freud recusa. Em sua declaração mais veemente, escreve:

> A cultura humana – quero dizer, tudo aquilo em que a vida humana se elevou acima de suas condições animalescas e em que ela se distingue da vida dos animais – e recuso-me a separar cultura [*Kultur*] de civilização [*Zivilisation*]– mostra ao observador, como se sabe, dois lados. Em um deles, ela abrange todo o saber e a capacidade que os seres humanos adquiriram para dominar as forças da natureza e extrair desta seus bens para a satisfação das necessidades humanas; e no outro, todos os dispositivos necessários para regular as relações dos seres humanos entre si, e especialmente a distribuição dos bens acessíveis. Essas duas orientações

da cultura não são independentes uma da outra, em primeiro lugar, porque as relações mútuas entre os seres humanos são profundamente influenciadas pela medida de satisfação pulsional que os bens existentes tornam possível; em segundo lugar, porque o ser humano isolado, mesmo para outro, pode entrar na condição de um bem, na medida em que aquele utiliza a sua força de trabalho ou o toma como objeto sexual; mas em terceiro lugar, porque cada indivíduo é virtualmente um inimigo da cultura, que supostamente deve ser um interesse humano geral. É notável que os seres humanos, embora não possam existir no isolamento, sintam, não obstante, como gravemente opressivos os sacrifícios que a cultura deles espera para que a vida em comum seja possível. A cultura precisa, portanto, ser defendida contra o indivíduo, e os seus dispositivos, instituições e mandamentos colocam-se a serviço dessa tarefa; estes visam não apenas instaurar uma certa repartição de bens, mas também mantê-la; na verdade, eles precisam proteger das moções hostis dos seres humanos tudo aquilo que serve para a conquista da natureza e para a produção de bens. As criações humanas são fáceis de destruir, e a ciência e a técnica que as construíram também podem ser utilizadas para a sua aniquilação (neste volume, p. 234-235).

Embora central, essa declaração não é a única, nem a última intervenção de Freud no debate. Em sua resposta à carta de Einstein, escreve: "O que penso é o seguinte: desde tempos imemoriais, ocorre na humanidade o processo de desenvolvimento da cultura. (Sei que outros preferem chamá-lo de civilização.) É a esse processo que devemos o melhor do que nos tornamos e uma boa parte daquilo de que sofremos" (neste volume, p. 440).

O que Freud recusa quando recusa a separação entre *Kultur* e *Zivilisation?* Essa é a pergunta central, muitas vezes obliterada, deixada em segundo plano, quando se privilegia o debate terminológico sobre qual seria a tradução mais adequada. Em primeiro lugar, é preciso notar que o autor faz questão de tomar partido, de assumir uma posição em um debate em curso. Mais do que isso: ele faz o leitor entender que não se trata apenas de um desconhecimento ou indiferença quanto à distinção entre os termos. Na carta a Einstein, os parênteses são reveladores: ("Sei que outros preferem chamá-lo de civilização") (neste volume, p. 440). Se ligarmos os pontos das duas citações, as coisas ficam mais claras: Freud não apenas se recusa a adotar uma distinção que ele conhece muito bem, mas também faz o leitor saber disso. Mera predileção lexical? Uma rápida pesquisa na versão digital das *Obras reunidas* em alemão atesta perto de 800 ocorrências textuais de *Kultur,* ao passo que as ocorrências de *Zivilisation* se contam nos dedos.

De que se trata a recusa freudiana? Que "outros" são esses que preferem "civilização", estes aos quais Freud se opõe de maneira tão ruidosa, por causa da veemência da afirmação, e tão silenciosa ao não nomear seus adversários? Nesse contexto, o que significaria a posição contrária, ou seja, o que significaria *insistir* na oposição cultura *versus* civilização? A hipótese que gostaríamos de apresentar é dupla: 1) em um primeiro nível, trata-se de dizer que a recusa de Freud não se encerra em uma questão meramente terminológica ou semântica, mas implica uma posição política e uma decisão, que, aliás, se mostraria acertada quanto ao sentido da história; 2) numa segunda camada, a acepção de cultura empregada por Freud pode prescindir da oposição à civilização porque ela parece ser importada de uma fonte etnográfica inglesa, indiferente ao debate filosófico intrinsecamente alemão.

I

Recusar a dicotomia *Kultur/Zivilisation* (*KvsZ*, para simplificar) é recusar o *pathos* nacionalista germânico que serviria de combustível ao conflito de 1914 e que seria novamente mobilizado na espiral de violência do III Reich. Nesse sentido, a recusa da distinção *KvsZ* "não resulta de uma indiferença de Freud em torno de uma distinção supérflua, mas encobre uma polêmica contra a oposição exagerada chegando ao ponto do nacionalismo excessivo" (Le Rider, 2002, p. 120). Uma passagem de *O futuro de uma ilusão* parece corroborar essa hipótese. Ao delimitar o sentido de ilusão por oposição a erro, Freud escreve: "podemos indicar como ilusão a afirmação de certos nacionalistas de que os indo-germânicos seriam a única raça humana apta à cultura" (neste volume, p. 263). Ou seja, o que Freud recusa quando recusa a oposição *KvsZ* é, precisamente, a ilusão nacionalista de que apenas indo-germânicos seriam povos de cultura. Isso podemos afirmar com relativo grau de certeza.

O que também é claro é o fato de que não dispomos de evidências textuais, nem na obra publicada nem na correspondência, de que Freud estivesse mirando este ou aquele alvo específico, este ou aquele nome próprio, quando recusa a distinção *KvsZ*. O melhor que podemos fazer é esboçar um quadro aproximado para que o leitor perceba a dramaticidade do debate em curso na época em que Freud nele intervém. Na aurora da Primeira Guerra Mundial, ocorre uma verdadeira disputa de narrativas que delineia "rápidas tipologias culturais e filosóficas [...] para objetivos bélicos" (SAFRANSKI, 2010, p. 290). Se é verdade que a oposição civilização-cultura já era empregada há bastante tempo, "seu acirramento enquanto antítese [...] é novo" (SAFRANSKI, 2010, p. 291). Uma rápida (e grosseira) tipologia desse tipo poderia ser formulada mais ou menos do seguinte modo: enquanto "civilização" (em um sentido cada vez mais supranacional) era associada a valores patrocinados pela França e pela Inglaterra, "cultura" (como expressão do espírito nacional) seria associada aos povos germânicos. Para situar as coisas no tempo, seria preciso lembrar que a oposição *KvsZ* remonta, pelo menos, até o início do século XIX, quando foi consagrada por Friedrich August Wolf (1759-1824). Um dos fundadores da filologia clássica, Wolf havia formulado a oposição civilização *versus* cultura ao contrapor a *cultura* dos gregos e romanos às *civilizações* dos hebreus, persas e egípcios. É o próprio Wolf quem estabelece, em seguida, uma relação genealógica entre os antigos gregos e os modernos alemães, que seriam os verdadeiros herdeiros da *cultura literária* (CALAME, 2018). A vinculação orgânica entre essas duas ideias (a oposição hierarquizada cultura/civilização e superioridade cultural alemã) experimentaria uma intrincada e sinuosa trajetória no pensamento alemão. Desde os românticos até Thomas Mann, passando por Wagner ou Nietzsche,[3] seria impossível reconstruir, nos limites desta apresentação, as linhas mestras dessa história. Para nosso conforto, seria não apenas impossível, mas também desnecessário. Porque o que está em jogo na recusa freudiana parece não ter a ver tanto com as particularidades desta ou daquela versão do problema, e sim com a tese genérica de que apenas indo-germânicos seriam aptos à cultura. Essa tese genérica poderia ser ilustrada por muitos e diferentes autores.

Para fins de oferecer ao leitor algumas pistas acerca da vivacidade da antítese *KvsZ* à época da Primeira Guerra Mundial, tomemos, por exemplo, "Pensamentos de guerra", um texto de novembro de 1914, em que Thomas Mann escreve: "civilização e cultura não somente não são uma única e mesma coisa, são mesmo contrários; formam uma das inúmeras oposições e disputas entre espírito e natureza" (MANN, 2002, p. 10, tradução nossa). Trata-se de uma resposta apaixonada ao *slogan* de guerra lançado pelos franceses, que representava o conflito como uma luta da "civilização contra o militarismo". Mann desnuda o jogo entre "civil" e "militar" subentendido no *slogan*. Em seguida, redobra a oposição cultura *versus* civilização em uma oposição alemães *versus* franceses e ingleses:

> Uma coisa é verdade: os alemães não se veem tão enamorados pela palavra "Zivilisation" quanto suas nações ocidentais vizinhas; não costumam se servir dela nem a ostentando à maneira francesa, nem na fanática forma inglesa. Eles sempre privilegiaram *"Kultur"* como palavra e conceito – mas por quê? [...] Porque esse povo introspectivo, esse povo da metafísica, da pedagogia e da música não é um povo orientado pela política, mas sim pela moral; [...] não sendo políticos, são então sempre algo diverso: são moralistas. Isso, porque política é uma matéria da razão, da democracia e da *Zivilisation*; ao passo que moral seria algo da *Kultur* e da alma. [...] A alma alemã é demasiado profunda, para que *"Zivilisation"* possa valer-lhe como algo elevado ou supremo (MANN, 2002, p. 142-160, tradução nossa).

Longe de expressar uma posição incomum, o texto apenas reitera um certo *ar do tempo*, compartilhado por alguns dos melhores cérebros alemães[4] e difundido em milhares de artigos e poemas.[5] Não são poucos aqueles que pensam que essa distinção entre cultura e civilização teria a finalidade de resguardar a cultura alemã contra a degenerescência provocada pelos ideais civilizatórios atribuídos à França e à Inglaterra. Pelo menos na tipologia rápida do discurso comum, *cultura* incluiria, portanto, tudo aquilo que é eminentemente germânico, especialmente a música, o interesse em moral e a experiência interior, ao passo que *civilização* representaria aquilo que é tipicamente francês, ou seja, pensamento político voltado a questões sociais. Por essas razões, a *cultura* alemã precisaria se "proteger" contra a *civilização* ocidental: sob o risco de que o esclarecimento democrático e a retórica burguesa pudessem dissolver o espírito germânico de cultura. Nada sintetizaria melhor isso do que a afirmação de Richard Wagner de que "a civilização desaparece diante da música, como a névoa diante do sol" (WAGNER *apud* BOTZ-BORNSTEIN, 2012, p. 21).

Outro exemplo extremamente popular da defesa da oposição *KvsZ* que inflamou a imaginação alemã no pós-guerra foi O *declínio do Ocidente,* publicado por Oswald Spengler entre 1918 e 1922. O livro reconhecia o esplendor de várias culturas, entre elas a chinesa, a egípcia, a grega entre outras. Mas percebia na *civilização* romana a morte da *cultura* grega. Tudo que era vivo na *cultura* grega estaria fadado à morte e à dissolução quando se consolida e se institucionaliza na *civilização* romana. É a esse processo, de todo inevitável, que Spengler denomina "decadência". Tudo que foi vivo, criativo, espontâneo em uma *cultura* acaba se declinando, naufragando, ou decaindo sob a forma da *civilização*. À última fase de uma cultura, seu progresso inevitável, dar-se-ia o nome de "civilização". Se a cultura é o "corpo vivo", a civilização é sua "múmia". Spengler julgava que o processo de mumificação das culturas era inevitável, já que a civilização avançava em escala mundial. Não por acaso, os círculos conservadores que apoiavam a hegemonia germânica na Europa encontraram combustível nas páginas daquele best-seller.[6]

Com efeito, é provável que Freud, ao recusar o antagonismo *KvsZ*, mirasse apenas a tese genérica em pauta e não algum nome próprio particular.[7] É bastante provável que ele estivesse se opondo a um ideário geral, partilhado por muitos de seus compatriotas. Um *ar do tempo* que, não custa lembrar, remonta à batalha cultural (*Kulturkampf*) promovida por Otto von Bismarck no século XIX. De fato, na época em que Freud recusa a dicotomia cultura *versus* civilização, a energia adormecida do refluxo da *Kulturkampf* do século anterior havia retornado com força total. Instrumentalizada, essa energia seria mobilizada na defesa da *Kultur* contra a *Zivilisation*. Nesse sentido, quando o "apolítico" Freud recusa distinguir *cultura* e *civilização* ele assume uma posição *política* e toma partido por um lado na história. Seu desdém pela distinção "não é neutro" (Le Rider, 2002, p. 121). Do ponto de vista histórico, o psicanalista coloca-se como crítico da guerra, sem, contudo, esposar um pacifismo ingênuo. O *pathos* ligado a valores de uma *cultura sem civilização* pode reacender os piores fantasmas. Quando recusa a distinção entre os termos, Freud defende, ipso facto, uma *cultura civilizada*, digamos assim. Não se trata, pois de um erudito problema de tradução ou de uma escolha entre sinônimos. Se levarmos em consideração as narrativas e o imaginário social da época, a recusa de Freud pode ser vista como uma tomada de posição.

Sabemos perfeitamente onde esse *pathos* nacionalista iria desembocar. A barbárie nazista não tardaria a mostrar a face sombria desse cultivo.[8] De todo modo, o que tudo isso mostra é que, antes de se reduzir a uma estéril questão semântica ou terminológica de mero interesse acadêmico, a oposição *cultura* e *civilização,* ou, mais precisamente, sua versão instrumentalizada, é perpassada de ponta a ponta por uma dimensão política e histórica, prenhe de consequências. Por trás de aparentes abstrações, disputa; por debaixo de universalismos, interesses nacionais particulares.[9] Com efeito, Freud não se deixa seduzir nem pela exclusiva aptidão alemã para a cultura, nem pela alegada universalidade abstrata da palavra civilização. Ele sabe, mais do que ninguém, que fortes interesses particulares, quer dizer, nacionais, se imiscuem e se dissimulam também sob a máscara da civilização. Isso nos leva diretamente ao segundo aspecto de nossa hipótese.

II

Antes de concluir, é preciso acrescentar outro ingrediente ao debate, talvez tão ou mais decisivo do que o anterior. Sabemos da relativa desconfiança de Freud acerca de discussões filosóficas e sua predileção por referências científicas. Sabemos também de sua paixão por antropologia. A etnologia, mesmo em sua vertente evolucionista, predominante no século XIX e início do XX, não costuma acentuar distinções do tipo cultura *versus* civilização, pelo menos não no sentido filosófico anteriormente discutido. Em alguns casos, como o do antropólogo britânico Edward Burnett Tylor (1832-1917), é estabelecida uma equivalência explícita entre os dois termos. Ora, relativamente cedo, Freud leu *Primitive culture: researches into the development of mythology, philosophy, religion, art, and custom.* Há traços dessa leitura em *A interpretação dos sonhos* (1900) e em

Totem e tabu (1913). Por que essa informação é relevante? Tylor apresenta, ainda no século XIX, uma concepção de cultura *equivalente* à civilização. Em que medida a perspectiva etnológica teria vacinado Freud quanto a estéreis debates terminológicos não sabemos com certeza. O que sabemos é que Tylor (1871, v. 1, p. 1) define cultura do seguinte modo: "cultura ou civilização, tomada em seu amplo sentido etnográfico, é todo o complexo que inclui conhecimento, crença, arte, moral, direito, costumes e quaisquer outras capacidades e hábitos adquiridos pelo homem como membro da sociedade". Nesse sentido, a definição de Tylor engloba aproximadamente aspectos ligados tanto à *Kultur* quanto à *Zivilisation*. Fenômeno similar ocorre em outras escolas de etnologia, por exemplo com Marcel Mauss e Émile Durkheim. Se assim for, estaríamos diante de um Freud muito mais próximo da etnografia do que da abstrata filosofia alemã. Se essa hipótese estiver correta, Freud recusa o antagonismo *KvsZ* porque adota um conceito etnográfico – e não filosófico ou literário – de cultura.

Tudo somado, é preciso reconhecer que Freud se empenhou muito mais em "civilizar" a cultura do que em "culturalizar" a civilização. Civilizar a cultura aqui quer dizer desativar na *Kultur* tudo aquilo que, ao ser instrumentalizado, pudesse reativar fantasmas totalitários adormecidos. Por isso, não se justifica traduzir *Kultur* por "civilização", o que poderia dar uma falsa impressão de que sabemos de antemão o que Freud designa com a *Kultur*. Isso porque a *Kultur*, no sentido freudiano, engloba a *Zivilisation*, sem se reduzir a ela. Se é verdade que um grande esforço é empregado para desmontar o *pathos* nacionalista da *Kultur*, desativando alguns de seus ingredientes fundamentais (principalmente o nacionalismo), é também verdade que a *Kultur* freudiana engloba aspectos ausentes do campo semântico imediato de *Zivilisation*, como as ideias abstratas, a ciência, a arte e religião.

De todo modo, é preciso salientar que o que importa mais não é o termo empregado para traduzir *Kultur*, mas sim o sentido que o próprio texto freudiano engendra. Uma leitura atenta dos textos aqui reunidos permite reconstruir com algum grau de segurança os principais elementos do que Freud entende por *Kultur*. Cada leitor pode fazer esse itinerário e verificar por si mesmo como é estabelecida a rede semântica em torno da *Kultur*. Nesta coleção, vertemos *Kultur* por "cultura" e *Zivilisation* por "civilização". A aposta por trás dessa decisão é conceitual: cabe ao próprio texto estabelecer a rede de significações de um determinado conceito. Nesse sentido, como de costume, o leitor deve evitar sobrepor ao texto sua concepção prévia acerca do sentido de palavras como "cultura" ou "civilização". Freud não emprega um conceito pronto, mas o constrói. É preciso resistir a outra tentação: não podemos incutir no texto freudiano o sentido proposto por Norbert Elias, Lucien Febvre, Marcel Mauss ou Claude Lévi-Strauss. Tampouco por Herbert Marcuse, André Green ou Jacques Lacan. Freud constrói a própria rede semântica que seu texto precisa. Os sentidos de cultura e de civilização devem, portanto, emergir do próprio ato de leitura.

Devido à origem latina de ambos os termos, o procedimento de traduzir diretamente *Kultur* por "cultura" e *Zivilisation* por "civilização" não implica maiores dificuldades no que tange ao uso substantivo do termo. Mas o mesmo não ocorre nos usos adjetivados, tão presentes nas palavras compostas. Nesses casos, nem sempre foi possível sustentar essa decisão. Expressões como *Kulturmenschen* ou *Kulturgesellschaft* foram traduzidas, respectivamente, por "seres humanos civilizados" e "sociedade civilizada". Nesses casos, na primeira ocorrência das expressões, os termos originais foram mantidos entre colchetes. *Kultur*, sem dúvida, é uma palavra intraduzível.

***

NOTAS

Como nos demais volumes temáticos desta coleção, ao final de cada texto, o editor brasileiro inseriu uma nota editorial um pouco mais extensa, que pretende repor em linhas gerais o contexto histórico e a gênese de cada escrito, assim como pincelar uma ou outra notícia acerca da recepção. O trabalho de redação dessas notas apoiou-se em grande medida no trabalho editorial pioneiro de James Strachey, que estabeleceu os principais elementos contextuais disponíveis. A qualidade de seu trabalho é tão unanimemente reconhecida que o aparato crítico por ele elaborado para a Standard Edition foi traduzido para o alemão e incluído na Edição de Estudos alemã (*Studienausgabe*), com devidas adaptações e correções. A proximidade com atores que fizeram parte da história da obra de Freud, como Ernest Jones e Anna Freud, facultou uma posição ímpar a Strachey, que pode consultar muitas vezes as memórias vivas de quem presenciou aquela história. Mas a distância, espacial e temporal, também tem suas vantagens. Ao longo dos anos, novas edições, análises críticas, novas biografias e dicionários, além da própria história da psicanálise, em seus múltiplos destinos, facultam ao pesquisador moderno o acesso a fontes e a perspectivas indisponíveis àquela altura. Assim, as notícias, notas e variantes preparadas por Alain Rauzy para as *Œuvres complètes* de Freud – edição francesa dirigida por Jean Laplanche para a PUF – apesar de sucintas, fornecem talvez hoje as informações mais precisas acerca da gênese dos textos de Freud. Do mesmo modo, o portentoso *Dictionnaire des œuvres psychanalytiques* (2009), dirigido por Paul-Laurent Assoun, é uma fonte inestimável para o ainda incipiente trabalho de recepção da obra de Freud. O trabalho com os manuscritos levados a cabo por Ilse Grubrich-Simitis estabeleceu um novo padrão editorial para os estudos freudianos. A publicação on-line, livre e gratuita dos arquivos Freud pela Library of Congress (Biblioteca do Congresso de Washington) constitui também uma fonte inestimável de consulta a manuscritos e inéditos de natureza diversa.

AGRADECIMENTOS

Publicar um livro como este é um esforço coletivo. Primeiramente, gostaríamos de agradecer ao empenho de Maria Rita Salzano de Moraes: ela sabe que traduzir é uma arte que exige obstinação. A revisão das notas, dos paratextos e das notas editoriais foi realizada por especialistas em seus respectivos domínios. Somos muito gratos à leitura dos originais por Claudia Moreira, Cleyton Andrade, Douglas Garcia, Ernani Chaves, Giovanna Bartucci e Olímpio Pimenta. Cada um à sua maneira contribuiu com sugestões, críticas e inserções de texto. Somos gratos ainda a Jésus Santiago, pela interlocução viva, e a Vladimir Safatle, por sua generosidade.

O editor gostaria de agradecer também a seus alunos de graduação e pós-graduação da UFMG. Parte deste conteúdo foi discutida com eles no segundo semestre de 2019. Sem eles, nada disso teria sido escrito.

REFERÊNCIAS

BARTUCCI, Giovanna. *Fragilidade absoluta*: ensaios sobre psicanálise e contemporaneidade. São Paulo: Planeta, 2006.

BOTZ-BORNSTEIN, Thorsten. What is the Difference between Culture and Civilization? Two Hundred Fifty Years of Confusion. *Comparative Civilizations Review*, v. 66, n. 66, 2012. Disponível em: <https://bit.ly/3aJ4gx3>.

BUTLER, Judith. *A vida psíquica do poder*. Tradução de Rogério Bettoni. Belo Horizonte: Autêntica, 2019.

CALAME, Claude. Civilisation et Kultur: de Friedrich August Wolf à Sigmund Freud. *Cahiers Mondes anciens*, v. 11, 26 mar. 2018. Disponível em: <https://bit.ly/34jZjZ5>.

CASSIN, Barbara (Dir.). *Vocabulaire européen des philosophies*: dictionnaire des intraduisibles. Paris: Le Seuil; Le Robert, 2004.

CRÉPON, Marc; DE LAUNAY, Marc. Glossaire. In: FREUD, Sigmund. *Anthropologie de la guerre*. Paris: Fayard, 2010.

ELIAS, Norbert. *Über den Prozess der Zivilisation* (Trad. Francesa: *La Civilisation des moeurs*). Frankfurt am Main: Suhrkamp, 1981. t. 1, p. 3.

FREUD, Sigmund. *Briefe*: Über 1600 Briefe von und an Freud. Edição de Tomas Müller. Berlim: Heptagon, 2013. (Edição do Kindle)

FREUD, Sigmund. Thomas Mann zum 60. Geburtstag: Lieber Thomas Mann!. *Almanach der Psychoanalyse*, v. 11, n. 18, 1936.

FREUD, Sigmund. *Totem und Tabu*. Frankfurt am Main: Fischer, 1999. t. IX.

LACAN, Jacques. De nossos antecedentes. In: *Escritos*. Rio de Janeiro: Zahar, 1998. p. 66.

LE RIDER, Jacques. Cultivar o mal-estar ou civilizar a cultura? In: *Em torno de* O mal-estar na cultura. São Paulo: Escuta, 2002a.

LE RIDER, Jacques. *Freud: de l'Acropole au Sinai*. Paris: PUF, 2002b.

MANN, Thomas. *Gedanken im Kriege*. Frankfurt am Main: Fischer, 2002. (Edição do Kindle)

PELZER, Jürgen. Thomas Mann. In: DANIEL, Ute *et al*. (Eds.). *1914-1918 on-line: International Encyclopedia of the First World War*. Berlin: Universität Berlin, 2015. Disponível em: <https://bit.ly/34jOfLM>.

RAULET, Gérard. As duas faces da morte. In: LE RIDER, Jacques. *Em torno de O mal-estar na cultura*. São Paulo: Escuta, 2002.

ROSENFELD, Anatol. *Thomas Mann e a política alemã*. Tradução de Jacob Guinsburg. São Paulo: Biblioteca Folha, 1995. Disponível em: <https://bit.ly/3aO0CSF>.

SAFRANSKI, Rüdiger. *Romantismo*: uma questão alemã. São Paulo: Estação Liberdade, 2010.

SAID, Edward. *Freud e os não-europeus*. São Paulo: Boitempo, 2004.

TYLOR, Edward. *Primitive Culture*: Research into the Development of Mythology, Philosophy, Religion, Art, and Custum. London: John Murray, 2010 [1871].

VERMOREL, Madeleinte; VERMOREL, Henri. Genèse de l'œuvre freudienne au sein de la culture allemande. In: *Cahiers de l'Herne: Freud*. Paris: Éditions de l'Herne, 2015.

NOTAS

1 Tal fenômeno não se restringiu a línguas como o alemão, o francês ou o português. Nos países de língua inglesa, *Civilization and its discontents* deu origem a livros como *Liberalism and its discontents*; *Feminism and its discontents*; *Globalization and its discontents*; *Gentrification and its discontents*; *Microfinance and its Discontents; Imunisation and its discontents*, etc.

2 Para uma delimitação precisa da noção de mal-estar e de termos correlatos, ver DUNKER, Christian. *Mal-estar, sofrimento e sintoma.* São Paulo: Boitempo, 2015.

3 Ver, por exemplo, o excelente artigo de Oswaldo Giacoia, "Antigos e Novos Bárbaros". In: LINS, Daniel; PELBART, Peter P. (Orgs.). *Nietzsche e Deleuze*: *Bárbaros, Civilizados.* São Paulo: Anna Blume, 2004, v. 1. p. 189-201.

4 Quando, a 4 de outubro de 1914, "representantes da ciência e da arte alemãs", vários deles renomados vencedores de Prêmio Nobel, além de nomes como Ernst Haeckel, Felix Klein, Max Planck, Wilhelm Wundt, entre outros, assinam o famoso *Manifesto dos 93* em apoio ao avanço de tropas alemãs, eles o fazem em nome da verdade e da cultura: todas as frases começam com "*Es ist nicht wahr*" ("não é verdade"); o Manifesto intitula-se *An die Kulturwelt!* (Para o Mundo da Cultura!). E concluem defendendo o militarismo alemão: "Sem o militarismo alemão, a cultura alemã teria sido varrida há muito tempo da face da Terra". Thomas Mann não assinou o documento.

5 Até o final de 1915, foram publicados mais de um milhão e meio de poemas de guerra, 800 volumes de literatura de guerra e cerca de mil sermões religiosos.

6 É evidente que o quadro aqui esboçado não é tão homogêneo quanto parece. Diversos contraexemplos poderiam ser evocados, especialmente o do próprio Nietzsche, que sustenta o antagonismo *KvsZ* num sentido totalmente diverso do exposto anterior; ou o próprio Thomas Mann de textos posteriores, especialmente o monumental *Doutor Fausto*. Mas o intuito aqui é apenas descrever o quadro genérico, aquele que forneceu combustível para a perigosa instrumentalização em curso no período estudado.

7 Aliás, é improvável que Freud tivesse em mente "Pensamentos de guerra", de Thomas Mann. Salvo engano, não há rastros textuais dessa leitura na obra de Freud. A relação entre Mann e Freud, que data da década de 1930, reiterada em cartas e visitas, nunca foi dissociada de um certo caráter agonístico. Melhor prova disso é a

famosa carta que o psicanalista enviou ao escritor por ocasião de seu 60° aniversário. Já estamos em 1935, época de grande mobilização de fantasmas políticos violentos. Escreve Freud: "Em nome de inúmeros de seus contemporâneos, permito-me dar expressão a nossa convicção. O senhor jamais faria ou diria algo – e as palavras do Poeta são atos – que fosse covarde ou de baixo nível. Nos tempos e situações que confundem o juízo, o senhor seguirá pelo bom caminho e também o indicará aos demais".

[8] Não que, por outro lado, em nome da "civilização" não tenham sido cometidas as maiores atrocidades. As histórias das ex-colônias francesas e inglesas, assim como das espanholas e portuguesas, estão aí para nos lembrar. Sem pretender uma matemática obscena das máquinas de morte, tanto "cultura" quanto "civilização" souberam justificar violências e massacres sob nomes polidos e nobres ideais.

[9] Como se lê no *Dicionário dos intraduzíveis*: "cosmopolita, universalista, marcado pelo espírito das Luzes, democrática em sua essência, a *Zivilisation* engloba, em contrapartida uma ameaça de decomposição para os conjuntos nacionais que ela transcende ou federa. Em sua forma exacerbada, a oposição entre cultura e civilização traduz a desconfiança alemã acerca de uma universalidade herdeira das Luzes que dissimularia uma vontade hegemônica da França" (CASSIN, Barbara (Dir.). *Vocabulaire européen des philosophies: dictionnaire des intraduisibles.* Paris: Le Seuil; Le Robert, 2004).

Prefácio
MAL-ESTAR: CLÍNICA E POLÍTICA

Gilson Iannini
Jésus Santiago

Budapeste, setembro de 1918. Falta pouco mais de um mês para que o armistício que encerraria a Primeira Guerra Mundial fosse finalmente assinado. Depois de um hiato de praticamente cinco anos, ocorre o V Congresso Internacional de Psicanálise. O principal tema do Congresso são as consequências psíquicas da guerra e as possibilidades terapêuticas que a psicanálise pode oferecer às neuroses de guerra. Ciente da particular audiência presente na Academia de Ciências de Budapeste, assim como do momento único que se descortina diante dele, Freud aproveita a presença de representantes dos governos da Alemanha, da Áustria e da Hungria para propor o que pode ser visto como um *momento de inflexão* clínica e política na história da psicanálise. A atmosfera, segundo relata Anna Freud, era um misto de surpresa e entusiasmo. Agente e testemunha da história, Freud propõe novos "Caminhos da terapia psicanalítica", como o próprio título da conferência expressa com perfeição. Em que consistem esses novos caminhos? Primeiramente, trata-se de rever o próprio estatuto da terapia analítica, o que implica rever também "nossa posição na sociedade humana, para observar em que direções ela poderia se desenvolver" (FREUD, 2016, p. 191). Essa revisão culminaria na proposta de estender o tratamento psicanalítico a camadas da população carentes de recursos financeiros por meio de clínicas gratuitas, que funcionariam ainda como institutos de formação. A intervenção foi certeira: o que lemos ali não é apenas uma *interpretação* de um sintoma da psicanálise, mas um *ato,* cujo efeito de corte teve amplas ressonâncias não apenas para a inserção social da psicanálise, mas também para a sua própria política. Freud não poderia perder a chance de falar sobre o futuro da psicanálise no pós-guerra, especialmente para camadas mais pobres da população, por meio de serviços públicos de saúde. Não por acaso, sua fala foi vista como um misto de profecia e desafio (DANTO, 2019). Os novos caminhos, porém, não se resumem a isso.

O que está em jogo aqui não é algum tipo de má consciência ou boa intenção filantrópica: o que está em jogo é uma premissa inseparável da ética da psicanálise. Quando Freud afirma, "pude ajudar pessoas com as quais não tinha qualquer laço de raça, educação, posição social ou visão de mundo, sem incomodá-las em suas peculiaridades" (FREUD, 2016, p. 198), é todo um programa clínico e político que se delineia. Esse programa tem fortes repercussões na inflexão que a própria obra de Freud experimenta a partir de então. Não é por acaso que a maioria dos textos sobre sociedade, religião e cultura é *posterior* à Grande Guerra. De alguma maneira, os novos "Caminhos" desembocam numa percepção cada vez mais aguda do papel da psicanálise na cultura. Freud não se contenta em promover a inserção social da psicanálise, mas se esforça também em pensar psicanaliticamente o estatuto dessa inserção. Esse movimento coincide com um movimento no interior da obra de Freud, que culmina com a publicação de verdadeiros clássicos como *Psicologia das massas e análise do Eu* (1921) ou *O mal-estar na cultura* (1930). Ao mesmo tempo, assistimos a uma espécie de refluxo das grandes narrativas clínicas. Com efeito, todos os assim chamados "grandes casos clínicos" – Dora, Hans, Homem dos Ratos, Schreber e Homem dos Lobos – remontam ao período que ficou conhecido como "primeira tópica", que é marcada pelo inconsciente coextensivo ao recalcado e pela "era de ouro" da interpretação. Todas as "cinco psicanálises", como ficaram conhecidas essas histórias clínicas, são anteriores à Primeira Guerra Mundial. Assistimos, portanto, a um movimento duplo: mais ou menos ao mesmo tempo que as grandes narrativas clínicas parecem perder força no horizonte de interesses de Freud, os textos sociais se avolumam. Como entender esse curioso movimento? Trata-se apenas de um movimento aparente, como o deslocamento de um corpo em relação a um sistema de referência que também está em movimento?

É verdade que, depois de 1918, Freud publica vários excertos clínicos cruciais, mas a forma literária da apresentação clínica é reinventada. Cada vez mais, a escrita da clínica será inseparável da reflexão metapsicológica, social e cultural. Não mais a grande narrativa, a história clínica, mas o *fragmento* clínico, inserido na própria trama do discurso, o que inaugura uma nova perspectiva teórica e clínica. Algo semelhante ocorre com a reflexão sobre a técnica. Depois da reformulação dos anos 1920, não há propriamente artigos "técnicos": não por causa de algum desprestígio da técnica, mas porque não chega a ser mais possível pensar a técnica separadamente. Cada vez mais, trata-se de pensar a posição do analista: questões técnicas se desdobram em aspectos éticos e políticos. Nesse sentido, o próprio sistema de referências está em vertiginoso movimento. Os textos das décadas de 1920 e 1930 que se dedicam à sociedade, à cultura e à religião são, ao mesmo tempo, atravessados por uma dimensão clínica irredutível.

E isso se dá pela simples razão de que a prática clínica é atravessada, de ponta a ponta, por aquilo que se precipita das formas da vida social na vida psíquica do sujeito. Por isso, cada vez mais é impróprio estabelecer uma linha divisória rígida entre os chamados textos clínicos, metapsicológicos e os textos "sociais". É no interior destes últimos que as formas do mal-estar subjetivo e seus sintomas são escrutinados.

Tudo se passa como se uma desconfiança cada vez maior em relação à interpretação e à narrativa se impusesse a Freud, num movimento curiosamente análogo ao que Walter Benjamim descreveria em seu célebre *Experiência e pobreza* (2002). O argumento é conhecido por todos: os combatentes que retornam da guerra não voltavam mais ricos em experiências partilháveis, e sim mais pobres. Sobre a experiência que seria "uma das experiências mais monstruosas da história universal" (Benjamim, 2002, p. 86), eles não têm o que narrar. Não apenas a experiência se perde, mas também alguma coisa na própria linguagem parece ter se despedaçado. A forma narrativa, pelo menos o tipo de narrativa próprio da literatura do século XIX, aquela do romance de formação, com o narrador onisciente, relatando retrospectivamente os acontecimentos, não tem mais lugar. Quase do mesmo modo, a escrita clínica vai paulatinamente se afastando da forma literária da narrativa e se disseminando na própria tessitura do discurso. Uma nova forma de indexar caso e conceito, singularidade e teoria, se impõe ainda mais explicitamente à psicanálise. Na virada do pós-guerra, Freud, um pouco como "o novo bárbaro" de Benjamin, parece começar tudo de novo: ele volta ao princípio e aprende a "viver com pouco, a construir algo com esse pouco" (Benjamin, 2002, p. 87).

"SEM INCOMODÁ-LAS EM SUAS PECULIARIDADES"

Mas retomemos o fio do argumento. Dissemos anteriormente que todo um programa clínico e político se abre quando Freud enfatiza que em sua experiência clínica ele pôde ajudar pessoas com as quais não tinha qualquer laço de "raça, educação, posição social ou visão de mundo" e isso "sem incomodá-las em suas peculiaridades" (FREUD, 2016, p. 198). Mesmo no contexto de uma guerra de uma violência sem precedentes, tal afirmação não é pouca coisa. Afinal, são justamente esses laços que haviam sido brutalmente rompidos durante a guerra. Dizer isso ainda é pouco. Na verdade, a guerra desnuda a precariedade desses laços. Afirmar que a psicanálise implica respeitar as singularidades do sujeito, a despeito de diferenças de raça, educação, posição social e visão de mundo é uma declaração ao mesmo tempo política e clínica. *Política*, porque transcende as próprias disposições pessoais do analista; *clínica*, pois a defesa da singularidade é intransigente. Por isso, a formação do analista é inseparável desta discussão. O melhor exemplo dessa premissa ética é a oposição veemente do inventor da psicanálise a duas vertentes da psicanálise que haviam desvirtuado precisamente essa premissa ética. Abordando o risco de uma certa análise ortopédica, que submete os destinos de uma análise, seja aos ideais do terapeuta, seja aos ideais sociais determinados, Freud nos dá um exemplo preciso do que é a ética da psicanálise. "Caminhos da terapia psicanalítica" começa afirmando "a incompletude do nosso conhecimento" (FREUD, 2016, p. 191) e a consequente abertura para inovações técnicas. Mas é preciso salientar que a teoria e a técnica podem ser constantemente aperfeiçoadas, ao contrário da premissa ética da clínica. Um exemplo maior dessa posição é o seguinte:

preocupado em definir a especificidade da terapia psicanalítica, Freud opõe-se à Escola Suíça e à Escola Americana. Numa passagem exemplar, escreve o autor: "recusamos enfaticamente transformar o paciente, que se entrega em nossas mãos buscando ajuda, em nossa propriedade, formar o seu destino para ele, impor-lhe os nossos ideais e, com a altivez do Criador, formá-lo à nossa semelhança, para a nossa satisfação" (FREUD, 2016, p. 198). Os temas do *ideal* e da *identificação*, amplamente aprofundados em *Psicologia das massas e análise do Eu* (1921), ganham envergadura teórica a partir desse contexto clínico, não apenas porque implica dificuldades técnicas, mas também, principalmente, porque demarca uma postura ético-política. Submeter o tratamento analítico a ideais externos; oferecer o Eu do analista como modelo de identificação; impor esta ou aquela visão de mundo "é apenas violência, mesmo que encoberta pelas mais nobres intenções" (FREUD, 2016, p. 199). Nesse sentido, é como problema clínico que a violência surge. Primeiramente, a *violência* aparece como um risco da própria terapia: a interpretação, ela própria ou amplificada por um certo uso da relação transferencial, pode *violentar* o psiquismo do paciente, caso não seja sensível a suas "peculiaridades". Não custa lembrar quais "peculiaridades" são explicitamente mencionadas: aquelas relativas a "raça [*Rasse*], educação [*Erziehung*], posição social [*sozialen Stellung*] ou visão de mundo [*Weltanschauung*]". O analista não precisa comungar de nenhum laço dessa natureza com o paciente: não é o eixo imaginário da intersubjetividade que pauta a ação clínica. Aliás, quando Freud enuncia, em 1921, sua recusa da oposição entre *Kultur* e *Zivilisation*, podemos ler essa recusa também sob esse fundo clínico de recusa de perspectivas fundadas nesta ou naquela raça ou visão de mundo. Ora, não é difícil perceber que essa importante temática da *violência da interpretação* surge justamente nesse contexto anteriormente aludido. E que desemboca, não tarda, na inflexão levada a efeito em *Psicologia das massas e análise do Eu*. Ou seja, uma reflexão eminentemente clínica acerca da idealização e da identificação culmina numa reflexão social de grande envergadura. Isso mostra o vínculo orgânico entre as esferas clínica e social no interior do pensamento de Freud.

UM CAPÍTULO ESQUECIDO
DA HISTÓRIA DA PSICANÁLISE

Não foram poucas as ressonâncias práticas da Conferência de Budapeste, levadas a efeito por diversos participantes do Congresso. Em 1920, Max Eitingon e Ernst Simmel fundam a Policlínica de Berlim, que ofereciam tratamento gratuito e onde trabalhavam nomes como Melanie Klein, Hanns Sachs e Karl Abraham; dois anos mais tarde, Eduard Hitschmann inaugura uma clínica social em Viena, o Ambulatorium, dirigido em seguida por Wilhelm Reich, com o suporte de Freud; depois de algum tempo, Sándor Ferenczi funda em Budapeste mais uma clínica gratuita. As ressonâncias da Conferência chegam ainda a Ernest Jones, que, mesmo não tendo participado do Congresso de Budapeste, cria a London Clinic for Psychoanalysis em 1926. Ao fim e ao cabo, entre o final da Primeira Guerra Mundial e a ascensão do Reich nazista, mais de dez clínicas sociais foram fundadas por discípulos de Freud, de Londres a Zagreb (DANTO, 2019).

Nem todo mundo notou outro deslocamento igualmente importante: o reconhecimento da psicanálise passa a depender mais de sua inserção social do que de sua legitimação acadêmica. Se é verdade que Freud lutou incansavelmente pelo reconhecimento científico da psicanálise, buscando legitimá-la junto de instituições como a Universidade e a Medicina, depois da instauração das policlínicas, ocorrida no entreguerras, o eixo desse reconhecimento é deslocado para outra direção. Cada vez mais, trata-se de fazer reconhecer a psicanálise como método de tratamento de interesse social, de inseri-la no contexto das políticas públicas, inicialmente na saúde, mas também na educação. Por volta de 1928, "todas as escolas primárias e secundárias em Viena estavam associadas com uma clínica, pois onze clínicas de orientação infantil locais haviam sido abertas sob a direção de Alfred Adler" (DANTO, 2019, p. 251).

Como escreveu Paul Federn, após a Primeira Guerra Mundial, o interesse público pela psicanálise "se propagou mais rápido do que a corporação conservadora, a profissão médica" (DANTO, 2019, p. 165). Nada mais natural, acrescentaríamos, que esse deslocamento se traduzisse também em pesquisa teórica. Para se ter uma ideia do sucesso dos propósitos apresentados em "Caminhos da terapia psicanalítica", uma década depois do Congresso de Budapeste, "homens e mulheres pobres de Viena tinham naquele momento o mesmo direito social ao tratamento de saúde mental quanto à cirurgia; a doença mental era considerada uma ameaça para a saúde pública, similar à da tuberculose" (DANTO, 2019, p. 279). Mesmo que as primeiras clínicas sociais tenham sido financiadas por amigos e filantropos simpáticos à psicanálise, por volta de 1930, o Estado reconhecia o seu valor. Aos poucos, "a ligação pública entre o nome de Freud e os sociais-democratas no governo aumentava sua força" (DANTO, 2019, p. 279). Quando recebeu o título de cidadão honorário de Viena das mãos da administração municipal, já era suficientemente claro que "as políticas econômicas redistributivas dos responsáveis financeiros da Viena Vermelha [...] haviam se consolidado e fundos excedentes eram invariavelmente repassados a instituições de bem-estar social" (DANTO, 2019, p. 219). Sob o comando de Siegfried Bernfeld, os psicanalistas apresentavam palestras em cursos de formação continuada de associações médicas e centros culturais, além de oferecerem cursos para o *Volksbildungshaus "Urania"* (um projeto educativo popular), o *Volkshochschulen* (cursos de educação para adultos) e uma série de associações para a educação das mulheres e dos trabalhadores" (DANTO, 2019, p. 166). Nada disso passou despercebido pela imprensa. A publicação de uma série de artigos elogiosos nos periódicos populares dirigidos por Hugo Bettauer teve como efeito um aumento significativo do fluxo de pacientes no Ambulatorium. Cinco temas, propostos por Reich, o jovem e inquieto diretor da clínica, eram sistematicamente comentados nas revistas: "a hipocrisia do Estado, os direitos dos homossexuais e o direito ao aborto, um padrão duplo para as mulheres, a falta de moradia e a distinção entre sexualidade natural e pornográfica" (DANTO, 2019, p. 171). A luta de classes na recepção da psicanálise na imprensa havia apenas começado. Enquanto progressistas como Bettauer viam na psicanálise perspectivas emancipatórias e a situavam do lado de causas feministas e sociais, "o escritor elitista Karl Krauss também criticava as leis sexuais repressivas da burguesia, porém ridiculariza a psicanálise ao descrevê-la como 'a doença mental da qual ela própria se considera a cura'" (DANTO, 2019, p. 174).

DA CLÍNICA À POLÍTICA E RETORNO

A Viena Vermelha e a Berlim de Weimar eram os epicentros de experimentos clínicos e sociais. No prefácio ao livro que celebrava os primeiros dez anos da Policlínica de Berlim, Freud comemorava o fato de que a clínica havia tornado "nossa terapia acessível ao grande numero de pessoas que sofrem por suas neuroses não menos que os ricos, mas que não estão em condições de arcar com o custo de seu tratamento" (FREUD *apud* DANTO, 2019, p. 279). Para se ter uma ideia da extensão do trabalho, a Policlínica de Berlim funcionava diariamente, das 8 às 20 horas, oferecendo cerca de trezentas sessões gratuitas por semana, sem horário marcado (DANTO, 2019). Os registros minuciosos de todos os casos atendidos na década de 1920, uma exigência inflexível de Max Eitingon, permitem esboçar um perfil demográfico capaz de desfazer certos estereótipos ainda hoje difundidos. Primeiramente, o número de adultos jovens atendidos havia quintuplicado em uma década; além disso, "uma diversidade de idade, sexo, ocupação e situação social constituía a base geral dos pacientes da policlínica" (DANTO, 2019, p. 280). Isso bastaria para dissipar a suposição tão corrente quanto infundada de que "as mulheres burguesas fossem a principal clientela dos psicanalistas porque eram histéricas e podiam custear a atenção" (DANTO, 2019, p. 281). Um pouco antes, em outro prefácio, desta vez ao livro de August Aichhorn sobre o tratamento psicanalítico da delinquência, Freud comemorava "o grande valor social" do trabalho que Aichhorn desenvolvera no início da década de 1920 com aqueles adolescentes, em sua maioria pobres ou sem família. Por essas e outras, Franz Alexander "ria de alegações de que Freud negligenciava os fatores sociológicos" (DANTO, 2019, p. 207). Seu trabalho pioneiro com gangues adolescentes das ruas de Chicago, que estenderam pela primeira vez a psicanálise à criminologia, era amplamente devedor dos comentários de Freud, no seminário mensal que ele frequentara durante sua formação.

A técnica clínica não ficou imune às transformações impostas por essa nova disposição da psicanálise na cidade. Quanto ao manejo do tempo, por exemplo, na Policlínica de Berlim, Max Eitingon estimulava os jovens analistas a experimentarem programas fracionados de tratamento, dividindo-os em "tranches" como se diria hoje, além de encorajar sessões mais curtas. Principalmente com casos limítrofes e psicoses, recomendava-se não prolongar a hora clínica por sessenta minutos. Insistindo na flexibilidade, Alexander alegava que "o tratamento deveria ser ajustado ao paciente, e não o inverso" (DANTO, 2019, p. 225). A questão de quando uma análise seria considerada completa também foi intensamente discutida naquele novo contexto. Acompanhando de perto as discussões de seus discípulos, Freud fornecia a base teórica: "A análise finita e a infinita" (1937), por exemplo, pode ser lido como uma resposta ao gênero de questões suscitadas pelos praticantes que trabalhavam na ponta.

Nesse sentido, a clínica psicanalítica não paira na história e na sociedade em que foi produzida ou fora delas, nem tampouco pode ser encerrada nos limites fechados de suas configurações particulares. Ela não é nem uma estrutura a-histórica imune às vicissitudes da sociedade e da cultura, como sonham alguns psicanalistas, muito menos uma prática ultrapassada ou restrita a um mundo que não existe mais, ao contrário do que insistem alguns críticos. A letra viva do texto de Freud testemunha justamente que ele sobrevive a uns e a outros. Nas primeiras páginas da *Psicologia das massas e análise do Eu* (1921), afirma-se que "o outro é, via de regra, considerado como modelo, como objeto, como auxiliar e como adversário, e por isso a psicologia individual é também, de início, simultaneamente psicologia social" (neste volume, p. 137). Isso quer dizer que a dimensão clínica – objeto preferencial e privilegiado de boa parte do edifício conceitual psicanalítico – não se reduz ao psiquismo individual, como também os fenômenos sociais e institucionais não são abordados sem levar em conta o funcionamento psíquico do sujeito. Mas qual o sentido de privilegiar o funcionamento das *massas* a fim de pensar fenômenos *sociais*? Primeiramente, é preciso lembrar que laços de comunidade são sempre propensos a se tornar formação de massas e a funcionar segundo sua lógica. O que está em jogo, portanto, não é o número de pessoas agrupadas, mas seu modo de funcionamento. Por isso, Freud formula o surpreendente sintagma da "formação de massas a dois" (neste volume, p. 190).

UMA FORMAÇÃO DE MASSAS A DOIS

Ao admitir que as mesmas leis determinam tanto o *individual* quanto o *social*, Freud diz que o Eu [*Ich*] pode facilmente se tornar homogêneo em meio a massas, ao mesmo tempo que é radicalmente suprimido. Para atingir esse ponto, se faz necessário que uma marca diferencial (traço, insígnia, etc.) ou um objeto distintivo (chefe, entidade, totem, etc.) ocupe o lugar do que o Eu ama como o seu ideal. O êxito do processo de constituição da massa resulta não apenas da substituição entre o Eu e o objeto ideal, mas do fato de que cada Eu pertencente a essas formações de massa se identifique com todos os outros. Cabe mencionar que a lógica de funcionamento das massas religiosas e militares são tratadas com base em processos identificatórios nos quais o individual e o social se extraem de uma única estrutura em que são constituídos polos ou funções, estas reversíveis. O ponto de vista que paulatinamente se consolida ao logo do texto adquire o seu ápice com a formulação do gráfico da identificação em que se toma pressuposto a divisão do sujeito entre o Eu [*Ich*] e o Ideal do Eu [*Ichideal*], pois essa é a condição para se postular o que se designa como uma "massa primária", ou seja, "uma quantidade de indivíduos que colocaram um e o mesmo objeto no lugar de seu Ideal do Eu e, em consequência disso, identificaram-se uns com os outros em seu Eu" (neste volume, p. 192). Portanto, toda e qualquer concepção solipsista da subjetividade é rechaçada na medida que os processos identificatórios, como o amor e a hipnose, *são concebidos* como uma formação de "massas a dois" (neste volume, p. 206). A radicalidade sem precedentes desse enunciado se corrobora na equivalência entre a formação de massas e formação do Eu no amor e na hipnose. Sugere que o investimento libidinal tal como este se fixa nesses dois casos *não é passível de comparação com* o investimento característico da formação de massas, porque, do ponto de vista de sua estrutura de funcionamento libidinal, as massas são idênticas ao enamoramento e à hipnose.

É inegável que o conceito de identificação, que, como sugerimos anteriormente, decorre de problemas clínicos, não viria à tona sem a abertura do psicanalista para a investigação da mecânica causal do laço social, sem a mudança do foco de interesse para as formas de discursos e de seus sintomas tais como esses têm lugar no âmbito do exército e da religião. Essa correlação entre a formação do Eu e a das massas configura-se como um momento decisivo para a ultrapassagem da oposição entre uma psicologia individual e uma psicologia coletiva que, em última instância, afeta a definição do inconsciente. Por não ser redutível nem ao individual nem ao social, Lacan pôde levar às últimas consequências essa linha de argumentação, a ponto de qualificar o inconsciente como "parte do discurso concreto, como transindividual […]" (LACAN, 1998a, p. 260). Se o inconsciente, no discurso do sujeito, é a presença de tudo aquilo que recebeu do Outro na forma de discurso, é possível afirmar, inclusive, que "o inconsciente é a política" (LACAN, 1967, p. 236). Se a realidade transindividual do sujeito confere esse valor de política para o inconsciente, é na medida em que sua materialidade e seu campo se confundem com o discurso concreto, que decide pelas operações concernentes ao destino de uma vida e do laço social.

Mas o que seria um conceito de política consistente com a perspectiva freudiana? Uma questão complexa como essa não poderia ser resolvida nos limites deste texto. Contudo, uma discussão preliminar acerca das relações entre *política* e *violência* parece um bom ponto de partida. Hanna Arendt, por exemplo, procura mostrar que o poder que interessa à política "corresponde à habilidade de não apenas agir, mas agir em comum acordo" (ARENDT, 2009, p. 60). Isso implica admitir que o poder não é um objeto de posse, mas de investimento, que sempre se pode adquirir e perder. A psicanálise rechaça a instrumentalização da violência, pois parece não haver, na violência, nenhuma finalidade que não seja a satisfação que ela própria alcança com a pulsão de morte (MILLER, 2017, p. 26). Contudo, as coisas se complicam se considerarmos a perspectiva descrita por Freud em "Por que a guerra?". Respondendo a uma pergunta de Einstein sobre a relação entre *direito* e *poder*, Freud substitui *poder* (*Macht*) por *violência* (*Gewalt*) (neste volume, p. 427). O intuito é mostrar como a constituição de uma comunidade depende de um equilíbrio instável de forças, em que a violência do indivíduo mais forte é sobrepujada pela transferência da violência para a própria comunidade:

"a superação da violência através da transferência do poder a uma unidade maior, que é mantida coesa pelas ligações afetivas entre os seus membros" (neste volume, p. 429). Essa genealogia do poder mostra então que uma certa vertente da violência é condição de existência da própria vida em comum, desde que seja contida nos limites daquilo que mantém uma comunidade coesa: "ao se reconhecer uma comunidade de interesses como essa, estabelecem-se entre os membros de um grupo humano unificado ligações afetivas, sentimentos comunitários, nos quais se assenta a sua verdadeira força" (neste volume, p. 429). Invertendo a fórmula de Clausewitz, poderíamos dizer, com Freud, que *a política é a continuação da guerra, por outros meios*? Afinal, se o direito é o poder de uma comunidade, não obstante, ele "continua sendo a violência". Assim, a comunidade, por meio de instâncias como o direito, está sempre "pronta para se voltar contra qualquer indivíduo que se oponha a ela", mas a violência de que ela se vale para isso "trabalha com os mesmos meios, persegue os mesmos fins; realmente, a diferença reside apenas no fato de que ele não é mais a violência de um indivíduo que se impõe, mas a da comunidade" (neste volume, p. 429).

Duas coisas funcionam, portanto, como fundamentos da coesão de uma dada comunidade: "a coação [*Zwang*] da violência e os laços afetivos – que tecnicamente chamamos de identificações – entre os membros" (neste volume, p. 432-433). Ora, se esses são os fundamentos da coesão, nada garante que tal coesão não possa também transformar-se em segregação do diferente ou em violência pura contra outras comunidades igualmente coesas. Afinal, foi justamente no contexto de recrudescimento de ideologias nacionalistas que Freud formulou esse argumento, mobilizando diversos exemplos históricos da transformação de coesão identitária nacionalista em violência bruta. Além disso, parece que precisamos, então, é de um conceito de política que nos permita contrabalançar o regime de rebaixamento da atividade crítica típico regimes identitários fundados exclusivamente em gramáticas de afetos. Nesse sentido, virando ao avesso mais uma vez a fórmula de Clausewitz, talvez seja mais preciso dizer que *a política é a descontinuação da guerra*, por outros meios.[1] E que outros meios são esses, senão a palavra? O "uso das palavras com fins de identificação é o que denominamos política" (MILLER, 2016, p. 209). A *disjunção* entre *poder* e *violência* é uma das condições de existência da prática analítica. Mas essa disjunção só é possível por meio do próprio poder, ou, mais precisamente, do poder de um modo específico de circulação da palavra. Uma espécie de assunção da palavra que *desempodera* e *desintoxica* o sujeito das armadilhas do poder que afetam seu corpo, que *desidentifica* o sujeito das formas de discurso que o capturam, algo que Freud resumiu com um verdadeiro programa clínico e poético: "o que herdaste de teus ancestrais, conquista-o para fazê-lo teu" (FREUD, 2014, p. 177).

DA MORAL CULTURAL AO MAL-ESTAR

A Primeira Guerra Mundial redefiniu nosso sistema de evidências, nossa partilha do comum, tornando visíveis coisas antes encobertas pelo véu da invisibilidade. Separou também a própria história da psicanálise. Não apenas porque a clínica se deparou com traumas diferentes daqueles que emolduraram os anos dourados da era da interpretação: os sintomas histéricos e suas reminiscências de prazeres inconfessos perderam sua proeminência, diante do enigmático retorno de experiências de desprazer e dos sintomas de caráter pós-traumático relatados pelos combatentes. O bom funcionamento da homeostase do princípio do prazer tornava-se insuficiente para dar conta dessa nova clínica. Desde o momento que Freud, na virada dos anos 1920, revoluciona sua teoria pulsional, sua concepção do trauma, introduzindo a noção de Supereu, o componente do inconsciente transindividual se radicaliza e se aprofunda, de modo que o interesse de suas investigações e o próprio objeto de suas análises ganham uma configuração em que essa dimensão política se explicita ainda mais. O inconsciente transindividual e suas repercussões na montagem pulsional se prestam mais facilmente às análises concernentes aos possíveis progressos da cultura civilizada e de seu mal-estar, expressos na época de Freud pela guerra, pela violência, pelos conflitos religiosos, pelo crime e pela culpabilidade, pela política partidária obscurantista, que promoveria em breve o surgimento do nazifascismo, entre outros.

Não por acaso, a ideia principal que permitiu vislumbrar o fundamento psicanalítico da *Psicologia das massas* ocorreu a Freud enquanto ele concluía a redação de *Além do princípio de prazer* e, quase concomitantemente, retomava a escrita de *O infamiliar*. Isso mostra, por si só, como estão imbricadas no pensamento de Freud três dimensões aparentemente independentes entre si. Num dos vértices do triângulo, a referida reformulação clínica e metapsicológica da teoria das pulsões; na outra ponta, a reflexão estético-literária, que suplementa sua ambição científica com aspectos refratários àquela racionalidade; no terceiro vértice, a vertente política da psicanálise, que situa o sujeito na tênue linha que o liga e o separa do laço social. Essa imbricação triangular não é apenas o resultado de uma reconfiguração histórica, explicada em grande medida pelos diversos impactos que a Grande Guerra determinou, mas também expressa uma solidariedade teórica forte, um solo comum voltado à consolidação da experiência freudiana no horizonte da cultura. Essa forte solidariedade entre a clínica, o social e a política que, como já se assinalou antes, passa a vigorar com mais força após a Primeira Guerra Mundial. O que não quer dizer que, antes disso, Freud não se interessasse por temas culturais e sociais. Além de *Totem e tabu*, ele já havia publicado, em 1908, o artigo "A moral sexual 'cultural' e doença nervosa moderna". Apesar do interesse fortemente marcado pela interferência do laço social na causalidade das chamadas neuroses atuais, pode-se qualificar como um contraexemplo dos textos "sociais" tardios, na medida em que, àquela altura faltava apreender algo acerca do caráter estrutural do próprio devir da cultura. Nessa etapa de sua análise, a cultura ocupa, ainda, o lugar de uma instância que age exteriormente ao indivíduo, embora descarte as hipóteses sociogênicas unilaterais de certas teorias psiquiátricas e neurológicas da época, já que estas negligenciariam as causas particulares do sofrimento neurótico, bem como o elemento causal da sexualidade. De qualquer modo, com relação à neurose, considera que "a influência prejudicial da cultura reduz-se essencialmente à repressão [*Unterdrückung*] nociva da vida sexual dos povos (ou de camadas) de cultura, por meio da moral sexual 'cultural' que os domina" (neste volume, p. 71). É na virada de sua segunda concepção do aparelho psíquico que ele vai precisar a distinção entre o recalque [*Verdrängung*] e a "repressão nociva da cultura". Em outras palavras, à medida que avança, ele inclina-se mais para a ideia da primariedade do recalque e menos para a ação nociva da moral sexual vigente. É somente a partir daí que Freud inaugura suas hipóteses das exigências vorazes do Supereu no plano da cultura, recusando qualquer argumentação calcada no registro de uma sociogênese que, evidentemente, toma a repressão social como fator causal. Ao contrário do que fazem alguns de seus discípulos, em virtude do fator estrutural do recalque originário e de suas vicissitudes, *O mal-estar na cultura* evidencia que as pressões superegoicas que cada indivíduo experimenta em seu ambiente social, são, no essencial, um agente metapsicológico decisivo para o destino da subjetividade.

O DIAGNÓSTICO DO MAL-ESTAR CRÔNICO NA CULTURA

Não são poucas as evidências de que a ferocidade insensata do Supereu seja o grande destinatário da mensagem política freudiana, como referido anteriormente; de que o que mais tememos e odiamos é o mais exterior a nós, no fundo, o mais íntimo. O infamiliar próprio da ferocidade voraz do Supereu é estrutural, e não simples efeito externo da cultura, mas um mal-estar inerente ao trabalho da cultura sobre o sujeito. Freud observa, em *O futuro de uma ilusão* (neste volume, p. 233), que a aparente externalidade do "núcleo da hostilidade à cultura", remanescente do "estado animalesco originário" continua ainda operante: os desejos mais íntimos, relacionados a esse teor destrutivo das pulsões, renascem a cada dia, em cada criança.

Diante da afirmação de que há um núcleo da hostilidade à cultura e que este remonta a um estado originário animalesco, o qual não se sabe muito bem se sua existência é factível, é permitido dizer que Freud trabalha com uma concepção descontinuista da cultura com relação a esse suposto estado de natureza. Sob essa ótica, a cultura aparece inicialmente definida, no mais clássico sentido etnológico, como "a soma total das realizações e dos dispositivos através dos quais a nossa vida se distancia da de nossos antepassados animais e que servem a duas finalidades: a proteção do ser humano contra a natureza e a regulamentação das relações dos seres humanos entre si" (neste volume, p. 337). Evidencia-se nessa definição, inspirada no pensamento etnológico do século XIX, a recusa de qualquer perspectiva evolucionista para fazer valer a ideia de que o determinante natural mostra-se em radical oposição à cultura.[2] O trabalho da cultura, considerado globalmente, realiza-se como uma espécie de metaforização da natureza. Essa ruptura confirma-se nas exigências de beleza, limpeza e ordem, que ocupam um lugar muito especial no trabalho de controle das forças naturais pela cultura. Essa é a razão pela qual se detecta, em Freud, uma aversão por qualquer saída que preconize uma volta à natureza como solução para o mal-estar na cultura.

No seio desse antagonismo entre natureza e cultura, ele desenvolve, pouco a pouco, o que aparenta ser uma doutrina ética de caráter eudaimonista. A pergunta sobre o propósito da vida, que nunca deixou de ser formulada por sistemas religiosos e filosóficos, é uma pergunta sem respostas. A psicanálise recusa a pergunta e a substitui por uma outra "menos pretensiosa". Freud a formula assim: "o que os próprios seres humanos deixam reconhecer pela sua conduta como sendo o propósito e a intenção de suas vidas, o que eles exigem da vida e o que nela querem alcançar?" (neste volume, p. 320). Esse deslocamento é fundamental. Trata-se de passar de uma pergunta de tipo finalista, que supunha uma ordem moral na natureza, a uma pergunta materialista, que engendra outro aspecto da causalidade: não mais final, mas sim material.[3] Em passo conhecido, Freud responde: "é simplesmente o programa do princípio de prazer que determina o propósito da vida" (neste volume, p. 320). Ou seja, não se trata de definir a finalidade ou o propósito da vida, mas de mostrar que a questão da felicidade é apenas a superfície visível (imaginária) do que realmente opera: o princípio do prazer. É preciso observar ainda que essa formulação do propósito da vida se apresenta sob duas faces distintas. De um lado, "quer ausência de dor e de desprazer", e, de outro, "a experiência de intensos sentimentos de prazer" e de gozo (neste volume, p. 320). É preciso acrescentar que, em relação a essa dualidade de objetivos, "a atividade dos seres humanos desdobra-se em duas direções, dependendo de eles procurarem realizar uma ou outra dessas metas, de maneira predominante ou mesmo exclusiva" (neste volume, p. 320). Assim sendo, é o aspecto da busca obstinada do gozo e dos mais fortes sentimentos de prazer que determina o sentido mais próprio do que *nomeamos* felicidade. O único meio de se vislumbrar a mínima possibilidade de felicidade exige uma espécie de estratégia de preservação, que procure economizar o desprazer e o sofrimento. No entanto, o reconhecimento de um tal eudaimonismo na conduta efetiva dos homens não implica subscrever nenhuma concepção finalista ou teleológica da vida. Assim, Freud é levado a concluir que "intenção de que o ser humano seja 'feliz' não está no plano da 'Criação'" (neste volume, p. 320). De acordo com essa concepção negativa, a felicidade, longe de ser uma afirmação triunfante da natureza do homem, serve para avaliar aquilo que resiste à sua realização. Sob a égide desse postulado, é o próprio objeto etnológico da cultura que, gradualmente, é subvertido. Em oposição a toda *Weltanschauung* naturalista, presente no campo etnológico emergente, ele não postula nenhuma harmonia entre o "microcosmo" humano e o "macrocosmo". Pelo contrário, o universo inteiro parece se opor à realização do programa do princípio de prazer. Todo progresso da civilização paga o preço de uma renúncia pulsional e o quanto esta tem como pressuposto precisamente a não satisfação. É essa verdadeira recusa ou "impedimento cultural" [*Kulturversagung*] (neste volume, p. 347) que determina o caráter estrutural do mal-estar, inerente à economia pulsional do homem na cultura. Por outro lado, essa impossibilidade de atingir a felicidade explica-se por suas limitações constitutivas para realizar o programa do princípio de prazer: o ser humano não está aparelhado para experimentar a felicidade em toda sua plenitude. Essa insuficiência remonta, na verdade, a uma falha inerente ao aparelho destinado a proporcionar prazer, falha constituída de três fontes essenciais, a saber: o próprio corpo, a relação com o mundo e, finalmente, a relação com os outros.

O advento da ideia de um mal-estar se faz em oposição à crença numa felicidade possível, ainda que amparada e apregoada pelo progresso das ciências e da técnica. Se o acúmulo dos conhecimentos científicos e o crescimento das possiblidades da técnica provêm de um inegável progresso da razão, estes não garantem em nada maior felicidade para os homens. Sem dúvida, Freud visa a alguma coisa de mais determinante, de mais estrutural, no trabalho da cultura (*Kulturarbeit*) sobre o sujeito. Justamente enquanto "objeto metapsicológico" (ASSOUN, 1993, p. 132), esse trabalho da cultura aparece como aquilo "que pede demais ao sujeito" (LACAN, 1998b, p. 47). Em última análise, a cultura consiste na pressão que não é senão uma exigência de renúncia ao prazer ou à satisfação pulsional. No fundo, é esse fator de renúncia cultural (*Kulturversagung*) que rege o vasto domínio das relações entre os homens. O aspecto mais importante do trabalho da cultura repousa nesse princípio de renúncia às pulsões, logo na exigência de não satisfação dessas forças poderosas. Em suma, é em função desse tensionamento estrutural que se delimita a "metapsicologia da cultura" (ASSOUN, 1990, p. 88) em que se extrai o caráter trans-histórico do diagnóstico do mal-estar crônico da cultura. Freud sugere, portanto, um funcionamento econômico da cultura, no qual, em função de uma fonte energética libidinal limitada, cada um deve resolver as tensões criadas pela força constante das pulsões. Do ponto de vista econômico, a cultura apresenta-se como um vasto mercado de custos, prejuízos e compensações no qual os mitos, as religiões, a moralidade, as artes e os sintomas se sobrepõem como tentativas de equacionamento do déficit de satisfação das forças pulsionais. Ela constitui-se, finalmente, em um contrainvestimento simbólico absoluto da falta de satisfação, produzida por esses verdadeiros fragmentos de satisfação extraídos do corpo que são as pulsões. A interpretação desse elemento econômico do trabalho da cultura exprime-se, fundamentalmente, na noção de um excedente de satisfação, obtido pela renúncia pulsional. Por meio da formulação paradoxal da satisfação pulsional apreende-se a impossibilidade da felicidade que, em última instância, denota que o aspecto totalizante da experiência de satisfação perde todo seu valor. Este último aspecto é uma construção mítica que, necessariamente, só vale para o pai primitivo. O mito do pai gozador, chefe da horda primitiva, desempenha um papel explicativo fundamental para a economia libidinal. A satisfação pulsional apenas opera enquanto excedente, ou seja, resulta de um efeito de subtração do gozo absoluto do qual o pai mítico seria o portador. É por isso que toda aspiração de felicidade sob as bases de um gozo sem entraves esbarra com o fato de que o acesso ao gozo supõe esse efeito de subtração cujo agente fundamental é a linguagem.

O quadro se complica sobremaneira quando a parte final do ensaio introduz a pulsão de morte: não se trata mais apenas de um antagonismo entre exigências das pulsões sexuais e exigências da cultura, mas de um antagonismo mais fundamental, que opõe Eros e morte, operando tanto no sujeito quanto na cultura. O elemento econômico, que representa uma fonte crônica de insatisfação na qual se funda a aporia da pulsão no plano da cultura, apenas se aprofunda com a formulação da pulsão de morte. Admitida a hipótese da pulsão de morte, é possível demonstrar a discórdia que se opera no psiquismo, como consequência da articulação paradoxal entre a libido e morte. Essa ruptura estabelece a invariante essencial do trabalho de pura perda da cultura civilizada. Com a pulsão de morte, obtém-se a formalização da falha primordial da satisfação. A pulsão de morte compõe o dado básico da inadequação incondicional da cultura para prover o ser falante de um bem-estar idealizado. Desse ponto de vista, pode-se ler a satisfação pulsional como a causa estrutural da impossibilidade de felicidade na cultura. Na verdade, o sofrimento e o modo como cada um vive a pulsão são o que define o mal-estar (*Unbehagen*).

Para Freud, "a vida, tal como nos é imposta, é muito difícil para nós, traz-nos muitas dores, desilusões, tarefas insolúveis" (neste volume, p. 318). Nesse contexto de mal-estar crônico, o homem procura gerenciar sua dor de viver por meio de uma verdadeira tópica de sedativos proposta pela cultura. Na realidade, o programa destinado a evitar o sofrimento e a conquistar a felicidade comporta a aplicação de numerosos e diversos métodos que ele designa pelo termo genérico de "técnica de vida" (*Lebenstechnik*).

São as "construções auxiliares" (*Hilfskonstruktionen*) oferecidas pela cultura, a fim de atenuar o sofrimento. Assim, os grandes divertimentos permitem transformar a miséria humana em variadas formas de satisfação substitutivas e, finalmente, o recurso à droga propõe-se, como outros tantos sedativos, a ajudar a suportar a vida e apaziguar a angústia. A arte e a religião constituem exemplos paradigmáticos do regime de satisfação substitutiva ao alcance do homem na cultura. Segundo Freud, as satisfações que obtemos por meio da arte "são ilusões, em relação com a realidade, e por isso não menos eficazes psiquicamente, graças ao papel que a fantasia conquistou na vida anímica" (neste volume, p. 319). A arte é, pois, uma técnica de defesa contra o sofrimento, que se acomoda à plasticidade dos deslocamentos da libido. Seu artifício consiste em transpor os objetivos das pulsões de tal modo que o mundo exterior não possa mais impedir sua satisfação. O objetivo da sublimação é maximizado "se soubermos elevar suficientemente o ganho de prazer que provém das fontes de trabalho psíquico e intelectual" (neste volume, p. 325). Isso quer dizer que, na arte, além da relação com a realidade afrouxar-se, a satisfação obtém êxito por meio de "ilusões que reconhecemos como tais sem nos deixarmos perturbar em nosso gozo" (neste volume, p. 326). Contudo, "a suave narcose" em que a arte mergulha o homem é fugaz: esse método não é suficiente para fazê-lo esquecer sua miséria real. Na verdade, constitui-se aqui uma *técnica de vida* de uso muito restrito, que pressupõe, justamente, disposições pouco difundidas, pelo menos na proporção suficiente para ser eficaz. A religião, ao contrário, apresenta-se como uma *técnica de vida* muito menos exigente que a arte. Ela define-se pela imposição de seus próprios caminhos a todos, para que alcancem a felicidade e se tornem imunes ao sofrimento. Sua estratégia técnica consiste em "rebaixar o valor da vida e em desfigurar de maneira delirante a imagem do mundo real" (neste volume, p. 332). Tais medidas implicam, necessariamente, a fixação forçada de seus adeptos num "infantilismo psíquico" (neste volume, p. 332). Fazendo partilhar um delírio coletivo, a religião consegue poupar numerosos seres humanos de uma neurose individual.

IDENTIFICAÇÃO SEM IDENTIDADE

A identificação é "a mais antiga manifestação de uma ligação afetiva com uma outra pessoa" (neste volume, p. 178). Isso implica que processos de constituição da subjetividade, assim como processos de inserção dos indivíduos na comunidade e até mesmo a própria formação das massas são perpassados de ponta a ponta por processos de identificação. No famoso Capítulo VII de *Psicologia das massas e análise do Eu*, Freud distingue três modalidades da identificação. Não cabe aqui retomá-las uma a uma. O que importa reter são alguns pontos cuja relevância clínica e política não pode ser negligenciada. Primeiramente, trata-se de se lembrar do caráter "ambivalente" (neste volume, p. 178) que reside no fundo da identificação desde o início. Em segundo lugar, estando implicada na causalidade própria da "formação de sintoma", a identificação está sujeita às vicissitudes do recalcamento e à lógica do inconsciente. Finalmente, mas não menos importante, a identificação é "parcial e altamente limitada, tomando emprestado apenas um traço único" (neste volume, p. 180). Sabemos do proveito que Jacques Lacan tomou dessa passagem em sua apropriação absolutamente original da perspectiva freudiana, no que ele chamou de "traço unário" (Lacan, 1961), com consequências maiores para releitura da identificação e do final de análise. Sendo impossível abordar isso nos limites deste ensaio, vale reter que a identificação: 1) nunca é monovalente; 2) não está sob o controle da consciência; e 3) não tem caráter totalizante. O trabalho de interpretação, no âmbito da análise, visa sobretudo a queda das identificações, cuja serventia é estar na dependência do que no inconsciente concorre para a satisfação silenciosa das exigências pulsionais. Em detrimento destas últimas, a única identificação que interessa para o final de análise é aquela que se faz com o *traço unário*, concebido como resto do trabalho de decifração do sintoma no transcurso da experiência da análise. Com efeito, a identificação com o que restou como signo ou traço único da parte ininterpretável do sintoma é o que se institui como a marca mais singular do sujeito e, portanto, completamente inapta para a constituição de qualquer identidade. Principalmente se entendermos por "identidade" algum tipo de totalidade estável, idêntica a si mesma, consciente de si, que empresta ao indivíduo uma imagem narcísica que o completa e o define. A partir daí, a psicanálise inverte a ideia corrente de que o mal-estar e o sofrimento são frutos da vivência de uma perda identitária. Ao contrário, o mal-estar se agrava não por ter perdido sua identidade, mas sim por aferrar-se a uma identificação transformada em identidade. É de conhecimento geral que Freud postula uma homologia entre o processo individual de constituição subjetiva e o processo de desenvolvimento cultural da espécie humana. No entanto, homologia não quer dizer igualdade, ou seja, esses dois processos não se recobrem inteiramente. Freud afirma que, em pelo menos um ponto, eles se diferenciam: "o processo de desenvolvimento do indivíduo pode ter seus aspectos particulares que não reencontramos no processo cultural da humanidade; é apenas na medida em que esse primeiro processo tem como meta a conexão com a comunidade que ele precisa coincidir com o segundo" (neste volume, p. 398). Os anseios pela felicidade pessoal e pela ampliação de laços comunitários entre os homens entram em rota de colisão, afrontam-se com hostilidade e precisam "disputar o terreno um com o outro" (neste volume, p. 399).

Por outro lado, assim como a constituição subjetiva exige a formação de uma instância que representa os anseios culturais no interior do psiquismo, a própria "comunidade também desenvolve um Supereu" (neste volume, p. 399). Nesse aspecto, a concordância vai ainda mais longe: o "Supereu-da-cultura [*Kultur-Über-Ich*], inteiramente como o do indivíduo, coloca severas exigências ideais, cuja falta de observância é castigada com a 'angústia da consciência moral'" (neste volume, p. 400). Não podemos nos esquecer de que a principal característica dinâmica do Supereu é que ele é "guloso", quer dizer: quanto mais cedemos aos seus imperativos, mais voraz ele se torna. Quanto mais cedemos a injunções do Supereu, mais feroz ele se torna. Isso tem consequências clínicas e políticas evidentes: processos sociais inflacionados por identidades estáveis e fechadas sobre si mesmas, identidades "familiares" ou narcísicas, tendem a fomentar o desenvolvimento de Supereu cultural também excessivamente feroz. Deflacionar as exigências do Supereu, tanto do ponto de vista individual quanto do ponto de vista do coletivo, deve ser visto como uma tarefa clínica. Favorecer a presença de *discursos públicos*, que se orientam por valores civilizatórios compatíveis com as marcas singulares da existência, exige da psicanálise apresentar-se como não identitária, ou, ainda, incitar o sujeito à "travessia das identidades" (LEGUIL, 2018, p. 125). O Eu que se separa das formações de massa e de grupo repousa sobre essa travessia das identidades, o que supõe, consequentemente, estar em condições de desfazer suas fixações com uma identidade totalizante.

A identificação sem identidades adquire assim um valor político ao indicar que a infamiliaridade e o estrangeiro habitam em nós e que a incompletude é o que pode nos proteger de derivas totalitárias. Realizar esse programa exige repensar uma concepção não identitária de identificação, que faz da infamiliaridade, da singularidade e, enfim, da incompletude do universal, seus elementos indispensáveis. Evidentemente que a identidade totalizante não oferece uma via de solução para o mal-estar na cultura, pois se admite que esta apenas reforça a voracidade destrutiva e o caráter insensato do Supereu-da-cultura. Ser "guardião do coletivo" (LACAN, 2003, p. 349) é saber que toda resposta que se faz no horizonte de fixações identitárias, segregativas, coincide com o triunfo do programa que menospreza os valores civilizatórios em nome da higiene do que se considera como os restos inumanos infamiliares. A presente coletânea é exemplar do quanto o fundador da psicanálise interpreta, de modo antecipado, o futuro abominável para a vida civilizada, caso prevaleçam as tentativas dominantes de segregação de seus restos heterogêneos, com consequências incomensuráveis para as formas mais singulares da existência humana.

REFERÊNCIAS

ARENDT, Hannah. *Sobre a violência*. Rio de Janeiro: Civilização Brasileira: 2009.

ASSOUN, Paul-Laurent. *Freud et les sciences sociales*. Paris: Armand Colin, 1993.

ASSOUN, Paul-Laurent. L'instance de la culture chez Freud: le malaise de l'origine. *Mesure-Cultures et cultures*. Paris, n. 4, 1990.

BENJAMIN, Walter. Experiência e Pobreza. *O anjo da história*. Tradução de João Barrento. Belo Horizonte: Autêntica, 2012.

BUTLER, Judith. *The Force of Nonviolence*: The Ethical in the Political. London; New York: Verso, 2020.

LEGUIL, Clotilde. *Je*: Une traversée des identités. Paris: PUF, 2018.

DANTO, Elizabeth Ann. *As clínicas públicas de Freud*: psicanálise e justiça social, 1918-1939. São Paulo: Perspectiva, 2019.

FREUD, Sigmund. Caminhos da terapia psicanalítica. In: *Fundamentos da clínica psicanalítica*. Tradução de Claudia Dornbusch. Belo Horizonte: Autêntica, 2017. (Obras incompletas de Sigmund Freud)

FREUD, Sigmund. Compêndio de psicanálise. In: *Compêndio de psicanálise e outros escritos inacabados*. Belo Horizonte: Autêntica, 2014.

FREUD, Sigmund. *Compêndio de Psicanálise e outros escritos inacabados*. Tradução de Pedro Heliodoro Tavares. Belo Horizonte: Autêntica, 2016. (Obras incompletas de Sigmund Freud)

LACAN, Jacques. Da psicanálise em suas relações com a realidade [1967]. In: *Outros escritos*. Tradução de Vera Ribeiro. Rio de Janeiro: Zahar, 2003.

LACAN, Jacques. *Escritos*. Tradução de Vera Ribeiro. Rio de Janeiro: Zahar, 1998a.

LACAN, Jacques. *O seminário, livro 7*: a ética da psicanálise (1958-1959). Tradução de Antonio Quinet. Rio de Janeiro: Zahar, 1988b.

LACAN, Jacques. *Le Séminaire, livre XIV*: La logique du fantasme (1966-1967). Paris, 1967. (Inédito)

LACAN, Jacques. *Le Séminaire, livre IX*: L'identification (1961-1962). Paris, 1961. (Inédito)

LEGUIL, Clotilde. *"Je": une traversée des identités*. Paris: PUF, 2018.

MILLER, Jacques-Alain. Crianças violentas. *Opção Lacaniana*. São Paulo, n. 77, ago. 2017.

MILLER, Jacques-Alain. *Un esfuerzo de poesia*. Buenos Aires: Paidós, 2016.

SOKOLOWSKY, Laura. *Freud et les Berlinois*: Du congrès de Budapest à l'Institut de Berlin (1918-1933). Rennes: Presses Universitaires de Rennes, 2013.

NOTAS

[1] Na conclusão de sua carta, Freud reafirma uma espécie de pacifismo militante proposto por Einstein: "temos que nos indignar [com a guerra, pois] "não se trata apenas de uma recusa intelectual e afetiva; para nós, pacifistas, trata-se de uma intolerância constitucional, uma idiossincrasia de alguma forma levada ao extremo" (neste volume, p. 441). Essa mesma "intolerância extrema" que o clínico havia formulado no texto de Budapeste contra a violência da interpretação, conforme vimos anteriormente, que culminou com a reformulação de aspectos essenciais da prática e da teoria analítica. Diante da impossibilidade de erradicar inteiramente a pulsão de morte, o que podemos fazer, como mostrou recentemente Judith Butler (2020), é direcioná-la contra a própria violência. A pulsão de morte colocada a serviço, portanto, de nossa intolerância constitucional com aquilo que excita a violência. Nesse sentido, a conclusão de Freud de que "tudo o que estimula o desenvolvimento cultural também trabalha contra a guerra" (neste volume, p. 441) ganha novos contornos: o autor sabe perfeitamente que o trabalho de cultura implica reconhecer a atuação incessante da pulsão de morte, na cultura e na linguagem. Cabe ao analista operar com isso.

[2] Quando Freud começou a se dedicar ao problema da cultura, a etnologia terminava sua fase de exploração inicial e começava a refletir sobre seu objeto. Assim, a definição clássica desta encontra-se em Edward Tylor: "A cultura ou a civilização constituem um complexo que compreende as ciências, as crenças, as artes, a moral, as leis, os costumes e as outras faculdades ou hábitos adquiridos pelo homem enquanto membro da sociedade" (TYLOR, Edward. *Primitive Culture*. Londres: John Murray, 1920. p. 1). É com Émile Durkheim, porém, que se manifesta uma vontade de demarcar esse campo em que se encontra, de maneira mais sistemática, essa oposição o fato natural e as exigências da cultura. Considera-se que o ponto de partida de Freud, coincide, precisamente, com a oposição, igualmente, durkheimiana, entre natureza e cultura (DURKHEIM, Émile. *Les Formes élémentaires de la vie religieuse*: Le système totémique en Australie. Paris: PUF, 1985[1905] [Collection Quadrige]).

[3] Sobre o estatuto da causalidade na psicanálise em oposição à religião e a outras formas de discurso, ver LACAN, Jacques. A ciência e a verdade. In: *Escritos*. Tradução de Vera Ribeiro. Rio de Janeiro: Zahar, 1998.

A MORAL SEXUAL "CULTURAL" E A DOENÇA NERVOSA MODERNA[1] (1908)

Em seu *Ética sexual* [*Sexualethik*],[i] publicado recentemente, Von Ehrenfels detém-se na distinção entre a moral sexual "natural" e a "cultural". Por moral sexual natural devemos entender aquela sob cujo domínio uma linhagem de seres humanos encontra-se em condições de continuamente manter-se em boa saúde e apta para a vida; por moral sexual cultural, aquela cuja observância estimula os seres humanos sobretudo a um trabalho cultural intenso e produtivo. Essa oposição seria mais bem explicada através do confronto entre aquilo que um povo possui de *constitutivo* e o que possui de *cultural*. Remetendo ao próprio escrito de Von Ehrenfels para uma apreciação mais ampla desse importante movimento de pensamento, quero dele apenas destacar aquilo que for necessário para a relação com a minha própria contribuição.

É razoável pressupor que, sob o domínio de uma moral sexual cultural, a saúde e a aptidão para viver de cada um dos seres humanos possam estar sujeitas a perturbações, e que esse dano causado nos indivíduos pelos sacrifícios que lhes são impostos atinja um grau tão elevado que, nesse desvio, a meta cultural final também seria colocada em perigo. De fato, Von Ehrenfels

---

[i] VON EHRENFELS, Christian. *Ética sexual: questões fronteiriças da vida nervosa e da vida anímica* [*Sexualethik: Grenzfragen des Nerven-und Seelenlebens*], editado por L. Löwenfeld, LVI, Wiesbaden, 1907.

também atribui à moral sexual que domina a nossa atual sociedade ocidental uma série de danos pelos quais ele precisa responsabilizá-la, e, embora ele reconheça plenamente sua eminente aptidão para promover a cultura, ele chega a condená-la como carente de reformas. Uma das características da moral sexual cultural que nos domina seria a transferência de exigências femininas à vida sexual do homem e a proscrição de qualquer tipo de intercurso sexual, com exceção do conjugal-monogâmico.

No entanto, a consideração pela distinção natural entre os sexos obrigou a punir menos rigorosamente as transgressões do homem, permitindo-lhe, de fato, uma *dupla* moral. Mas uma sociedade que se envolve com essa dupla moral não pode levar "o amor à verdade, à honestidade e à humanidade"[i] além de uma medida estritamente determinada e irá, forçosamente, induzir seus membros a ocultar a verdade, a dourar a pílula, a enganar a si mesmos, bem como a enganar os outros. A moral sexual cultural tem um efeito ainda mais danoso quando paralisa, pela glorificação da monogamia, o fator da *seleção viril*,[2] o único cuja influência permitiria obter uma melhora da constituição, já que nos povos civilizados a *seleção vital* é reduzida a um mínimo, por considerações de humanidade e de higiene.[ii]

Entre os prejuízos imputados à moral sexual cultural, escapa ao médico justamente aquele cuja importância será aqui discutida detalhadamente. Tenho em mente o fomento, que a ela deve ser atribuído, da doença nervosa [*Nervosität*][3] moderna, ou seja, da que se expande rapidamente em nossa atual sociedade. Ocasionalmente,

---

[i] *Idem*, p. 32 e seguintes.

[ii] *Idem*, p. 35.

o próprio doente dos nervos [*nervös Kranker*][4] chama a atenção do médico sobre a oposição entre constituição e exigência cultural, a ser levada em conta na causação do sofrimento, quando declara: "Em nossa família, todos nos tornamos doentes dos nervos, porque queríamos ser algo melhor do que podíamos ser, de acordo com a nossa origem". O médico também, com bastante frequência, é levado a refletir a partir da observação de que aqueles que sucumbem à doença nervosa são justamente os descendentes desses pais que, oriundos de condições rurais simples e sadias, nascidos em famílias rudes, mas vigorosas, chegam à cidade grande como conquistadores, possibilitando que seus filhos, em um curto espaço de tempo, alcancem um alto nível cultural. Mas foram sobretudo os próprios médicos dos nervos [*Nervenärzte*] que proclamaram enfaticamente a correlação entre o "aumento da doença nervosa" e a vida cultural moderna. Em que eles procuram o fundamento dessa dependência será demonstrado por alguns extratos de declarações de observadores eminentes.

W. Erb[i]:

"A questão originalmente colocada é, portanto, a de saber se as causas, expostas aos senhores, da doença nervosa em nossa existência moderna estão disponíveis em quantidade tão elevada que possam explicar um aumento considerável dela – e a essa questão devemos responder, sem hesitar, afirmativamente, tal como será mostrado se dermos uma rápida olhada em nossa vida moderna e sua configuração."

---

[i] ERB, Wilhelm Heinrich. *Sobre o aumento crescente da doença nervosa em nossa época* [*Über die wachsende Nervosität unserer Zeit*], 1893.

"A partir de uma série de fatos gerais já resulta claramente o seguinte: as conquistas extraordinárias dos tempos modernos, as descobertas e invenções em todos os domínios, a manutenção do progresso em face da concorrência crescente só foram alcançadas por meio de um grande trabalho intelectual e só podem ser mantidas por ele. As exigências à capacidade de realização do indivíduo no combate pela existência aumentaram consideravelmente, e só através da convocação de todas as suas forças intelectuais ele pode satisfazê-las; ao mesmo tempo, as necessidades do indivíduo, as exigências pelo gozo da vida cresceram em todos os círculos, um luxo inaudito propagou-se pelas camadas da população antes por ele inteiramente intocadas; a irreligiosidade, a insatisfação e a cobiça cresceram em extensos círculos populares; através do trânsito intensificado até o incomensurável, através das redes globais de telégrafo e telefone, as proporções entre vida social e vida profissional alteraram-se totalmente: tudo é feito com pressa e agitação, a noite é utilizada para viajar, o dia, para os negócios; mesmo as 'viagens de lazer' transformam-se em fadiga para o sistema nervoso; as grandes crises políticas, industriais e financeiras levam sua agitação a camadas muito mais amplas da população do que antes; generalizou-se a participação na vida política: as lutas políticas, religiosas, sociais, o envolvimento partidário, as agitações eleitorais, a expansão desmedida das associações inflamam as cabeças e obrigam os espíritos a esforços sempre renovados, roubando o tempo para o lazer, para o sono e para o repouso; a vida nas grandes cidades tornou-se cada vez mais refinada e inquieta. Os nervos enfraquecidos procuram a sua recuperação em estímulos intensificados, em gozos picantes, exaurindo-se, assim, ainda mais; a literatura moderna ocupa-se principalmente dos problemas mais preocupantes que revolvem todas as paixões, que promovem a sensualidade e a busca por gozo, o desprezo por todos os princípios éticos e por todos os ideais; ela apresenta ao espírito do leitor figuras patológicas, problemas psicopático-sexuais, revolucionários e outros; nossos ouvidos são excitados e superestimulados por uma música barulhenta e invasiva, administrada em grandes doses; os teatros capturam todos os sentidos com suas apresentações excitantes; até mesmo as artes plásticas voltam-se preferencialmente ao que é repulsivo, feio e ao que excita, e não se poupam de também colocar diante de nossos olhos o que a realidade [*Wirklichkeit*] oferece de mais cruel em um realismo [*Realität*] repulsivo."

"Desta forma, este quadro geral já mostra uma série de perigos no desenvolvimento de nossa cultura moderna; mas ele ainda pode ser detalhado por alguns traços."

Biswanger[i]:

"A neurastenia foi especialmente caracterizada como uma doença inteiramente moderna, e Beard, a quem devemos uma primeira apresentação compreensível dela, acreditava ter descoberto uma nova doença nervosa, nascida especificamente em solo norte-americano. Essa suposição era naturalmente errônea; mas o fato de que tenha sido um médico *norte-americano* o primeiro a poder apreender e estabelecer os traços específicos dessa doença, com base em uma rica experiência, caracteriza as estreitas relações com ela, das quais testemunham a vida moderna, a pressa desenfreada e a caça ao dinheiro e à propriedade, e os

---

[i] BINSWANGER, Otto. *A patologia e a terapia da neurastenia* [*Die Pathologie und Therapie der Neurasthenie*], 1896.

progressos gigantescos no domínio técnico, que tornaram ilusórios todos os obstáculos temporais e espaciais às comunicações."

Von Krafft-Ebing[i]:

"O modo de vida de um incontável número de seres humanos civilizados [*Kulturmenschen*] apresenta atualmente uma abundância de fatores anti-higiênicos que permitem compreender, pura e simplesmente, que a doença nervosa propaga-se de maneira fatal, pois esses fatores danosos agem primeiro e na maioria das vezes sobre o cérebro. Nas relações políticas e sociais, especialmente nas comerciais, industriais e agrícolas das nações civilizadas, consumaram-se, justamente no curso dos últimos decênios, modificações que transformaram violentamente a profissão, a posição civil, a propriedade, e precisamente às custas do sistema nervoso, que deve necessariamente fazer jus às cada vez mais intensas exigências sociais e econômicas por meio de um crescente dispêndio de energia, para o qual muitas vezes a recuperação é insuficiente."

Devo criticar essas doutrinas – e muitas outras de teor semelhante – não por serem errôneas, mas por se revelarem insuficientes para esclarecer os detalhes na manifestação das perturbações nervosas e por justamente negligenciarem o mais importante dos fatores etiológicos em ação. Se desconsiderarmos as maneiras mais indefinidas de ser

---

[i] VON KRAFFT-EBING, Richard. Doença nervosa e estados neurastênicos [*Nervosität und neurasthenische Zustände*], 1895, p. 11, no *Manual de patologia e terapia espec. de Nothnagel* [*Handbuch der spez. Pathologie und Therapie*].

"doente dos nervos" e focarmos nas formas propriamente ditas da doença nervosa, a influência prejudicial da cultura reduz-se essencialmente à repressão [*Unterdrückung*][5] nociva da vida sexual dos povos (ou de camadas) de cultura, por meio da moral sexual "cultural" que os domina.

Tentei trazer a prova dessa afirmação em uma série de trabalhos especializados;[i] ela não poderá ser reproduzida aqui; no entanto, quero ainda mencionar neste lugar os argumentos mais importantes que resultaram de minhas investigações.

Uma observação clínica mais aguçada nos dá o direito de distinguir dois grupos entre os estados de doença nervosa, as *neuroses* propriamente ditas e as *psiconeuroses*. Entre as primeiras, as perturbações (sintomas), quer se manifestem nas atividades corporais, quer nas anímicas,[6] parecem ser de natureza *tóxica*: elas portam-se de forma bastante semelhante aos fenômenos nos quais há um afluxo excessivo ou escassez de certas toxinas nervosas. Essas neuroses − quase sempre agrupadas como neurastenia − podem então, sem que seja requerido o auxílio de uma carga hereditária, ser produzidas por meio de certas influências nocivas sobre a vida sexual, e a forma do adoecimento corresponde precisamente à natureza dessas nocividades, de modo que, com bastante frequência, podemos utilizar o quadro clínico pura e simplesmente para concluir, remetendo à etiologia sexual particular. No entanto, uma correspondência sistemática como essa entre a forma da doença nervosa e as outras influências culturais prejudiciais, acusadas pelos autores de fazer adoecer, está

---

[i] Coleção de breves artigos sobre a doutrina das neuroses [*Sammlung kleiner Schriften zur Neurosenlehre, Ges. Werke*, vol. I], Viena, 1906, 4. ed., 1922.

inteiramente ausente. Temos, portanto, o direito de declarar o fator sexual como sendo o essencial na causação das neuroses propriamente ditas.

Nas psiconeuroses, a influência hereditária é mais importante, e a causação, menos transparente. Um procedimento de investigação peculiar, conhecido como Psicanálise, permitiu reconhecer que os sintomas desses males (da histeria, da neurose obsessiva, etc.) são *psicogênicos*, dependem da eficácia de complexos de representação inconscientes (recalcados). Mas esse mesmo método também nos fez conhecer esses complexos inconscientes e nos mostrou, falando de maneira bem geral, que eles possuem conteúdo sexual; brotam das necessidades sexuais de seres humanos insatisfeitos e se afiguram para eles como uma espécie de satisfação substitutiva. Por conseguinte, em todos os fatores que prejudicam a vida sexual, reprimem [*unterdrücken*] sua atividade, deslocam suas metas, temos de enxergar fatores patogênicos também para as psiconeuroses.

Naturalmente, o valor da distinção teórica entre as neuroses tóxicas e as psicogênicas não é comprometido pelo fato de que, na maioria das pessoas doentes dos nervos, podem ser observadas perturbações de ambas as procedências.

Quem agora estiver pronto para procurar comigo a etiologia da doença nervosa, sobretudo entre as influências nocivas para a vida sexual, também irá querer acompanhar as próximas discussões, destinadas a inserir esse tema da crescente doença nervosa em um contexto mais geral.

De maneira bem geral, nossa cultura é construída sobre a repressão de pulsões. Cada indivíduo cedeu uma parte de seu patrimônio, de seu poderio absoluto, das inclinações agressivas ou vingativas de sua personalidade; dessas contribuições nasceu o patrimônio cultural comum de bens materiais e ideais. Além da necessidade vital, foram certamente os sentimentos familiares derivados do erotismo que levaram cada um dos indivíduos a essa renúncia. A renúncia se fez progressivamente no curso do desenvolvimento; cada um de seus avanços foi sancionado pela religião; a porção de satisfação pulsional à qual se renunciou foi oferecida à divindade em sacrifício; o bem comum assim conquistado foi declarado "sagrado". Aquele que, por sua constituição inflexível, não pode participar dessa repressão pulsional irá permanecer em oposição à sociedade enquanto "criminoso", "*outlaw*" [fora da lei], a não ser que sua posição social e suas excelentes habilidades lhe permitam afirmar-se como grande homem, como "herói".

A pulsão sexual – ou melhor dizendo: as pulsões sexuais, pois uma investigação analítica ensina que a pulsão sexual é formada por muitos componentes, as pulsões parciais – é, no ser humano, provavelmente desenvolvida de maneira mais vigorosa do que na maioria dos animais superiores e, em todo caso, de maneira mais constante, uma vez que superou quase que completamente a periodicidade à qual se mostra ligada nos animais. Ela coloca à disposição do trabalho da cultura quantidades de força extraordinariamente grandes, e isso precisamente em consequência de uma peculiaridade especialmente marcante, que é a de poder deslocar a sua meta sem perder essencialmente em intensidade. Chamamos essa capacidade de trocar a meta originariamente sexual por outra, não mais sexual, mas psiquicamente aparentada a ela, de capacidade para a *sublimação*. Em oposição a essa capacidade de deslocamento, na qual reside o seu valor cultural, ocorre também à pulsão sexual uma fixação particularmente obstinada, através da qual ela se torna inutilizável e ocasionalmente degenera nas assim chamadas anormalidades. A intensidade original da pulsão sexual é provavelmente de uma grandeza diversa em cada um dos indivíduos; o que certamente varia é seu montante, adequado para a sublimação. Imaginamos que a organização inata decida primeiramente o quanto da pulsão sexual irá se revelar sublimável e aproveitável no indivíduo; além disso, as influências da vida, bem como a influência intelectual do aparelho anímico, conseguem levar uma outra parcela à sublimação. Mas certamente esse processo de deslocamento não deve ser prolongado indefinidamente, não mais do que dura em nossas máquinas a conversão do calor em trabalho mecânico. Uma certa medida de satisfação sexual direta parece indispensável à grande maioria das estruturas,[7] e o impedimento [*Versagung*][8] dessa quantidade individualmente variável é penalizado com manifestações que nós, em razão de seu prejuízo funcional e de seu caráter subjetivo desprazeroso, somos obrigados a considerar como um estado doentio.

Novas perspectivas se abrem se levarmos em consideração o fato de que, originalmente, a pulsão sexual do ser humano não serve absolutamente aos propósitos da reprodução, mas tem como meta determinadas maneiras de obtenção de prazer.[i] É assim que ela se manifesta na infância do ser humano, quando alcança a sua meta de obtenção de prazer não apenas nos genitais, mas também em outros lugares do corpo (zonas erógenas), e, por isso, pode não levar em conta outros objetos além dos convenientes. Chamamos esse estágio de *autoerotismo* e atribuímos à educação a tarefa de restringi-lo, pois a permanência nele tornaria a pulsão sexual incontrolável e inutilizável mais adiante. O desenvolvimento da pulsão

---

[i] *Três ensaios sobre a teoria sexual* [*Drei Abhandlungen zur Sexualtheorie, Ges. Werke*, v. V], Viena, 1905.

sexual parte, então, do autoerotismo para o amor objetal, e da autonomia das zonas erógenas à subordinação destas sob o primado dos genitais colocados a serviço da reprodução. Durante esse desenvolvimento, uma parte da excitação sexual fornecida pelo próprio corpo é inibida, por ser inútil para a função de reprodução, e, em caso favorável, é conduzida à sublimação. As forças utilizáveis para o trabalho de cultura são então, em grande parte, conquistadas através da repressão das assim chamadas parcelas *perversas* da excitação sexual.

Tomando como referência essa história do desenvolvimento da pulsão sexual, foi possível, portanto, distinguir três estágios de cultura: um primeiro, no qual a atividade da pulsão sexual é livre, estando mesmo além das metas da reprodução; um segundo, no qual tudo o que diz respeito à pulsão sexual é reprimido, com exceção do que serve à reprodução; e um terceiro, no qual apenas a reprodução legítima é autorizada como meta sexual. É a esse terceiro estágio que corresponde a nossa atual moral sexual "cultural".

Se tomarmos o segundo desses estágios como padrão, temos forçosamente de constatar primeiro que algumas pessoas, por motivos de estrutura [*Organisation*], não satisfazem às suas exigências. Em séries inteiras de indivíduos, o mencionado desenvolvimento da pulsão sexual do autoerotismo ao amor objetal, tendo como meta a união dos genitais, não se consumou corretamente, nem de maneira suficientemente profunda, e dessas perturbações do desenvolvimento resultam duas espécies de desvios nocivos da sexualidade normal, isto é, da que promove a cultura, desvios que se comportam mutuamente quase como o positivo e o negativo. São primeiramente estas – com exceção das pessoas nas quais a pulsão sexual é superintensa e desinibida – as diversas classes de *perversos*, nos quais uma fixação infantil a uma meta sexual provisória impediu o primado da função de reprodução, e os *homossexuais* ou *invertidos*, nos quais, de uma maneira ainda não plenamente esclarecida, a meta sexual foi desviada do sexo oposto. Se a nocividade dessas duas espécies de perturbação do desenvolvimento for menor do que se poderia esperar, esse abrandamento deve justamente ser remetido à composição complexa da pulsão sexual que agora também torna possível uma configuração final viável da vida sexual, mesmo que um ou vários componentes da pulsão tenham se excluído do desenvolvimento. A constituição daqueles que foram afetados pela inversão, os homossexuais, destaca-se, até mesmo com frequência, por uma aptidão especial da pulsão sexual à sublimação cultural.

No entanto, formações mais intensas e particularmente exclusivas das perversões e da homossexualidade tornam seus portadores socialmente inúteis e infelizes, de forma que mesmo as exigências culturais do segundo estágio precisam ser reconhecidas como uma fonte de sofrimento para uma determinada parcela da humanidade. Do ponto de vista constitucional, o destino dessas pessoas que se desviam em relação às outras é variável, dependendo de terem herdado uma pulsão sexual absolutamente intensa ou mais fraca. No último caso, quando a pulsão sexual é geralmente fraca, os perversos são bem-sucedidos na repressão completa daquelas inclinações que os fazem entrar em conflito com a exigência moral de seu estágio de cultura. Por outro lado, isso acaba sendo, do ponto de vista ideal, a única realização na qual eles têm êxito, pois, para essa repressão de suas pulsões sexuais, eles utilizam as forças que normalmente direcionariam para o trabalho cultural. De certa forma, eles estão em si inibidos e paralisados em relação ao exterior. Será válido para eles aquilo que repetiremos mais adiante sobre a exigida abstinência dos homens e das mulheres no terceiro estágio de cultura.

No caso de uma pulsão sexual mais intensa, porém perversa, dois tipos de desfecho são possíveis. O primeiro, sem maiores observações a fazer, é que os afetados permanecem perversos e terão de sofrer as consequências de seu desvio em relação ao nível de referência cultural. O segundo caso é, de longe, mais interessante – ele consiste no fato de que, sob a influência da educação e das exigências sociais, uma repressão das pulsões perversas é certamente alcançada, mas uma espécie de repressão que, na verdade, não o é propriamente, podendo ser mais bem designada como um malogro da repressão. Então, as pulsões sexuais inibidas não se manifestam verdadeiramente como tais: e é nisso que consiste o êxito – mas elas se manifestam de outras maneiras que, para o indivíduo, são igualmente nocivas e o tornam tão inútil para a sociedade quanto ele ficaria com a satisfação inalterada daquelas pulsões reprimidas: e é aí então que reside o fracasso do processo, que, com o tempo, faz mais do que apenas contrabalançar o êxito. As manifestações substitutivas que aqui surgem em consequência da repressão pulsional constituem o que descrevemos como doença nervosa [*Nervosität*], mais especialmente como psiconeuroses (cf. início). Os neuróticos são aquela classe de seres humanos que, em virtude de uma estrutura [*Organisation*] relutante sob a influência das exigências culturais, só conseguem conduzir a repressão de suas pulsões de maneira aparente e cada vez mais malsucedida e que, por isso, só com um grande dispêndio de forças e ao preço de um empobrecimento interior mantêm sua colaboração nas obras da cultura, ou, às vezes, precisam abandoná-la por estarem doentes. Mas eu caracterizei as neuroses como sendo o "negativo" das perversões,[9] porque nelas, após o recalcamento [*Verdrängung*], as moções perversas se manifestam a partir do que é inconsciente na vida anímica, pois elas contêm, no estado "recalcado", as mesmas inclinações que os positivamente perversos.

A experiência ensina que, para a maioria dos seres humanos, existe um limite, além do qual a sua constituição não pode obedecer às exigências da cultura. Todos aqueles que querem ser mais nobres do que sua constituição lhes permite sucumbem à neurose; eles teriam se sentido melhor se lhes tivesse sido possível ser piores. A compreensão de que perversão e neurose comportam-se mutuamente como positivo e negativo encontra-se frequentemente confirmada, sem equívoco, pela observação de pessoas da mesma geração. É bastante frequente que, entre irmãos e irmãs, o irmão seja um perverso sexual, e a irmã, dotada como mulher de uma pulsão sexual mais fraca, seja uma neurótica [*Neurotika*], cujos sintomas, no entanto, expressam as mesmas inclinações que as perversões do irmão sexualmente mais ativo; e, correspondentemente, de maneira geral, em inúmeras famílias os homens são sadios, porém imorais, em uma medida socialmente indesejada, e as mulheres, nobres e super-refinadas, mas gravemente doentes dos nervos.

Constitui uma das evidentes injustiças sociais o fato de o padrão cultural exigir de todas as pessoas o mesmo modo de conduta sexual, o qual alguns atingem sem dificuldade graças à sua estrutura [*Organisation*], mas que impõe aos outros os mais pesados sacrifícios psíquicos, o que evidentemente não deixa de ser uma injustiça que, na maioria das vezes, fracassa pela não observância das prescrições morais.

Até aqui, fundamentamos as nossas considerações sobre a exigência própria do segundo estágio de cultura por nós suposto, em virtude do qual qualquer atividade sexual denominada perversa é reprovada, ao passo que a relação sexual dita normal é deixada livre. Descobrimos que, mesmo com essa repartição entre liberdade e restrição sexuais, certo número de indivíduos é deixado de lado como perverso, enquanto outro que se empenha em não ser perverso, embora devesse sê-lo por sua constituição, é forçado para a doença nervosa. Agora é fácil predizer o resultado que irá se produzir se continuarmos a restringir a liberdade sexual e elevarmos a exigência cultural ao nível do terceiro estágio, proibindo assim qualquer outra atividade sexual além daquela que ocorre no casamento legítimo. O número dos fortes, que se colocam em franca oposição à exigência cultural, aumentará numa proporção extraordinária, e, da mesma forma, o número dos mais fracos, que, em seu conflito entre a pressão das influências culturais e a resistência de sua constituição, refugiam-se no adoecimento neurótico.

Proponhamo-nos agora a responder as três perguntas que aqui surgem: 1) Que tarefa a exigência cultural do terceiro estágio coloca ao indivíduo?; 2) A satisfação sexual legítima que é permitida pode oferecer uma compensação aceitável pelas outras renúncias?; 3) Qual é a relação entre os eventuais prejuízos ocasionados por essa renúncia e seu aproveitamento cultural?

A resposta à primeira pergunta toca um problema tratado frequentemente e que não será esgotado aqui: o da abstinência sexual. O que nosso terceiro estágio de cultura exige do indivíduo é a abstinência até o casamento para ambos os sexos, e a abstinência por toda a vida para todos aqueles que não contraem um casamento legítimo.

A afirmação, conveniente para todas as autoridades, de que a abstinência não é prejudicial, nem sequer difícil de praticar, tem sido diversas vezes defendida até por médicos. Temos o direito de dizer que a tarefa de dominar uma moção tão poderosa quanto a da pulsão sexual de outra forma que não seja pela via da satisfação é tamanha, que pode exigir todas as forças de um ser humano. Só uma minoria consegue o domínio por sublimação, desviando as forças pulsionais sexuais da meta sexual para metas culturais superiores, e até mesmo para esses de maneira temporária, sendo ainda menos fácil na época do vigor juvenil ardente. A maioria dos outros se torna neurótica ou sofre algum tipo de dano. A experiência mostra que a maioria das pessoas que compõem a nossa sociedade não está constitutivamente preparada para a tarefa da abstinência. Inclusive aquele que adoeceria sob uma restrição sexual mais amena irá adoecer ainda mais rápido e mais intensamente sob os efeitos das exigências de nossa atual moral sexual cultural, pois contra a ameaça exercida sobre o anseio sexual normal por predisposições deficientes e perturbações de desenvolvimento não conhecemos melhor garantia do que a própria liberdade sexual. Quanto mais alguém estiver predisposto à neurose, tanto pior ele suportará a abstinência; é que as pulsões parciais, que se subtraíram ao desenvolvimento normal, no sentido colocado acima, tornaram-se, ao mesmo tempo, ainda mais impossíveis de inibir. Mas mesmo aqueles que teriam permanecido saudáveis sob as exigências do segundo estágio de cultura serão agora levados, em grande número, à neurose. Pois o valor psíquico da satisfação sexual eleva-se com o seu impedimento; a libido represada é agora colocada no estado de detectar qualquer um dos pontos débeis raramente ausentes na construção da *vita sexualis*, para ali abrir caminho para a satisfação neurótica substitutiva sob a forma de sintomas patológicos. Quem souber penetrar as condições do adoecimento nervoso logo obterá a convicção de que o aumento dos adoecimentos nervosos em nossa sociedade provém da intensificação da restrição sexual.

Estamos, então, mais próximos da questão de saber se o intercurso sexual no casamento legítimo não pode oferecer uma compensação total à restrição anterior ao casamento. O material que permite responder negativamente a essa questão impõe-se aqui de maneira tão abundante que temos o dever de nos exprimir com a maior concisão. Lembremo-nos, sobretudo, de que a nossa moral sexual cultural também limita o intercurso sexual no próprio casamento, impondo aos cônjuges a coerção [*Zwang*] de se contentar, no mais das vezes, com um número muito limitado de filhos. Como consequência dessa consideração, só há intercurso sexual satisfatório no casamento por alguns anos, subtraindo-se naturalmente os períodos necessários para que a mulher seja poupada por razões higiênicas. Após esses três, quatro ou cinco anos, o casamento fracassa no que diz respeito à satisfação sexual que ele prometeu; pois todos os meios que até então se apresentaram para prevenir a concepção atrofiam o gozo [*Genuß*] sexual, perturbam a mais refinada sensibilidade de ambas as partes ou eles próprios agem de maneira diretamente patológica; com o medo [*Angst*] das consequências do intercurso sexual desaparece primeiramente a ternura corporal mútua dos cônjuges e, em seguida, frequentemente também a afinidade anímica que estava destinada a assumir a herança da paixão tempestuosa do início. Sob a desilusão anímica e a privação corporal que se tornam assim o destino da maior parte dos casamentos, as duas partes encontram-se recolocadas na situação anterior ao casamento, só que empobrecidas de uma ilusão e novamente remetidas à sua persistência para dominar e desviar a pulsão sexual. Não será investigado em que medida essa tarefa é bem-sucedida no homem em idade mais madura; de acordo com a experiência, ele se serve agora, com bastante frequência, embora em silêncio e com relutância, desse quinhão de liberdade sexual que lhe é concedido, mesmo pela ordem sexual mais rigorosa; a "dupla" moral sexual válida para o homem em nossa sociedade é a melhor confissão de que a própria sociedade que promulgou os preceitos não acredita em sua viabilidade. Mas a experiência também mostra que as mulheres, às quais – enquanto verdadeiras portadoras dos interesses sexuais dos seres humanos – foi concedido em menor grau o dom de sublimar a pulsão, e para as quais o lactente é, na verdade, suficiente como substituto do objeto sexual, mas não a criança crescida, que as mulheres, como estou dizendo, sob as desilusões do casamento, desenvolvem neuroses graves que as perturbam durante a sua vida. Nas condições culturais da atualidade, há muito tempo o casamento deixou de ser a panaceia contra o sofrimento nervoso da mulher; e se também nós, médicos, ainda continuarmos a aconselhar o casamento em casos como esses, sabemos, entretanto, que, ao contrário, uma moça tem de, necessariamente, ser bastante saudável para "suportar" o casamento, e desaconselhamos expressamente os nossos clientes [*Klienten*] a tomarem como esposa uma moça que já era doente nervosa antes do casamento. O remédio contra a doença nervosa decorrente do casamento seria muito mais a infidelidade conjugal; quanto mais rigorosa tenha sido a criação de uma mulher, quanto mais seriamente tenha se submetido à exigência cultural, mais ela teme essa saída, e, no conflito entre seus anseios e seu sentimento de dever, ela procura o seu refúgio, novamente – na neurose. Não há nada que proteja a sua virtude com tanta segurança como a doença. Portanto, o estado conjugal para o qual a pulsão sexual do homem civilizado [*Kulturmenschen*] se fez esperar durante sua juventude não pode aplacar as exigências de seu próprio período de existência; e está fora de questão que ele pudesse compensar a renúncia anterior.

Mesmo aquele que reconhecer esses danos causados pela moral sexual cultural pode alegar, em resposta à nossa terceira pergunta, que o ganho cultural proveniente da restrição sexual levada tão longe faz provavelmente mais do que somente compensar esses males que atingem apenas uma minoria de maneira severa. Declaro-me incapaz de aqui comparar reciprocamente ganho e perda de maneira correta, mas, para a avaliação do lado da perda, eu poderia ainda introduzir uma série de coisas. Retornando ao tema anteriormente mencionado da abstinência, preciso afirmar que ela traz ainda outros prejuízos além daqueles das neuroses, e que a maioria dessas neuroses não foi avaliada de acordo com sua plena importância.

O atraso do desenvolvimento sexual e da atividade sexual, a que anseiam a nossa educação e a nossa cultura, certamente não é nocivo a princípio; ele se tornará uma necessidade se levarmos em consideração o quão tardiamente será permitido que as pessoas jovens de camadas instruídas atinjam a sua autonomia e ganhem o próprio sustento. Nesse ponto somos lembrados, aliás, da íntima relação entre todas as nossas instituições culturais e da dificuldade em modificar uma parte delas sem considerar o todo. Mas a abstinência, estendida para além do vigésimo ano, não é mais inofensiva para o jovem e leva a outros prejuízos, mesmo quando não leva à doença nervosa. Dizemos, na verdade, que a luta com a pulsão poderosa e a ênfase requerida sobre todas as forças éticas e estéticas da vida anímica "fortalecem" o caráter, e isso é correto para algumas naturezas organizadas de maneira particularmente favorável; é preciso admitir também que a diferenciação de caráter entre indivíduos, tão marcada em nossa época, só se tornou possível com a restrição sexual. Porém, na imensa maioria dos casos, a luta contra a sensualidade consome a energia disponível do caráter, e isso justamente em uma época em que o homem jovem necessita de suas forças para conquistar a sua participação e seu lugar na sociedade. A proporção entre uma possível sublimação e uma necessária atividade sexual é, naturalmente, muito oscilante para cada um dos indivíduos e mesmo para os diversos tipos de profissão. Dificilmente é possível existir um artista abstinente; um jovem erudito abstinente certamente não é nenhuma raridade. Este último pode conseguir, por sua contenção, energia liberada para o seu estudo; no caso do primeiro, sua realização artística será provavelmente estimulada de maneira poderosa por sua experiência sexual. De modo geral, não ganhei a impressão de que a abstinência sexual ajude a formar homens de ação enérgicos e autônomos ou pensadores originais, ousados libertadores e reformistas; com muito maior frequência, ela forma fracotes bem-comportados, que mais tarde mergulham na grande massa que costuma seguir, a contragosto, os impulsos fornecidos por indivíduos fortes.

O fato de que a pulsão sexual em sua totalidade se conduza com teimosia e desobediência encontra expressão também nos resultados do esforço da abstinência. A educação cultural talvez só anseie por sua repressão temporária até o casamento, e seu propósito seja então deixá-la livre para se servir dela. Mas, em se tratando da pulsão, as influências extremas são ainda mais facilmente bem-sucedidas do que as medidas de moderação; com frequência, a repressão chegou muito longe e produziu o resultado indesejado no qual a pulsão sexual, após sua liberação, mostra-se permanentemente danificada. É por isso que, com frequência, a total abstinência durante a juventude não é a melhor preparação para o casamento, no caso do homem jovem. As mulheres pressentem isso e dão preferência, entre seus pretendentes, àqueles que já provaram ser homens com outras mulheres. Particularmente evidentes são os prejuízos infligidos ao ser da mulher pela severa exigência da abstinência até o casamento. Ao que parece, a educação não assume com facilidade a tarefa de reprimir a sensualidade da menina até as núpcias, pois trabalha com as medidas mais drásticas. Ela não apenas proíbe a relação sexual, estabelecendo altos prêmios pela preservação da inocência feminina, como também subtrai da tentação o indivíduo feminino em amadurecimento, mantendo-o na ignorância de tudo aquilo que de fato se refira ao papel ao qual está destinado, não tolerando nele nenhuma moção amorosa que não possa levar ao casamento. O resultado é que as moças, quando de repente as autoridades parentais lhes permitem apaixonar-se, não podem realizar essa operação psíquica e entram no casamento inseguras de seus próprios sentimentos. Em consequência desse atraso artificial da função amorosa, elas só oferecem decepções ao homem, que reservou para elas todo o seu apetite [*Begehren*]; em seus sentimentos anímicos, elas permanecem atreladas a seus pais, cuja autoridade criou nelas a repressão sexual, e mostram-se frígidas em sua conduta corporal, o que impede ao homem qualquer gozo sexual de valor superior. Não sei se o tipo da mulher anestésica [*anästhetischen*] também se apresenta fora da educação cultural, mas considero isso provável. De qualquer forma, ele é praticamente cultivado pela educação, e essas mulheres que concebem sem prazer mostram, então, pouca disposição ao frequente parto com dores. É assim que a preparação para o casamento desvirtua os próprios fins do casamento; quando então o atraso do desenvolvimento foi superado pela mulher, e no ápice de sua existência feminina é nela despertada a plena capacidade de amar, sua relação com o marido há muito tempo foi deteriorada; resta-lhe, como recompensa por sua docilidade até então, a escolha entre um anseio insaciado, a infidelidade ou a neurose.

A conduta sexual de um ser humano é frequentemente *exemplar* para todas as suas outras maneiras habituais de reação no mundo. Àquele que, como homem, conquista seu objeto sexual com energia podemos creditar a mesma energia implacável também na perseguição de outras metas. Aquele que, ao contrário, por toda sorte de considerações, renunciar à satisfação de suas fortes pulsões sexuais irá também se conduzir em outros momentos da vida de maneira antes conciliadora e resignada do que enérgica. Podemos facilmente constatar que a tese segundo a qual a vida sexual é exemplar para outros modos de funcionamento aplica-se de modo especial ao sexo em todas as mulheres. A educação impede-lhes o envolvimento intelectual com os problemas sexuais, a respeito dos quais, no entanto, elas trazem consigo a maior sede de saber [*Wißbegierde*], assusta-as julgando essa sede de saber como antifeminina [*unweiblich*], além de ser signo de uma predisposição pecaminosa. Com isso elas são dissuadidas do pensar em geral, e o saber é desvalorizado para elas. A proibição de pensar ultrapassa a esfera sexual, em parte em consequência de relações inevitáveis, em parte de maneira automática, bem semelhante à proibição religiosa de pensar, no caso dos homens, ou à lealdade, no caso de bons súditos. Não acredito que a oposição biológica entre trabalho intelectual e atividade sexual explique a "debilidade mental fisiológica" da mulher, como propôs Möbius em seu tão contestado escrito.[10] Penso, ao contrário, que o fato indubitável da inferioridade intelectual de tantas mulheres deve ser remetido à inibição de pensar exigida pela repressão sexual.

Quando tratamos da questão da abstinência, distinguimos com muito pouco rigor duas de suas formas: a restrição de qualquer atividade sexual em geral e a restrição da relação sexual com o outro sexo. Para muitas pessoas que se vangloriam de uma abstinência bem-sucedida, ela só se tornou possível com a ajuda da masturbação e de satisfações semelhantes que se ligam às atividades sexuais autoeróticas da primeira infância. Mas é justamente por causa dessa relação que esses meios substitutivos de satisfação sexual não são de modo algum anódinos; eles predispõem às numerosas formas de neurose e psicose para as quais a condição é o retorno [*Rückbildung*] da vida sexual às suas formas infantis. A masturbação também não corresponde, de modo algum, às exigências da moral sexual cultural e por isso leva os seres humanos jovens aos mesmos conflitos com o ideal da educação, dos quais eles queriam escapar pela abstinência. Além disso, ela corrompe o caráter através de *condescendência*, em mais de uma maneira: em primeiro lugar, ensinando a alcançar metas importantes sem esforço, por caminhos convenientes, e não através de uma tensão enérgica de forças, portanto, seguindo o caráter modelar da sexualidade, e, em segundo lugar, elevando o objeto sexual, nas fantasias que acompanham a satisfação, a um grau de excelência que não é fácil encontrar na realidade. Até mesmo um escritor espirituoso (Karl Kraus, na revista vienense *Die Fackel* [A Tocha]) pode, virando o jogo, anunciar a verdade com cinismo: o coito é apenas um substituto insuficiente do onanismo!

O rigor da exigência cultural e a dificuldade da tarefa da abstinência agiram conjuntamente para fazer da evitação da união dos genitais de sexos diferentes o cerne da abstinência e para favorecer outras espécies de atividade sexual que equivalem, por assim dizer, a uma semiobediência. A partir do momento em que a relação sexual normal é perseguida tão inflexivelmente pela moral – e também pela higiene, por causa das possibilidades de infecção –, as assim chamadas maneiras perversas de relação entre ambos os sexos, nas quais outros lugares do corpo assumem o papel dos genitais, ganharam, sem dúvida, maior importância social. Mas essas atividades não podem ser julgadas tão inofensivas quanto outras transgressões análogas na relação sexual; elas são eticamente condenáveis, na medida em que rebaixam as relações amorosas entre dois seres humanos de algo sério a um jogo cômodo sem perigo e sem participação anímica. Como outra consequência dessa complicação da vida sexual normal, é preciso mencionar a expansão da satisfação homossexual; a todos aqueles que já são homossexuais de acordo com sua disposição [*Organisation*] ou que passaram a sê-lo na infância, acrescenta-se o grande número daqueles para os quais, em idade mais madura, por causa do bloqueio da corrente principal da libido, abre-se largamente o afluente homossexual.

Todas essas consequências inevitáveis e não intencionais da exigência de abstinência convergem ao ponto comum de que elas arruínam profundamente a preparação para o casamento, que, conforme o propósito da moral sexual cultural, deveria, no entanto, ser a única herdeira dos anseios sexuais. Todos os homens que, em consequência da prática sexual masturbatória ou perversa, adequaram sua libido a situações e condições de satisfação diferentes das normais desenvolvem uma potência reduzida no casamento. Também as mulheres, às quais só restou a possibilidade de preservar sua virgindade através de expedientes semelhantes, mostram-se, no casamento, anestésicas para a relação sexual normal. Um casamento iniciado com uma capacidade de amar diminuída em ambas as partes sucumbe ao processo de dissolução ainda mais rapidamente do que outro. Em consequência da fraca potência do homem, a mulher não é satisfeita e permanece anestésica, mesmo que sua disposição à frigidez, legada pela educação, pudesse ter sido superada por uma poderosa experiência sexual. Um casal como esse também acha mais difícil prevenir a concepção do que um casal saudável, pois a potência enfraquecida do homem tolera mal a utilização de contraceptivos. Nessa falta de orientação, renuncia-se logo à relação sexual como sendo a fonte de todos os embaraços, e com isso é abandonada a base da vida conjugal.

Convido todas as pessoas experientes a confirmarem que não estou exagerando, mas descrevendo situações igualmente graves que podem ser observadas quantas vezes se queira. Para o não iniciado, é de fato totalmente inacreditável que sejam encontradas tão raramente uma potência normal no homem e tão frequentemente a frigidez na metade feminina dos casais que estão sob o domínio de nossa moral sexual cultural; a que renúncias – muitas vezes para ambas as partes – o casamento está ligado e a que se restringe a vida conjugal, essa felicidade ansiada tão ardentemente. Já explicitei que nessas situações a saída para a doença nervosa é a mais próxima; mas agora quero acrescentar ainda de que maneira um casamento como esse continua repercutindo nos filhos nascidos dele – filhos únicos ou pouco numerosos. Parece tratar-se de uma transferência hereditária que, ao ser observada mais aguçadamente, dissolve-se no efeito de poderosas impressões infantis. A mulher neurótica não satisfeita por seu marido é, como mãe, supercarinhosa e supertemerosa em relação ao filho, a quem ela transfere sua necessidade de amor, despertando nele a maturidade sexual precoce. O mau entendimento entre os pais incita a vida sentimental da criança e faz com que ela, em idade muito tenra, sinta amor, ódio e ciúme intensamente. A educação rigorosa, que não tolera qualquer tipo de atividade dessa vida sexual despertada tão precocemente, coloca à disposição a força repressiva, e esse conflito, nessa idade, contém tudo o que é necessário para causar a doença nervosa para toda a vida.

Retorno agora à minha afirmação anterior de que, quando julgamos as neuroses, geralmente não consideramos sua plena importância. Com isso não estou me referindo à depreciação desses estados, que se manifesta em um imprudente menosprezo por parte dos parentes e nas presunçosas garantias por parte dos médicos de que algumas semanas de tratamento hidroterápico ou alguns meses de repouso e de recuperação poderiam eliminar tal estado. Essas são apenas mais algumas opiniões de médicos e leigos totalmente ignorantes, em sua maioria apenas conversa fiada destinada a oferecer um consolo efêmero aos que sofrem. O que se sabe muito bem é que uma neurose crônica, ainda que não suprima inteiramente a capacidade de existir, representa uma carga pesada para o indivíduo, talvez da ordem de uma tuberculose ou de uma deficiência cardíaca. Poderíamos também nos dar por satisfeitos, se acaso os adoecimentos neuróticos excluíssem do trabalho de cultura, por exemplo, apenas um número de indivíduos de algum modo mais fracos, e permitissem aos outros a participação nesse trabalho ao preço de meras queixas subjetivas. Eu gostaria sobretudo de chamar a atenção para o ponto de vista de que a neurose, não importa até onde ela se estenda ou em quem ela sempre seja encontrada, sabe fazer malograr o propósito da cultura, promovendo, afinal, o trabalho das forças anímicas reprimidas, hostis à cultura, de modo que a sociedade não irá registrar um ganho obtido com sacrifícios, ela não poderá registrar absolutamente nenhum ganho, se pagar a obediência às suas amplas restrições com o aumento da doença nervosa. Abordemos, por exemplo, o caso tão frequente de uma mulher que não ama seu marido porque, de acordo com as condições de compromisso de seu casamento e com as experiências de sua vida de casada, ela não tem nenhum motivo para amá-lo, mas que, de todo modo, gostaria de amar seu marido, pois só isso corresponderia ao ideal de casamento, em função do qual ela foi educada. Ela vai, então, reprimir em si mesma todas as moções que queiram dar expressão à verdade e contradizer seus anseios ideais, e fará um esforço especial para desempenhar o papel de esposa amorosa, carinhosa e atenciosa. Um adoecimento neurótico será a consequência dessa autorrepressão [*Selbstunterdrückung*], e, em um curto espaço de tempo, essa neurose terá se vingado do homem não amado e terá suscitado nele tanta insatisfação e preocupação quanto lhe teria causado a confissão do verdadeiro estado de coisas. Esse é um exemplo absolutamente típico dos efeitos da neurose. Um fracasso semelhante da compensação é observado também após a repressão de outras moções não diretamente sexuais e hostis à cultura. Aquele que, por exemplo, ao reprimir violentamente uma inclinação constitucional para a dureza e a crueldade, tenha se tornado *extremamente bondoso* ver-se-á frequentemente subtraído de tanta energia que não executará tudo o que corresponde às suas moções compensatórias, e, portanto, no conjunto, fará, de longe, menos, em se tratando do bem, do que teria conseguido fazer sem repressão.

Acrescentemos ainda que a restrição da atividade sexual de um povo vem acompanhada, em geral, de um aumento do temor à vida [*Lebensängstlichkeit*] e do medo da morte [*Todesangst*], que perturba a capacidade de fruição dos indivíduos e suspende a sua disposição para, através de quaisquer metas, enfrentar a morte, e que se manifesta na diminuição da inclinação à procriação e exclui esse povo ou esse grupo de seres humanos da participação no futuro, de maneira que temos o direito de lançar a pergunta sobre se a nossa moral sexual "cultural" vale o sacrifício que ela nos impõe, sobretudo se não nos libertarmos o suficiente do hedonismo a ponto de incluir certa dose de satisfação da felicidade individual entre as metas do nosso desenvolvimento cultural. Certamente não é atribuição do médico fazer ele mesmo propostas de reforma; mas pensei que eu poderia enfatizar a sua urgência se ampliasse a apresentação feita por Von Ehrenfels sobre os prejuízos causados por nossa moral sexual cultural, indicando sua importância para a expansão da doença nervosa moderna.

CULTURA, SOCIEDADE, RELIGIÃO 93

Die "kulturelle" sexualmoral und die moderne Nervosität (1908)

1908   Primeira publicação: *Sexual-Probleme*, v. 4, n. 3, mar., p. 107-129

1924   *Gesammelte Schriften*, t. V, p. 143-167

1941   *Gesammelte Werke*, t. VII, p. 143-167

Esse artigo foi publicado em março de 1908, na revista *Sexual-probleme*, periódico que sucedeu *Mutterschutz* (Proteção maternal). Trata-se de um diálogo direto e franco com o livro *Ética sexual: questões fronteiriças da vida nervosa e da vida anímica*, lançado na época pelo professor Christian von Ehrenfels, diga-se de passagem, um dos precursores da teoria da Gestalt. O diálogo com Von Ehrenfels culminou com a conferência deste, em dezembro do mesmo ano, numa reunião na Sociedade Psicanalítica de Viena. Ao final da reunião, a respeito da perspectiva do filósofo, um dos psicanalistas presentes teria dito: "Não passa de uma fantasia adolescente!". O filósofo é um dos expoentes de uma certa etapa da teoria austríaca do valor, destacando--se, entre outros detalhes, por sua crítica à ética kantiana: para Von Ehrenfels, a razão não pode dirigir nossos desejos. Pregava um retorno à "moral sexual natural" como solução não apenas para o indivíduo, mas também para as sociedades europeias, cujo declínio ele temia. Sua "teoria do valor" logo derivou para um modelo darwinista de reforma social, fortemente devedora de uma teoria racial. O texto de Freud é uma resposta veemente à moral sexual "natural" de Von Ehrenfels.

No mês seguinte à publicação do presente artigo, ocorreu o primeiro Congresso Internacional de Psicanálise, em Salzburgo. Num contexto ampliado, o artigo intervém também no debate da época acerca da origem social de patologias psíquicas. Toda uma literatura psiquiá-trica, com autores de renome como Krafft-Ebing, Erb e Binswanger, denunciavam um aumento vertiginoso de patologias mentais relacionadas à modernização da vida social e ao exuberante progresso material da virada do século, que alguns economistas, conforme lembra Assoun (2009, p. 832), chamavam de "segunda Revolução Industrial". O texto de Freud estabelece um diálogo duplo: de um lado, com reformadores sexuais, como Von Ehrenfels; de outro, com o discurso psiquiátrico, que denunciava os malefícios da modernização da vida social. Por um lado, Freud se alinha à necessidade de reformas, em sua vigorosa crítica à moral sexual cultural vigente; de outro, se mantém cauteloso quanto ao alcance de tais reformas. Para dizer o mínimo, o retorno a uma su-posta moral sexual "natural" não lhe convence: a natureza não fornece nenhum horizonte possível de reconciliação do sujeito com a sexuali-dade inconsciente. O texto contém, ainda, uma das principais divisas

94 OBRAS INCOMPLETAS DE S. FREUD

éticas da Psicanálise, qual seja, a aposta na singularidade: "Constitui uma das evidentes injustiças sociais o fato de o padrão cultural exigir de todas as pessoas o mesmo modo de conduta sexual" (neste volume, p. 78). Especial atenção deve ser tomada em relação ao uso freudiano de conceitos como repressão (*Unterdrückung*) e recalque (*Verdrängung*).

Trata-se do primeiro ensaio inteiramente dedicado ao célebre tema do antagonismo entre exigências pulsionais e exigências culturais, eixo que atravessa toda a reflexão psicossocial de Freud. Conforme nota James Strachey, esse antagonismo já estava implícito nas últimas páginas dos *Três ensaios sobre a teoria sexual*, publicado em 1905. Esboços dessa ideia remontam a ainda mais longe, conforme indica uma carta dirigida a Fließ em maio de 1897. Se, no presente ensaio, Freud já desconfia da vinculação da neurose à modernização, tal intuição será exponenciada apenas alguns anos mais tarde com *Totem e tabu* (1913), que lança o problema para tempos imemoriais, ao postular concordâncias entre o funcionamento psíquico dos neuróticos e o dos povos "primitivos". O "primitivo" permanece conservado no moderno, tal como a criança vive no adulto.

Pode-se dizer que a recepção desse curto artigo é típica, na medida em que divide seus leitores entre dois polos antagônicos: há aqueles que veem em Freud o prolongamento de uma moral sexual conservadora e outros, como Wilhelm Reich, para quem esse texto contém uma espécie de "crítica cultural sexual revolucionária" (que, em sua opinião, teria se esvaziado nos trabalhos subsequentes de Freud sobre a cultura). Importante lembrar que, no volume I de sua *História da sexualidade*, Michel Foucault, depois de reconhecer o papel político da psicanálise contra o discurso sexual predominante do século XIX, ironiza aqueles que separam o gênio bom do gênio mau de Freud.

A tradução da expressão que intitula o artigo, "Die 'kulturelle' sexualmoral", com aspas em torno de "*kulturelle*", evoca o debate *Kultur* versus *Zivilisation*, que tem cognatos em diversas línguas, como o inglês, o francês, o espanhol ou o português. Devido à origem latina de ambos os termos na língua alemã, a tentação de traduzir diretamente *Kultur* por "cultura" e *Zivilisation* por "civilização" é grande, embora os campos semânticos dos termos no alemão e no português não se recubram inteiramente. No presente texto, contudo, o problema é amenizado, na medida em que Freud não emprega nenhuma vez o termo *Zivilisation* (nem em sua forma adjetivada). Não obstante, em algumas passagens e expressões, o sentido de "civilização/civilizado" parece mais adequado ao contexto e acabou se impondo à tradução. Afinal, não faz sentido, em português, dizer "nações culturais" ou "seres humanos culturais", sendo preferível "nações civilizadas" ou "seres humanos civilizados". Não custa lembrar, contudo, que Freud recusa a distinção conceitual entre os dois termos, tão cara, especialmente, ao Romantismo alemão. Em sua asserção mais conhecida acerca dessa disputa, Freud afirma, no terceiro parágrafo de *O futuro de uma ilusão* (1927): "A cultura [*Kultur*] humana... – e recuso-me a separar cultura [*Kultur*] de civilização [*Zivilisation*] – mostra ao observador, como se sabe, dois lados" (neste volume, p. 234). Se a expressão "moral sexual civilizada" parece ser, até certo ponto, consagrada pelo uso em alguns meios psicanalíticos, há motivos de sobra para optarmos por "cultural", mesmo que a expressão soe estranha aos ouvidos num primeiro momento. Um reforço inesperado da atualidade advoga em favor da tradução aqui adotada, "moral sexual cultural". Exemplo disso é que até podemos discutir se identidades sexuais, como o masculino e o feminino, ou valores como a monogamia, ou questões como a homossexualidade, ou seja, se identidades sexuais e de gênero são naturais ou culturais, mas não faz sentido discutirmos se estas são naturais ou civilizadas. Com efeito, a expressão "moral sexual cultural" se mostra mais adequada – e mais moderna – do que "moral sexual civilizada". Caso contrário, tudo aquilo que não fosse estritamente determinado pela natureza seria *ipso facto* selvagem, incivilizado, bárbaro.

MATYSIK, Tracie. *Reforming the Moral Subject: Ethics and Sexuality in Central Europe (1890-1930)*. Nova York: Cornell University Press, 2008.

ROLLINGER, Robin; IERNA, Carlo, Christian von Ehrenfels. In: ZALTA, Edward N. (Ed.). *The Stanford Encyclopedia of Philosophy*. Winter, 2016. Disponível em: <https://stanford.io/3dVVzBs>.

NOTAS

[1] As aspas em torno de "*kulturelle*" no título são do próprio Freud e remetem ao uso do termo por Von Ehrenfels, conforme explicitado logo no início do texto. Na maior parte dos casos, *Kultur* será traduzido por "cultura", exceto em expressões como "nações civilizadas", quando a tradução por "nações culturais" não faria sentido. Sobre a tradução do termo, ver discussão detalhada na nota editorial e no texto de apresentação deste volume. (N.E.)

[2] A expressão é de Von Ehrenfels (*Sexualethik*. Wiesbaden: Bergman, 1907. p. 79). O autor propunha um retorno a uma "moral sexual natural". Em sua visão, o impulso sexual masculino excederia o feminino. Como consequência dessa premissa e de sua recusa da

96 OBRAS INCOMPLETAS DE S. FREUD

monogamia, ele acreditava que os homens deveriam competir entre si pela possibilidade de reproduzir com o maior número possível de parceiras, auxiliando assim a seleção natural. Uma saudável vida sexual natural seria uma solução para virtualmente todos principais problemas das sociedades europeias. Uma espécie de ética darwinista, mas assombrada pelo fantasma da ideologia racial do "perigo amarelo" (*gelbe Gefahr*), representado pelo crescimento populacional chinês. O perigo de uma conquista militar ou econômica chinesa ou japonesa alimentava sua teoria racial sobre o declínio da raça branca, feminizada. O entrelaçamento entre teoria racial e de gênero era mais comum à época do que poderíamos supor hoje. (N.E.)

3 O que Freud denomina *Nervosität* implica aqui uma forma de sofrimento, ainda que no termo não apareça propriamente o significado de doença no sentido de fundar uma entidade nosológica definida. A opção por "doença nervosa" em face da alternativa da palavra "nervosismo" parece mais adequada, já que o sentido corrente de "nervosismo" na língua portuguesa teria se desgastado na direção de uma forma de mal-estar passageiro ou que remeteria sobretudo a estados de irritabilidade, emotividade, agitação. (N.R.)

4 Ainda, seguindo a argumentação da nota anterior, traduzir *nervös Kranker* por "doente nervoso" causaria também um estranhamento desnecessário. (N.R.)

5 Nesta coleção, optou-se pela tradução de *Verdrängung* por "recalque" (quando fenômeno) ou "recalcamento" (quando processo), e pela tradução de *Unterdrückung* por "repressão". (N.R.)

6 Sabemos que Freud utiliza *psychisch* (psíquico) e *seelisch* (anímico) como sinônimos no mesmo contexto e, por essa razão, optamos por seguir as escolhas do autor, mantendo os termos alemães em colchetes. (N.T.)

7 "Estruturas [psíquicas individuais]", bem entendido. Daqui em diante, traduziremos *Organisation* por "estrutura", no sentido *freudiano* do termo, predominantemente lexical. (N.E.)

8 Nesta coleção, adota-se preferencialmente "impedimento" para traduzir *Versagung*, que evoca ainda os sentidos de "obstáculo", "bloqueio", "frustração", entre outros. Uma defesa vigorosa dessa solução foi proposta por Luiz Alberto Hanns (Cf. Tradução frustrada. *CULT*, n. 181, jul. 2013, p. 30-33). (N.E.)

9 Cf. *Drei Abhandlungen zur Sexualthorie* (Três ensaios sobre a teoria sexual) (1905), *Ges. Werke* 5, p. 65, nota 1: "As fantasias claramente conscientes dos perversos, que, em circunstâncias favoráveis, são transformadas em espetáculos, os temores delirantes dos paranoicos projetados em sentido hostil sobre outras pessoas, e as fantasias

inconscientes dos histéricos, descobertas por trás dos seus sintomas através da Psicanálise, coincidem até os mínimos detalhes, em seu conteúdo". (N.T.)

[10] Referência ao *best-seller Sobre a debilidade mental fisiológica* (*Über den physiologischen Schwachsinn des Weibes*), de Paul Julius Möbius, publicado em 1900, no auge do acalorado debate sobre a admissibilidade de mulheres na Faculdade de Medicina (ver, a esse respeito, "Sobre amor, sexualidade, feminilidade", texto de apresentação do volume homônimo, nesta coleção). (N.E.)

CONSIDERAÇÕES CONTEMPORÂNEAS SOBRE A GUERRA E A MORTE (1915)

I

A DESILUSÃO DIANTE DA GUERRA

Tomados pela agitação destes tempos de guerra, informados unilateralmente, sem distanciamento, das grandes mudanças que já se realizaram ou que começam a se realizar, e sem previsão quanto ao futuro que está tomando forma, nós mesmos duvidamos do significado das impressões que nos assolam e do valor dos julgamentos que formamos. Parece-nos que jamais um acontecimento destruiu tanto os bens preciosos comuns à humanidade, confundiu tantas das mais lúcidas inteligências, rebaixou tão radicalmente o que era elevado. A própria ciência perdeu sua desapaixonada imparcialidade; seus servidores, profundamente exasperados, procuram extrair-lhe armas para oferecer uma contribuição na luta contra o inimigo. O antropólogo tem de declarar o adversário inferior e degenerado, o psiquiatra tem de nele anunciar o diagnóstico de perturbação mental ou anímica.[1] Mas é provável que sintamos o mal deste tempo de maneira desmedidamente intensa e não tenhamos o direito de compará-lo com o mal de outras épocas que não vivenciamos.

O indivíduo que não tenha se tornado ele mesmo um combatente e, portanto, uma ínfima partícula do gigantesco maquinário de guerra sente-se confuso em sua orientação e inibido em sua capacidade de realização.

Penso que para ele será bem-vinda qualquer pequena indicação que ao menos lhe facilite situar-se em seu próprio íntimo. Entre os fatores responsáveis pela miséria anímica daqueles que ficaram em casa, e cuja superação lhes coloca tarefas tão difíceis, há dois que gostaria de destacar e de abordar neste trecho: a desilusão que esta guerra provocou e a modificação de nossa perspectiva em relação à morte, que ela – como todas as outras guerras – nos impôs.

Quando falo de desilusão, qualquer um sabe imediatamente sobre o que estou falando. Não é preciso ser nenhum entusiasta da compaixão; pode-se reconhecer a necessidade biológica e psicológica do sofrimento para a economia da vida humana, tendo-se, no entanto, o direito de condenar a guerra em seus meios e fins, ansiando assim pelo término das guerras. Dizia-se, na verdade, que as guerras não poderiam cessar enquanto os povos vivessem sob condições tão diversas de existência, enquanto neles os valores do indivíduo diferissem de forma tão extensa, e enquanto os ódios que os dividem representassem forças pulsionais anímicas tão intensas. Estávamos, de fato, preparados para que as guerras – entre os povos primitivos e os civilizados [*zivilisierten*], entre as raças humanas separadas umas das outras pela cor da pele, e mesmo guerras contra e entre indivíduos de povos menos desenvolvidos da Europa ou de povos que se tornaram selvagens – ocupassem a humanidade ainda por certo tempo. Mas, mesmo assim, ousava-se ter esperança em outra coisa. Das grandes nações de raça branca que dominam o mundo, às quais coube a condução do gênero humano, das quais sabíamos que se consagram ao cultivo de interesses mundiais, e cujas criações são os progressos técnicos no domínio da natureza, bem como os valores culturais artísticos e científicos – desses povos havíamos esperado que soubessem resolver por outro caminho as divergências e os conflitos de interesse. No interior de cada uma dessas nações foram estabelecidas elevadas normas morais para o indivíduo, a partir das quais ele devia adaptar a condução de sua vida, se quisesse fazer parte da comunidade civilizada. Essas prescrições, de um rigor frequentemente excessivo, exigiam muito dele, uma grande autorrestrição e uma ampla renúncia à satisfação pulsional. Ele era sobretudo impedido de se servir das vantagens extraordinárias que o uso da mentira e da fraude proporciona na competição com os semelhantes. O Estado civilizado [*Kulturstaat*] considerava essas normas morais o fundamento de sua existência; ele intervinha seriamente quando se ousava violá-las e frequentemente declarava impróprio até mesmo submetê-las a exame da razão crítica. Devia-se então supor que ele próprio quisesse respeitá-las e que não teria a intenção de empreender nada contra elas que viesse a contradizer o fundamento de sua própria existência. Finalmente foi possível perceber precisamente que, no interior dessas nações civilizadas [*Kulturnationen*], estariam espalhados determinados resíduos de povos tidos de maneira bem geral como indesejáveis, e que por isso, somente a contragosto, e mesmo assim não em todos os âmbitos, eram aceitos para participar do trabalho cultural comum, para o qual haviam se mostrado suficientemente aptos. Mas podia-se pensar que mesmo os grandes povos teriam adquirido tanta compreensão em relação a seus pontos em comum e tanta tolerância em relação às suas diferenças que, para eles, "estrangeiro" e "hostil" não podiam mais fundir-se em um conceito, tal como ainda na Antiguidade Clássica.

Confiantes nessa união dos povos civilizados, inúmeros seres humanos trocaram seu domicílio na terra natal pela estadia no estrangeiro e ligaram sua existência às relações de intercâmbio entre povos que se tornaram amigos. Mas aquele que a necessidade da vida não manteve permanentemente retido no mesmo lugar podia compor para si, a partir de todas as vantagens e estímulos dos países civilizados, uma pátria nova e maior, na qual ele circulava sem inibição e livre de suspeitas. Assim, ele desfrutava do mar azul e do mar cinzento, da beleza das montanhas de neve e das verdes pradarias, do encanto da floresta nórdica e do esplendor da vegetação meridional, da atmosfera das paisagens, nas quais estão guardadas grandes lembranças históricas, e do silêncio da natureza intocada. Para ele, essa nova pátria também era um museu, repleto de tesouros que os artistas da humanidade haviam criado e legado há muitos séculos. Enquanto ele passava de uma sala a outra desse museu, podia constatar, num reconhecimento imparcial, os diversos tipos de perfeição que a miscigenação, a história e a singularidade da Mãe Terra haviam formado em seus novos compatriotas. Aqui, havia se desenvolvido ao máximo a energia fria e indomável; ali, a graciosa arte de embelezar a vida; acolá, o sentido da ordem e da lei, ou outra das qualidades que fizeram do ser humano o senhor da Terra.

Não nos esqueçamos também de que cada um desses cidadãos do mundo civilizado [*Kulturweltbürger*] tinha criado para si um "Parnaso" particular e uma "Escola de Atenas".[2] Entre os grandes pensadores, poetas e artistas de todas as nações, ele escolheu aqueles aos quais acreditava dever o melhor do que tinha se tornado para ele acessível em termos de deleite e de compreensão da vida, e os associou, em sua veneração, aos antigos imortais, da mesma forma que aos familiares mestres de sua própria língua. Nenhum desses grandes lhe parecia estrangeiro pelo fato de falar outra língua, nem o incomparável investigador das paixões humanas nem o ébrio entusiasta da beleza, ou o grandioso profeta ameaçador, o zombador sutil, e ele jamais se repreendeu de ter se tornado desertor da própria nação e da querida língua materna.

A fruição da comunidade civilizada era ocasionalmente perturbada por vozes que alertavam que, em consequência de antigas diferenças tradicionais, guerras seriam inevitáveis mesmo entre os membros dessa mesma comunidade. Não se queria acreditar nisso, mas como haveriam de imaginar uma guerra como essa, caso ela viesse a acontecer? Como uma oportunidade de mostrar os avanços no sentimento comum entre seres humanos desde a época em que as anfictionias gregas proibiram que fosse destruída uma cidade pertencente à federação, suas oliveiras derrubadas e sua água cortada. Como um embate de armas cavalheiresco que quisesse se limitar a estabelecer a superioridade de uma das partes, evitando, tanto quanto possível, graves sofrimentos que em nada poderiam contribuir para essa decisão, poupando inteiramente o ferido forçado a deixar o combate, e o médico e o enfermeiro dedicados à sua recuperação. Havendo, naturalmente, toda consideração para com a parte não combatente da população, para com as mulheres que permanecem afastadas dos ofícios da guerra, e para com as crianças, que, uma vez crescidas, devem se tornar amigas e colaboradoras entre si e de ambos os lados. Seriam igualmente conservados todos os empreendimentos e instituições internacionais, nos quais se encarnara a comunidade civilizada dos tempos de paz.

Uma guerra como essa ainda teria conservado muito do horror e do que é difícil de suportar, mas não teria interrompido o desenvolvimento de relações éticas entre os grandes indivíduos da humanidade, entre os povos e os Estados.

Mas a guerra, na qual não queríamos acreditar, irrompeu e trouxe – a desilusão. Ela não é apenas mais sangrenta e causadora de mais perdas do que quaisquer das guerras anteriores em consequência das armas de ataque e de defesa aperfeiçoadas de maneira poderosa, mas é pelo menos tão cruel, amarga e impiedosa quanto qualquer outra que a tenha precedido. Ela se coloca para além de todas as restrições a que nos obrigamos em tempos de paz, às quais chamamos de direito dos povos; não reconhece as prerrogativas do ferido e do médico, a distinção entre a parte pacífica e a parte combatente da população, nem as reivindicações da propriedade privada. Ela derruba o que estiver no seu caminho, com fúria cega, como se depois dela não pudesse haver nenhum futuro e nenhuma paz entre os seres humanos. Ela rompe todos os laços da comunidade entre os povos combatentes e ameaça legar um rancor que, durante muito tempo, tornará impossível uma reconciliação.

Ela também trouxe à luz o fenômeno quase inconcebível de que os povos civilizados se conhecem e se compreendem tão pouco, que um pode se voltar contra o outro com ódio e repulsa. E que mesmo uma das maiores nações civilizadas torna-se tão amplamente depreciada, que pode ser feita a tentativa de excluí-la da comunidade civilizada como "bárbara", embora ela tenha, há muito tempo, comprovado a sua competência através das mais grandiosas contribuições. Vivemos na esperança de que uma história escrita de maneira imparcial venha a trazer a prova de que justamente essa nação, em cuja língua escrevemos, para cuja vitória lutam nossos entes queridos, tenha sido a que menos violou as leis da moralidade humana; mas quem é que, em tempos como estes, tem o direito de, como juiz, advogar em causa própria?

Os povos são mais ou menos representados pelos Estados que eles formam; esses Estados, pelos governos que os dirigem. Cada membro individual de um povo pode, nesta guerra, constatar, com horror, algo que, ocasionalmente, já tendia a lhe ser imposto em tempos de paz: que o Estado impediu ao indivíduo o uso da injustiça, não porque quer aboli-la, mas porque quer monopolizá-la, como fez com o sal e o tabaco. O Estado em guerra permite-se qualquer injustiça, qualquer ato de violência que desonraria o indivíduo. Ele se serve não apenas da artimanha permitida, mas também da mentira consciente e da fraude deliberada contra o inimigo, e o faz precisamente em uma medida que parece exceder a utilizada em guerras anteriores. O Estado exige de seus cidadãos o máximo de obediência e de sacrifício, mas com isso os incapacita por um excesso de sigilo e uma censura da comunicação e da expressão de opinião, que torna o estado de espírito daqueles tão oprimidos [*unterdrückt*] intelectualmente sem defesa contra qualquer situação desfavorável e contra qualquer boato maldoso. Ele desfaz-se das garantias e tratados através dos quais havia se ligado a outros Estados, reconhece, inescrupulosamente, sua cobiça e seu anseio por poder, os quais o indivíduo deve então acatar por patriotismo.

Não se objete que o Estado não pode renunciar ao uso da injustiça, porque dessa maneira se colocaria em desvantagem. Como regra geral, também é muito desvantajoso para o indivíduo o respeito pelas normas morais, a renúncia ao exercício brutal do poder, e só raramente o Estado se mostra capaz de compensar o indivíduo pelo sacrifício que dele exigiu. Também não devemos nos surpreender com o fato de que o afrouxamento de todas as relações morais entre os grandes indivíduos da humanidade tenha mostrado um efeito retroativo sobre a moral do indivíduo, pois nossa consciência moral [*Gewissen*] não é o juiz inflexível pelo qual a fazem passar os éticos, mas ela é, em sua origem, "medo social" [*soziale Angst*], e nada mais. Quando a comunidade suprime a recriminação, também cessa a repressão dos maus apetites, e os seres humanos cometem atos de crueldade, de malícia, de traição e de brutalidade, que só poderiam ter sido considerados incompatíveis com seu nível cultural.

É assim que o cidadão do mundo civilizado, que mencionei anteriormente, pode ficar desamparado no mundo que para ele se tornou estrangeiro; sua grande pátria, desagregada; os bens comuns, devastados; os concidadãos, divididos e rebaixados!

Em relação à crítica sobre a sua desilusão haveria algo a assinalar. Rigorosamente falando, ela não se justifica, pois consiste na destruição de uma ilusão. Ilusões nos são recomendadas pelo fato de nos pouparem de sentimentos de desprazer e, em seu lugar, deixam-nos desfrutar de satisfações. Temos, então, de aceitar sem reclamação que, em algum momento, elas se chocam com uma parte da realidade na qual se despedaçam.

Duas coisas nesta guerra suscitaram nossa desilusão: a reduzida moralidade dos Estados voltada para o exterior, que se comportam, nas relações internas, como os guardiães das normas morais, e a brutalidade na conduta dos indivíduos, que, como participantes da mais elevada cultura humana, não acreditávamos capazes de atos dessa natureza.

Comecemos pelo segundo ponto e tentemos resumir, em uma única proposição sucinta, o ponto de vista que queremos criticar. Como imaginamos o processo através do qual um único ser humano atinge um nível moral superior? A primeira resposta será, sem dúvida: ele é justamente, e desde o início, bom e nobre de nascença. Não continuaremos a considerá-la aqui. Uma segunda resposta irá sugerir que aqui precisaria estar presente um processo de desenvolvimento, e provavelmente irá supor que esse desenvolvimento consiste em que as más inclinações do ser humano lhe serão extirpadas e substituídas, sob a influência da educação e do ambiente cultural, por inclinações para o bem. No entanto, é legítimo então que nos surpreendamos se naquele que foi assim educado o mal reaparecer com tamanho vigor.

Mas essa resposta também contém a proposição que queremos refutar. Na realidade, não existe nenhuma "extirpação" do mal. A investigação psicológica – em sentido mais estrito, a psicanalítica – mostra, pelo contrário, que a essência mais profunda do ser humano consiste em moções pulsionais que, de natureza elementar, são da mesma espécie em todos os seres humanos e têm por meta a satisfação de certas necessidades originárias. Essas moções pulsionais não são em si nem boas nem más. Nós as classificamos, bem como as suas manifestações, em função de sua relação com as necessidades e exigências da comunidade humana. Admitimos que todas as moções que são condenadas pela sociedade como sendo más – tomemos como suas representantes as moções egoístas e as cruéis – encontram-se entre essas moções primitivas.

Essas moções primitivas percorrem um longo caminho de desenvolvimento antes que sua atividade se ative no adulto. Elas são inibidas, dirigidas para outras metas e outros âmbitos, entram em fusão umas com as outras, trocam seus objetos e se voltam, em parte, contra a própria pessoa.[3] Formações reativas contra determinadas pulsões geram o engano da transformação de seu conteúdo, como se o egoísmo se tornasse altruísmo e a crueldade, compaixão. Essas formações reativas são favorecidas pelo fato de que algumas moções pulsionais surgem, quase que desde o início, em pares de opostos, uma circunstância muito notável e estranha ao conhecimento popular, que foi chamada de "ambivalência de sentimentos". O que é mais fácil de observar e de apreender pelo entendimento é o fato de que o amor intenso e o ódio intenso encontram-se reunidos com muita frequência na mesma pessoa. A isso a Psicanálise acrescenta que também não é raro que ambas as moções de sentimentos opostos tomem a mesma pessoa como objeto.

É só depois da superação de todos esses "destinos de pulsões" [*Triebschicksale*] que se revela aquilo que chamamos de caráter de um ser humano, e aquilo que, como se sabe, só pode ser classificado de maneira muito insuficiente como "bom" ou "mau". Raramente o ser humano é bom ou mau por inteiro; na maioria das vezes é "bom" em determinada relação e "mau" em outra, ou "bom" sob certas condições externas e, sob outras, decididamente "mau". Interessante é observarmos que, com frequência, a preexistência de intensas moções "más" na infância se torne verdadeiramente a condição de uma passagem particularmente nítida do adulto para o "bem". As crianças mais fortemente egoístas podem tornar-se os cidadãos mais prestativos e abnegados; a maior parte dos entusiastas da compaixão, dos filantropos, dos protetores de animais desenvolveram-se a partir de pequenos sádicos e de torturadores de animais.

A reconfiguração das pulsões "más" é obra de dois fatores, um interno e um externo, agindo no mesmo sentido. O fator interno consiste na influência exercida sobre as pulsões más – digamos, egoístas – pelo erotismo e pela necessidade de amor do ser humano, tomada em seu sentido mais amplo. Pela introdução dos componentes *eróticos*, as pulsões egoístas são transformadas em *sociais*. Aprendemos a considerar o fato de ser amado uma vantagem que permite renunciar a outras vantagens. O fator externo é a pressão da educação, que representa as exigências do ambiente cultural, e que depois seguirá pelos efeitos diretos do meio cultural. A cultura foi adquirida através da renúncia à satisfação pulsional e exige de cada recém-chegado que realize essa mesma renúncia pulsional. No curso da vida individual ocorre uma constante transposição da coerção [*Zwang*] externa em coerção interna. Das influências da cultura resulta que, cada vez mais, as tendências egoístas sejam transformadas em tendências altruístas e sociais pela adição de elementos eróticos. Finalmente, podemos supor que toda e qualquer coerção interna que se faz valer no desenvolvimento do ser humano foi, originariamente, isto é, na *história da humanidade*, apenas coerção externa. Os seres humanos que hoje nascem trazem consigo, enquanto organização herdada, uma parcela da tendência (predisposição) à transformação das pulsões egoístas em sociais, tendência que, respondendo a leves incitações, executa tal transformação. Uma outra parcela dessa transformação pulsional tem, necessariamente, de ser realizada na própria vida. É assim que cada um dos seres humanos se encontra não apenas sob o efeito de seu atual meio cultural, mas também submetido à influência da história cultural de seus antepassados.

Se chamarmos de *aptidão para a cultura* a capacidade inerente a um ser humano de reconfigurar as pulsões egoístas sob a influência do erotismo, podemos enunciar que ela se compõe de duas partes, uma inata e uma adquirida durante a vida, e que a relação de ambas entre si e com a parte que permaneceu inalterada da vida pulsional é muito variável.

De maneira geral, somos inclinados a exagerar no valor atribuído à parte inata e, além disso, incorremos no perigo de supervalorizar a aptidão total para a cultura em sua relação com a vida pulsional que permaneceu primitiva, ou seja, somos levados a julgar os seres humanos "melhores" do que são na realidade. Pois, na verdade, existe ainda um outro fator que turva o nosso julgamento e falseia o resultado no sentido favorável.

As moções pulsionais de outro ser humano escapam, naturalmente, à nossa percepção. Nós as deduzimos a partir de suas ações e de sua conduta, as quais remetemos a *motivos* procedentes de sua vida pulsional. Uma conclusão como essa induz, necessariamente, ao erro em um certo número de casos. As mesmas ações culturalmente "boas" podem, em um caso, provir de motivos "nobres", e em outro não. Os teóricos da Ética só chamam de "boas" as ações que sejam a expressão de boas moções pulsionais; às outras negam seu reconhecimento. Mas a sociedade, guiada por intenções práticas, não se preocupa, de maneira geral, com essa distinção; para ela, é suficiente que um ser humano oriente sua conduta e suas ações de acordo com os preceitos culturais, e pouco pergunta sobre seus motivos.

Como já vimos, a *coerção externa*, exercida sobre o ser humano pela educação e pelo meio, causa uma nova reconfiguração de sua vida pulsional na direção do bem, uma viragem do egoísmo para o altruísmo. Mas esse não é o efeito necessário ou regular da coerção externa. A educação e o meio não apenas oferecem prêmios de amor, mas também trabalham com prêmios de conveniência de outra espécie, a saber, com recompensas e castigos. Eles podem, portanto, manifestar o efeito de que aquele que está submetido à sua influência se decida pela boa ação, no sentido cultural, sem que nele tenha se consumado um enobrecimento pulsional, uma transposição de tendências egoístas em sociais. O resultado será, em linhas gerais, o mesmo; só sob circunstâncias especiais é que será revelado que um indivíduo sempre age bem porque suas tendências pulsionais o obrigam a isso, e que o outro só é bom enquanto e na medida em que essa conduta cultural trouxer vantagens às suas intenções egoístas. No entanto, com conhecimento superficial do indivíduo, não teremos nenhum meio de distinguir entre ambos os casos, e certamente seremos induzidos por nosso otimismo a superestimar grosseiramente o número de seres humanos culturalmente modificados.

A sociedade civilizada [*Kulturgesellschaft*], que exige a boa ação e não se preocupa com o seu fundamento pulsional, conquistou, portanto, para a obediência à cultura um grande número de seres humanos que, com isso, não seguem a sua natureza. Encorajada por esse êxito, ela se deixou induzir a que fossem tensionadas ao máximo possível as exigências morais, obrigando assim seus participantes a um distanciamento ainda maior de sua predisposição pulsional. A eles foi então imposta uma contínua repressão da pulsão, cuja tensão se reconhece nas mais notáveis manifestações reativas e de compensação. No campo da sexualidade, no qual essa repressão só se efetiva minimamente, chega-se então às manifestações reativas dos adoecimentos neuróticos. A remanescente coerção da cultura não produz, na verdade, nenhuma consequência patológica, mas ela se exprime nas malformações de caráter e na prontidão permanente das pulsões inibidas para, na ocasião adequada, irromper como satisfação. Aquele que se vê obrigado a reagir continuamente seguindo preceitos que não são a expressão de suas tendências pulsionais vive, psicologicamente falando, acima dos seus meios e pode, objetivamente, ser qualificado de hipócrita, não importando se para ele essa diferença tenha se tornado claramente consciente ou não. É inegável que nossa cultura contemporânea favorece, em proporções extraordinárias, a formação dessa espécie de hipocrisia. Poderíamos arriscar a afirmação de que ela é construída sobre essa hipocrisia e teria de aceitar submeter-se a profundas modificações, caso os seres humanos se propusessem a viver de acordo com a verdade psicológica. Existem, portanto, desproporcionalmente, mais hipócritas culturais [*Kulturheucler*] do que seres humanos realmente civilizados [*Kulturelle Menschen*], e podemos até mesmo discutir o ponto de vista de saber se uma certa medida de hipocrisia cultural não seria indispensável para a manutenção da cultura, porque talvez a já organizada aptidão para a cultura dos seres humanos de hoje não bastasse para essa realização. Por outro lado, a manutenção da cultura, mesmo sobre base tão questionável, oferece a perspectiva de preparar uma ampla reconfiguração pulsional em cada nova geração, enquanto portadora de uma cultura melhor.

Das discussões anteriores retiramos desde já o consolo de que eram injustificadas nossa mágoa [*Kränkung*] e nossa dolorosa desilusão pela conduta incivilizada de nossos concidadãos do mundo nesta guerra. Elas baseavam-se em uma ilusão à qual nos havíamos entregado. Na verdade, eles não caíram tão fundo quanto temíamos, porque não haviam subido tão alto quanto acreditávamos. O fato de os grandes indivíduos humanos, os povos e Estados terem mutuamente abandonado as limitações morais foi tomado por eles como um estímulo compreensível para se subtraírem, por um tempo, da coerção existente na cultura e para concederem satisfação temporária às suas pulsões refreadas. É provável que com isso não tenha ocorrido nenhuma ruptura em sua moralidade relativa no interior de seu povo.

Contudo, podemos ainda aprofundar a compreensão sobre a mudança que a guerra evidencia em nossos antigos compatriotas, e daí recolher uma advertência para não cometer contra eles nenhuma injustiça. É que os desenvolvimentos anímicos possuem uma particularidade que não é mais encontrada em nenhum outro processo de desenvolvimento. Quando, ao crescer, uma aldeia se torna cidade, uma criança se torna homem, a aldeia e a criança desaparecem na cidade e no homem. Só a lembrança pode inscrever os antigos traços na nova imagem; na verdade, os antigos materiais ou formas foram abandonados e substituídos por novos. No desenvolvimento anímico é diferente. A única maneira de descrever o estado de coisas, que a nada pode ser comparado, é através da afirmação de que cada estágio de desenvolvimento anterior permanece conservado ao lado do estágio posterior, que se formou a partir dele; a sucessão pressupõe uma coexistência, embora tenha sido sobre os mesmos materiais que se desenrolou toda uma série de alterações. O estado anímico anterior pode não ter se manifestado durante anos, no entanto, está presente há tanto tempo, que um dia ele pode novamente se tornar a forma de expressão das forças anímicas, e na verdade a única, como se todos os desenvolvimentos posteriores tivessem sido anulados, desfeitos. Essa plasticidade extraordinária dos desenvolvimentos anímicos não é irrestrita em sua orientação; podemos descrevê-la como uma capacidade especial para a retroformação [*Rückbildung*] – regressão –, pois bem pode acontecer de uma fase de desenvolvimento posterior e mais elevada, que foi abandonada, não poder mais ser atingida. Mas os estados primitivos podem sempre ser restabelecidos; o anímico primitivo, em sentido pleno, é imperecível.

O que chamamos de doenças mentais [*Geisteskrankheiten*] deve necessariamente provocar no leigo a impressão de que a vida da mente e da alma [*Geistes- und Seelenleben*] foi vítima da destruição. Na verdade, a destruição só concerne às aquisições e aos desenvolvimentos posteriores. A essência da doença mental consiste no retorno a estados anteriores da vida afetiva e de seu funcionamento. Um exemplo excelente para a plasticidade da vida anímica é dado pelo estado de sono, que buscamos todas as noites. A partir do momento em que aprendemos a traduzir sonhos que também são fantásticos e confusos, sabemos que, a cada vez que adormecemos, atiramos para longe de nós, como uma vestimenta, a nossa moralidade penosamente conquistada, para vesti-la novamente de manhã. É evidente que esse desnudamento não é perigoso, pois, paralisados pelo estado de sono, estamos condenados à inatividade. Só o sonho pode informar sobre a regressão de nossa vida sentimental até uma das fases mais precoces de desenvolvimento. É notável, por exemplo, que todos os nossos sonhos sejam dominados por motivos puramente egoístas. Um de meus amigos ingleses sustentou essa tese diante de uma assembleia científica na América, ao que uma senhora presente o fez notar que talvez aquilo fosse correto para a Áustria, mas se autorizava a afirmar por si mesma e por seus amigos que, mesmo no sonho, eles se sentiam altruístas. Meu amigo, embora sendo ele mesmo pertencente à raça [*Rasse*] inglesa, precisou, apoiado em sua própria experiência na análise de sonhos, contradizer energicamente a senhora, afirmando que, no sonho, mesmo a nobre norte-americana seria tão egoísta quanto um austríaco.

Portanto, mesmo a reconfiguração da pulsão, na qual se baseia a nossa aptidão para a cultura, pode retroceder – de maneira permanente ou transitória – por meio das influências da vida. Não há dúvida de que as influências da guerra pertençam às forças que podem produzir essa retro-formação, e é por isso que não precisamos desconsiderar a aptidão para a cultura de todos aqueles que atualmente se conduzem de maneira incivilizada, e é lícito esperar que o seu enobrecimento pulsional se restabeleça novamente em tempos mais calmos.

Mas outro sintoma de nossos concidadãos do mundo talvez tenha nos surpreendido e chocado não menos do que a queda, tão dolorosamente sentida, de sua superioridade ética. Estou falando da falta de discernimento que se manifesta nas melhores cabeças, sua obstinação, sua inacessibilidade aos argumentos mais convincentes, sua credulidade acrítica em relação às afirmações mais contestáveis. É evidente que isso produz um quadro triste, e quero enfatizar expressamente que eu de modo algum, como um partidário enceguecido, encontro em apenas um dos dois lados todas as falhas intelectuais. No entanto, esse fenômeno é ainda mais fácil de explicar e muito menos preocupante do que aquele avaliado anteriormente. Estudiosos dos seres humanos e filósofos nos ensinaram há muito tempo que nos equivocamos quando avaliamos a nossa inteligência como uma potência autônoma e negligenciamos a sua dependência da vida afetiva. De acordo com eles, nosso intelecto só pode trabalhar de maneira confiável se estiver preservado das influências de fortes moções afetivas; caso contrário, ele se conduziria simplesmente como um instrumento nas mãos de uma vontade e forneceria o resultado que lhe foi incumbido por ela. Argumentos lógicos seriam, portanto, impotentes contra interesses afetivos, e é por isso que a disputa baseada em razões, as quais, de acordo com a frase de Falstaff [4] – são tão comuns como as amoras – é, no mundo dos interesses, tão infrutífera. A experiência psicanalítica sublinhou ainda mais, se é que é possível, essa afirmação. Ela pode mostrar, diariamente, que os seres humanos mais perspicazes de repente se conduzem com tão pouco discernimento quanto os imbecis, tão logo o necessário discernimento encontre neles uma resistência afetiva, mas que também recuperam inteiramente a compreensão quando essa resistência é superada. A cegueira lógica que essa guerra muitas vezes, como que por mágica, produziu justamente em nossos melhores concidadãos é, portanto, um fenômeno secundário, uma consequência da excitação afetiva, e espero que esteja fadada a desaparecer com ela.

Se, dessa maneira, voltarmos a compreender os nossos concidadãos, antes considerados estranhos, suportaremos muito mais facilmente a desilusão que nos reservaram os grandes indivíduos da humanidade, os povos, pois a esses só poderemos colocar reivindicações muito mais modestas. Pode ser que eles estejam repetindo o desenvolvimento dos indivíduos e que ainda hoje afigurem em estágios muito primitivos de organização, de formação de unidades superiores. Por conseguinte, o fator educativo da coerção [*Zwang*] externa à moralidade, que encontramos tão ativo no indivíduo, no caso deles quase não é detectável. Esperávamos, na verdade, que a grandiosa comunidade de interesses estabelecida pelo comércio e pela produção fornecesse o início de uma coerção como essa, no entanto, parece que, no momento, os povos obedecem muito mais às suas paixões do que aos seus interesses. No máximo, servem-se dos interesses para *racionalizar* as paixões; eles usam os seus interesses como pretexto para poder justificar a satisfação de suas paixões. Por que afinal os indivíduos de cada povo se menosprezam mutuamente, odeiam-se, execram-se, na verdade, até em tempos de paz, e cada nação faz o mesmo à outra, é certamente enigmático. Não sei dizer. Nesse caso, é justamente como se todas as aquisições morais do indivíduo se evanescessem quando se reúnem uma maioria ou até milhões de pessoas, e restassem apenas as atitudes mais primitivas, as mais antigas e as mais grosseiras. Talvez apenas desenvolvimentos posteriores possam mudar alguma coisa nessas relações lamentáveis. No entanto, talvez um pouco mais de veracidade e de sinceridade em todos os lados, nas relações dos seres humanos entre si, e entre eles e seus governantes, também pudesse aplanar os caminhos para essa transformação.

II

NOSSA RELAÇÃO COM A MORTE

O segundo fator, do qual infiro o fato de nos sentirmos tão alienados deste mundo outrora tão belo e familiar, é a perturbação da relação que até agora mantivemos com a morte.

Essa relação não era sincera. Se nos ouvissem com atenção, estávamos naturalmente prontos a sustentar que a morte seria a saída necessária para qualquer vida, que cada um de nós deve à natureza uma morte[5] e teria de estar preparado para pagar essa dívida [*Schuld*],[6] em suma, que a morte seria natural, inegável e inevitável. Mas, na realidade, costumávamos nos conduzir como se isso fosse diferente. Mostrávamos a tendência inconfundível de deixar a morte de lado, de eliminá-la da vida. Tentávamos matá-la com silêncio; temos até um provérbio: pensar em algo como na morte [*man denke an etwas wie an den Tod*].[7] Como na sua própria morte, evidentemente. É que a própria morte é irrepresentável, e sempre que fazemos essa tentativa, é possível perceber que continuamos lá, afinal, como espectadores. Foi por isso que na escola psicanalítica arriscou-se a seguinte máxima: no fundo, ninguém acredita em sua própria morte, ou, o que vem a ser o mesmo: no inconsciente, cada um de nós está convencido de sua imortalidade.

No que diz respeito à morte de um outro, o ser humano civilizado evitará cuidadosamente falar sobre essa possibilidade, caso aquele que estiver destinado à morte puder ouvir. Apenas as crianças ignoram essa restrição;

ameaçam-se umas às outras despreocupadamente com a possibilidade de morrer, e até chegam a dizê-lo na cara de uma pessoa querida, como: querida mamãe, quando infelizmente você estiver morta, vou fazer isto e aquilo. Nem mesmo o adulto culto gostará de inserir a morte de outro em seus pensamentos, sem parecer a si mesmo desalmado ou maldoso; a não ser que ele tenha a ver profissionalmente com a morte enquanto médico, advogado, etc. Ainda menos ele se permitirá pensar na morte do outro, se esse acontecimento estiver ligado a um ganho em termos de liberdade, propriedade e posição. É claro que os casos de morte não deixam de acontecer por causa desse nosso terno sentimento; a cada vez que ocorrem, somos profundamente atingidos e como que abalados em nossas expectativas. Sistematicamente enfatizamos a circunstância ocasional da morte, do acidente, do adoecimento, da infecção, da idade avançada, escancarando assim o nosso empenho em forçar a morte a deixar de ser uma necessidade para se tornar um fato acidental. Um acúmulo de casos de morte nos parece algo extremamente terrível. Em relação ao próprio morto adotamos uma conduta especial, quase como uma admiração por alguém que conseguiu realizar algo muito difícil. Suspendemos qualquer crítica a ele, deixamos passar qualquer tipo de injustiça de sua parte, ordenamos que: *de mortuis nil nisi bene*,[8] e achamos justo que, no discurso fúnebre e sobre a lápide tumular, ele seja celebrado para a posteridade com aquilo que lhe for mais favorável. A consideração pelo morto, da qual ele na verdade não tem mais necessidade, nós a colocamos acima da verdade, e a maioria de nós certamente também a coloca acima da consideração pelos vivos.

Essa posição cultural-convencional em relação à morte é complementada com o nosso total colapso quando a morte atinge alguma das pessoas que nos são próximas, um dos pais ou um cônjuge, um irmão, um filho ou um amigo querido. Enterramos com ele as nossas esperanças, pretensões, prazeres, não nos deixamos consolar e nos recusamos a substituir aquele que perdemos. Conduzimo-nos então como uma espécie de Asra,[9] que *também morre quando morrem aqueles que ama.*

Mas essa nossa relação com a morte possui um efeito poderoso sobre a nossa vida. A vida empobrece, ela perde interesse quando a aposta mais alta nos jogos da vida, justamente a própria vida, não pode ser arriscada. Ela se torna tão insípida e tão vazia de conteúdo quanto um flerte norte-americano, no qual está estabelecido de antemão que nada acabará acontecendo, o que é diferente de uma relação amorosa continental,[10] na qual ambos os parceiros precisam sempre estar atentos às mais graves consequências. Nossos vínculos afetivos, a intensidade intolerável do nosso luto, tornam-nos relutantes em procurar perigos para nós e para os nossos. Não ousamos considerar inúmeros empreendimentos que são perigosos, mas de fato indispensáveis, tais como tentativas de voar, expedições a países distantes, experiências com substâncias explosivas. O que nos paralisa é a ponderação sobre quem haverá de substituir o filho para a mãe, o marido para a esposa, o pai para os filhos, caso ocorra uma desgraça. A tendência a excluir a morte dos cálculos da vida traz como consequência muitas outras renúncias e exclusões. E, no entanto, a Hansa[11] tinha por lema que: *Navigare necesse est, vivere non necesse!* Navegar é preciso, viver não é preciso!

Então, não pode ser de outra forma que passemos a procurar um substituto para as perdas da vida no mundo da ficção, na literatura, no teatro. Ali ainda encontramos seres humanos que sabem morrer e que, além disso, conseguem matar outro. E é somente ali que se encontra realizada a condição sob a qual poderíamos nos reconciliar com a morte, a saber: a de que ainda nos restasse conservada, por detrás de todas as vicissitudes da vida, uma vida intacta. Pois de fato é muito triste que a vida se aproxime de um jogo de xadrez, em que uma jogada em falso possa nos obrigar a dar a partida como perdida, mas com a diferença de que não podemos começar nenhuma segunda partida, uma revanche. No domínio da ficção encontramos a pluralidade de vidas de que necessitamos. Morremos identificados com um herói, mas sobrevivemos a ele e, igualmente incólumes, estamos prontos a morrer uma segunda vez com um segundo herói.

É evidente que a guerra necessariamente varrerá esse tratamento convencional da morte. A morte já não se deixa mais renegar [*verleugnen*]; temos de acreditar nela. Os seres humanos realmente morrem, e não mais um a um, mas muitos, às vezes dezenas de milhares num só dia. Não se trata mais de nenhum acaso. Certamente ainda parece casual se uma bala atinge um ou outro;[12] mas esse outro pode facilmente ser atingido por uma segunda bala, e o acúmulo irá pôr fim à impressão de acaso. A vida certamente tornou-se interessante novamente, ela recuperou seu pleno conteúdo.

Aqui deveríamos efetuar uma distinção em dois grupos: separar aqueles que arriscam a sua própria vida na batalha daqueles que ficaram em casa e que precisam apenas aguardar a perda de um dos seus entes queridos para a morte por ferimento, doença ou infecção. Seria certamente muito interessante estudar as alterações na psicologia dos combatentes, mas sei muito pouco sobre isso. Temos de nos ater ao segundo grupo, ao qual nós mesmos pertencemos. Já havia dito que penso que a confusão e a paralisia de nossa capacidade de trabalho, das quais sofremos, seriam essencialmente determinadas pela circunstância de que não podemos sustentar a relação que mantivemos até agora com a morte e de que ainda não encontramos uma nova. Talvez sejamos auxiliados nesse aspecto se dirigirmos a nossa investigação psicológica para outras duas relações com a morte: aquela que nos é permitida atribuir ao ser humano originário [*Urmensch*], ao homem da pré-história, e aquela outra que ainda está conservada em cada um de nós, mas que se esconde, invisível para o nosso consciente, em camadas mais profundas da nossa vida anímica.

Como o ser humano da pré-história se portou em relação à morte naturalmente só sabemos através de inferências e construções, mas penso que esses meios tenham nos fornecido informações bastante dignas de confiança.

O homem primitivo posicionou-se de uma maneira muito notável em relação à morte. Não era nada consistente, mas antes cheia de contradições. Por um lado, ele tomava a morte seriamente, reconhecia-a como cessação [*Aufhebung*] da vida, e servia-se dela nesse sentido; mas, por outro lado, também negava a morte, reduzia-a a nada. Essa contradição foi possível pelo fato de que, em relação à morte do outro, do estranho, do inimigo, ele assumia uma posição radicalmente diferente daquela que assumia em relação à sua própria. A morte do outro era apropriada para ele, tinha o valor da aniquilação daquilo que era odiado, e o homem primitivo não tinha nenhum escrúpulo em provocá-la. Ele era certamente um ser passional, mais cruel e mais maligno do que outros animais. Ele assassinava com prazer e como se fosse algo óbvio. Não devemos lhe atribuir o instinto [*Instinkt*] que deve impedir outros animais de matar e ingerir seres da mesma espécie.

A pré-história da humanidade está, pois, repleta de assassinatos. Ainda hoje, o que nossos filhos aprendem na escola como sendo História do Mundo é essencialmente uma sequência de genocídios. O obscuro sentimento de culpa ao qual está sujeita a humanidade desde os tempos primevos [*Urzeiten*], e que em algumas religiões está condensado na hipótese de uma culpa originária [*Urschuld*], de um pecado hereditário, é provavelmente a expressão de uma dívida de sangue em que incorreu a humanidade dos tempos primevos. Em meu livro *Totem e tabu* (1913), seguindo as indicações de William Robertson Smith, Carl Atkinson e Charles Darwin, tentei inferir a natureza dessa culpa antiga e penso que a doutrina cristã atual ainda nos permita inferi-la. Se o filho de Deus precisou sacrificar a sua vida para redimir a humanidade do pecado hereditário, então, segundo a lei de talião, pagar com a mesma moeda, esse pecado deve ter sido um homicídio, um assassinato. Só algo assim poderia exigir para a sua expiação o sacrifício de uma vida. E se o pecado hereditário foi um pecado contra Deus-Pai, então é preciso que o mais antigo crime da humanidade tenha sido um parricídio, a morte do pai primordial da horda humana primeva, cuja imagem mnêmica foi depois glorificada como uma divindade.[i]

É certo que a própria morte era igualmente irrepresentável e irreal para o humano pré-histórico quanto o é hoje para cada um de nós. Mas para ele surgiu um caso no qual as duas posições opostas em relação à morte colidiram e entraram em conflito uma com a outra, e esse caso tornou-se muito significativo e rico em consequências de longo alcance. Ele ocorreu quando o homem primevo viu morrer um dos seus familiares, sua mulher, seu filho, seu amigo, que ele certamente amava tanto quanto amamos os nossos, pois o amor não pode ser muito mais novo do que

---

[i] Cf. "O retorno infantil do totemismo" (último capítulo de *Totem e tabu*).

o prazer de matar. Então, em sua dor, ele teve de passar pela experiência de que ele mesmo também podia morrer, e todo o seu ser revoltou-se diante dessa admissão; afinal, cada uma dessas pessoas amadas era um pedaço de seu próprio e amado Eu. Por outro lado, uma morte como essa era para ele apropriada, pois também havia, em cada uma das pessoas amadas, uma parte de estrangeiridade. A lei da ambivalência de sentimentos, que ainda hoje domina as nossas relações afetivas com as pessoas mais amadas por nós, vigorava certamente de maneira ainda mais ilimitada nos tempos primevos. Assim, esses queridos falecidos tinham de fato também sido estranhos e inimigos que haviam despertado nele uma parcela de sentimentos hostis.[i]

Os filósofos afirmaram que o enigma intelectual colocado ao homem primitivo pela imagem da morte teria forçado a sua reflexão e se tornado o ponto de partida para toda e qualquer especulação. Acredito que, nesse caso, os filósofos pensam muito... filosoficamente, considerando muito pouco os motivos que operam de maneira primária. Por isso, eu gostaria de restringir e de corrigir a afirmação acima: junto ao cadáver do inimigo abatido, o humano pré-histórico deve ter triunfado, sem encontrar uma razão para quebrar a cabeça com os enigmas da vida e da morte. Não foi o enigma intelectual nem cada caso de morte, mas o conflito afetivo quando da morte de pessoas amadas, mas ao mesmo tempo também estranhas e odiadas, que deu à luz a investigação dos seres humanos. Foi a partir desse conflito afetivo que nasceu, antes de tudo, a psicologia. O ser humano não podia mais manter a morte afastada, tendo em vista que ele a havia provado através da dor que sentia pelo morto; no entanto, ele não queria admiti-la,

---

[i] Cf. "Tabu e ambivalência" (segundo capítulo de *Totem e tabu*).

pois ele mesmo não conseguia se imaginar morto. Engajou-se então em compromissos, admitiu a morte também para si, mas lhe contestou o significado de aniquilação da vida, para a qual lhe teria faltado qualquer motivo quando da morte do inimigo. Junto ao cadáver da pessoa amada ele inventou os espíritos, e sua consciência de culpa por causa da satisfação mesclada ao luto teve como resultado que esses espíritos recém-criados se tornassem demônios maus, diante dos quais era preciso amedrontar-se. As alterações da morte lhe sugeriram a divisão do indivíduo em um corpo e uma alma – originariamente várias almas; dessa maneira, o encadeamento de seu pensamento seguia paralelamente ao processo de desintegração que a morte introduz. A perdurável lembrança do morto tornou-se a base para a suposição de outras formas de existência, forneceu-lhe a ideia de uma continuidade da vida depois da morte aparente.

Essas existências posteriores foram inicialmente apenas apêndices daquela que a morte encerrava; existências espectrais, vazias de conteúdo e escassamente apreciadas até épocas posteriores. Recordemos o que a alma de Aquiles responde a Ulisses:

> Pois antes, quando eras vivo, nós, os filhos de Argos, te honrávamos
> como a um Deus; e agora és tu que exerces o poder sobre os mortos
> que aqui habitam. Por isso, Aquiles, não deixe que a morte te amofine.
> Disse eu; e ele imediatamente contestou:
> Não me fale da morte com palavras de consolo, nobre Ulisses!
> Eu preferiria muito mais lavrar o campo como um empregado
> de um homem necessitado, sem herança e sem recursos próprios,

do que ser o senhor de todos os mortos que pereceram.

(*Odisseia*, XI, vv. 484-491)

ou na vigorosa versão, amargamente paródica, de H. Heine:

O mais insignificante filisteu vivo,
De uma aldeia junto ao Neckar
É muito mais feliz do que eu,
o Pélida, o herói morto,
o príncipe das sombras do submundo.[13]

Só mais tarde as religiões conseguiram que essa existência posterior fizesse as vezes de uma existência das mais valiosas e plenamente válidas, e que a vida encerrada pela morte fosse rebaixada a uma simples preparação. Depois, passou a ser apenas uma questão de persistência prolongar a vida igualmente até o passado, imaginar as existências anteriores, a migração de almas e o novo nascimento, tudo isso com a intenção de roubar da morte seu significado de aniquilação da vida. Foi de maneira tão precoce que se iniciou a recusa [*Verleugnung*] da existência da morte que a caracterizamos como cultural-convencional.

Junto ao cadáver da pessoa querida nasceram não apenas a doutrina da alma, a crença na imortalidade e um poderoso enraizamento da consciência humana de culpa, mas também os primeiros mandamentos éticos. A primeira e mais importante proibição da consciência moral desperta foi: *Não matarás*. Ela havia sido adquirida como reação contra a satisfação do ódio escondido atrás do luto, quando se tratava do morto que era amado, e pouco a pouco se estendeu ao estrangeiro não amado e finalmente também ao inimigo.

Essa última extensão da proibição não é mais sentida pelo ser humano civilizado. Quando a luta selvagem dessa guerra tiver sido decidida, cada um dos combatentes vitoriosos retornará alegremente ao seu lar, à sua esposa e aos seus filhos, sem ser impedido ou perturbado por pensamentos sobre os inimigos que ele matou na luta corpo a corpo ou com uma arma de longo alcance. É notável que os povos primitivos que ainda vivem no mundo e que são certamente mais próximos que nós do homem préhistórico conduzem-se, nesse aspecto, de maneira diferente – ou conduziam-se enquanto ainda não tinham sofrido a influência da nossa cultura. O selvagem – australiano, bosquímano, da Terra do Fogo – de maneira alguma é um assassino impiedoso; quando ele volta ao lar, vitorioso na expedição guerreira, não tem o direito de pisar em sua aldeia nem de tocar em sua esposa antes de ter expiado os seus atos de homicídio através de penitências frequentemente longas e penosas. Naturalmente somos levados a explicá-lo pela superstição; o selvagem ainda teme a vingança dos espíritos daqueles que foram abatidos. Mas os espíritos dos inimigos abatidos não são nada mais do que a expressão de sua má-consciência de culpa por causa de sua dívida de sangue; por trás dessa superstição esconde-se um quê de sensibilidade ética que foi perdida para nós, seres humanos civilizados [*Kulturmenschen*].[i]

Almas piedosas, que gostariam de ver nosso ser afastado de todo e qualquer contato com o que é mau e vulgar, certamente não deixarão, a partir da precocidade e da premência da proibição de matar, de tirar conclusões apaziguantes a respeito da força das moções éticas que devem ter sido implantadas em nós. Infelizmente esse argumento prova ainda mais o contrário. Uma proibição tão forte só pode voltar-se contra um impulso igualmente forte. O que não é cobiçado por nenhuma alma humana não precisa ser

---

[i] Cf. *Totem e tabu*.

proibido,[i] exclui-se por si mesmo. É justamente a ênfase da proibição: *não matarás* que nos dá a certeza de que descendemos de uma série infinitamente longa de gerações de assassinos, para os quais o prazer de matar, tal como talvez para nós mesmos ainda, estava no sangue. Os anseios éticos da humanidade, cuja força e importância não precisam ser discutidos, são uma aquisição da história humana; e depois, em medida infelizmente muito variável, eles se tornaram o patrimônio herdado da humanidade que hoje vive.

Deixemos agora o homem primitivo e voltemo-nos ao inconsciente da própria vida anímica. Aqui apoiamo-nos inteiramente no método de investigação da Psicanálise, o único a alcançar essas profundezas. Perguntamos: como se conduz o nosso inconsciente em relação ao problema da morte? A resposta deve ser: quase exatamente como o humano pré-histórico. Nesse aspecto, como em muitos outros, o homem primitivo continua a viver inalterado em nosso inconsciente. Portanto, o nosso inconsciente não acredita na própria morte, ele se conduz como se fosse imortal. O que chamamos de nosso "inconsciente", as mais profundas camadas de nossa alma constituídas por moções pulsionais, não conhece absolutamente nada que seja negativo, nenhuma negação – nele os opostos coincidem –, e por isso também não conhece a própria morte, à qual só podemos dar um conteúdo negativo. Logo, nada do que é pulsional em nós vai ao encontro da crença na morte. Talvez esse seja até mesmo o segredo do heroísmo. A fundamentação racional do heroísmo baseia-se no julgamento de que a própria vida não pode ser tão valiosa quanto certos bens abstratos e comuns. Mas penso que mais frequente deve ser o heroísmo instintivo [*instinktive*]

---

[i] Cf. a brilhante argumentação de Frazer (Freud, *Totem e tabu*).

e impulsivo, que prescinde de uma motivação como essa e simplesmente desafia o perigo, de acordo com a certeza de João Quebra Pedra, de Anzengruber[i]: *nada pode te acontecer.*[ii] Ou essa motivação serve apenas para afastar as ponderações que poderiam deter a reação heroica correspondente ao inconsciente. O medo da morte [*Todesangst*], a cujo domínio nos submetemos com muito mais frequência do que nós mesmos sabemos, é, em contrapartida, algo secundário e, na maioria das vezes, proveniente de consciência de culpa.

Por outro lado, reconhecemos a morte para estranhos e inimigos e a ela os condenamos tão prontamente e sem hesitação quanto o homem pré-histórico. E é naturalmente nesse ponto que aparece uma diferença que será considerada decisiva na realidade. Nosso inconsciente não executa o homicídio, ele apenas o pensa e o deseja. Mas seria injusto subestimar tão inteiramente essa realidade *psíquica*, comparando-a com a realidade *factual*. Ela é suficientemente importante e plena de consequências. Em nossas moções inconscientes, eliminamos diariamente e a toda hora todos aqueles que obstruem o nosso caminho, que nos ofenderam e nos prejudicaram. A expressão "Que o diabo o carregue", que com tanta frequência aflora aos nossos lábios em um mau humor jocoso, e que na verdade quer dizer: "Que a morte o carregue", é, em nosso inconsciente, um desejo de morte sério e poderoso. De fato, nosso inconsciente mata até mesmo por pequenas coisas; tal como a antiga legislação ateniense de Drácon,[14] ele não conhece nenhum outro castigo para os crimes a não

---

[i] Ludwig Anzengruber (1839-1889), romancista, poeta e dramaturgo austríaco.

[ii] Originalmente, "*Es kann dir nix g'scheh'n*". A personagem fala aqui no dialeto popular vienense.

ser a morte, e isso com uma certa coerência, pois qualquer prejuízo ao nosso todo-poderoso e soberano Eu constitui, no fundo, um *crimen laesae majestatis*.[15]

Logo, se nos julgarem por nossas moções inconscientes de desejo, também somos, nós mesmos, um bando de assassinos, tal como os homens pré-históricos. É uma sorte que todos esses desejos não possuam a força que ainda lhes atribuíam os seres humanos nos tempos primevos;[i] no fogo cruzado das esconjurações recíprocas, a humanidade teria sucumbido há muito tempo, e com ela, os melhores e mais sábios dos homens, bem como as mais lindas e amáveis das mulheres.

Com formulações como essas, na maioria das vezes a Psicanálise não encontra entre os leigos nenhuma crença. Elas são rejeitadas como calúnias que não devem ser levadas em consideração tendo em vista as garantias da consciência, e também são habilmente omitidos os menores indícios através dos quais o inconsciente acaba traindo a consciência. Por isso, é pertinente assinalar que muitos pensadores, que não puderam ser influenciados pela Psicanálise, denunciaram, de maneira suficientemente clara, a propensão de nossos pensamentos secretos a eliminar aquilo que nos obstrui o caminho, desconsiderando a proibição de matar. Para esse fim, escolho um único exemplo que se tornou famoso, em vez de muitos outros.

Em *O pai Goriot*, Balzac faz alusão a uma passagem das obras de Jean-Jacques Rousseau na qual esse autor pergunta ao leitor o que ele faria – sem deixar Paris e naturalmente sem ser descoberto – se ele pudesse matar, por um simples ato de vontade, um velho mandarim em Pequim, cujo falecimento não deixaria de lhe trazer uma grande vantagem.

---

[i] Cf. "Onipotência de pensamentos", em *Totem e tabu*.

Ele dá a entender que não considera a vida desse dignatário muito assegurada. *"Tuer son mandarin"*[16] tornou-se então uma expressão proverbial para essa disposição secreta, inclusive para os seres humanos de hoje.

Existe também um grande número de chistes e anedotas cínicas que depõem nesse mesmo sentido, tal como o enunciado atribuído ao marido: "Se um de nós morrer, irei me estabelecer em Paris". Esses chistes cínicos não seriam possíveis se não tivessem de comunicar uma verdade renegada, que não poderia ser confessada se fosse expressa de maneira séria e sem disfarce. Sabe-se que na brincadeira podemos até mesmo dizer a verdade.

Tal como para o homem primevo, surge também para o nosso inconsciente um caso em que ambas as posições opostas em relação à morte – a que a reconhece como aniquilação da vida e a outra, que a nega como irreal – colidem e entram em conflito. E esse caso constitui, tal como no período pré-histórico, a morte ou o perigo de morte de um de nossos entes queridos, de um dos pais ou de um cônjuge, de um irmão, um filho ou um amigo querido. Por um lado, esses entes queridos são um patrimônio interno, componentes de nosso próprio Eu, mas, por outro lado, são-nos também em parte estranhos, até mesmo inimigos. Às nossas mais ternas e íntimas relações amorosas está ligada, com exceção de muito poucas situações, uma pequena porção de hostilidade que pode estimular o desejo inconsciente de morte. No entanto, desse conflito de ambivalência não surgem, como antes, a doutrina da alma [*Seelenlehre*] e a ética, mas a neurose, que nos permite ter noções profundas inclusive da vida anímica normal. Quantas vezes os médicos que conduzem psicanaliticamente o tratamento tiveram de lidar com o sintoma da preocupação exageradamente terna com o bem-estar dos familiares ou com autorrecriminações inteiramente infundadas após a morte de uma pessoa querida? O estudo dessas ocorrências não lhes deixou nenhuma dúvida quanto à extensão e à importância dos desejos inconscientes de morte.

O leigo sente um horror extraordinário diante da possibilidade desse sentimento e toma essa aversão como a legítima razão para a incredulidade contra as afirmações da Psicanálise. Equivocadamente, penso eu. Não se visa a nenhuma desvalorização de nossa vida amorosa, e não estamos diante de nada parecido. É evidente que o nosso entendimento e a nossa sensibilidade estão longe de acoplar mutuamente amor e ódio dessa maneira, mas quando a natureza trabalha com esse par de opostos, ela consegue conservar o amor sempre desperto e fresco, para garanti-lo contra o ódio que espreita por trás dele. Podemos muito bem dizer que devemos os mais belos desdobramentos de nossa vida amorosa à *reação* contra o impulso hostil que sentimos em nosso peito.

Resumamos, portanto: nosso inconsciente é tão inacessível à representação da própria morte, tão ávido por matar o que nos é estranho, tão cindido (ambivalente) em relação à pessoa amada, quanto o ser humano dos tempos primevos. Mas como nos afastamos desse estado primordial no que diz respeito à posição cultural-convencional em relação à morte!

É fácil dizer de que maneira a guerra intervém nessa dicotomia. Ela nos despoja das novas camadas de cultura e faz reaparecer em nós o homem primitivo. Ela nos obriga novamente a ser heróis que não podem acreditar na própria morte; ela caracteriza para nós os estranhos como inimigos, cuja morte devemos provocar ou desejar; ela nos aconselha a desconsiderar a morte de pessoas queridas. Mas a guerra não se deixa eliminar; enquanto as condições de existência dos povos forem tão diversas e as aversões entre eles forem tão acirradas, deverá, necessariamente, haver guerras. É então que surge a questão: não devemos ser aqueles que cedem e se adaptam a ela? Não devemos convir que, com a nossa postura cultural em relação à morte, vivemos, mais uma vez, psicologicamente acima de nosso padrão, e não seria melhor voltar atrás e reconhecer a verdade? Não seria melhor dar à morte o lugar que lhe é devido na realidade e em nossos pensamentos, e colocar um pouco mais à mostra a nossa posição inconsciente em relação à morte, que até agora reprimimos [*unterdrückt*] cuidadosamente? Isso não parece ser nenhuma realização mais elevada, mas muito mais um passo atrás em muitos aspectos, uma regressão, mas tem a vantagem de melhor considerar a força da verdade e de nos tornar a vida mais tolerável novamente. Tolerar a vida continua a ser, afinal, a primeira tarefa de todos os seres vivos. A ilusão perde o seu valor quando ela, nesse caso, perturba-nos.

Lembremo-nos do velho ditado: *Si vis pacem, para bellum*. Se quiser manter a paz, arme-se para a guerra.

Seria adequado à atualidade alterá-lo: *Si vis vitam, para mortem*. Se quiser suportar a vida, prepare-se para a morte.

CULTURA, SOCIEDADE, RELIGIÃO 133

Zeitgemässes über Krieg und Tod (1915)

1915 Primeira publicação: *Imago*, v. 4, n. 1, p. 1-21
1941 *Gesammelte Werke*, t. X, p. 323-356

O presente texto, na verdade, é composto de dois ensaios relativamente independentes: "A desilusão diante da guerra" e "Nossa relação com a morte", reunidos sob um guarda-chuva comum. O primeiro texto foi redigido em março de 1915; o segundo texto é uma versão escrita e reformulada de uma conferência apresentada um mês antes na Associação B'nai B'rith, cuja versão original fora publicada no boletim bimestral da referida Associação, com o título "Nós e a morte". Segundo informa Assoun (2008, p. 174), a B'nai B'rith representava uma corrente aberta à modernidade, mas que zelava pelos fundamentos do judaísmo. Relativamente isolado da comunidade científica e da vida acadêmica, lutando pelo reconhecimento de sua nascente teoria, Freud valorizava o acolhimento daquele "fora da lei" que ele próprio então se considerava. A condição de estrangeiridade e de errância seria cada vez mais uma marca da psicanálise.

O contexto imediato da Primeira Guerra Mundial explica a "atualidade" contida no título. O desafio metapsicológico da guerra se torna claro, pois ela obriga a todos e a cada um a enfrentar a negação da morte: "no fundo, ninguém acredita em sua própria morte, ou, o que vem a ser o mesmo: no inconsciente, cada um de nós está convencido de sua imortalidade" (neste volume, p. 117). Ora, a guerra nos confronta com a impossibilidade de matar a morte pelo silêncio. No primeiro ensaio, Freud aborda a desilusão causada pela guerra, que nos obriga a mudar de atitude em relação à morte. A guerra desnuda a precariedade de nossas normas morais coletivas, exibindo o mecanismo pulsional subjacente a nossas ações. Os destinos das pulsões, conforme descritos no artigo de 1914 com esse mesmo título, não obedecem a nenhuma moral, não são predicáveis de atributos como "bons" ou "maus". Nesse sentido, a desilusão não tem qualquer conotação negativa, pelo contrário. A guerra impõe uma espécie de ajuste entre nossos ideais e nossa realidade. Já o segundo ensaio aborda o tema de nossa relação com a morte, que exerce influência em nossa vida justamente enquanto renegada. Além disso, Freud confessa saber pouco sobre a psicologia dos combatentes até então, situação que se inverterá em pouco tempo, tendo repercussões inquestionáveis na grande reformulação dos anos 1920. O ensaio retoma algumas das principais hipóteses demonstradas em *Totem e tabu* (1913). No que tange à nossa relação com a representação da morte, com o desejo de matar e com a ambivalência afetiva, nós modernos não estamos tão distantes quanto imaginávamos do "homem primevo". Durante a guerra, o caráter convencional de nossa cultura e de nossa moral se mostra em toda sua fragilidade: o homem primitivo se descortina por baixo de uma fina camada de convenções e de ideais.

Essas considerações mostram que refletir sobre a natureza dos vínculos sociais implica necessariamente pensar o horizonte de sua dissolução. Transpor a contemporaneidade de Freud para a nossa é tarefa do leitor, que pode encontrar pistas valiosas para debates atuais acerca de temas como violência, colonialismo e racismo.

BUTLER, Judith. *The Force of Nonviolence: The Ethical in the Political*. London; New York: Verso, 2020.

NOTAS

[1] Sabemos que Freud utiliza *psychisch* (psíquico) e *seelisch* (anímico) como sinônimos no mesmo contexto, e, por essa razão, optamos por seguir as escolhas de Freud, mantendo os termos alemães em colchetes. (N.T.)

[2] O autor refere-se claramente a dois famosos afrescos do pintor renascentista Rafael (1483-1520). (N.E.)

[3] Conforme desenvolvido em *As pulsões e seus destinos* (Belo Horizonte: Autêntica, 2013. (N.E.)

[4] SHAKESPEARE, William. *Henrique IV*, parte I, (II, 4). No original, lê-se: "*If reasons were as plentiful as blackberries, I would give no man a reason upon compulsion, I*". (N.E.)

[5] Mais uma alusão à mesma peça de Shakespeare citada na nota anterior. Na parte I (V, 1), o Príncipe Henrique exclama: "*Why, thou owest God a death*". (N.E.)

[6] Cabe aqui menção ao fato de que a palavra Schuld pode significar tanto "dívida" como "culpa". (N.R.)

[7] O provérbio da cultura de expressão alemã costuma ter o sentido de pensar em algo inusitado ou improvável. (N.R.)

[8] Dos mortos só podemos falar bem. (N.T.)

[9] Asra dá título a um poema de Heinrich Heine. Cf. o seguinte trecho:

> *Und der Sklave sprach: ich heiße*
> *Mohamet, ich bin aus Yemmen,*
> *Und mein Stamm sind jene Asra,*
> *Welche sterben wenn sie lieben.*
> (e disse o escravo: me chamo
> Maomé, sou do Iêmem,

E minha tribo é daqueles asra
Que morrem quando amam) (N.R.)

10 Certamente trata-se aqui do continente europeu, no qual Freud vive em oposição à "moderna" América ou, mais propriamente, os Estados Unidos. (N.R.)

11 Referência à Liga Hanseática. (N.R)

12 Provável alusão a um poema de Johann Ludwig Uhland, poeta romântico alemão da primeira metade do século XIX. No original, lê-se:

> Ich hatt' einen Kameraden,
> Einen bessern findst du nit. [...]
> Eine Kugel kam geflogen,
> Gilt's mir oder gilt es dir? (N.E.)

13 "Der Scheidende", poema póstumo de Heinrich Heine, publicado em 1869. (N.T.)

14 Em caracteres gregos, Δράκων. Legislador ateniense do século VII a.C. Figura que dá origem ao termo draconiano, usado para caracterizar uma punição demasiadamente rígida já que, segundo seu código, roubo e assassinato eram punidos com pena capital. (N.R.)

15 Crime de lesa majestade. (N.R.)

16 Em francês no original, cuja tradução seria: "Matar seu mandarim". (N.R.)

2 Em inglês no original – instinto gregário, mente de grupo. (N.T.)

PSICOLOGIA DAS MASSAS E ANÁLISE DO EU (1921)

I
INTRODUÇÃO

A oposição entre psicologia individual e psicologia social ou das massas, que pode nos parecer muito importante à primeira vista, perde muito de sua nitidez se examinada a fundo. Certamente, a psicologia individual é dirigida ao ser humano individualmente e procura seguir por quais caminhos ele tenta alcançar a satisfação de suas moções pulsionais; no entanto, ao fazê-lo, e sob determinadas condições excepcionais, só raramente ela estará em posição de desconsiderar as relações desse indivíduo com os outros. Na vida psíquica do indivíduo, o outro é, via de regra, considerado como modelo, como objeto, como auxiliar e como adversário, e por isso a psicologia individual é também, de início, simultaneamente psicologia social, nesse sentido ampliado, mas inteiramente legítimo.

A relação do indivíduo com seus pais e com seus irmãos e irmãs, com seu objeto de amor, com seu professor e com seu médico, logo, todas as relações que foram até agora objeto privilegiado da investigação psicanalítica, podem reivindicar ser consideradas fenômenos sociais e colocam-se, então, em oposição com alguns outros processos que chamamos de *narcísicos*, nos quais a satisfação pulsional escapa da influência de outras pessoas ou renuncia a estas.

A oposição entre atos psíquicos sociais e narcísicos – talvez Bleuler[1] dissesse: *autísticos* – situa-se, portanto, inteiramente dentro do campo da psicologia individual e não é adequado separá-la de uma psicologia social ou psicologia das massas.

Nas mencionadas relações com pais e com irmãos e irmãs, com a pessoa amada, com o amigo, com o professor e com o médico, o indivíduo sempre recebe apenas a influência de uma única pessoa ou de um número muito reduzido de pessoas, das quais cada uma delas ganhou uma importância enorme para ele. Acontece que estamos acostumados, quando falamos de psicologia social ou de massas, a desconsiderar essas relações e a isolar, como objeto da investigação, a influência simultânea exercida sobre o indivíduo por um grande número de pessoas, com as quais ele está ligado de alguma forma, embora, por outro lado, elas lhe sejam alheias em muitos aspectos. A psicologia das massas trata, portanto, do ser humano individual enquanto membro de uma linhagem, de um povo, de uma casta, de uma classe, de uma instituição, ou enquanto parte de uma multidão que se organiza como massa durante um certo tempo e para um fim determinado. Após essa ruptura de um contexto natural, era razoável entender os fenômenos que aparecem sob essas condições especiais como expressões de uma pulsão particular, irredutível à análise, a pulsão social – *herd instinct, group mind*[2] – que não se manifesta em outras situações. Mas temos o direito de levantar a objeção de que nos parece difícil atribuir ao fator numérico uma importância tão grande, a ponto de ele ser capaz, por si mesmo, de despertar na vida psíquica humana uma pulsão nova e normalmente inativa. Com isso, nossa expectativa será orientada para duas outras possibilidades: a de que a pulsão social não deve ser originária nem indivisível e a de que os inícios de sua formação podem ser encontrados em um círculo mais estreito, como o da família.

A psicologia das massas, embora se encontre apenas em seus inícios, abrange uma infinidade de problemas particulares ainda não discerníveis e apresenta ao investigador incontáveis tarefas que nem sequer foram bem diferenciadas até o momento. O simples agrupamento dos diversos modos de formação de massas e a descrição dos fenômenos psíquicos produzidos por elas exigem um grande dispêndio de observação e de apresentação e já deram origem a uma farta literatura. Quem comparar este delgado livreto com a extensão da psicologia de massas poderá facilmente suspeitar que aqui só poderão ser tratados alguns poucos pontos do conjunto do material. E realmente é em apenas algumas questões que a investigação profunda da Psicanálise tem um interesse particular.

II

A DESCRIÇÃO DA ALMA DAS
MASSAS SEGUNDO LE BON

Parece mais adequado do que introduzir uma definição começar com uma indicação sobre o campo dos fenômenos e dele extrair alguns fatos especialmente notáveis e característicos, aos quais a investigação pode conectar-se. Chegaremos a um e outro através de um trecho do livro de Le Bon que, com razão, tornou-se famoso, *A psicologia das massas* [*La psychologie des foules*].[i][3]

Esclareçamos mais uma vez a situação: se a Psicologia, que procura observar as disposições, as moções pulsionais, os motivos, as intenções de cada um dos seres humanos

---

[i] Traduzido por Dr. Rudolf Eisler, 2. ed., 1912.

até as suas ações e relações com seus próximos, tivesse cumprido inteiramente a sua tarefa e tornado transparentes todos esses contextos, ela se depararia subitamente com uma nova tarefa, ainda não resolvida. Ela teria de esclarecer o fato surpreendente de que esse indivíduo que se tornou compreensível para ela, sob determinada condição, sente, pensa e age de modo inteiramente diferente do que dele seria esperado, e essa condição é a sua inclusão em uma massa[4] humana que adquiriu a característica de uma "massa psicológica". O que então é uma massa? De onde ela tira a capacidade de influenciar tão decisivamente a vida psíquica do indivíduo? E em que consiste a alteração psíquica que ela impõe ao indivíduo?

Responder a essas três questões é a tarefa de uma psicologia teórica das massas. A melhor maneira de atacá-la é, evidentemente, a partir da terceira. É a observação da reação alterada do indivíduo que fornece o material para a psicologia das massas; qualquer tentativa de explicação precisa ser precedida pela descrição do que será explicado.

Agora passo a palavra a Le Bon.[5] Diz ele (p. 13): "O fato mais notável apresentado por uma massa psicológica é o seguinte: não importa quem sejam os indivíduos que a compõem, se seu modo de vida, sua ocupação, seu caráter ou sua inteligência sejam semelhantes ou dessemelhantes, o simples fato de que eles sejam transformados em massa os dota de uma espécie de alma coletiva. Essa alma os faz sentir, pensar e agir de uma maneira completamente diferente de como cada um deles sentiria, pensaria e agiria isoladamente. Certas ideias, certos sentimentos só surgem ou só se convertem em atos nos indivíduos ligados à massa. A massa psicológica é um ser provisório, composto de elementos heterogêneos ligados entre si por um instante, absolutamente da mesma forma como as células de um corpo vivo formam, por sua reunião, um novo ser, que manifesta características completamente diferentes das que possui cada uma das células".

Tomando a liberdade de interromper a apresentação de Le Bon com nossos comentários, colocamos aqui a seguinte observação: se os indivíduos da massa estão ligados em uma unidade, então deve haver alguma coisa que os liga uns aos outros, e esse elo poderia ser justamente aquilo que é característico da massa. Só que Le Bon não responde a essa pergunta; ele entra nos detalhes da alteração do indivíduo na massa e a descreve com expressões que estão bem de acordo com as premissas de nossa psicologia profunda.

> É fácil constatar o quanto o indivíduo pertencente a uma massa difere do indivíduo isolado; mas as causas de uma diferença como essa não são tão fáceis de descobrir.

> Para encontrar essas causas de maneira ao menos razoável, é preciso primeiro que nos lembremos da observação feita pela psicologia moderna: de que não é apenas na vida orgânica, mas também no funcionamento da inteligência que os fenômenos inconscientes desempenham um papel preponderante. A vida psíquica consciente representa apenas uma parte muito reduzida, em comparação com a sua vida psíquica inconsciente. A análise mais sutil, o observador mais perspicaz só chegam a descobrir um número bem pequeno de motivos conscientes[6] da vida psíquica. Nossos atos conscientes derivam de um substrato inconsciente, formado particularmente por influências hereditárias. Esse substrato contém os inúmeros rastros ancestrais que constituem a alma da raça[7] [*Rassenseele*]. Por trás dos motivos confessados de nossos atos existem, sem dúvida, as razões secretas que não confessamos, mas por trás destas existem razões ainda mais secretas, que nós mesmos ignoramos.

A maioria de nossas ações cotidianas são o efeito de motivos ocultos que nos escapam (p. 14).

Na massa, segundo Le Bon, apagam-se as aquisições singulares do indivíduo, e com isso a sua singularidade desaparece. O inconsciente próprio da raça emerge, o heterogêneo mergulha no homogêneo. Nós diríamos que a estrutura psíquica que se desenvolveu de maneira tão diversa nos indivíduos é removida, enfraquecida, e o fundamento inconsciente, semelhante em todos, é colocado a descoberto (torna-se operante).

Dessa maneira seria produzido um caráter mediano dos indivíduos da massa. Mas Le Bon acha que eles apresentam também novas características que não possuíam anteriormente, e procura a razão disso em três fatores distintos.

> A primeira dessas causas consiste em que o indivíduo na massa adquire, pelo simples fato do número[8] [*Menge*], um sentimento de poder invencível, que lhe permite ceder aos instintos [*Triebe*],[9] os quais ele teria necessariamente contido se estivesse sozinho. Nesse caso, ele cederá muito mais facilmente, pois, sendo a massa anônima, e consequentemente irresponsável, o sentimento de responsabilidade, que sempre retém os indivíduos, desaparece completamente (p. 15).

Do nosso ponto de vista, não precisaríamos atribuir tanto valor à emergência de novas qualidades. Seria suficiente dizer que o indivíduo, na massa, encontra-se colocado sob condições que lhe permitem se livrar dos recalcamentos de suas moções pulsionais inconscientes. As características aparentemente novas que ele então apresenta são justamente as manifestações desse inconsciente, no qual seguramente tudo de mau da alma humana está contido de maneira constitutiva; sob essas circunstâncias, o desaparecimento da consciência moral ou do sentimento de responsabilidade não traz dificuldades para a nossa compreensão. Há muito tempo afirmamos que o cerne [*der Kern*] da assim chamada consciência moral é o "medo social" [*soziale Angst*].[i]

> Uma segunda causa, o contágio, intervém igualmente para provocar nas massas a manifestação de características especiais e, ao mesmo tempo, a sua orientação. O contágio é um fenômeno fácil de constatar, mas ainda não explicado, e deve estar ligado aos fenômenos de ordem hipnótica que logo estudaremos. Em uma multidão [*Menge*], cada sentimento, cada ato são contagiosos, e contagiosos a ponto de o indivíduo sacrificar muito facilmente seu interesse pessoal ao interesse coletivo. Eis uma capacidade contrária à sua natureza, e da qual o homem só é capaz enquanto faz parte de uma massa (p. 16).

Sobre essa última proposição iremos, mais tarde, fundamentar uma importante suposição.

> Uma terceira causa, e na verdade a mais importante, determina nos indivíduos reunidos em massa características especiais que são completamente opostas às do indivíduo isolado. Estou falando aqui da sugestionabilidade, da qual o contágio mencionado acima é, afinal, apenas um efeito.
>
> Para compreender esse fenômeno, é preciso ter presentes certas descobertas recentes da Fisiologia.

---

[i] Uma certa diferença entre a concepção de Le Bon e a nossa resulta de que seu conceito de inconsciente não coincide inteiramente com aquele tomado pela Psicanálise. O inconsciente de Le Bon contém sobretudo as marcas distintivas mais profundas da alma da raça, a qual não é levada em conta pela Psicanálise individual. Na verdade, não ignoramos que o núcleo do Eu (o Isso, como o chamei mais tarde), ao qual pertence a "herança arcaica" da alma humana, seja inconsciente, e, além disso, nós distinguimos o "recalcado inconsciente", que se originou de uma parte dessa herança. Esse conceito do recalcado falta em Le Bon.

Sabemos que hoje um indivíduo pode ser colocado em um estado tal que, tendo perdido sua personalidade consciente, ele obedece a todas as sugestões do operador que o fez perdê-la e comete os atos mais contrários ao seu caráter e aos seus hábitos. Ora, observações mais atentas parecem provar que um indivíduo imerso, durante um tempo, no seio de uma massa ativa irá encontrar-se em breve − em consequência dos eflúvios que partem dela ou de qualquer outra causa desconhecida − em um estado particular que muito se aproxima da fascinação que acomete o hipnotizado sob a influência do hipnotizador... A personalidade consciente desaparece completamente, a vontade e o discernimento são abolidos. Sentimentos e pensamentos são agora orientados na direção determinada pelo hipnotizador.

Tal é, aproximadamente, o estado do indivíduo que faz parte de uma massa psicológica. Ele não é mais consciente de seus atos. Nele, assim como no hipnotizado, ao mesmo tempo que certas capacidades são suspensas, outras podem ser levadas a um estado de extrema exaltação. A influência de uma sugestão será lançada com uma impetuosidade irresistível em direção à execução de determinadas ações. E essa impetuosidade, nas massas, é ainda mais irresistível do que no hipnotizado, porque a sugestão, sendo a mesma para todos os indivíduos, cresce ao se tornar recíproca (p. 16). As principais características do indivíduo inserido na massa são, portanto: desaparecimento da personalidade consciente, predominância da personalidade inconsciente, orientação dos pensamentos e sentimentos na mesma direção, através de sugestão e contágio, tendência a transformar imediatamente em atos as ideias sugeridas. O indivíduo não é mais ele mesmo, mas um autômato, que não pode mais ser guiado pela própria vontade (p. 17).

Reproduzi essa citação de maneira tão detalhada para reforçar que Le Bon explica o estado do indivíduo na massa como sendo realmente hipnótico, e não simplesmente o compara com esse estado. Não temos a intenção de fazer aqui nenhuma objeção; queremos apenas destacar que as duas últimas causas da modificação do indivíduo na massa, o contágio e a alta sugestionabilidade, não são evidentemente da mesma natureza, pois o contágio parece ser uma entre as manifestações da sugestionabilidade. Mesmo os efeitos de ambos os fatores não nos parecem estar claramente diferenciados no texto de Le Bon. Talvez possamos interpretar melhor a sua declaração se relacionarmos o contágio com o efeito que cada um dos membros da massa exerce sobre os outros, enquanto os fenômenos de sugestão na massa, equiparados aos fenômenos da influência hipnótica, remetem a outra fonte. Mas que fonte? Não podemos deixar de perceber como uma sensível lacuna o fato de uma das peças mais importantes dessa comparação, a saber, a pessoa que, na massa, substitui o hipnotizador, não ser mencionada na apresentação de Le Bon. Ainda assim, ele distingue, a partir dessa influência fascinante deixada no escuro, o efeito contagioso que os indivíduos exercem uns sobre os outros, através do qual a sugestão original é reforçada.

Acrescento mais um ponto de vista importante para a avaliação do indivíduo da massa:

> Além disso, pelo simples fato de pertencer a uma massa organizada, o homem desce, portanto, vários degraus na escada da civilização. Isolado, talvez fosse um indivíduo instruído, na massa ele é um ser instintivo [*Triebwesen*],[10] e, por consequência, um bárbaro. Ele possui a espontaneidade, a violência, a selvageria e também o entusiasmo e o heroísmo de seres primitivos (p. 17).

Ele se detém ainda particularmente no rebaixamento do rendimento intelectual que o indivíduo experimenta por sua dissolução na massa.[i]

Deixemos agora o indivíduo e voltemo-nos para a descrição da alma da massa, tal como Le Bon a esboça. Não há nela nenhum traço cuja procedência e acomodação traiam dificuldades ao psicanalista. O próprio Le Bon nos mostra o caminho, indicando a correspondência que existe entre a vida anímica dos selvagens [*der Primitiven*][11] e a das crianças (p. 19).

A massa é impulsiva, mutável e excitável. Ela é guiada quase que exclusivamente pelo inconsciente.[ii] Os diversos impulsos [*Impulse*] a que a massa obedece podem, dependendo das excitações, ser tanto generosos quanto cruéis, heroicos ou pusilânimes, mas serão sempre tão imperiosos que o interesse de autoconservação apagar-se-á diante deles (p. 20). Nada nela é premeditado. Mesmo que ela cobice as coisas com paixão, nunca é por muito tempo, pois ela é incapaz de ter uma vontade perseverante. Ela não tolera nenhum adiamento entre o seu desejo [*Begehren*][12] e a fruição do que foi desejado. Ela tem o sentimento de onipotência; para o indivíduo na massa desaparece o conceito de impossível.[iii]

A massa é extraordinariamente influenciável e crédula; é acrítica, o improvável não existe para ela. Ela pensa por imagens que se evocam umas às outras associativamente,

---

[i] Cf. o dístico de Schiller:
Cada um, visto de maneira isolada, é razoavelmente inteligente e sensato;
Quando *in corpore*, logo se revela a vocês um idiota.

[ii] "Inconsciente" é utilizado corretamente por Le Bon, no sentido descritivo, no qual ele não significa apenas o "recalcado".

[iii] Cf. *Totem e tabu* III, "Animismo, magia e onipotência dos pensamentos" [*Ges. Werke*, IX].

tal como elas se apresentam ao indivíduo durante os estados de livre fantasiar [*freien Phantasierens*], e que não são medidas por nenhuma instância racional no que diz respeito à conformidade com a realidade. Os sentimentos da massa são sempre muito simples e muito exagerados. A massa não conhece, portanto, nem a dúvida nem a incerteza.[i]

Ela chega muito rapidamente a extremos; uma vez enunciada uma suspeita, esta se transforma para ela, de imediato, em certeza irrefutável; um gérmen de antipatia torna-se ódio selvagem (p. 32).[ii][13]

Inclinada ela mesma a todos os extremos, a massa também só é excitada por estímulos desmedidos. Quem quiser influenciá-la não necessita de nenhuma dimensão

---

[i] Na interpretação dos sonhos, aos quais devemos justamente o nosso melhor conhecimento sobre a vida anímica inconsciente, seguimos a regra básica de não considerar a dúvida e a incerteza no relato do sonho e de tratar cada elemento do sonho manifesto com a mesma segurança. Derivamos a dúvida e a incerteza do efeito da censura, à qual está submetido o trabalho do sonho, e supomos que os pensamentos primários do sonho não conheçam a dúvida e a incerteza como uma operação crítica. Enquanto conteúdos, eles podem, naturalmente, aparecer, como tudo o mais, como resíduos diurnos que conduzem ao sonho (Cf. *A interpretação dos sonhos* [*Traumdeutung*], 7. ed., 1922, p. 386) [*Ges. Werke*, v. 2 e 3, p. 521].

[ii] A mesma intensificação levada ao extremo e ao incomensurável de todas as moções de sentimento faz parte da afetividade da criança e encontra-se igualmente presente na vida onírica, na qual, graças ao isolamento de cada uma das moções de sentimento dominantes no inconsciente, um leve aborrecimento do dia será expresso como desejo de morte em relação à pessoa culpada, ou um indício de qualquer tentação pode servir de ensejo a uma ação criminosa figurada no sonho. Sobre esse fato, o Dr. Hanns Sachs fez uma bela observação: "O que o sonho nos revelou quanto às relações com o presente (a realidade) iremos depois procurar também na consciência, e não temos o direito de nos surpreender se o monstro que vimos sob a lente de aumento da análise revelar-se um pequeno infusório" [*Infusionstierchen*] (Cf. *A interpretação dos sonhos* [*Traumdeutung*], 7. ed., 1922, p. 457) [*Ges. Werke*, v. 2 e 3, p. 626].

lógica em seus argumentos; ele tem de pintar as imagens mais fortes, exagerar e repetir sempre a mesma coisa.

Como a massa não tem dúvidas sobre o que é verdadeiro ou falso, e ao mesmo tempo tem consciência de sua grande força, ela é tanto intolerante quanto crente na autoridade. Ela respeita a força e só se deixa influenciar moderadamente pela bondade, que, para ela, significa uma espécie de fraqueza. O que ela exige de seus heróis é a força, até mesmo a violência. Ela quer ser dominada e reprimida e temer seu mestre. No fundo inteiramente conservadora, ela tem uma profunda aversão por todas as inovações e progressos e um respeito ilimitado pela tradição (p. 37).

Para julgar corretamente a moralidade das massas, é preciso ter em conta que, na reunião dos indivíduos na massa, caem por terra todas as inibições individuais, e todos os instintos [*Instinkte*] cruéis, brutais, destrutivos que permaneciam dormentes no indivíduo como resíduos da pré-história são despertados para a livre satisfação pulsional. Mas as massas, sob a influência da sugestão, também são capazes de elevadas operações de abnegação, de desprendimento, de devoção em relação a um ideal. Enquanto no indivíduo isolado a vantagem pessoal é quase que a única força móbil [*Triebfeder*], nas massas ela raramente é predominante. Podemos falar de uma moralização do indivíduo pela massa (p. 39). Enquanto a capacidade intelectual da massa situa-se sempre abaixo da do indivíduo, sua conduta ética pode tanto exceder esse nível quanto cair abaixo dele.

Alguns outros traços da caracterização de Le Bon lançam uma luz clara sobre a justificativa de identificar a alma da massa com a alma dos primitivos. Nas massas, as ideias mais opostas podem coexistir e tolerar-se mutuamente, sem que de sua contradição lógica resulte um conflito. Mas esse é o mesmo caso da vida anímica inconsciente do indivíduo, das crianças e dos neuróticos, tal como a Psicanálise demonstrou há muito tempo.[i]

Além disso, a massa está submetida ao poder realmente mágico das palavras, que podem provocar na alma da massa as mais terríveis tormentas e também podem apaziguá-la (p. 74). "Com razão e argumentos não se pode combater certas palavras e fórmulas. Se as pronunciarmos com devoção diante das massas, imediatamente as expressões faciais se tornam respeitosas e as cabeças se curvam. Para muitos, elas são consideradas forças da natureza ou poderes

---

[i] Na criança pequena, por exemplo, coexistem durante longo tempo posições afetivas ambivalentes em relação às pessoas que lhe são próximas, sem que uma delas perturbe, em sua expressão, aquela que lhe é oposta. Caso ocorra finalmente um conflito entre ambas, ele é resolvido pelo fato de que a criança troca o objeto, desloca uma de suas moções ambivalentes sobre um objeto substitutivo. Da história do desenvolvimento de uma neurose no adulto também podemos aprender que uma moção reprimida [*unterdrückte*] persiste frequentemente por longo tempo em fantasias inconscientes ou mesmo conscientes, cujo conteúdo, naturalmente, vai de encontro a uma tendência dominante, sem que dessa oposição resulte uma ofensiva do Eu contra o que foi por ele rechaçado. A fantasia é tolerada durante um período, até que um dia, de repente, geralmente em consequência de uma intensificação do investimento afetivo, instaura-se o conflito entre ela e o Eu, com todas as suas consequências.

No progresso do desenvolvimento da criança até o adulto maduro, produz-se, em geral, uma integração cada vez mais ampla da personalidade, uma síntese de cada uma das moções pulsionais e dos anseios em direção à meta [*Zielstrebungen*] isolados, que dela nasceram, de maneira independente uma da outra. O processo análogo no campo da vida sexual nos é conhecido há muito tempo como agrupamento de todas as pulsões sexuais numa organização genital definitiva (*Três ensaios sobre a teoria sexual* [*Drei Abhandlungen der Sexualtheorie*], 1905, *Ges. Werke*, v. V). Que a unificação do Eu, aliás, possa experimentar as mesmas perturbações que as da libido o mostram múltiplos exemplos bastante conhecidos, tais como o dos pesquisadores da Ciência Natural [*Naturforscher*] que mantiveram a sua crença na Bíblia, e outros. [Acrescentado em 1923:] As diversas possibilidades de uma dissociação posterior do Eu constituem um capítulo especial da Psicopatologia.

sobrenaturais" (p. 75). Só precisamos nos lembrar do tabu dos nomes, entre os primitivos, das forças mágicas que, para eles, ligam-se a nomes e palavras.[i]

E finalmente: as massas nunca conheceram a sede pela verdade. Elas exigem ilusões, a que não podem renunciar. Para elas, o irreal sempre predomina sobre o real; o inverídico as influencia quase tão fortemente quanto o verdadeiro. Elas têm a visível tendência de não fazer nenhuma distinção entre ambos (p. 47).

Nós demonstramos que essa predominância da vida de fantasia e da ilusão trazida pelo desejo não realizado é determinante para a psicologia das neuroses. Descobrimos que para os neuróticos não vale a realidade objetiva comum, mas a realidade psíquica. Que um sintoma histérico se funda na fantasia, em vez de na repetição de uma experiência real de vida; que uma consciência de culpa neurótico-obsessiva se funda sobre o fato de uma má intenção que nunca chegou a ser executada. Na verdade, tal como no sonho e na hipnose, na atividade anímica da massa o exame de realidade retrocede diante da força das moções de desejo investidas afetivamente.

O que Le Bon diz sobre líderes [*Führer*][14] das massas é menos exaustivo, e não deixa transparecer claramente as regras em jogo. Em sua opinião, a partir do momento em que seres vivos estiverem reunidos em certo número, quer se trate de um rebanho de animais ou um grupo de seres humanos, eles se colocam instintivamente sob a autoridade de um superior (p. 86). A massa é um rebanho obediente, que nunca saberia viver sem um senhor. Ela tem uma tal sede de obedecer que se submete instintivamente a qualquer um que se designe seu senhor.

---

[i] Cf. *Totem e tabu.*

Se a necessidade da massa vai ao encontro de um líder, ele precisa corresponder a ela com características pessoais. Ele próprio precisa estar fascinado por uma poderosa crença (por uma ideia), para despertar a crença da massa; ele precisa possuir uma forte e imponente vontade, que a massa sem vontade aceite dele. Le Bon fala em seguida de diversas espécies de líder e sobre os meios através dos quais eles influenciam as massas. Em geral, ele diz que os líderes atingem sua importância através de ideias pelas quais eles próprios se tornaram fanáticos.

A essas ideias, bem como aos líderes, ele atribui, além disso, um poder misterioso, irresistível, que chama de "prestígio". O prestígio é uma espécie de dominação que um indivíduo, uma obra ou uma ideia exerce sobre nós. Ela paralisa toda a nossa capacidade de crítica e nos enche de admiração e respeito. Ela poderia provocar um sentimento semelhante ao da fascinação hipnótica (p. 96).

Ele distingue entre o prestígio adquirido ou artificial e o prestígio pessoal. O primeiro é conferido a pessoas pelo nome, riqueza, reputação, e a opiniões, obras de arte e outros pela tradição. Tendo em vista que ele remonta ao passado em todos os casos, não será de grande auxílio para a compreensão dessa influência enigmática. O prestígio pessoal liga-se a poucas pessoas que se tornam líderes através dele, e faz com que todos lhes obedeçam como quando sob o efeito de uma magia magnética. Contudo, todo prestígio também depende do sucesso e desaparece com o insucesso (p. 103).

Não obtivemos a impressão de que, para Le Bon, o papel dos líderes e a ênfase sobre o prestígio tenham sido colocados em harmonia com a tão brilhante descrição da alma da massa.

III
OUTRAS APRECIAÇÕES DA VIDA ANÍMICA COLETIVA

Servimo-nos da apresentação de Le Bon como introdução, porque, ao enfatizar a vida anímica inconsciente, ela coincide em muito com a nossa própria Psicologia. Mas agora precisamos acrescentar que, na verdade, nenhuma das afirmações desse autor traz algo de novo. Tudo o que ele diz de prejudicial e de depreciativo sobre as manifestações da alma da massa já foi dito antes dele por outros, com a mesma determinação e a mesma hostilidade, e encontra-se repetido[i] nos mesmos termos, por pensadores, homens de Estado e poetas desde os primeiros tempos da literatura. As duas teses que contêm os mais importantes pontos de vista de Le Bon, a da inibição coletiva da realização intelectual e a da intensificação da afetividade na massa, foram formuladas pouco antes, por Sighele.[ii] No fundo, só restam como próprios de Le Bon os dois pontos de vista sobre o inconsciente e a comparação com a vida anímica dos primitivos, e mesmo estes, naturalmente, já haviam sido frequentemente abordados antes dele.

No entanto, há algo mais: a descrição e a apreciação da alma das massas, tal como as fornecem Le Bon e os outros, de modo algum permaneceu incontestada. Não há dúvida de que todos os fenômenos da alma das massas antes descritos foram corretamente observados, mas também é possível reconhecer outras manifestações de formação

---

[i] Cf. o texto e a bibliografia em B. Kraškovic jun., *A psicologia das coletividades* [*Die Psychologie der Kollektivitäten*]. Traduzido do croata por Siegmund von Posavec, Vukovar, 1915.

[ii] Ver Walter Moede, *A psicologia das massas e a psicologia social na perspectiva crítica* [Die Massen- und Sozialpsychologie im kritischen Überblick], *Zeitschrift für pädagogische Psychologie und experimentelle Pädagogik*, de Meumann e Scheibner, XVI, 1915.

de massas atuando no sentido contrário, das quais temos então necessariamente de inferir uma apreciação muito mais favorável da alma das massas.

Até mesmo Le Bon estava disposto a admitir que a moralidade da massa, em determinadas circunstâncias, pode ser superior à dos indivíduos que a compõem, e que apenas as coletividades são capazes de altruísmo e devoção elevados.

> Enquanto, no indivíduo isolado, a vantagem pessoal é quase que a única força móbil, nas massas ela raramente é a predominante (p. 38).

Outros alegam que, acima de tudo, é a sociedade que prescreve ao indivíduo as normas da moralidade, ao passo que, em regra geral, o indivíduo fica de alguma forma retraído em relação a essas elevadas exigências. Ou que, em circunstâncias excepcionais, surge em uma coletividade o fenômeno do entusiasmo, que torna possíveis as mais grandiosas realizações das massas.

Com relação à realização intelectual, mantém-se o fato de que as grandes decisões do trabalho de pensamento, as descobertas de grandes consequências e as resoluções de problema só são possíveis para o indivíduo que trabalha na solidão. Mas até a alma da massa é capaz de criações intelectuais geniais, tal como o provam sobretudo a própria linguagem, em seguida a canção popular, o folclore e outros. Além disso, permanece em aberto quanto cada um dos pensadores ou poetas deve aos estímulos da massa na qual vivem, e se eles são mais do que o consumidor de um trabalho anímico do qual os outros fizeram parte simultaneamente.

Em vista dessas contradições absolutas, parece que o trabalho da psicologia de massas teria de transcorrer sem resultados. No entanto, é fácil encontrar uma saída mais esperançosa. Provavelmente foram reunidas enquanto "massas" formações muito diversas que necessitam de uma distinção. Os dados de Sighele, Le Bon e outros se referem a massas de caráter transitório, as quais, por um interesse passageiro, formam rapidamente aglomerados de indivíduos diversos. É inegável que as características das massas revolucionárias, especialmente a da grande Revolução Francesa, influenciaram as suas descrições. As afirmações contrárias provêm da apreciação daquelas massas ou associações estáveis nas quais os seres humanos passam a sua vida, que se encarnam nas instituições da sociedade. As massas da primeira espécie são, por assim dizer, sobrepostas às últimas, assim como as ondas curtas, mas altas, o são para as extensas ondulações do mar.

McDougall, em seu livro *A mente grupal* [*The Group Mind*],[i] que parte da mesma contradição mencionada anteriormente, encontra a solução para ela no fator da organização. No caso mais simples, diz ele, a massa (*group*) não possui absolutamente nenhuma organização, ou uma organização que nem merece ser nomeada. Ele chama uma massa como essa de multidão (*crowd*). No entanto, ele admite que uma multidão de seres humanos não se reúne facilmente, sem que nela se formem pelo menos os primeiros rudimentos de uma organização, e que justamente nessas massas simples alguns fatos fundamentais da psicologia coletiva são particularmente fáceis de reconhecer (p. 22). Para que, dos membros casualmente agrupados de uma multidão de seres humanos, forme-se algo como uma massa no sentido psicológico, é exigida a condição de que esses indivíduos tenham alguma coisa em comum, um interesse comum por um objeto, uma mesma orientação afetiva em determinada situação e (eu acrescentaria: em consequência) um certo grau de capacidade de se influenciar mutuamente (*some degree of reciprocal influence*

---

[i] Cambridge, 1920.

between the members of the group) (p. 23). Quanto mais fortes forem esses elementos comuns (*this mental homogeneity*), mais facilmente se forma uma massa psicológica desses indivíduos e mais notáveis serão as manifestações de uma "alma da massa".

O fenômeno mais curioso e ao mesmo tempo mais importante da formação das massas seria então a intensificação da afetividade (*exaltation or intensification of emotion*) provocada em cada indivíduo (p. 24). Pode-se dizer, afirma McDougall, que os afetos [*Affekte*] dos seres humanos dificilmente se intensificam até esse ponto sob outras condições, tal como pode acontecer em uma massa, e constitui precisamente uma sensação extremamente prazerosa para os participantes poder entregar-se tão irrestritamente às suas paixões e assim desaparecer na massa, e perder o sentimento de sua delimitação individual. McDougall explica esse arrebatamento dos indivíduos através do que ele chama de *"principle of direct induction of emotion by way of the primitive sympathetic response"* (p. 25) [princípio de indução direta da emoção por meio da resposta simpática primitiva], ou seja, através do nosso já conhecido contágio de sentimentos. O fato é que os sinais de um estado de afeto que foram percebidos são apropriados para despertar automaticamente o mesmo afeto naquele que os percebeu. Essa compulsão [*Zwang*] automática torna-se tanto mais forte quanto mais o mesmo afeto for perceptível para mais pessoas. Daí a crítica do indivíduo se cala, e ele se deixa deslizar para o mesmo afeto. Com isso, ele eleva a excitação dos outros que o influenciaram e assim intensifica-se a carga de afeto do indivíduo através de indução recíproca. É inegável que aí esteja em ação algo da ordem de uma compulsão a fazer o mesmo que os outros, a permanecer em sintonia com a maioria. As moções afetivas mais grosseiras e simples têm a maior perspectiva de se propagar dessa maneira em uma massa (p. 39).

Esse mecanismo de intensificação do afeto é ainda favorecido por algumas influências provenientes da massa. A massa produz no indivíduo a impressão de um poder ilimitado e de um perigo imbatível. Por um instante, ela foi colocada no lugar do conjunto da sociedade humana, que é a portadora da autoridade, cujas punições são temidas e por amor à qual tantas inibições se impuseram. É claramente perigoso colocarmo-nos em oposição a ela, e é mais seguro seguirmos o exemplo que nos cerca, ou seja, eventualmente até mesmo "uivar com os lobos". Em obediência à nova autoridade, ele está autorizado a colocar fora de ação a sua "consciência moral" anterior e a ceder à tentação do ganho de prazer, que certamente é obtido através da suspensão de suas inibições. Portanto, considerando-se como um todo, não é assim tão estranho ver o indivíduo na massa fazer ou aprovar coisas das quais ele teria se afastado em suas condições habituais de vida, e até mesmo podemos nos agarrar à esperança de, dessa maneira, iluminar uma parte da obscuridade que costumamos fazer coincidir com o termo enigmático de "sugestão".

McDougall também não se opõe à tese da inibição da inteligência coletiva na massa (p. 41). Ele diz que as inteligências mais limitadas rebaixam ao seu nível as mais elevadas. As últimas são inibidas em sua atividade, porque a intensificação da afetividade cria condições absolutamente desfavoráveis para um correto trabalho mental, e, além disso, porque os indivíduos são intimidados pela massa e seu trabalho de pensamento não é livre, e porque em cada indivíduo a consciência da responsabilidade por suas realizações está rebaixada.

A avaliação geral sobre o rendimento psíquico de uma massa simples, "não organizada", não é mais simpática em McDougall do que em Le Bon. Uma massa como essa é (p. 45):

extremamente excitável, impulsiva, passional, inconstante, inconsequente, indecisa, e, nesse aspecto, pronta para atos extremos, acessível apenas a paixões grosseiras e aos mais simples sentimentos, extraordinariamente sugestionável, imprudente em suas reflexões, violenta em seus julgamentos, receptiva apenas às conclusões e aos argumentos mais simples e imperfeitos, fácil de manobrar e de abalar, sem consciência de si, sem respeito por si e sem sentimento de responsabilidade, mas pronta para se deixar arrastar pela consciência de sua força para realizar toda espécie de atrocidades, que só podemos esperar de um poder absoluto e irresponsável. Ela se comporta, portanto, mais como uma criança malcriada ou como um selvagem passional e desassistido numa situação que lhe é estranha; nos casos mais graves, sua conduta é mais a de um bando de animais selvagens do que a de seres humanos.

Como McDougall coloca em oposição a conduta das massas altamente organizadas e a aqui descrita, estaremos particularmente ansiosos por saber em que consiste essa organização e através de quais fatores ela é produzida. O autor enumera cinco dessas *"principal conditions"* para a elevação da vida anímica da massa a um nível mais elevado.

A primeira condição colocada como base é a de uma certa dose de continuidade na existência da massa. Esta pode ser material ou formal; a primeira, quando as mesmas pessoas permanecem na massa um tempo mais longo; a outra, quando dentro da massa são desenvolvidas determinadas posições que são atribuídas a pessoas que ocupam sucessivamente o lugar umas das outras.

A segunda é a de que se tenha formado no indivíduo da massa uma determinada representação da natureza, da função, das realizações e reivindicações da massa, de maneira que daí possa resultar para ele uma relação afetiva com o conjunto da massa.

A terceira é que a massa seja colocada em relação com outras formações de massa semelhantes a ela, mas divergentes dela em muitos pontos, por exemplo, que ela rivalize com estas.

A quarta é que a massa possua tradições, costumes e dispositivos, particularmente aqueles que tenham a ver com a relação de seus membros entre si.

A quinta é que na massa exista uma estratificação que se expresse na especialização e na diferenciação das tarefas que competem ao indivíduo.

De acordo com McDougall, o cumprimento dessas condições compensa as desvantagens psíquicas da formação de massas. O rebaixamento coletivo do rendimento da inteligência é protegido, retirando-se da massa a resolução das tarefas intelectuais e reservando-a a alguns indivíduos que nela se encontram.

Parece-nos que a condição que McDougall caracterizou como "organização" da massa possa ser, com mais legitimidade, descrita de outra maneira. A tarefa consiste em prover a massa justamente daquelas qualidades que eram características do indivíduo e que nele foram apagadas pela formação de massa. Pois o indivíduo possuía – fora da massa primitiva – sua continuidade, sua consciência de si, suas tradições e hábitos, sua produção laboral e sua inserção particulares, e mantinha-se apartado dos outros, com os quais rivalizava. Essa singularidade ele perdeu durante um tempo, por sua entrada em uma massa não "organizada". Se reconhecermos então que a meta é dotar a massa com os atributos do indivíduo, nós nos lembraremos de uma valiosa observação de Wilfred Trotter,[i] que vislumbra, na tendência

---

[i] *Instincts of the Herd in Peace and War* [*Instintos gregários na paz e na guerra*]. London, 1916.

à formação de massa, um prolongamento biológico do caráter multicelular de todos os organismos superiores.[i]

IV
SUGESTÃO E LIBIDO

Partimos do fato fundamental de que um indivíduo no interior de uma massa experimenta, por influência dela, uma alteração frequentemente profunda de sua atividade anímica. Sua afetividade é aumentada excepcionalmente, e seu rendimento intelectual é marcadamente restringido, estando ambos os processos claramente orientados na direção de uma equiparação com outros indivíduos da massa; um resultado que só pode ser alcançado pela supressão das inibições pulsionais próprias a cada indivíduo e através da renúncia às particulares configurações de suas tendências. Sabemos que esses efeitos frequentemente indesejáveis são, ao menos em parte, detidos por uma "organização" superior de massas, mas isso não contradiz o fato fundamental da psicologia das massas, ou seja, ambas as teses, a do aumento do afeto e a da inibição do pensamento na massa primitiva. Agora nosso interesse consiste em encontrar a explicação psicológica para essa transformação anímica do indivíduo na massa.

Fatores racionais, tais como a já mencionada intimidação do indivíduo, isto é, a ação da pulsão de autoconservação, claramente não dão conta dos fenômenos a serem observados. O que normalmente nos é oferecido como

---

[i] [Nota acrescentada em 1923] Em oposição a uma crítica, aliás compreensiva e perspicaz, de Hans Kelsen (*Imago* VIII/2, 1922), não posso aceitar que dotar dessa maneira a "alma da massa" com uma organização significa que a estamos hipostaseando, ou seja, que lhe reconhecemos uma independência em relação aos processos anímicos no indivíduo.

explicação pelos autores que escrevem sobre sociologia e psicologia das massas é sempre o mesmo, ainda que sob nomes variados: a palavra mágica *sugestão*. Para Tarde,[15] seu nome é *imitação*, mas temos de dar razão a um autor que afirma que a imitação estaria incluída no conceito de sugestão e seria justamente uma consequência dela.[i] Para Le Bon, tudo o que é estranho nos fenômenos sociais é remetido a dois fatores: à sugestão recíproca dos indivíduos e ao prestígio do líder. Mas o prestígio, por sua vez, só se manifesta no efeito de provocar a sugestão. Para McDougall, pudemos ter, por um momento, a impressão de que seu princípio de "indução primária de afeto" tornaria dispensável a suposição da sugestão. No entanto, levando a reflexão mais adiante, temos de reconhecer que esse princípio não enuncia nada além das conhecidas teses sobre a "imitação" ou o "contágio", apenas com ênfase decisiva sobre o fator afetivo. É indubitável que existe em nós – quando notamos em outro o indício de um estado afetivo – uma tal tendência a recair no mesmo afeto, mas com que frequência resistimos a ela com sucesso, rechaçamos o afeto e muitas vezes reagimos de maneira inteiramente oposta? Por que, então, cedemos regularmente a esse contágio na massa? Teremos, necessariamente, de dizer que é a influência sugestiva da massa que nos obriga a obedecer a essa tendência à imitação, que induz o afeto em nós. Aliás, com McDougall nós também não escapamos da sugestão; dele, bem como de outros, ouvimos: as massas caracterizam-se por uma sugestionabilidade particular.

Assim, estaremos preparados para enunciar que a sugestão (ou melhor, a capacidade de ser sugestionado) é

---

[i] Brugeilles, A essência do fenômeno social: a sugestão [L'essence du phénomène social: La suggestion]. *Revue philosophique*, XXV, 1913.

justamente um fenômeno originário não mais passível de redução, um fato fundamental da vida anímica humana. Assim também o sustentou Bernheim,[16] de cuja espantosa arte fui testemunha no ano 1889. Mas posso me lembrar, mesmo naquela época, de uma surda hostilidade contra essa tirania da sugestão. Quando alguém gritava com um doente, que não se mostrava dócil: O que o senhor está fazendo? *Vous vous contre-suggestionnez*! [O senhor está se contrassugestionando!], eu dizia a mim mesmo que isso era uma injustiça evidente e um ato de violência. É claro que o homem tinha direito a contrassugestões, se estavam tentando subjugá-lo com sugestões. Mais tarde, minha resistência tomou a direção de uma revolta contra o fato de que a sugestão, que tudo explicava, devia ela mesma ser dispensada de explicação. Eu repetia, referindo-me a ela, a velha adivinhação[i]:

> Cristóvão carregava Cristo,
> Cristo carregava o mundo inteiro,
> Diga-me, onde Cristóvão,
> naquela ocasião, apoiava o pé?[17]

Quando agora, depois de um distanciamento de cerca de 30 anos, abordo novamente o enigma da sugestão, descubro que nisso nada mudou. Com essa afirmação, permito-me desconsiderar uma única exceção, que justamente atesta a influência da Psicanálise. Percebo que se está fazendo um esforço especial para formular corretamente o conceito da sugestão, portanto, para fixar[ii] convencionalmente a utilização do termo, e isso não é supérfluo, pois a palavra vai

---

[i] Konrad Richter. O São Cristóvão alemão [Der Deutsche St. Chistoph]. Berlim, 1896. *Acta Germanica*, V, 1.

[ii] Cf. McDougall em *Jornal de Neurologia e Psicopatologia* [*Journal of Neurology and Psychopathology*], v. 1, n. 1, maio 1920: Uma nota sobre a sugestão [A note on suggestion].

em direção a uma utilização cada vez mais ampla de uma significação mais frouxa e em breve irá caracterizar qualquer influência, como no inglês, em que "*to suggest, suggestion*" corresponde ao nosso "*nahelegen*" [insinuar], ao nosso "*Anregung*" [incitação]. Mas sobre a essência da sugestão, isto é, sobre as condições sob as quais as influências se instauram sem fundamento lógico suficiente, não se produziu um esclarecimento. Eu não me esquivaria da tarefa de corroborar essa afirmação através da análise da literatura desses últimos 30 anos, mas me abstenho de fazê-lo, pois fiquei sabendo que próximo de mim está sendo preparada uma investigação detalhada, que justamente se propôs essa tarefa.[i]

Em vez disso, farei a tentativa de utilizar o conceito de *libido* para esclarecer a psicologia das massas, o qual nos prestou bons serviços no estudo das psiconeuroses.

Libido é uma expressão que provém da doutrina da afetividade. Chamamos assim a energia considerada como grandeza quantitativa – mesmo que por ora não seja mensurável – dessas pulsões que têm a ver com tudo aquilo que podemos abranger na ordem do amor. O núcleo daquilo que chamamos de amor forma, naturalmente – o que comumente chamamos de amor e o que os poetas cantam –, o amor sexual com a meta da união sexual. Mas nós não separamos disso aquilo que normalmente partilha do nome de amor, por um lado, o amor próprio, e por outro, o amor parental e o amor filial, a amizade e o amor pelos seres humanos em geral, nem a devoção a objetos concretos e a ideias abstratas. Nossa justificativa reside no fato de que a investigação psicanalítica nos ensinou que todos esses anseios são a expressão das mesmas moções pulsionais que, entre os sexos, impelem à união sexual; em outras circunstâncias,

---

[i] [Nota acrescentada em 1924]: Infelizmente esse trabalho não se realizou.

são na verdade afastadas dessa meta sexual ou detidas de alcançá-la, conservando sempre, no entanto, o suficiente de sua essência originária, para manter sua identidade reconhecível (sacrifício de si, anseio por aproximação).

Pensamos, portanto, que a língua criou, com a palavra "amor" em suas múltiplas acepções, uma unificação inteiramente legítima, e que não podemos fazer nada melhor do que igualmente tomá-la como base de nossas discussões e apresentações científicas. Com essa decisão, a Psicanálise desencadeou uma tempestade de indignações, como se ela tivesse se tornado culpada de uma inovação sacrílega. E mesmo assim, a Psicanálise não criou nada original com essa versão "ampliada" do amor. O "Eros" do filósofo Platão mostra em sua origem, em sua atividade e em sua relação com o amor sexual uma perfeita coincidência com a força do amor, a libido da Psicanálise, tal como a expuseram em detalhe Nachmansohn[i] e Pfister,[18] e quando o apóstolo Paulo, na célebre Epístola aos *Coríntios*, enaltece o amor acima de tudo, certamente ele o entendeu[19] no mesmo sentido "ampliado", o que só nos ensina que os seres humanos nem sempre levam a sério seus grandes pensadores, mesmo que supostamente muito os admirem.

Essas pulsões de amor [*Liebestriebe*] são chamadas então, na Psicanálise, *a potiori* [preferencialmente], e em função de sua proveniência, de pulsões sexuais. A maioria das pessoas "instruídas" sentiu essa nomeação como uma ofensa e vingou-se dela lançando contra a Psicanálise a acusação de "pansexualismo". Aquele que toma a sexualidade por algo que envergonha e rebaixa a natureza humana está livre

---

[i] Nachmansohn, A teoria da libido de Freud comparada com a doutrina de Eros de Platão [Freuds Libidotheorie verglichen mit der Eroslehre Platos]. *Intern. Zeitschr. f. Psychoanalyse*, III, 1915; Pfister, *id.*, VII, 1921.

para se servir das expressões mais nobres como "Eros" e "erotismo". Eu mesmo poderia ter feito isso desde o início e me teria poupado muita oposição. Mas isso eu não quero, porque gosto de evitar concessões à covardia. Não se pode saber aonde se chega por esse caminho; primeiro cedemos nas palavras, e depois, pouco a pouco também na própria coisa. Não posso achar que exista algum tipo de mérito em se ter vergonha da sexualidade; a palavra grega *Eros*, que deve atenuar o insulto, não é afinal outra coisa além da tradução de nossa palavra alemã "amor", e, por fim, quem pode esperar não precisa fazer concessões.

Iremos, portanto, tentar com a premissa de que as relações amorosas (expresso de modo neutro: ligações sentimentais) também constituem a essência da alma da massa. Lembremo-nos de que os autores não mencionam essas relações. O que corresponderia a elas está claramente escondido atrás da tela, do biombo, da sugestão. Inicialmente, apoiaremos a nossa expectativa em dois breves pensamentos. Primeiro, que a massa é claramente mantida coesa por alguma espécie de força. Mas a que outra força poderíamos atribuir essa realização se não a Eros, que mantém unido tudo o que há no mundo? Segundo, que obtemos a impressão de que, quando o indivíduo na massa desiste de sua singularidade e se deixa sugestionar pelos outros, ele o faz porque nele há uma necessidade de antes estar de acordo e não em oposição a eles, talvez, portanto, "por amor a eles".

V
DUAS MASSAS ARTIFICIAIS: A IGREJA E O EXÉRCITO

A partir da morfologia das massas, lembremos que podemos distinguir espécies muito diversas de massa e direções opostas em sua formação. Há massas muito efêmeras e massas altamente duradouras; homogêneas, que consistem de indivíduos do mesmo tipo, e não homogêneas; massas naturais e artificiais, as quais, para a sua consistência, requerem inclusive uma coerção [*Zwang*] externa; massas primitivas e massas estruturadas, altamente organizadas. No entanto, por razões nas quais a visão ainda se encontra velada, gostaríamos de atribuir um valor especial a uma distinção que recebe muito pouca atenção dos autores; refiro-me à distinção entre as massas sem lídere aquelas com líder. E em oposição à prática costumeira, nossa investigação não irá escolher como ponto de partida uma formação de massas relativamente simples, mas começará com massas altamente organizadas, duradouras, artificiais. Os exemplos mais interessantes de estruturas [*Gebilde*] como essas são a Igreja, a comunidade dos crentes, e as forças armadas, o Exército.

A Igreja e o Exército são massas artificiais, isto é, uma certa coerção externa é utilizada para preservá-las da dissolução[i] e para prevenir alterações em sua estrutura. Por regra, não se pergunta a ninguém ou é deixada a escolha de querer entrar em uma massa como essa; a tentativa de sair é habitualmente perseguida, ou rigorosamente punida, ou está ligada a condições inteiramente determinadas. Saber por que essas associações necessitam de garantias tão especiais está longe de nosso presente interesse. O que nos atrai é apenas a circunstância de reconhecermos, com grande clareza, nessas massas altamente organizadas e protegidas de tal maneira da desintegração, certas relações que, em outros casos, estão muito mais encobertas.

Na Igreja – podemos, com vantagem, tomar a Igreja Católica como modelo –, bem como no Exército, por mais

---

[i] Os atributos "estável" e "artificial" parecem coincidir ou estar em íntima correlação nas massas.

distintos que ambos possam ser, vale a mesma simulação (ilusão) de que está presente um superior – na Igreja Católica, Cristo, nas forças armadas, o general – que ama cada um dos indivíduos da massa com amor igual. Tudo depende dessa ilusão; se a deixássemos cair por terra, desintegrar-se-iam imediatamente tanto a Igreja quanto o Exército, na medida em que a coerção externa o permitisse. Esse amor foi expressamente enunciado por Cristo: "o que fizestes a um desses meus pequenos irmãos é a mim que o fizestes".[20] Ele se encontra, para cada indivíduo da massa de crentes, na relação de um bondoso irmão mais velho; para eles, ele é um substituto do pai. Todas essas exigências feitas aos indivíduos derivam desse amor de Cristo. Um traço democrático perpassa a Igreja: justamente porque todos são iguais perante Cristo, todos têm a mesma participação em seu amor. Não é sem profunda razão que a comparação da comunidade cristã com uma família é evocada e os crentes se chamam de irmãos em Cristo, isto é, irmãos através do amor que Cristo tem por eles. Não há dúvida de que a ligação de cada indivíduo com Cristo é também a causa de sua ligação uns com os outros. O mesmo vale para o Exército; o general é o pai, que ama igualmente todos os seus soldados, e por isso eles são camaradas uns dos outros. O Exército distingue-se estruturalmente da Igreja por consistir de um escalonamento dessas massas. Cada capitão é, por assim dizer, o general e o pai de sua companhia; cada suboficial, o de sua unidade. Na verdade, uma hierarquia semelhante também se formou na Igreja, mas não desempenha nela o mesmo papel econômico, tendo em vista que se pode atribuir a Cristo mais saber e preocupação com os indivíduos do que ao general humano.

Contra essa concepção da estrutura libidinal de um Exército será objetado, com razão, que as ideias de pátria, de glória nacional e outras que são tão importantes para a consistência das forças armadas não encontraram nenhum lugar aqui. A resposta a isso é que esse seria um outro caso, não mais tão simples, de ligação de massa, e, como mostram os exemplos de grandes líderes do Exército, César, Wallenstein, Napoleão, ideias como essas não são indispensáveis para a existência de um Exército. Mais tarde, falaremos brevemente sobre a possível substituição do líder por uma ideia condutora e sobre as relações entre ambas. Negligenciar esse fator libidinal nas forças armadas, mesmo que ele não seja o único em ação, não parece ser apenas uma falha teórica, mas também um perigo prático. O militarismo prussiano, que foi tão pouco psicológico quanto a ciência alemã, talvez tenha precisado experimentá-lo na grande guerra mundial. As neuroses de guerra, que desintegraram as forças armadas alemãs, foram reconhecidas como sendo em grande parte um protesto do indivíduo contra o papel que lhe foi atribuído nas forças armadas, e, de acordo com a comunicação de Ernst Simmel,[i] podemos afirmar que o tratamento sem amor recebido pelo homem comum de seus superiores estava entre os principais motivos de adoecimento. Se essa exigência libidinal tivesse sido mais bem considerada, é provável que as fantásticas promessas dos Catorze Pontos do presidente norte-americano[21] não teriam encontrado crença tão facilmente, e aquele grandioso instrumento não se teria quebrado nas mãos dos estrategistas de guerra alemães.

Notemos que nessas duas massas artificiais cada um dos indivíduos está libidinalmente ligado, por um lado, ao líder (Cristo, general), e, por outro, aos outros indivíduos da massa. Como essas duas ligações se comportam

---

[i] *Neuroses de guerra e "trauma psíquico"* [*Kriegsneurosen und "Psychisches Trauma"*], München, 1918.

mutuamente, se são da mesma espécie e se têm o mesmo valor, e como poderiam ser descritas psicologicamente precisamos deixar para uma investigação posterior. Mas desde já ousamos fazer uma leve censura aos autores, pelo fato de não terem considerado suficientemente a importância do líder para a psicologia de massas, ao passo que, para nós, a escolha do primeiro objeto de investigação levou a uma conjuntura mais favorável. Quer-nos parecer que nos encontramos no caminho certo, que podemos esclarecer o fenômeno principal da psicologia das massas, a ausência de liberdade do indivíduo na massa. Se para cada indivíduo existe uma ligação afetiva tão ampla em duas direções, então não nos será difícil derivar dessa relação a alteração e a restrição observadas em sua personalidade.

Outro indício de que a essência de uma massa consistiria em ligações libidinais nela presentes obtemos igualmente no fenômeno do pânico, que pode ser mais bem estudado nas massas militares. O pânico nasce quando uma massa como essa se desintegra. O que o caracteriza é que nenhuma ordem do superior é mais atendida e que cada um se preocupa consigo mesmo, sem consideração pelos outros. As ligações recíprocas cessaram, e um medo [*Angst*] gigantesco e sem sentido é liberado. É fácil entender novamente a objeção de que seria muito mais o inverso, ou seja, o medo teria crescido a ponto de poder prevalecer sobre todas as considerações e ligações. McDougall utilizou (p. 24) o caso do pânico (na verdade, não do pânico militar) até mesmo como exemplo padrão para o aumento do afeto por contágio (*primary induction*) [indução primária], acentuado por ele. Só que essa maneira racional de esclarecer é falha nesse caso. Falta justamente explicar por que o medo tornou-se tão gigantesco. O tamanho do perigo não pode ser responsabilizado, pois o mesmo Exército que agora sucumbe ao pânico pode ter passado por grandes e até maiores perigos de maneira impecável, e justamente faz parte da natureza do pânico não estar em relação com o perigo que ameaça e irromper frequentemente nas ocasiões mais insignificantes. Se o indivíduo, tomado pelo medo próprio do pânico [*panischer Angst*], propõe-se a cuidar de si mesmo, está com isso atestando o ponto de vista de que cessaram as ligações afetivas que até então amenizavam o perigo para ele. Agora, já que ele enfrenta sozinho o perigo, ele pode certamente valorizá-lo ainda mais. O que acontece é que o medo próprio do pânico pressupõe o relaxamento na estrutura libidinal da massa e reage ao relaxamento de maneira justificada, e não o inverso, ou seja, que as ligações libidinais da massa sejam destruídas pelo medo diante do perigo.

Com estas observações, não se contradiz de modo algum a afirmação de que o medo na massa cresce, por indução, até o descomunal. A concepção de McDougall é absolutamente apropriada para o caso em que haja um grande perigo real e em que não exista na massa nenhuma forte ligação afetiva, condições estas que serão realizadas se, por exemplo, em um teatro ou em um local de diversão irromper um incêndio. O caso instrutivo e que foi utilizado para os nossos propósitos é o que foi mencionado acima, no qual o corpo do Exército é tomado pelo pânico quando o perigo não ultrapassou a medida habitual e muitas vezes bem tolerada. Não devemos esperar que o uso da palavra "pânico" esteja determinado de maneira nítida e unívoca. Às vezes caracterizamos assim qualquer medo coletivo [*Massenangst*], outras vezes também o medo de um indivíduo, quando ele ultrapassa qualquer medida; frequentemente o nome parece reservado para o caso em que a irrupção do medo não é justificada pela ocasião. Se tomarmos a palavra "pânico" no sentido de medo coletivo, podemos estabelecer uma analogia abrangente. O medo do indivíduo é provocado quer pelo tamanho do perigo, quer pela suspensão das ligações afetivas (investimentos de libido); este último caso é o do medo neurótico.[i] Da mesma forma, o pânico nasce através do aumento do perigo que concerne a todos ou através da cessação das ligações afetivas que sustentam a massa, e este último caso é análogo ao do medo neurótico (cf. sobre o assunto o artigo, rico em reflexões e algo fantasioso, de Béla von Felszeghy: "Panik und Pankomplex" [Pânico e complexo de Pan], *Imago*, VI, 1920).

Se descrevemos o pânico, assim como McDougall, como uma das realizações mais claras da *"group mind"*, chegamos ao paradoxo de que essa alma da massa, em uma das suas mais notáveis manifestações, anula-se a si mesma. Não é possível duvidar de que o pânico signifique a desintegração da massa; ele tem como consequência a cessação de todas as considerações que normalmente os indivíduos da massa mostram uns pelos outros.

A situação típica da irrupção de um pânico é muito semelhante àquela apresentada na paródia de Nestroy, da peça de Hebbel sobre Judite e Holofernes. Um soldado grita: "O general perdeu a cabeça", e imediatamente todos os assírios disparam em fuga. A perda do líder, em qualquer sentido, a perda da confiança nele, levam à irrupção do pânico, mesmo que o perigo permaneça o mesmo; com a ligação ao líder desaparecem também – via de regra – as ligações recíprocas dos indivíduos da massa. A massa se desvanece como uma garrafinha de Bolonha,[22] da qual se quebrou a ponta.

---

[i] Ver as *Conferências*, XXV [*Vorlesungen zur Einführung in die Psychoanalyse*], *Ges. Werke*, v. XI.

A desintegração de uma massa religiosa não é fácil de observar. Há pouco tempo, caiu-me nas mãos um romance inglês de origem católica, recomendado pelo bispo de Londres, com o título: *When It Was Dark* [Quando estava escuro], que descrevia uma possibilidade como essa e suas consequências de maneira hábil e, de acordo com o que penso, apropriada. O romance relata, como se estivesse no presente, que uma conspiração de inimigos da pessoa de Cristo e da crença cristã consegue descobrir um sepulcro em Jerusalém, em cuja inscrição José de Arimateia admite que ele, por razões de piedade, retirou secretamente o cadáver de Cristo de sua sepultura no terceiro dia depois de seu funeral e enterrou-o naquele lugar. Com isso desfez-se a ressurreição de Cristo e sua natureza divina, e a consequência dessa descoberta arqueológica é um abalo da cultura europeia, um extraordinário aumento de todos os atos violentos e crimes, que só desaparece depois que a conspiração dos falsários é revelada.

O que vem à luz com a aqui suposta desintegração da massa religiosa não é medo, para o qual falta a ocasião, mas impulsos implacáveis e hostis contra outras pessoas, que até então não tinham podido se manifestar graças ao amor igual de Cristo.[i] Mas mesmo durante o reinado de Cristo encontram-se também fora dessa ligação aqueles indivíduos que não pertencem à comunidade dos crentes, que não o amam e os quais ele não ama; é por isso que uma religião, mesmo que ela se chame de religião do amor, precisa ser dura e sem amor para com aqueles que não pertencem a ela. No fundo, toda religião é uma religião de amor como

---

[i] Cf., a esse respeito, a explicação de fenômenos análogos após a abolição da autoridade do soberano patriarcal, em P. Federn, *A sociedade sem pai* [*Die vaterlose Gesellschaft*], Wien, 1919.

essa a todos aqueles que a seguem, e todas se inclinam à crueldade e à intolerância para com aqueles que não lhe pertencem. Não temos o direito, por mais difícil que isso seja pessoalmente, de fazer aos crentes qualquer censura muito severa por causa disso; nesse aspecto, isso é muito mais fácil, psicologicamente, para os descrentes e os indiferentes. Se essa intolerância não se revela hoje tão violenta e cruel quanto em séculos anteriores, não podemos daí concluir por uma amenização nos costumes dos seres humanos. A causa deve ser procurada muito antes, no inegável enfraquecimento dos sentimentos religiosos e das ligações libidinais que deles dependem. Se outra ligação de massa entra no lugar da ligação religiosa, tal como a ligação socialista parece estar conseguindo agora, isso resultará na mesma intolerância contra os que estão de fora, tal como na época das lutas religiosas, e, se as diferenças entre pontos de vista científicos pudessem um dia adquirir para as massas uma importância semelhante, o mesmo resultado se repetiria também para essa motivação.

VI
OUTRAS TAREFAS E ORIENTAÇÕES DE TRABALHO

Até agora investigamos duas massas artificiais e descobrimos que elas são dominadas por dois tipos de ligação afetiva, dos quais uma, a ligação ao líder, parece – pelo menos para ela – ser mais determinante do que a outra, a dos indivíduos da massa entre si.

Haveria ainda muito mais a investigar e descrever na morfologia das massas. Teríamos de partir da constatação de que uma simples multidão de seres humanos ainda não é nenhuma massa enquanto aquelas ligações não tiverem se estabelecido nela, mas teríamos de admitir que em qualquer multidão de seres humanos manifesta-se com facilidade a tendência à formação de uma massa psicológica. Deveríamos dar atenção às massas de diferentes espécies, mais ou menos estáveis, que se produzem espontaneamente, e estudar as condições de sua origem e de sua desintegração. Estaríamos sobretudo ocupados com a diferença entre as massas que possuem um líder e as massas sem líder. Deveríamos averiguar se as massas com líder não são as mais primordiais e as mais completas; se nas outras o líder não pode ser substituído por uma ideia, por uma abstração, para a qual as massas religiosas, com seu chefe invisível, já constituem a transição; se uma tendência comum, um desejo, do qual uma quantidade de pessoas possa fazer parte, não poderia fornecer o mesmo substituto. Essa abstração poderia, por sua vez, encarnar-se mais ou menos perfeitamente na pessoa de um líder, de alguma forma secundário, e da relação entre ideia e líder resultariam interessantes variedades. O líder ou a ideia condutora poderiam também, por assim dizer, tornar-se negativos; o ódio contra uma determinada pessoa ou instituição poderia, da mesma forma, ter um efeito unificante e produzir ligações afetivas semelhantes, tal como a dependência positiva. Além disso, devemos perguntar se o líder é realmente indispensável para a essência da massa, e outras coisas mais.

Mas todas essas perguntas, que podem ter sido tratadas parcialmente na literatura da psicologia das massas, não serão capazes de desviar nosso interesse dos problemas psicológicos fundamentais que se apresentam a nós na estrutura de uma massa. Seremos primeiro cativados por uma reflexão que nos promete trazer a prova, pelo caminho mais curto, de que são as ligações de libido que caracterizam uma massa.

Iremos nos deter na maneira como os seres humanos em geral comportam-se afetivamente entre si. De acordo com o famoso símile de Schopenhauer sobre os porcos-espinhos que passam frio, ninguém tolera do outro uma aproximação demasiado íntima.[i]

Segundo o testemunho da Psicanálise, quase toda relação afetiva íntima de longa duração entre duas pessoas – relação conjugal, amizade, relação parental e filial,[ii] contém[23] um sedimento de sentimentos de rejeição e de hostilidade, o qual só escapa à percepção em consequência do recalcamento.[24] Isso fica mais explícito a cada vez que um sócio briga com seu colega, que um subordinado resmunga contra seu superior. O mesmo acontece ainda quando os seres humanos se reúnem em unidades maiores. Toda vez que duas famílias se ligam através de um casamento, cada uma delas se considera melhor e mais distinta que a outra. De duas cidades vizinhas, cada uma se torna a concorrente invejosa da outra; cada pequeno cantão olha do alto para o outro com desprezo. Tribos estreitamente aparentadas repelem-se mutuamente, o alemão do sul não suporta o alemão do norte, o inglês diz todo o mal possível sobre o escocês, o espanhol despreza o português. Que no caso de diferenças maiores se produza uma aversão difícil de superar – a do gaulês pelo alemão, a do ariano

---

[i] "Num dia frio de inverno, uma comunidade de porcos-espinhos amontoou-se muito perto uns dos outros, para se proteger do congelamento através do calor recíproco. Entretanto, logo sentiram os espinhos uns dos outros, o que então novamente os afastou. Mas assim que a necessidade de aquecimento novamente os aproximou, repetiu-se aquele segundo mal, de forma que eles foram jogados para lá e para cá entre os dois sofrimentos, até descobrirem uma distância intermediária, que lhes permitiu aguentar melhor a situação" (*Parerga e Paralipomena* [*Parerga und Paralipomena*], II parte, XXXI, Símiles e parábolas).

[ii] Talvez com a única exceção da relação da mãe com o filho, que, fundada sobre o narcisismo, não é perturbada por uma rivalidade posterior e é reforçada por um esboço de escolha sexual de objeto.

pelo semita, a do branco pelo homem de cor — isso já não nos surpreende.

Quando a hostilidade se dirige contra pessoas normalmente queridas, chamamos isso de ambivalência de sentimentos e explicamo-nos esse caso de uma maneira seguramente muito racional, pelas múltiplas ocasiões para conflitos de interesse, que justamente se produzem em relações tão íntimas. Nas aversões e repulsas que emergem explicitamente contra estranhos que estão próximos, podemos reconhecer a expressão de um amor por si próprio, de um narcisismo que anseia por sua autoafirmação e que se comporta como se a ocorrência de uma irregularidade em suas formações individuais trouxesse consigo uma crítica a elas e uma convocação a reconfigurá-las. Não sabemos por que uma sensibilidade tão grande deveria ser lançada justamente sobre esses detalhes da diferenciação; mas é inegável que nessa conduta dos seres humanos revela-se uma prontidão para o ódio, uma agressividade cuja origem é desconhecida e à qual gostaríamos de atribuir um caráter elementar.[i]

Mas toda essa intolerância desaparece, temporária ou permanentemente, através da formação de massa e na massa. Enquanto a formação de massa se mantém, ou até onde ela se estende, os indivíduos se conduzem como homogêneos, toleram a singularidade do outro, igualam-se a ele e não experimentam nenhum sentimento de repulsão por ele. Uma restrição como essa do narcisismo, de acordo com os nossos pontos de vista teóricos, só pode ser

---

[i] Em um escrito recentemente publicado (1920), "Além do princípio de prazer" [Jenseits des Lustprinzips], tentei vincular a polaridade de amar e odiar com uma suposta oposição entre pulsões de vida e de morte, e apresentar as pulsões sexuais como os mais puros representantes das primeiras, as pulsões de vida.

produzida por um fator, pela ligação libidinal com outras pessoas. O amor por si próprio só encontra uma barreira no amor pelo outro [*Fremdliebe*],[25] no amor por objetos.[i] Imediatamente levanta-se a questão de saber se a comunidade de interesses, por si e sem qualquer contribuição libidinal, não deve, necessariamente, levar à tolerância do outro e à consideração por ele. Responderemos a essa objeção afirmando que, dessa maneira, certamente não se realiza uma restrição permanente do narcisismo, pois essa tolerância não se mantém por mais tempo do que a vantagem imediata, que é retirada da colaboração do outro. Só que o valor prático dessa questão controversa é menor do que se poderia pensar, pois a experiência ensinou que, no caso da colaboração, instalam-se regularmente ligações libidinais entre os companheiros, as quais prolongam e fixam a relação entre eles para além do meramente vantajoso. Nas relações sociais dos seres humanos acontece o mesmo que para a investigação psicanalítica ficou conhecido no processo de desenvolvimento da libido individual. A libido apoia-se na satisfação das grandes necessidades da vida e escolhe como seus primeiros objetos as pessoas que participam da satisfação. E da mesma forma que para o indivíduo, também no desenvolvimento de toda a humanidade só o amor atuou como fator cultural no sentido de uma viragem do egoísmo para o altruísmo. E, de fato, porque se ligava ao trabalho em comum, ocorreu o mesmo tanto no amor sexual pela mulher, com todas as obrigações dele decorrentes de poupar o que era caro à mulher, quanto no amor dessexualizado, sublimadamente homossexual por outro homem.

---

[i] Cf. Para introduzir o narcisismo [Zur Einführung des Narziβmus], 1914 (*Ges. Werke*, v. X).

Se, portanto, aparecem na massa limitações ao amor próprio narcísico, que não atuam fora dela, esse é, então, um indício imprescindível de que a essência da formação de massa consiste de ligações libidinais de um novo tipo entre os membros da massa.

Mas agora nosso interesse fará perguntar, de maneira premente, de que espécie são essas ligações na massa. Na doutrina psicanalítica das neuroses estivemos até agora quase que exclusivamente ocupados com a ligação dessas pulsões de amor a seus objetos, as quais ainda buscam metas sexuais diretas. É evidente que na massa estão fora de questão metas sexuais como essas. Aqui estamos lidando com pulsões de amor que, sem atuarem de maneira menos enérgica por esse motivo, são, entretanto, desviadas de suas metas originais. Percebemos então, já no âmbito do habitual investimento sexual de objeto, manifestações que correspondem a um desvio da pulsão em relação à sua meta sexual. Nós as descrevemos como graus de enamoramento e reconhecemos que elas trazem consigo um certo prejuízo ao Eu. A essas manifestações do enamoramento dedicaremos agora uma atenção mais minuciosa com a justificada expectativa de nelas encontrar relações que se deixem transferir às ligações nas massas. Mas, além disso, gostaríamos de saber também se esse tipo de investimento de objeto, tal como o conhecemos a partir da vida sexual, representa o único modo de ligação afetiva com uma outra pessoa, ou se temos de ainda levar em consideração outros mecanismos como esse. De fato, aprendemos com a Psicanálise que existem outros mecanismos de ligação afetiva, as assim chamadas *identificações*, processos insuficientemente conhecidos, difíceis de representar, cuja investigação irá agora nos manter afastados por um bom tempo do tema da psicologia das massas.

VII
A IDENTIFICAÇÃO

A identificação é conhecida pela Psicanálise como a mais antiga manifestação de uma ligação afetiva com uma outra pessoa. Ela desempenha um papel na pré-história do complexo de Édipo. O menininho dá mostras de um interesse particular por seu pai, gostaria de ficar como ele, de ser como ele e de tomar seu lugar em todos os aspectos. Digamos tranquilamente: ele toma o pai como o seu ideal. Essa conduta nada tem a ver com uma posição passiva ou feminina em relação ao pai (e em relação ao homem em geral); ao contrário, ela é masculina por excelência. Ela concilia-se muito bem com o complexo de Édipo, e ajuda a prepará-lo.

Simultaneamente a essa identificação ao pai, talvez até mesmo anteriormente, o menino começou a efetuar um verdadeiro investimento de objeto na mãe, de acordo com o tipo de apoio [*Anlehnungstypus*]. Ele apresenta, portanto, duas ligações psicologicamente distintas: com a mãe, um investimento de objeto claramente sexual; com o pai, uma identificação como modelo. Ambas subsistem lado a lado por um tempo, sem influência ou perturbação mútua. Em consequência do avanço incessante da unificação da vida psíquica, elas finalmente se encontram, e, dessa confluência, nasce o complexo de Édipo normal. O pequenino percebe que, em relação à mãe, o pai está em seu caminho; sua identificação com o pai assume agora uma tonalidade hostil e se torna idêntica ao desejo de igualmente substituir o pai junto à mãe. A identificação é justamente ambivalente desde o início; ela pode tornar-se expressão tanto da ternura quanto do desejo de eliminação. Ela conduz-se como um derivado da primeira fase *oral* da organização libidinal, na qual o objeto cobiçado e apreciado foi incorporado através do ato de comer e assim foi aniquilado como tal. O canibal, como sabemos, permaneceu nessa posição; ele devora passionalmente seus inimigos, mas não aqueles pelos quais, de alguma maneira, não pode ter apreço.[i]

O destino dessa identificação ao pai é facilmente perdido de vista mais tarde. Pode, então, ocorrer que o complexo de Édipo sofra uma inversão, que o pai, numa posição feminina, seja tomado como objeto, do qual as pulsões sexuais diretas esperam sua satisfação, e, assim, a identificação ao pai se torna o precursor da ligação de objeto ao pai. O mesmo vale para a filha pequena, com as correspondentes substituições.

É fácil enunciar em uma fórmula a diferença entre uma identificação ao pai como essa e uma escolha do pai como objeto. No primeiro caso, o pai é aquilo que se gostaria de *ser*, no segundo, é aquilo que gostaria de *ter*. Trata-se, portanto, da diferença entre a ligação recair no sujeito ou no objeto do Eu. É por isso que o primeiro tipo de ligação já é possível antes de qualquer escolha sexual de objeto. É bem mais difícil dar a essa distinção uma representação claramente metapsicológica. Só reconhecemos que a identificação almeja configurar o próprio Eu de maneira semelhante ao outro tomado como "modelo".

Desembaracemos a identificação, enquanto uma formação neurótica de sintoma, de um contexto emaranhado. Suponhamos que a mennininha, à qual queremos nos deter agora, contraia o mesmo sintoma de sofrimento de sua mãe, por exemplo, a mesma tosse atormentadora. Isso pode

---

[i] Ver *Três ensaios sobre a teoria sexual* [*Drei Abhandlungen zur Sexualtheorie*], *Ges. Werke*, V, e Abraham, Investigações sobre a fase de desenvolvimento pré-genital mais precoce da libido [Untersuchungen über die früheste prägenitale Entwicklungsstufe der Libido"], *Intern. Zeitschr. f. Psychoanalyse*, IV, 1916, e também suas "Contribuições clínicas à Psicanálise" [Klinische Beiträge zur Psychoanalyse", *Intern. Psychoanalyt. Bibliotek*, v. 10, 1921].

acontecer por diversas vias. Ou a identificação é a mesma que vem do complexo de Édipo, e que significa uma hostil vontade de substituir a mãe, e o sintoma exprime o amor de objeto pelo pai; ele realiza a substituição da mãe sob a influência da consciência de culpa: você quis ser a mãe, agora você a é, ao menos no sofrimento. Esse é, então, o mecanismo completo da formação histérica de sintoma. Ou, ao contrário, o sintoma é o mesmo que o da pessoa amada (tal como, por exemplo, Dora, em "Fragmento de uma análise de histeria", que imita a tosse do pai); então, só podemos descrever esse estado de coisas desta maneira: *a identificação surgiu no lugar da escolha de objeto; a escolha de objeto regrediu para a identificação*. Aprendemos que a identificação é a forma mais precoce e mais primordial da ligação afetiva; sob as circunstâncias da formação de sintoma, portanto, do recalcamento e da dominância dos mecanismos do inconsciente, sempre acontece de a escolha de objeto tornar-se identificação novamente, portanto, de o Eu tomar para si as características do objeto. É digno de nota que o Eu, nessas identificações, copia numa vez a pessoa não amada, mas na outra vez a pessoa amada. Não podemos também deixar de notar que, em ambos os casos, a identificação é parcial e altamente limitada, tomando emprestado apenas um traço único [*nur einen einzigen Zug*][26] da pessoa-objeto.

Há um terceiro caso de formação de sintoma, particularmente frequente e importante, no qual a identificação faz abstração total da relação de objeto com a pessoa copiada. Quando, por exemplo, uma das moças num pensionato recebe secretamente uma carta daquele que ama, que desperta seu ciúme e à qual ela reage com um ataque histérico, algumas de suas amigas, ao saberem do fato, assumem esse ataque, como costumamos dizer, pela via da infecção psíquica. O mecanismo é o da identificação, fundado em um poder colocar-se ou em um querer colocar-se no mesmo lugar. As outras também gostariam de ter uma relação amorosa secreta, e, sob a influência da consciência de culpa, elas aceitam também o sofrimento a ela ligado. Seria incorreto afirmar que elas se apropriam do sintoma por solidariedade. Ao contrário, a solidariedade só nasce da identificação, e a prova disso é que essa infecção ou imitação se estabelece também em circunstâncias nas quais cabe supor entre as duas pessoas uma simpatia preexistente bem menor do que aquela que pode estabelecer-se habitualmente entre amigas de pensionato. Um Eu percebeu no outro uma analogia importante em um ponto, em nosso exemplo, a mesma disposição afetiva; a partir daí, forma-se uma identificação nesse ponto, e, sob a influência da situação patogênica, essa identificação desloca-se para o sintoma que o primeiro Eu produziu. A identificação por meio do sintoma torna-se, então, índice de um lugar de coincidência dos dois Eus, lugar esse que deve ser mantido recalcado.

O que aprendemos a partir dessas três fontes podemos resumir do seguinte modo: em primeiro lugar, que a identificação é a forma mais originária de ligação afetiva com um objeto; em segundo, que, por via regressiva, ela se torna o substituto de uma ligação libidinal de objeto, mediante a introjeção, por assim dizer, do objeto no Eu; e terceiro, que ela pode surgir a cada vez que é percebido um novo elemento em comum com uma pessoa que não é objeto das pulsões sexuais. Quanto mais importante for esse elemento em comum, tanto mais bem-sucedida deverá ser essa identificação parcial e, assim, corresponder ao início de uma nova ligação.

Já estamos pressentindo que a ligação recíproca entre os indivíduos da massa é da mesma natureza que essa identificação nascida de um elemento em comum afetivamente importante, e podemos supor que esse elemento em comum resida no tipo de ligação com o líder. Outro pressentimento pode nos dizer que estamos muito longe de ter esgotado o problema da identificação e que nos encontramos diante do processo que a Psicologia chama de "empatia", o qual detém a parte maior de nossa compreensão sobre o que é estranho-ao-Eu [*Ichfremde*] nas outras pessoas. Mas aqui queremos nos limitar aos efeitos afetivos imediatos da identificação e igualmente deixar de lado a sua importância para nossa vida intelectual.

A investigação psicanalítica, que por ocasião também já abordou os mais difíceis problemas das psicoses, pôde igualmente nos fazer ver a identificação em alguns outros casos que não estão imediatamente acessíveis à nossa compreensão. Vou tratar em detalhes de dois desses casos que serão a matéria de nossas reflexões posteriores.

A gênese da homossexualidade masculina é, numa grande série de casos, a seguinte: o menino esteve fixado em sua mãe, no sentido do complexo de Édipo, durante um tempo inusitadamente longo e de maneira intensa. Por fim, ao se completar o processo da puberdade, chega o momento de trocar a mãe por um outro objeto sexual. Nesse momento ocorre uma viragem repentina: o menino não abandona a mãe, mas se identifica com ela, ele transforma-se nela e, então, procura objetos que possam substituir seu Eu, os quais ele pode amar e cuidar, assim como ele aprendeu com sua mãe. Esse é um processo frequente que pode ser confirmado quantas vezes se quiser, e que naturalmente é inteiramente independente de qualquer suposição que se faça sobre a força pulsional orgânica e sobre os motivos dessa transformação repentina. O que é notável nessa identificação é sua amplitude, ela transforma o Eu num aspecto altamente importante, em uma característica sexual, de acordo com o modelo do que até agora era o objeto. Nessa operação, o próprio objeto é abandonado; que ele o seja completamente ou apenas no sentido de que permaneça conservado no inconsciente está, nesse caso, fora de discussão. A identificação com o objeto abandonado ou perdido, que serve de substituto dele, a introjeção desse objeto no Eu não constitui, entretanto, nenhuma novidade para nós. Um processo como esse pode, ocasionalmente, ser diretamente observado na criança pequena. Recentemente, foi publicada na *Internationale Zeitschrift für Psychoanalyse* [Revista Internacional de Psicanálise] uma dessas observações, na qual uma criança, muito triste pela perda de seu gatinho, declarou francamente que agora ela própria era o gatinho, e, por isso, começou a andar de quatro e não queria mais comer à mesa, etc.[i]

Outro exemplo dessa introjeção do objeto nos foi trazido pela análise da melancolia, afecção que possui a perda real ou afetiva do objeto amado entre suas causas mais notáveis. A característica principal desses casos é a cruel autodepreciação do Eu, ligada a uma autocrítica impiedosa e a autocensuras amargas. As análises apresentaram como resultado que essa avaliação e essas autocensuras concernem, no fundo, ao objeto e constituem a vingança do Eu sobre ele. A sombra do objeto recaiu sobre o Eu, conforme afirmei em outro lugar.[ii][27] A introjeção do objeto é, aqui, de uma evidência inegável.

No entanto, essas melancolias nos mostram ainda outra coisa que pode ser importante para as nossas futuras

---

[i] Markuszewicz, Contribuição ao pensamento autista em crianças [Beitrag zum autistischen Denken bei Kindern]. *Internationale Zeitschrift für Psychoanalyse*, VI, 1920.

[ii] Luto e melancolia [*Trauer und Melancholie*], *Sammlung kleiner Schriften zur Neurosenlehre*, Seção 4, 1918 [*Ges. Werke*, v. X].

considerações. Elas nos mostram o Eu dividido, decomposto em duas partes, das quais uma se enfurece com a outra. Essa outra parte é aquela modificada pela introjeção, aquela que inclui o objeto perdido. Mas também não desconhecemos a parte que age de maneira tão cruel. Ela inclui a consciência moral, uma instância crítica no Eu, a qual, mesmo em períodos normais, assumiu uma postura crítica contra o Eu, só que nunca de maneira tão implacável e tão injusta. Em ocasiões anteriores tivemos de fazer a suposição ("Narcisismo", "Luto e melancolia") de que em nosso Eu desenvolve-se uma instância como essa, que se separa do outro Eu e pode entrar em conflito com ele. Nós a chamamos de Ideal do Eu [*Ichideal*] e lhe atribuímos como funções a auto-observação, a consciência moral, a censura onírica e a influência principal do recalcamento. Dizíamos ser ela a herdeira do narcisismo originário, no qual o Eu infantil se bastava a si mesmo. Pouco a pouco, ela retiraria das influências provenientes do ambiente as exigências que este faz ao Eu e à altura das quais o Eu nem sempre pode estar, de maneira que o ser humano, sempre que não estiver satisfeito com seu Eu, pode encontrar sua satisfação no Ideal do Eu, diferenciado a partir do Eu. Estabelecemos ainda que no delírio de observação fica patente a decomposição dessa instância e que, ao mesmo tempo, descobre-se sua origem a partir da influência das autoridades, sobretudo dos pais.[i] Porém, não nos esqueçamos de indicar que a medida da distância entre esse Ideal do Eu e o Eu atual [*aktuellen Ich*] é muito variável em cada indivíduo e que, para muitos, essa diferenciação no interior do Eu não vai mais longe do que para a criança.

---

[i] Introdução ao narcisismo [Zur Einführung des Narziβmus], 1.c. [*Ges. Werke*, X].

Antes que possamos utilizar esse material para a compreensão da organização libidinal de uma massa, precisamos considerar algumas outras relações de troca entre objeto e Eu.[i]

VIII
ENAMORAMENTO E HIPNOSE

Os usos da língua, mesmo em seus caprichos, permanecem fiéis a algum tipo de realidade. É assim que na verdade chamam de "amor" relações afetivas muito variadas, que nós também reunimos teoricamente como amor, mas que tornamos a duvidar se esse amor seria o amor propriamente dito, o autêntico, o verdadeiro, e assim apresentamos toda uma escala de possibilidades dentro do fenômeno do amor. Também não nos será difícil encontrá-la pela observação.

Em uma série de casos, o enamoramento não passa de um investimento de objeto por parte das pulsões sexuais, para fins de satisfação sexual direta, investimento que, no

---

[i] Sabemos muito bem que, com esses exemplos retirados da Patologia, não esgotamos a essência da identificação e, com isso, deixamos intacta uma parte do enigma da formação de massas. Aqui deveria intervir uma análise psicológica muito mais aprofundada e abrangente. Partindo da identificação, um caminho leva pela imitação até a empatia, isto é, à compreensão do mecanismo que nos torna possível sobretudo uma tomada de posição em relação a outra vida anímica. Mesmo sobre as manifestações de uma identificação existente ainda há muito a esclarecer. Ela tem, entre outras, a consequência de que se restrinja a agressão contra a pessoa com a qual nos identificamos, que a poupemos e lhe ofereçamos ajuda. O estudo dessas identificações, tal como as que se encontram, por exemplo, na base da comunidade de clã, forneceu a Robertson Smith o resultado surpreendente de que elas se baseiam no reconhecimento de uma substância comum (*Kinschip and Marriage*, 1885), e que por isso podem igualmente ser criadas por uma refeição compartilhada. Esse traço permite ligar uma identificação como essa com a história originária da família humana, construída por mim em *Totem e tabu*.

entanto, extingue-se assim que essa meta é alcançada; isso é o que chamamos de amor comum, sensual. Mas, como se sabe, raramente a situação libidinal permanece tão simples. A certeza da revivescência da necessidade que acabara de se extinguir deve ter sido certamente o motivo imediato para dirigir um investimento duradouro ao objeto sexual e para "amá-lo", mesmo nos intervalos desprovidos de desejo [*Begierdefreien*].

A curiosa história do desenvolvimento da vida amorosa dos seres humanos traz um outro fator. A criança, na primeira fase, quase sempre concluída aos 5 anos, encontrou em um dos pais um primeiro objeto de amor, no qual haviam se reunido todas as suas pulsões sexuais que demandavam satisfação. O recalcamento que então interveio obrigou à renúncia a maioria das metas sexuais infantis e deixou uma modificação profunda na relação com os pais. Dali em diante a criança permaneceu ligada aos pais, mas por meio de pulsões que precisamos chamar de "inibidas quanto à meta". Os afetos que, a partir de então, ela passa a sentir por essas pessoas queridas são caracterizados como "ternos". Sabemos que, no inconsciente, os mais remotos anseios "sensuais" permanecem conservados de maneira mais ou menos intensa, de modo que a corrente originária plena[28] se mantém[i] em certo sentido.

Com a puberdade, como sabemos, instauram-se anseios novos e muito intensos, dirigidos às metas sexuais diretas. Em casos desfavoráveis, elas permanecem, como corrente sensual, separadas das duradouras orientações "ternas" de sentimento. Temos, então, diante de nós o quadro cujos dois aspectos são idealizados com tanto prazer por certas tendências da literatura.

---

[i] Ver Teoria sexual, 1.c. [*Drei Abhandlungen zur Sexualtheorie, Ges. Werke*, V, p. 101].

O homem mostra inclinações entusiasmadas por mulheres altamente respeitadas que, no entanto, não o estimulam ao intercurso amoroso, e ele só é potente com outras mulheres que não "ama", que deprecia ou que até mesmo despreza.[i] Com maior frequência, entretanto, o adolescente consegue uma certa medida de síntese entre o amor não sensual, celestial, e o amor sensual, terreno, e sua relação com o objeto sexual é caracterizada pela ação conjunta de pulsões não inibidas e inibidas quanto à meta. É em relação à contribuição das pulsões de ternura, inibidas quanto à meta, que podemos medir o nível do enamoramento, em oposição ao apetite [*Begehren*], meramente sensual.

No contexto desse enamoramento, chamou-nos a atenção desde o início o fenômeno da supervalorização sexual, o fato de o objeto amado desfrutar de certa liberdade em relação à crítica, de todas as suas qualidades serem mais altamente valorizadas do que as de pessoas não amadas, ou do que num tempo em que ele não era amado. No caso de um recalcamento ou de um afastamento razoavelmente eficaz dos anseios sensuais, instala-se a ilusão de que o objeto, por causa de suas vantagens anímicas, também seja amado sensualmente, enquanto, inversamente, é apenas o deleite sensual que pode ter-lhe emprestado essas vantagens.

A tendência que aqui falseia o juízo é a da *idealização*. Mas, com isso, é mais fácil nos orientarmos; nós reconhecemos que o objeto é tratado como se fosse o próprio Eu, que, portanto, no enamoramento, uma medida maior de libido narcísica transborda sobre o objeto. Em algumas formas de escolha amorosa, salta até mesmo à vista que o objeto sirva para substituir um ideal do Eu próprio, mas

---

[i] Sobre a degradação geral da vida amorosa [Über die allgemeine Erniedrigung des Liebeslebens]. *Sammlung*, Seção 4, 1918 [*Ges. Werke*, VIII].

não alcançável. Ele é amado por causa das perfeições que se almeja para o próprio Eu e as quais agora se gostaria de obter, por esse desvio, para a satisfação de seu narcisismo.

Se a supervalorização sexual e o enamoramento aumentam ainda mais, a interpretação do quadro torna-se cada vez mais inequívoca. Os anseios que pressionam à satisfação sexual direta podem agora ser totalmente contidos, tal como acontece regularmente, por exemplo, com o amor entusiasmado de um jovem; o Eu torna-se cada vez menos exigente, mais modesto, e o objeto, cada vez mais grandioso, mais valioso; este finalmente alcança a posse de todo o amor próprio do Eu, de modo que o autossacrifício do Eu torna-se a consequência natural. O objeto consumiu o Eu, por assim dizer. Traços de humildade, de restrição do narcisismo, de causação de danos a si mesmo estão presentes em qualquer caso de enamoramento; em casos extremos, eles são simplesmente intensificados, e, com o recuo das reivindicações sensuais, eles ficam sozinhos a dominar.

Isso ocorre com especial facilidade no caso de um amor infeliz, irrealizável, pois, a cada satisfação sexual, é a supervalorização sexual que sempre volta a experimentar uma redução. Simultaneamente a essa "entrega" do Eu ao objeto, a qual não mais se distingue da dedicação sublimada a uma ideia abstrata, falham inteiramente as funções atribuídas ao Ideal do Eu. Silencia-se a crítica exercida por essa instância; tudo o que o objeto faz e exige é correto e inatacável. A consciência moral não encontra aplicação para tudo que ocorre em favor do objeto; na cegueira amorosa nos tornamos criminosos sem remorso. A situação inteira se deixa resumir, sem resíduos, em uma fórmula: *o objeto colocou-se no lugar do Ideal do Eu.*

A diferença entre a identificação e o enamoramento em suas mais altas conformações, que chamamos de fascinação, de servidão apaixonada, agora é fácil de descrever. No primeiro caso, o Eu enriqueceu-se com as propriedades do objeto, "introjetou" o objeto, segundo a expressão de Ferenczi; no segundo caso, ele se empobreceu, abandonou-se ao objeto, colocou-o no lugar de sua parte constitutiva mais importante. Contudo, ao considerarmos as coisas mais de perto, logo percebemos que uma apresentação como essa nos faz crer em oposições que não existem. Economicamente, não se trata de enriquecimento ou de empobrecimento; também podemos descrever o enamoramento extremo como aquele em que o Eu introjetou o objeto. Talvez outra distinção atinja melhor o essencial. No caso da identificação, o objeto foi perdido ou abandonado; ele é então restabelecido no Eu; o Eu se modifica parcialmente, a partir do modelo do objeto perdido. No outro caso, o objeto permaneceu conservado e é superinvestido enquanto tal, por parte de e às custas do Eu. Mas também contra isso se coloca uma ponderação. Então está certo que a identificação pressupõe o abandono do investimento no objeto, não pode haver identificação se o objeto for mantido? E antes que nos engajemos na discussão dessa questão delicada, já pode estar se clareando em nós a visão de que outra alternativa contém em si a essência desse estado de coisas, a saber, *se o objeto é colocado no lugar do Eu ou do Ideal do Eu.*

Do enamoramento não há, evidentemente, nenhum grande passo até à hipnose. As concordâncias entre ambos são notáveis. A mesma humilde submissão, a mesma docilidade, a mesma ausência de crítica, tanto em relação ao hipnotizador quanto em relação ao objeto amado. A mesma absorção da iniciativa própria; sem dúvida, o hipnotizador entrou no lugar do Ideal do Eu. Todas as relações na hipnose são simplesmente mais claras e mais intensas, de modo que seria mais adequado explicar o enamoramento por meio da hipnose do que o inverso. O hipnotizador é o único objeto; nenhum outro será considerado ao lado dele. Que o Eu viva oniricamente aquilo que o hipnotizador exige e afirma adverte-nos de que também deixamos de mencionar, entre as funções do Ideal do Eu, o exercício da prova de realidade.[i] Não é de se admirar que o Eu tome uma percepção como real, se a instância psíquica normalmente encarregada da tarefa da prova de realidade intervier por essa realidade. A ausência total de anseios com metas sexuais desinibidas contribui ainda mais para a extrema pureza dos fenômenos. A relação hipnótica é uma entrega apaixonada sem restrições, com exclusão da satisfação sexual, enquanto uma entrega como essa no enamoramento é postergada apenas por algum tempo e permanece em segundo plano como uma possível meta posterior.

Por outro lado, também podemos dizer que a relação hipnótica seria – se essa expressão for permitida – uma formação de massas a dois. A hipnose não é um bom objeto de comparação com a formação de massas, porque é antes idêntica a ela. Da estrutura complicada ela isola para nós um elemento, a conduta do indivíduo da massa em relação ao líder. A hipnose se distingue da formação de massas por essa restrição do número, da mesma forma que ela se distingue do enamoramento pela ausência de anseios diretamente sexuais. Nesse contexto, ela mantém o meio-termo entre ambas.

É interessante ver que justamente os anseios sexuais inibidos quanto à meta conseguem ligações tão duradouras

---

[i] Ver Complemento metapsicológico à doutrina do sonho [Metapsychologische Ergänzung zur Traumlehre], *Sammlung kleiner Schriften zur Neurosenlehre*, Seção 4, 1918 [*Ges. Werke*, X]. [Nota acrescentada em 1923:] No entanto, parece admissível haver uma dúvida sobre a legitimidade dessa atribuição, o que requer uma discussão detalhada.

entre os humanos. Mas isso é fácil de entender através do fato de que eles não são capazes de uma satisfação plena, ao passo que anseios sexuais inibidos experimentam, através da descarga [*Abfuhr*] que ocorre a cada vez que a meta sexual é atingida, uma redução extraordinária. O amor sensual é destinado a se extinguir na satisfação; para que ele possa durar, é preciso, desde o início, que ele esteja deslocado para componentes puramente ternos, isto é, inibidos quanto à meta, ou que sofra uma transposição como essa.

A hipnose resolveria tranquilamente para nós o enigma da constituição libidinal de uma massa, se ela mesma ainda não contivesse traços que escapam ao esclarecimento racional fornecido até agora, ou seja, enquanto enamoramento com exclusão de anseios diretamente sexuais. Ainda há muito nela que precisa ser reconhecido como não compreendido, como mítico. Ela contém um suplemento de paralisia proveniente da relação entre um ser superpoderoso e um ser impotente, desamparado, o que de certa forma nos remete à hipnose por terror em animais. A maneira como ela é produzida e sua relação com o sono não são transparentes, e a escolha enigmática de pessoas que se prestam a ela, enquanto outras a rejeitam completamente, reenvia a um fator ainda desconhecido que nela é realizado e que talvez só então torne possível a pureza das posições libidinais. Também é digno de nota que frequentemente a consciência moral da pessoa hipnotizada possa mostrar-se resistente, mesmo no caso de normalmente haver total obediência sugestiva. Mas pode ser que isso provenha do fato de que na hipnose, tal como é praticada, pode ter permanecido um saber de que se trata apenas de um jogo, de uma reprodução não verdadeira de outra situação de importância vital muito maior.

Mas, após essas discussões, estamos plenamente preparados para indicar a fórmula da constituição libidinal de uma massa. Ao menos de uma massa como essa que consideramos até aqui, que, portanto, possui um líder e que não foi por excesso de "organização" que ela pôde adquirir secundariamente as propriedades de um indivíduo. *Uma massa primária como essa é uma quantidade de indivíduos que colocaram um e o mesmo objeto no lugar de seu Ideal do Eu e, em consequência disso, identificaram-se uns com os outros em seu Eu.* Essa relação autoriza uma apresentação gráfica:

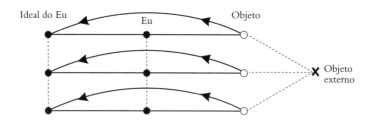

IX
A PULSÃO GREGÁRIA[29]

Apenas por pouco tempo nos alegraremos com a ilusão de que, com essa fórmula, teríamos resolvido o enigma da massa. Logo estaremos necessariamente inquietos com a advertência de que basicamente remetemos tudo ao enigma da hipnose, no qual ainda há tanto por resolver. E eis que uma outra objeção nos mostra agora o caminho a prosseguir.

Temos o direito de dizer a nós mesmos que as fortes ligações afetivas que reconhecemos na massa são inteiramente suficientes para explicar uma de suas características, a falta de autonomia e de iniciativa do indivíduo, a semelhança de sua reação com a de todos os outros, seu rebaixamento a indivíduo-massa, por assim dizer. Mas, se a considerarmos como um todo, a massa mostra algo mais:

os traços de enfraquecimento do rendimento intelectual, de desinibição da afetividade, a incapacidade de moderação e de adiamento, a tendência a ultrapassar todas as barreiras na manifestação do sentimento e a descarregá-lo plenamente na ação; isso e tudo o que lhe for semelhante, que encontramos descrito em Le Bon de maneira tão impressionante, produz um quadro inequívoco de regressão da atividade anímica a uma fase anterior, como aquela que não nos surpreende quando encontrada em selvagens e em crianças. Uma regressão como essa faz parte especialmente da essência das massas comuns, enquanto, como sabemos, ela pode ser dificultada em larga medida nas massas altamente organizadas, artificiais.

Obtemos assim a impressão de um estado no qual cada moção afetiva e o ato intelectual pessoal do indivíduo são fracos demais para se impor por si mesmos, e devem necessariamente esperar pelo fortalecimento através da repetição uniforme por parte dos outros. Somos então lembrados do quanto desses fenômenos de dependência pertence à constituição normal da sociedade humana, de quão pouca originalidade e coragem pessoal se encontra nela, do quanto cada indivíduo é dominado pelas posições da alma de uma massa, que se revelam como particularidades raciais, preconceitos de classe, opinião pública e outros. O enigma da influência sugestiva aumenta para nós quando admitimos que uma influência como essa não é exercida apenas pelo líder, mas também por cada indivíduo sobre cada indivíduo, e nos censuramos por termos destacado, de maneira unilateral, a relação ao líder e por termos menosprezado indevidamente o outro fator da sugestão recíproca.

Chamados dessa maneira à modéstia, estaremos inclinados a obedecer a uma outra voz, que nos promete um esclarecimento a partir de fundamentos mais simples.

Tomo essa voz do inteligente livro de Wilfred Trotter sobre a pulsão gregária, do qual apenas lamento que não tenha escapado inteiramente das antipatias desencadeadas pela última Grande Guerra.[i]

Trotter deriva os fenômenos anímicos descritos sobre a massa do instinto gregário [*Herdeninstinkt*] (*gregariousness*) [gregarismo], que é atribuído de forma inata ao ser humano, bem como às outras espécies de animais. Esse gregarismo é, biologicamente, uma analogia e uma espécie de prolongamento da multicelularidade, e no sentido da teoria da libido, uma outra manifestação da tendência, proveniente da libido, de todos os seres vivos da mesma espécie a se reunirem em unidades cada vez mais abrangentes.[ii] O indivíduo sente-se incompleto (*incomplete*) quando está sozinho. O medo [*Angst*] que sente a criança pequena já seria uma manifestação desse instinto gregário. A oposição ao rebanho é o mesmo que uma separação dele, e por isso é evitada pelo medo. Mas o rebanho recusa tudo o que é novo, não habitual. O instinto gregário seria algo primário, que não pode ser decomposto (*which cannot be split up*).

Como a série das pulsões [*Triebe*] (ou instintos [*Instinkte*]) admitidas por ele como primárias, Trotter fornece: a pulsão de autoafirmação, a de nutrição, a sexual e a gregária. A última entraria frequentemente em oposição com as outras. Consciência de culpa e sentimento de dever seriam as propriedades características de um *gregarious animal* [animal gregário]. Trotter também faz procederem do instinto gregário as forças recalcadoras que a Psicanálise

---

[i] W. Trotter, *Instintos gregários na paz e na guerra* [*Instincts of the Herd in Peace and War*], London, 1916. 2. ed.

[ii] Ver meu ensaio: Além do princípio de prazer [Jenseits des Lustprinzips], 1920 [*Ges. Werke*, XIII]

apontou no Eu e, em consequência, igualmente as resistências com as quais o médico se defronta no tratamento psicanalítico. A linguagem deveria sua importância à aptidão que ela tem de assegurar o entendimento recíproco no rebanho; nela estaria em grande parte fundamentada a identificação dos indivíduos uns com os outros.

Assim como Le Bon interessou-se sobretudo pelas formações de massa caracteristicamente efêmeras, e McDougall pelos agrupamentos sociais estáveis, Trotter colocou no centro de seu interesse as associações mais gerais nas quais vive o ser humano, esse ζῷον πολιτικόν [animal político], e indicou seu fundamento psicológico. Mas, para Trotter, não é necessária nenhuma derivação da pulsão gregária, tendo em vista que ele a caracteriza como primária e não mais passível de ser decomposta. Sua observação de que Boris Sidis derivaria a pulsão gregária da sugestionabilidade felizmente é supérflua para ele; é uma explicação segundo um modelo conhecido e insatisfatório, e o inverso dessa proposição, de que, portanto, a sugestionabilidade seria um derivado do instinto gregário [Herdeninstinkts], parecer-me-ia muito mais esclarecedor.

Mas à apresentação de Trotter podemos objetar, com ainda melhor razão do que às outras, que ela considera muito pouco o papel do líder na massa, enquanto nós tendemos muito mais ao julgamento contrário, de que a essência da massa não seria compreensível se negligenciássemos o líder. O instinto gregário não deixa absolutamente nenhum espaço para o líder; este só é adicionado ao rebanho acidentalmente, e, em relação a isso, há o fato de que, a partir dessa pulsão, nenhum caminho leva a uma necessidade de Deus; falta o pastor do rebanho. Mas, além disso, podemos comprometer psicologicamente a apresentação de Trotter, isto é, podemos tornar ao menos provável que a pulsão gregária não seja indecomponível, não seja primária no sentido em que o são a pulsão de autoconservação e a pulsão sexual.

Naturalmente não é fácil rastrear a ontogênese da pulsão gregária. O medo que sente a criança pequena quando é deixada sozinha e que Trotter já quer utilizar como manifestação da pulsão sugere, no entanto, outra interpretação. Ele está endereçado à mãe; mais tarde a outras pessoas conhecidas, e é a expressão de um anseio insatisfeito, a respeito do qual a criança ainda não sabe fazer outra coisa além de transformá-lo em medo [*Angst*].[i] O medo sentido pela criança pequena que está solitária também não é apaziguado pela visão de qualquer pessoa "do rebanho", mas, ao contrário, ele é antes provocado pela chegada de um desses "estranhos". Em seguida, durante longo tempo, não se percebe na criança nada de um instinto gregário ou de um sentimento de massa. Um sentimento como esse só se forma no ambiente familiar mais numeroso, a partir da relação das crianças com os pais, e precisamente como reação à inveja inicial com a qual a criança mais velha recebe a mais nova. Certamente a criança mais velha gostaria de desalojar [*verdrängen*] enciumadamente aquela que vem depois dela, afastá-la dos pais e despojá-la de todos os direitos, mas, diante do fato de que essa criança – assim como todas as posteriores – também será amada da mesma maneira pelos pais, e em consequência da impossibilidade de manter sua posição hostil sem prejuízo próprio, ela é forçada à identificação com as outras crianças, e assim forma-se no grupo de crianças um sentimento de massa ou de comunidade,

---

[i] Ver *Conferências de introdução à Psicanálise*; Conferência XXV, sobre o medo [*Vorlesungen zur Einführung in die Psychoanalyse*, Vorlesung XXV, über die Angst] [*Ges. Werke*, XI].

que experimenta na escola seu desenvolvimento posterior. A primeira exigência dessa formação reativa é a de justiça, de tratamento igual para todos. É conhecida a maneira estrondosa e inexorável como essa reivindicação se manifesta na escola. Se não se pode ser o privilegiado, então que pelo menos nenhum de todos os outros o seja. Poderíamos considerar improvável essa transformação e essa substituição do ciúme por um sentimento de massa no ambiente familiar e na sala de aula, se mais tarde não se observasse novamente o mesmo processo em outras circunstâncias. Pensemos no grupo de mulheres e moças efusivamente apaixonadas que se amontoam em volta do cantor ou do pianista depois de sua apresentação. Certamente seria natural para cada uma delas ter ciúme da outra, mas, tendo em vista o seu número e a impossibilidade a ele ligada de atingir a meta de sua paixão, renunciam a ela e, em vez de arrancarem os cabelos umas das outras, agem como uma massa consistente, homenageiam aquele que está sendo celebrado com ações comuns e talvez até ficassem felizes em dividir as mechas de seus cabelos. Originalmente rivais, elas puderam identificar-se entre si através desse amor igual pelo mesmo objeto. Quando uma situação pulsional viabilizar diversos resultados, como habitualmente é o caso, não ficaremos surpresos que se viabilize justamente aquele resultado ao qual está ligada a possibilidade de uma certa satisfação, enquanto outro, mesmo sendo mais próximo, não acontece, pois as condições reais impedem-lhe o alcance dessa meta.

O que mais tarde encontramos em ação na sociedade como espírito comunitário, *esprit de corps*, etc. não nega a sua procedência a partir da inveja original. Ninguém deve querer destacar-se, cada um deve ser igual e ter o mesmo. Justiça social quer dizer que nos negamos muitas coisas, para que os outros também tenham de renunciar a elas, ou, o que é a mesma coisa, para que não possam exigi-las. Essa exigência de igualdade é a raiz da consciência moral social e do sentimento de dever. Ela se revela, de maneira inesperada, no medo de infectar que tem o sifilítico, que aprendemos a compreender pela Psicanálise. O medo que sentem essas pobres pessoas corresponde à sua violenta relutância contra o desejo inconsciente de espalhar a sua infecção aos outros, pois por que só elas deveriam ser infectadas e excluídas de tantas coisas, e os outros não? Até mesmo a bela anedota sobre o julgamento de Salomão tem o mesmo núcleo. Se o filho de uma das mulheres morreu, o filho da outra não pode viver. É nesse desejo que reconhecemos aquela que carrega o peso da perda.

O sentimento social, portanto, repousa na transformação de um sentimento antes hostil em uma ligação acentuadamente positiva da natureza de uma identificação. Tanto quanto podemos enxergar o curso dos acontecimentos até agora, essa transformação parece completar-se sob a influência de uma ligação comum de ternura com uma pessoa situada fora da massa. Nossa análise da identificação não parece a nós mesmos exaustiva, mas, para o nosso presente propósito, é suficiente retornar a esse traço, de que seja exigida a execução consequente da igualdade. Já vimos, quando da discussão de ambas as massas artificiais, a Igreja e o Exército, que sua premissa era a de que todos fossem amados de maneira igual por um só, o líder. Mas não nos esqueçamos agora de que a exigência de igualdade da massa vale apenas para os seus indivíduos, e não para o líder. Todos os indivíduos devem ser iguais uns aos outros, mas eles todos querem ser dominados por um só. Muitos iguais que conseguem identificar-se entre si e um único, superior a todos eles, essa é a situação que vemos realizada na massa capaz de sobreviver. Arrisquemo-nos, portanto, a corrigir o enunciado de Trotter, de que o ser humano seria um animal de rebanho [*Herdentier*], afirmando que ele seria antes um animal de horda, um ser individual de uma horda conduzida por um chefe.

X

A MASSA E A HORDA ORIGINÁRIA

No ano de 1912, acolhi a suposição de Charles Darwin de que a forma originária da sociedade humana era a de uma horda dominada irrestritamente por um macho forte. Tentei explicar que as vissicitudes dessa horda deixaram traços indeléveis na história hereditária humana, e, especialmente, que o desenvolvimento do totemismo, que contém em si os inícios da religião, da moralidade e da organização social, está em relação com o assassinato violento do chefe e com a transformação da horda paterna em uma comunidade de irmãos.[i] Essa é, na verdade, apenas uma hipótese como tantas outras, com as quais os estudiosos da pré-história tentam clarear a obscuridade da pré-história – como "*just so story*",[30] como nomeou-a jocosamente um amável crítico inglês –, mas penso que tal hipótese seja recomendável, se ela se mostrar adequada para criar coerência e compreensão em campos cada vez mais novos.

As massas humanas nos mostram, por sua vez, a familiar imagem do indivíduo superforte no meio de um grupo de companheiros iguais, imagem que também está contida em nossa representação da horda originária.

---

[i] *Totem e tabu*, 1912-1913, em Imago (Algumas concordâncias entre a vida anímica dos selvagens e a dos neuróticos) [Einige Übereinstimmungen im Seelenleben der Wilden und der Neurotiker], na forma de livro, 1913, 4 ed., 1925 [*Ges. Werke*, IX].

A psicologia dessa massa, tal como a conhecemos a partir das descrições frequentemente mencionadas – o desaparecimento da personalidade individual consciente, a orientação de pensamentos e de sentimentos nas mesmas direções, a predominância da afetividade e do anímico inconscientes, a tendência à rápida execução de intenções emergentes –, tudo isso corresponde a um estado de regressão a uma atividade anímica primitiva, tal como justamente procuramos atribuir à horda originária.[i]

Assim, a massa nos parece uma revivescência da horda originária. Do mesmo modo como o ser humano primitivo se encontra virtualmente conservado em cada indivíduo, a horda originária pode restabelecer-se a partir de uma multidão qualquer de seres humanos; na medida em que a formação de massa domina os seres humanos de maneira habitual, reconhecemos nela a continuação da horda originária. Temos necessariamente de concluir que a psicologia da massa é a mais antiga psicologia dos seres humanos; aquilo que isolamos como psicologia individual, negligenciando todos os restos da massa, só mais

---

[i] Deve valer para a horda originária em especial o que descrevemos anteriormente na caracterização geral dos seres humanos. A vontade do indivíduo era muito fraca, ele não se arriscava à ação. Não surgiram absolutamente outros impulsos, a não ser os coletivos; só havia uma vontade comum, nenhuma vontade singular. A representação não ousou transformar-se em vontade quando não se encontrou fortificada pela percepção de sua extensão geral. Essa fraqueza da representação encontra seu esclarecimento na força da ligação afetiva comum a todos, mas a semelhança das circunstâncias de vida e a falta de uma propriedade privada somam-se a isso para determinar a uniformidade dos atos anímicos no indivíduo. – Mesmo as necessidades excrementícias, como podemos perceber nas crianças e nos soldados, não excluem a comunidade. O que faz a única forte exceção é o ato sexual, no qual o terceiro é nada menos que supérfluo e, em caso extremo, é condenado a uma penosa expectativa. Sobre a reação da necessidade sexual (da satisfação genital) em relação ao que é gregário, ver adiante.

tarde se destacou, lentamente e, por assim dizer, sempre de maneira apenas parcial, da antiga psicologia das massas. Ainda ousaremos a tentativa de indicar o ponto de partida desse desenvolvimento.

Uma outra reflexão nos mostra em que ponto essa afirmação necessita de uma correção. A psicologia individual tem, na verdade, de ser necessariamente tão antiga quanto a psicologia das massas, pois, desde o início, havia duas espécies de psicologia, a dos indivíduos da massa e a do pai, do chefe, do líder. Os indivíduos da massa eram tão ligados como hoje, mas o pai da horda originária era livre. Seus atos intelectuais eram, mesmo no isolamento, fortes e independentes, sua vontade não precisava do fortalecimento através do outro. Consequentemente, supomos que o seu Eu era pouco ligado libidinalmente, ele não amava ninguém além dele, e só amava os outros na medida em que serviam às suas necessidades. Seu Eu não cedia nada que sobrasse aos objetos.

No início da história da humanidade, ele era o *super-humano* [*Übermensch*] que Nietzsche só esperava do futuro. Ainda hoje os indivíduos da massa carecem da ilusão de que são amados pelo líder de maneira igual e justa, mas o líder não precisa amar mais ninguém, ele tem o direito de ter uma natureza dominadora, absolutamente narcísica, mas segura de si e independente. Sabemos que o amor coloca barreiras ao narcisismo, e poderíamos provar como ele se tornou um fator cultural através desse efeito.

O pai primevo da horda ainda não era imortal como passou a sê-lo mais tarde por divinização. Quando ele morria, tinha de ser substituído; em seu lugar entrava provavelmente um filho mais novo, que até então havia sido um indivíduo da massa como outro qualquer. Portanto, é preciso que haja uma possibilidade de a psicologia das massas ser transformada em psicologia individual; precisa ser encontrada uma condição sob a qual uma transformação como essa possa facilmente ocorrer, tal como é possível às abelhas, em caso de necessidade, fazer de uma larva uma rainha em vez de uma operária. Nesse caso, só podemos imaginar o seguinte: o pai originário havia inviabilizado aos seus filhos a satisfação de seus anseios sexuais diretos; ele obrigou-os à abstinência e, em consequência disso, também às ligações afetivas com ele e entre eles, que podiam surgir dos anseios com meta sexual inibida. Ele os obrigava, por assim dizer, à psicologia da massa. Seu ciúme sexual e sua intolerância tornaram-se, em última instância, a causa da psicologia da massa.[i]

Para aquele que se tornou seu sucessor também foi dada a possibilidade da satisfação sexual, e com isso foi franqueada a saída das condições da psicologia das massas. A fixação da libido na mulher, a possibilidade de satisfação sem adiamento nem acumulação deu um fim à importância de anseios sexuais de meta inibida e permitiu ao narcisismo elevar-se sempre à mesma altura. Voltaremos à essa relação entre o amor e a formação de caráter em um apêndice.

Destaquemos ainda, como particularmente instrutiva, a relação entre a constituição da horda originária e a organização por meio da qual – com exceção de meios coercitivos – uma massa artificial mantém-se coesa. No caso do rebanho e da Igreja, vimos que se trata da ilusão de que o líder ama a todos de maneira igual e justa. Mas essa é, por assim dizer, a reelaboração idealista das relações da horda originária, na qual todos os filhos se

---

[i] Podemos também supor que os filhos expulsos, separados do pai, avançaram da identificação recíproca até o amor objetal homossexual, e assim ganharam a liberdade para assassinar o pai.

sabiam perseguidos da mesma maneira pelo pai originário e o temiam da mesma maneira. Já a forma seguinte da sociedade humana, o clã totêmico, tem como pressuposto essa transformação sobre a qual são construídos todos os deveres sociais. A força indestrutível da família enquanto uma formação natural de massa reside no fato de que esse necessário pressuposto do amor igual do pai pode realmente ser adequado para ela.

Mas esperamos ainda mais dessa remissão da massa até a horda originária. Ela também deve nos aproximar daquilo que, na formação de massa, ainda não foi compreendido, que é misterioso e que se esconde por trás das enigmáticas palavras – hipnose e sugestão. E creio que ela também consiga fazê-lo. Lembremo-nos de que a hipnose possui algo diretamente infamiliar [*Unheimliches*][31] em si; mas o caráter do infamililar aponta para alguma coisa antiga e bem conhecida que sucumbiu ao recalcamento.[i] Pensemos em como a hipnose é iniciada. O hipnotizador afirma estar em poder de uma força misteriosa que rouba ao sujeito a sua própria vontade, ou, o que é a mesma coisa, o sujeito acredita nisso que ele diz. Essa força misteriosa – com frequência ainda chamada popularmente de magnetismo animal – deve ser a mesma que para os primitivos é considerada a fonte do tabu, a mesma que emana de reis e de chefes e que torna perigoso aproximar-se deles (mana). O hipnotizador pretende possuir essa força, e como ele a faz aparecer? Convocando a pessoa a olhar nos seus olhos; tipicamente, ele hipnotiza através do seu olhar. Mas é justamente a visão do chefe que é perigosa e intolerável para o primitivo, tal como mais tarde a da divindade para o mortal. Moisés ainda tem de ser o intermediário entre seu

---

[i] "O infamiliar" [Das Unheimliche], *Imago*, V (1919) [*Ges. Werke*, XII].

povo e Jeová, pois o povo não suportaria a visão de Deus, e quando ele retorna, depois de ter estado na presença de Deus, seu semblante brilha; uma parte do "mana" transferiu-se para ele, como no caso do mediador dos primitivos.[32]

É verdade que também se pode suscitar a hipnose por outros caminhos, o que induziu ao erro e motivou teorias fisiológicas inadequadas, como através da fixação do olhar em um objeto brilhante ou através da audição de um som monótono. Na verdade, esses procedimentos servem apenas para desviar e cativar a atenção consciente. A situação é a mesma, é como se o hipnotizador tivesse dito à pessoa: agora se ocupe exclusivamente de mim, o resto do mundo é totalmente desinteressante. É claro que seria tecnicamente inadequado se o hipnotizador mantivesse uma conversa como essa; com ela, o sujeito seria arrancado de sua posição inconsciente e estimulado à objeção consciente. Mas, ao mesmo tempo que o hipnotizador evita dirigir o pensamento consciente do sujeito para as suas intenções e mergulha a pessoa em uma atividade que não pode deixar de lhe fazer o mundo parecer desinteressante, ocorre que, de fato, ela concentra inconscientemente toda a sua atenção sobre o hipnotizador e se coloca na posição de *rapport* [relação], de transferência com o hipnotizador. Portanto, os métodos indiretos de hipnose produzem o efeito, tal como algumas técnicas do chiste, de deter certas distribuições da energia anímica que perturbariam o curso do processo inconsciente, e eles conduzem, ao final, à mesma meta, tal como as influências diretamente exercidas através do olhar fixo ou do toque.[i]

---

[i] A situação em que a pessoa está inconscientemente voltada para o hipnotizador, enquanto conscientemente ocupa-se de percepções estáveis, desinteressantes, tem uma contraparte nos acontecimentos

Ferenczi descobriu corretamente que com o comando para dormir, que é dado com frequência para iniciar a hipnose, o hipnotizador coloca-se no lugar dos pais. Ele achava que devia distinguir dois tipos de hipnose, uma sedutoramente apaziguadora, que ele atribuía ao modelo da mãe, e uma ameaçadora, que ele atribuía ao pai.[i] Então, na hipnose, o comando para dormir não é outra coisa senão uma convocação para retirar do mundo todo o interesse e concentrá-lo na pessoa do hipnotizador; e é bem assim que ele é entendido pelo sujeito, pois é nessa retirada do interesse do mundo externo que reside a característica psicológica do sono, e nela se baseia o parentesco entre o sono e o estado hipnótico.

Portanto, com as medidas que toma, o hipnotizador desperta no sujeito uma parte de sua herança arcaica, que também o aproximou dos pais e que sofreu, em relação ao pai, uma revivescência individual: a representação de uma personalidade superpoderosa e perigosa, diante da qual só era possível se posicionar de maneira passivo-masoquista, e na qual era preciso perder sua vontade, e estar sozinho com ela, "cair-lhe sob seus olhos", parecia um

---

do tratamento psicanalítico e merece ser aqui mencionada. Em cada análise, acontece pelo menos uma vez de o paciente afirmar categoricamente que, com toda a certeza, naquele momento nada lhe vem à mente. Suas associações livres se interrompem, e fracassam os estímulos habituais que as desencadeiam. Fazendo pressão sobre o paciente, consegue-se finalmente a admissão de que ele está pensando na vista que ele obtém da janela da sala de tratamento, no papel de parede que ele vê em sua frente ou na lâmpada a gás que pende do teto. Sabemos, então, imediatamente, que ele colocou-se em transferência, que está tomado por pensamentos ainda inconscientes que dizem respeito ao médico, e vemos desaparecer a interrupção das ideias que ocorriam ao paciente, assim que lhe damos esse esclarecimento.

[i] Ferenczi, Introjeção e transferência [Introjektion und Übertragung], *Jahrbuch f. Psychoanalytische u. Psychopathol.* Forschungen, I, 1909.

empreendimento arriscado. Talvez só assim possamos imaginar a relação de um indivíduo da horda originária com o pai primevo. Como sabemos a partir de outras reações, o indivíduo conservou uma medida variável de aptidão pessoal para reviver situações antigas como essas. O fato de saber que a hipnose não passa de um jogo, uma renovação mentirosa daquelas antigas impressões, pode, no entanto, ficar conservado e assegurar a resistência diante das consequências excessivamente sérias da suspensão da vontade na hipnose.

O caráter infamiliar, coercitivo, da formação de massas, que se manifesta em seus fenômenos de sugestão, pode, portanto, com razão, ser remontado à sua proveniência da horda originária. O líder da massa continua sendo o temido pai primevo, a massa continua querendo ser dominada por um poder irrestrito; em grau extremo, ela é ávida por autoridade; tem, segundo a expressão de Le Bon, sede de submissão. O pai primevo é o ideal da massa, que, no lugar do Ideal do Eu, domina o Eu. A hipnose tem todo o direito de ser caracterizada como uma massa a dois; para a sugestão, resta a definição de ser uma convicção que não se baseia na percepção nem no trabalho do pensamento, mas na ligação erótica.[i]

---

[i] Parece-me digno de ser destacado que, por meio das discussões deste capítulo, somos levados, a partir da concepção de Bernheim sobre a hipnose, a recorrer à concepção ingênua mais antiga dela. Segundo Bernheim, todos os fenômenos hipnóticos devem ser derivados do fator da sugestão, não passível de esclarecimento posterior. Concluímos que a sugestão é um fenômeno parcial do estado hipnótico, que tem seu devido fundamento em uma disposição que se conservou inconscientemente a partir da pré-história da família humana. *Jahrbuch der Psychoanalyse*, VI, 1914. *Sammlung kleiner Schriften zur Neurosenlehre*, 4ª Folge [*Ges. Werke*, X].

XI
UM ESTÁGIO NO EU

Se tivermos uma visão panorâmica da vida do indivíduo de hoje, não perdendo de vista as descrições mutuamente complementares dos autores sobre psicologia das massas, pode ser que, diante das complicações que nesse caso se revelam, percamos a coragem de fazer uma apresentação concisa. Cada indivíduo é uma parte constitutiva de muitas massas, é ligado de maneira multilateral por identificação e construiu seu Ideal do Eu segundo diversos modelos. Assim, cada indivíduo é parte integrante da alma de muitas massas, a de sua raça, a de sua classe, a da comunidade de fé, a de seu Estado, etc., e pode, além disso, aceder a uma pequena parcela de autonomia e de originalidade. Ao serem observadas, essas formações de massa estáveis e duradouras chamam menos a atenção por seus efeitos, que se mantêm de maneira uniforme, do que as massas que se formam rapidamente e são passageiras, a partir das quais Le Bon esboçou a brilhante caracterização da alma da massa, e é nessas massas ruidosas, efêmeras e, por assim dizer, sobrepostas às outras que justamente se produz o prodígio de que aquilo que acabamos de reconhecer como sendo a formação individual desaparece sem deixar vestígio, mesmo que seja apenas temporariamente.

Compreendemos esse prodígio no sentido de que o indivíduo abandona seu Ideal do Eu e o troca pelo ideal da massa incorporado no líder. O prodígio – que nos seja permitido acrescentar – não é igualmente grande em todos os casos. A separação do Eu e do Ideal do Eu em muitos indivíduos não avançou muito, ambos ainda coincidem facilmente; inúmeras vezes o Eu preservou a autocomplacência narcísica anterior. A escolha do líder é facilitada por essa relação. Muitas vezes ele só precisa possuir as características típicas desses indivíduos, destacadas de maneira particularmente nítida e pura, e dar a impressão de uma força e de uma liberdade libidinal maiores; assim, a necessidade de um chefe rigoroso vem ao seu encontro e o reveste do superpoder, ao qual, normalmente, talvez ele não tivesse nenhum direito. Os outros, cujo Ideal do Eu não teria normalmente se incorporado sem correção em sua pessoa, são depois arrastados "sugestivamente", isto é, por identificação.

Reconhecemos que aquilo com que pudemos contribuir para o esclarecimento da estrutura libidinal de uma massa reconduz à distinção entre o Eu e o Ideal do Eu e ao duplo modo de ligação tornado possível por ela — identificação e colocação do objeto no lugar do Ideal do Eu. A suposição de um estágio como esse no Eu, enquanto primeiro passo de uma análise do Eu, tem, necessariamente, de demonstrar sua justificativa gradualmente nos mais diversos âmbitos da psicologia. Em meu artigo "Para introduzir o narcisismo" [*Zur Einführung des Narzißmus*],[1] reuni, de início, o que podia ser explorado a partir do material patológico para apoiar essa distinção. Mas temos o direito de esperar que a sua importância irá se revelar muito maior se continuarmos a nos aprofundar na psicologia das psicoses. Pensemos no fato de que o Eu entra agora na relação de um objeto com o Ideal do Eu desenvolvido a partir dele, e que, possivelmente, todos os efeitos recíprocos que ficamos conhecendo na teoria das neuroses entre o objeto externo e o Eu-total [*Gesamt-Ich*] venham a se repetir nessa nova cena no interior do Eu.

---

[1] *Jahrbuch der Psychoanalyse*, VI, 1914. *Sammlung kleiner Schriften zur Neurosenlehre*, 4ª Folge [*Ges. Werke*, X].

Quero aqui acompanhar apenas uma das possíveis consequências que partem desse ponto de vista e prosseguir com a discussão de um problema que precisei deixar irresolvido em outro lugar.[i] Cada uma das diferenciações anímicas que viemos a conhecer apresenta uma nova dificuldade à função anímica, intensifica a sua instabilidade e pode tornar-se o ponto de partida para a falha da função, para um adoecimento. Assim, com o ato de nascer, demos o passo que vai do narcisismo absolutamente autossuficiente até a percepção de um mundo externo variável e até o início da busca pelo objeto, e com isso conecta-se o fato de que não toleramos esse novo estado continuamente, que o revogamos periodicamente e, no sono, retornamos ao estado anterior de ausência de estímulos e de evitação do objeto. Nesse contexto, no entanto, seguimos uma indicação do mundo externo, que, através da alternância periódica entre dia e noite, despoja-nos temporariamente da maior parte dos estímulos que agem sobre nós. O segundo exemplo, que é mais importante para a patologia, não está submetido a restrição semelhante. No curso do nosso desenvolvimento, realizamos uma separação de nossa constituição anímica em um Eu coerente e um recalcado inconsciente deixado fora dele, e sabemos que a estabilidade dessa nova conquista está exposta a abalos constantes. No sonho e na neurose, aquilo que foi excluído fica batendo para entrar pelas portas guardadas por resistências, e estando em plena saúde desperta servimo-nos de artifícios especiais para que, contornando as resistências e sendo acompanhado de um ganho de prazer, recebamos o recalcado temporariamente em nosso Eu.

---

[i] Luto e melancolia [Trauer und Melancholie]. *Internationale Zeitschrift für Psychoanalyse*, IV, 1916/18. Sammlung kleiner Schriften zur Neurosenlehre, 4ª Folge [*Ges. Werke*, X].

O chiste e o humor, e em parte também o que é cômico em geral, podem ser considerados sob essa luz. A todo conhecedor da psicologia das neuroses ocorrerão exemplos semelhantes de menor alcance, mas vou apressar-me para chegar à aplicação pretendida.

Seria inteiramente concebível que também a separação entre o Ideal do Eu e o Eu não fosse continuamente tolerada e tivesse de retroceder temporariamente. Em todas as renúncias e restrições que são impostas ao Eu, o desrespeito periódico às proibições é a regra, como bem o mostra a instituição das festas, que originariamente não são nada além de excessos oferecidos pela lei e que justamente devem a essa libertação o seu caráter alegre.[i] As saturnais dos romanos e o nosso atual Carnaval coincidem, nesse aspecto essencial, com as festas dos primitivos, que costumam terminar em excessos de todo tipo, incluindo a transgressão de mandamentos normalmente mais sagrados. Mas o Ideal do Eu contém a soma de todas as restrições às quais o Eu deve submeter-se, e é por isso que o recolhimento do ideal deveria ser uma festa grandiosa para o Eu, que então teria novamente o direito de estar satisfeito consigo mesmo.[ii]

Sempre se segue uma sensação de triunfo quando algo no Eu coincide com o Ideal do Eu. Também podem ser entendidos como uma expressão da tensão entre Eu e ideal o sentimento de culpa (e o sentimento de inferioridade).

Sabemos que há pessoas para as quais o sentido geral [*Allgemeingefühl*] do humor oscila de maneira periódica,

---

[i] *Totem e tabu* [*Totem und Tabu*]. [*Ges. Werke*, IX].

[ii] Trotter faz o recalcamento proceder da pulsão gregária. Quando afirmei, em "Introdução ao narcisismo", que a formação ideal seria, da parte do Eu, a condição do recalcamento, isso constitui mais uma tradução em outra forma de expressão do que uma contradição.

de uma opressão excessiva, passando por certo estado intermediário, até um bem-estar exaltado, e na verdade essas oscilações surgem em amplitudes de grandeza muito diferentes, desde o que é justamente perceptível até aqueles extremos que, como melancolia e mania, interferem, de maneira altamente torturante ou perturbadora, na vida das pessoas envolvidas. Nos casos típicos dessa alteração cíclica de humor, causas externas parecem não desempenhar nenhum papel decisivo; nesses doentes, não encontramos mais motivos internos ou não encontramos nada diferente do que em todos os outros. É por isso que nos acostumamos a julgar esses casos como não psicogênicos. Sobre outros casos bastante semelhantes de alteração cíclica de humor, mas que remetem facilmente a traumas anímicos, deveremos falar mais adiante.

O fundamento para essas oscilações de humor espontâneas é portanto desconhecido; falta-nos uma visão do mecanismo da substituição de uma melancolia por uma mania. Esses doentes seriam, então, aqueles para os quais a nossa suposição poderia se fazer valer, de que o seu Ideal do Eu dissolve-se temporariamente no Eu, depois de governá-lo previamente com um rigor particular.

Detenhamo-nos no seguinte para evitar obscuridades: no terreno de nossa análise do Eu, não se duvida de que no caso do maníaco, o Eu e o Ideal do Eu se fundiram, de modo que a pessoa pode desfrutar da abolição de inibições, reservas e autocensuras, quando se encontrar em um estado de ânimo de triunfo e de felicidade consigo mesma, estado esse não perturbado por nenhuma autocrítica. É menos evidente e, no entanto, bastante provável que a miséria do melancólico seja a expressão de uma nítida cisão entre ambas as instâncias do Eu, no qual o ideal, excessivamente sensível, traz à luz, sem poupá-lo, sua condenação do Eu no delírio de inferioridade e na autodepreciação. A única questão é saber se devemos procurar a causa dessas relações modificadas entre o Eu e o Ideal do Eu nas revoltas periódicas contra a nova instituição, postuladas acima, ou se devemos tornar outras circunstâncias responsáveis por isso.

A virada repentina para a mania não constitui nenhum traço necessário no quadro clínico da depressão melancólica. Existem melancolias simples, únicas, e também melancolias periodicamente repetidas, que jamais têm esse destino. Por outro lado, existem melancolias nas quais a causa precipitante desempenha evidentemente um papel etiológico. São aquelas que surgem após a perda do objeto amado, seja pela morte dele, seja em consequência de circunstâncias que obrigaram à retirada da libido do objeto. Uma melancolia psicogênica como essa pode terminar igualmente em mania, e esse ciclo pode ser repetido muitas vezes, tal como no caso de uma melancolia aparentemente espontânea. As relações são, portanto, muito pouco evidentes, já que até agora apenas poucas formas e casos de melancolia foram submetidos à investigação psicanalítica.[i] Até o momento, só entendemos aqueles casos nos quais o objeto foi abandonado porque se mostrou indigno de amor. Ele é, então, novamente produzido no Eu através de identificação e julgado com rigor pelo Ideal do Eu. As censuras e agressões contra o objeto vêm à luz como autocensuras melancólicas.[ii]

---

[i] Cf. Abraham, Premissas para a investigação e tratamento psicanalíticos da loucura maníaco-depressiva [Ansätze zur psychoanalytischen Erforschung und Behandlung des manisch-depressiven Irreseins usw], 1912, *Klinische Beiträge zur Psychoanalyse*, 1921.

[ii] Para ser mais preciso: elas se escondem por trás das censuras contra o próprio Eu, e emprestam-lhes a firmeza, a tenacidade e a irrefutabilidade, através das quais se distinguem as autocensuras dos melancólicos.

A uma melancolia como essa também pode ligar-se a virada repentina em mania, de modo que essa possibilidade representa um aspecto independente das restantes características do quadro clínico.

Contudo, não vejo nenhuma dificuldade em deixar que entre em consideração o fator da revolta periódica do Eu contra o Ideal do Eu em ambos os tipos de melancolia, as psicogênicas e as espontâneas. Nas espontâneas, podemos supor que o Ideal do Eu tenda ao desdobramento de um rigor particular, que tem então, automaticamente como consequência, a sua supressão temporária. Nas psicogênicas, o Eu seria estimulado à revolta devido aos maus-tratos por parte do seu ideal, os quais ele experimenta no caso da identificação com um objeto rejeitado [*verworfenen*].

XII
APÊNDICE

No curso desta investigação, que agora chegou a um fim provisório, abriram-se para nós diversos caminhos secundários, que inicialmente evitamos, mas nos quais alguma perspectiva nos acenava. Agora queremos recuperar uma parte do que, dessa forma, deixamos de lado.

A) A distinção entre identificação do Eu e substituição do Ideal do Eu por um objeto encontra uma interessante demonstração nas duas grandes massas artificiais que estudamos no início, o Exército e a Igreja cristã.

É evidente que o soldado toma como ideal o seu superior, logo, na verdade, o líder do Exército, ao mesmo tempo que se identifica com seus iguais, e faz derivar dessa comunidade de Eus as obrigações próprias da camaradagem, de assistência mútua e de divisão de bens. Mas ele se torna ridículo se quiser identificar-se com o general. Pelo mesmo motivo, o caçador, em *Wallensteins Lager* [O acampamento de Wallenstein], zomba do sargento:

> Sua maneira de pigarrear e de cuspir,
> O senhor copiou perfeitamente dele![33]

É diferente na Igreja Católica. Cada cristão ama Cristo como seu ideal e se sente ligado aos outros cristãos por identificação. Mas a Igreja exige mais dele. Ele deve, além disso, identificar-se com Cristo e amar os outros cristãos como Cristo os amou. A Igreja exige, portanto, em ambos os pontos, o complemento da posição libidinal fornecido pela formação de massa. A identificação deve ser adicionada lá onde ocorreu a escolha de objeto, e o amor de objeto, lá onde ocorre a identificação. Esse acréscimo, evidentemente, ultrapassa a constituição da massa. É possível ser um bom cristão e, no entanto, estar bem longe da ideia de se colocar no lugar de Cristo e, como ele, acolher amorosamente todos os seres humanos. É que, enquanto ser humano frágil, não é preciso se atribuir a grandeza de alma e a força do amor do Salvador. Mas esse desenvolvimento subsequente da distribuição da libido na massa é provavelmente o fator sobre o qual o cristianismo funda a sua pretensão de ter adquirido uma moralidade mais elevada.

B) Dissemos que seria possível indicar, no desenvolvimento anímico da humanidade, o lugar onde se efetuou, também para o indivíduo, o avanço da psicologia das massas até a psicologia individual.[i]

---

[i] O que se segue encontra-se sob a influência de uma troca de ideias com Otto Rank. (Ver A figura de Don Juan [Die Don Juan-Gestalt], *Imago*, VIII, 1911); desde então, também na forma de livro, 1924.

Para isso, teremos de retomar, brevemente, o mito científico do pai da horda originária. Mais tarde, ele foi elevado a criador do mundo, e com razão, pois havia gerado todos os filhos que compuseram a primeira massa. Ele era o ideal de cada um deles, temido e adorado ao mesmo tempo, o que mais tarde deu como resultado o conceito de tabu. Um dia, essa maioria se reuniu, matou-o e o despedaçou. Nenhum dos vitoriosos da massa pôde colocar-se em seu lugar, ou, quando um deles o fez, recomeçaram as lutas, até que compreenderam que todos eles teriam de renunciar à herança do pai. Formaram então a confraria totêmica, todos com o mesmo direito e ligados pelas proibições totêmicas, que deviam conservar a memória do ato homicida e expiá-la. Mas a insatisfação com o que conseguiram permaneceu e tornou-se a fonte de novos desenvolvimentos. Pouco a pouco, os que estavam ligados à massa fraternal ficaram próximos de uma instauração, em novo nível, do estado anterior; o homem tornou-se novamente o chefe de uma família e rompeu os privilégios do matriarcado que havia se estabelecido no período sem pai. Como compensação, ele deve ter, na época, reconhecido as divindades maternas, cujos sacerdotes foram castrados para a segurança da mãe, de acordo com o exemplo que foi dado pelo pai da horda originária; só que a nova família era apenas uma sombra da antiga; no que diz respeito aos pais, havia muitos, e cada um era limitado pelos direitos dos outros.

Nessa época, a privação plena da nostalgia pode ter levado um indivíduo a se separar da massa e a assumir o papel do pai. Quem o fez foi o primeiro poeta épico, e o avanço foi consumido em sua fantasia. O poeta transformou a realidade, fantasiando-a[34] de acordo com a sua saudade [*Sehnsucht*]. Ele inventou o mito heroico. Era herói aquele que tivesse sozinho abatido o pai, que, no mito, ainda aparecia como monstro totêmico. Assim como o pai foi o primeiro ideal para o menino, agora o poeta criava no herói, que quer substituir o pai, o primeiro Ideal do Eu. A conexão com o herói foi provavelmente proporcionada pelo filho mais novo, o preferido da mãe, aquele que ela havia protegido do ciúme paterno, e que nos tempos da horda primeva havia se tornado o sucessor do pai. Nessa fictícia transformação poética da pré-história, a mulher, que havia sido o prêmio da luta e a causa do assassinato, provavelmente passou a ser a sedutora e a instigadora do crime.

O herói pretende ter consumado sozinho o ato, que certamente só a horda como um todo tinha ousado tanto. Contudo, de acordo com uma observação de Rank, esse conto maravilhoso [*Märchen*] conservou claros vestígios do fato negado [*verleugneten*]. Pois lá acontece frequentemente de o herói, que tem uma difícil tarefa a cumprir — na maioria das vezes um filho mais novo, não raramente alguém que, diante do sucessor do pai, colocou-se como bobo, isto é, como inofensivo —, só poder resolver essa tarefa com a ajuda de um grupo de pequenos animais (abelhas, formigas). Estes seriam os irmãos da horda originária, exatamente como, no simbolismo do sonho, insetos e parasitas significam os irmãos e irmãs (pejorativamente: enquanto crianças pequenas). Cada uma das tarefas no mito e nos contos maravilhosos é, além disso, fácil de reconhecer como substituto do ato heroico.

O mito é, portanto, o passo com o qual o indivíduo sai da psicologia das massas. O primeiro mito foi certamente o psicológico, o mito do herói; o mito explicador da natureza deve ter surgido muito mais tarde. O poeta, que deu esse passo e assim, na fantasia, separou-se da massa, sabe, no entanto, segundo outra observação de Rank, encontrar o caminho de volta na realidade. Pois ele vai lá e conta a essa massa as façanhas do seu herói, inventadas por ele. Esse herói não é outro, no fundo, senão ele mesmo. Ele se abaixa, portanto, até a realidade e levanta seus ouvintes até a fantasia. Mas os ouvintes entendem o poeta; eles podem, com base na mesma relação nostálgica com o pai primevo, identificar-se com o herói.[i]

A mentira do mito heroico culmina na divinização do herói. Talvez o herói divinizado tenha sido anterior ao deus pai, o precursor do retorno do pai primevo enquanto divindade. A série de deuses seria então cronologicamente a seguinte: deusa-mãe – herói – deus-pai. Mas foi só com a elevação do pai primevo, jamais esquecido, que a divindade recebeu os traços que nela ainda hoje reconhecemos.[ii]

Como neste ensaio falamos muito de pulsões sexuais e de pulsões sexuais inibidas quanto à meta, vamos esperar que essa distinção não esbarre em uma grande resistência. É por isso que uma discussão aprofundada sobre o assunto será bem-vinda, mesmo que ela apenas repita aquilo que em grande parte já tenha sido dito em passagens anteriores.

O primeiro, mas também o melhor exemplo de pulsões sexuais inibidas quanto à meta foi o desenvolvimento libidinal da criança que nos fez conhecer. Todos os sentimentos

---

[i] Cf. Hanns Sachs, Sonhos diurnos compartilhados, relatório do autor sobre uma conferência no VI Congresso Psicanalítico em Haia, 1920 [Gemeinsame Tagträume, Autoreferat eines Vortrages auf dem VI. Psychoanalytischen Kongress im Haag, 1920]. *Internationale Zeitschrift für Psychoanalyse*, VI, (1920); a partir de então também publicada em livro (Imago-Bücher, Bd. 3).

[ii] Nesta apresentação abreviada, renunciamos a todo o material que serviria de apoio à construção proveniente da lenda, do mito, dos contos maravilhosos, da história dos costumes, etc.

que a criança nutre por seus pais e por pessoas que dela cuidam estendem-se sem barreiras aos desejos que dão expressão à vida sexual da criança. A criança exige dessas pessoas queridas todas as formas de carinho que lhe são conhecidas, quer beijá-las, tocá-las, olhá-las, fica curiosa para ver seus genitais e para estar presente durante suas atividades excretórias íntimas; promete casar-se com a mãe ou com a pessoa que cuida dela, não importando a representação que ela pode ter disso; propõe-se a dar um filho ao pai, etc. A observação direta, bem como a posterior iluminação proporcionada pela análise dos restos da infância, não deixam nenhuma dúvida a respeito da confluência imediata de sentimentos ternos e ciumentos e de intenções sexuais, e nos mostram de que maneira fundamental a criança faz da pessoa amada objeto de todos os seus empenhos sexuais ainda não corretamente centrados (cf. Teoria sexual[35]).

Essa primeira configuração do amor da criança, que está tipicamente remontando ao complexo de Édipo, sucumbe, então, como sabemos, a partir do início do período de latência, a uma onda de recalcamento. O que resta dela mostra-se a nós como uma ligação puramente terna de sentimentos, que vale para as mesmas pessoas, mas que não deve mais ser caracterizada como "sexual". A Psicanálise, que ilumina as profundezas da vida anímica, não tem dificuldade em mostrar que mesmo as ligações sexuais dos primeiros anos da infância continuam ainda a existir, ainda que recalcadas e inconscientes. Ela nos dá a coragem de afirmar que, onde quer que encontremos um sentimento terno, este é o sucessor de uma ligação de objeto plenamente "sensual" com a pessoa em questão, ou com o seu modelo (sua imago). É óbvio que ela não pode nos revelar, sem uma investigação especial, se essa corrente sexual plena anterior, em um caso dado, ainda existe como recalcada ou se já foi exaurida. Para formulá-lo de forma ainda mais precisa: o que está estabelecido é que ela ainda está presente enquanto forma e possibilidade, e pode, a qualquer momento, ser novamente investida e ativada através de regressão; o que apenas se pergunta, e nem sempre é possível decidir, é que investimento e que eficácia ela ainda tem atualmente. Aqui é preciso estar igualmente vigilante em relação a duas fontes de erro, o Cila, de subestimar o inconsciente recalcado, e o Caríbdis,[36] da tendência a determinar o que é normal inteiramente pela medida do que é patológico.

Para a Psicologia, que não quer ou não pode penetrar as profundezas do recalcado, as ligações ternas de sentimento apresentam-se, de todo modo, como expressão de anseios que não têm por meta o que é sexual, embora elas advenham de anseios como esses, que haviam se esforçado por isso.[37]

Temos o direito de dizer que elas foram desviadas dessas metas sexuais, embora encontremos certa dificuldade em ajustar um desvio de meta como esse às exigências da exposição metapsicológica. Além disso, essas pulsões inibidas quanto à meta continuam ainda mantendo algumas das metas sexuais originárias; mesmo aquele que é carinhosamente devotado, mesmo o amigo ou o admirador procura a proximidade corporal e a visão da pessoa mais amada no sentido "paulino". Se quisermos, podemos reconhecer nesse desvio de meta um princípio de *sublimação* das pulsões sexuais, ou então podemos fixar ainda mais longe o limite desta última. As pulsões sexuais inibidas quanto à meta possuem uma grande vantagem funcional sobre as não inibidas. Como na verdade elas não são capazes de uma satisfação plena, são especialmente apropriadas para criar ligações duradouras, enquanto as diretamente sexuais acabam, a cada vez, perdendo a sua energia pela satisfação e precisam esperar por renovação através da reacumulação da libido sexual, de modo que nesse meio-tempo o objeto pode ser trocado. As pulsões inibidas são capazes de se misturar com as não inibidas em qualquer proporção, e podem nestas se retrotransformar, da mesma maneira como emergiram delas. Sabemos como é fácil, a partir de relações afetivas de natureza amigável, baseadas em reconhecimento e admiração, desenvolverem-se desejos eróticos (*Embrassez-moi pour l'amour du Grec*,[38] de Molière [Beije-me, por amor ao grego]) entre o mestre e a aluna, entre o artista e a ouvinte encantada, e sobretudo no caso de mulheres. Com efeito, o surgimento dessas ligações afetivas, em princípio não intencionais, fornece diretamente um caminho muito percorrido até a escolha sexual de objeto. Em *A devoção do conde Ludwig von Zinzendorf* [*Die Frömmlichkeit des Grafen von Zinzendorf*], Pfister mostrou, com um exemplo bastante nítido, certamente não o único, como é fácil ver que até mesmo uma ligação religiosa pode converter-se em ardente excitação sexual. Por outro lado, a transformação de anseios sexuais diretos, propriamente de curta duração, em uma ligação duradoura simplesmente terna é algo muito comum, e a consolidação de um casamento celebrado a partir de uma paixão amorosa assenta-se, em grande parte, sobre esse processo.

Naturalmente não ficaremos surpresos por saber que os anseios sexuais inibidos quanto à meta só resultem daqueles que são diretamente sexuais quando obstáculos internos ou externos se opuserem à realização das metas sexuais. O recalcamento do período de latência é um obstáculo interno como esse – ou melhor: que se tornou interior. Sobre o pai primevo supusemos que, através de sua intolerância sexual, obrigou todos os filhos à abstinência, e assim forçou-os a relações de meta inibida, enquanto reservou para si mesmo um livre gozo sexual, permanecendo, dessa forma, sem ligações. Todas as ligações em que a massa se assenta são do tipo das pulsões de meta inibida. Mas com isso nos aproximamos da discussão de um novo tema, que trata da relação das pulsões sexuais diretas com a formação de massas.

D) Pelas duas últimas observações já fomos preparados para descobrir que os anseios sexuais diretos são desfavoráveis à formação de massas. Na verdade, na história do desenvolvimento da família também houve amor sexual em relações de massa (casamento grupal), mas quanto mais importante se tornava para o Eu o amor sexual, mais este desenvolveu o enamoramento, e mais veementemente exigia a restrição a duas pessoas – *una cum uno*[39] – que é prescrita pela natureza da meta sexual. As tendências polígamas ficaram na dependência de se satisfazer na sucessão da troca de objeto.

As duas pessoas que dependem uma da outra tendo como fim a satisfação protestam contra a pulsão gregária, contra o sentimento de massa, quando procuram estar sós. Quanto mais apaixonadas estão, mais completamente bastam-se a si mesmas. A recusa à influência da massa expressa-se como sentimento de vergonha. As mais violentas moções afetivas de ciúme são convocadas para proteger a escolha sexual de objeto da deterioração através de uma ligação de massa. Só quando o elemento terno, portanto, o fator pessoal da relação amorosa recua inteiramente diante do sensual é que é possível o intercurso amoroso de um casal na presença de outros, ou atos sexuais simultâneos dentro de um grupo, como na orgia. Mas então houve uma regressão a um estado anterior das relações sexuais, no qual o enamoramento ainda não desempenhava nenhum papel, em que os objetos sexuais eram tidos como equivalentes entre si, no sentido, por exemplo, do dito maldoso de Bernard Shaw: estar enamorado significa superestimar indevidamente a diferença entre uma mulher e outra.[40] Existem abundantes indícios de que o enamoramento só entrou tardiamente nas relações sexuais entre o homem e a mulher, de maneira que o antagonismo entre o amor sexual e a ligação de massa é algo que também foi desenvolvido mais tarde. Pode parecer agora que essa suposição seria inconciliável com o nosso mito da família originária. O grupo de irmãos bem que pode ter sido estimulado ao assassinato do pai pelo amor às mães e irmãs, e é difícil imaginarmos esse amor de outra forma, a não ser como inquebrantável, primitivo, isto é, como a união íntima entre o amor terno e o sensual. Só que, ao refletirmos mais um pouco, essa objeção é solucionada em uma confirmação. Uma das reações ao assassinato do pai foi, efetivamente, a instituição da exogamia totêmica, a proibição de qualquer relação sexual com as mulheres da família, que foram amadas ternamente desde a infância. Com isso foi semeada, entre as moções ternas e as sensuais do homem, a discórdia, que permanece presa em sua vida amorosa.[i] Em consequência dessa exogamia, as necessidades sensuais dos homens tiveram de se contentar com mulheres desconhecidas e não amadas.

Nas grandes massas artificiais, Igreja e Exército, não há lugar para a mulher [*Weib*] como objeto sexual. A relação entre o homem e a mulher fica excluída dessas organizações. Mesmo lá onde se formam massas em que homens e mulheres estão misturados, a diferença sexual não desempenha nenhum papel. Quase não há sentido em perguntar se a libido que sustenta as massas é de natureza homossexual ou heterossexual, pois ela não é diferenciada pelos sexos e desconsidera completamente, em especial, as metas da organização genital da libido.

---

[i] Ver Sobre a degradação geral da vida amorosa [Über die allgemeine Erniedrigung des Liebeslebens], 1912 [*Ges. Werke*, VIII].

Os anseios sexuais diretos conservam, mesmo para o ser individual que normalmente é absorvido na massa, uma porção de atividade individual. Quando eles se tornam superfortes, desagregam qualquer formação de massas. A Igreja Católica teve os melhores motivos para recomendar a seus fiéis a castidade e para impor a seus sacerdotes o celibato, mas muitas vezes o enamoramento impeliu até mesmo os membros do clero a deixarem a Igreja. Da mesma forma, o amor pela mulher rompe as ligações grupais de raça, o isolamento nacional e a organização social de classes, produzindo, com isso, importantes realizações culturais. Parece assegurado que o amor homossexual concilia-se muito melhor com as ligações de massa, mesmo quando ele surge como anseio sexual não inibido; um fato notável cuja elucidação poderia levar muito longe.

A investigação psicanalítica das psiconeuroses nos ensinou que seus sintomas devem ser derivados de anseios sexuais diretos que foram recalcados, mas que permaneceram ativos. Podemos completar essa fórmula se acrescentarmos: ou de anseios sexuais inibidos quanto à meta, nos quais a inibição não foi completamente bem-sucedida ou deu lugar a um retorno à meta sexual recalcada. Corresponde a essa situação o fato de a neurose transformar em associal, fazendo sair das formações de massa habituais, aquele que ela afetou. Podemos dizer que a neurose tem um efeito tão desagregador sobre a massa quanto o enamoramento. Em contrapartida, podemos ver que lá onde se produziu um incentivo vigoroso à formação de massa as neuroses recuam, ou pelo menos por um tempo podem desaparecer. Também se tentou, com razão, explorar terapeuticamente esse antagonismo entre neurose e formação de massa. Mesmo aquele que não lamenta o desaparecimento das ilusões religiosas no mundo cultural de hoje irá admitir que, enquanto estavam em vigor, elas ofereceram a mais intensa proteção contra a neurose àqueles a elas ligados. Também não é difícil reconhecer em todas as ligações com seitas e comunidades místico-religiosas ou filosófico-místicas a manifestação de curas equívocas de várias espécies de neurose. Tudo isso está em relação com a oposição entre os anseios sexuais diretos e os inibidos quanto à meta.

Abandonado a si mesmo, o neurótico é forçado a substituir as grandes formações de massa, das quais ele está excluído, pelas suas formações de sintoma. E cria para si seu próprio mundo de fantasia, sua religião, seu sistema de delírio, e assim repete as instituições da humanidade em uma distorção que testemunha claramente a grandiosa contribuição dos anseios sexuais diretos.[i]

E) Acrescentemos, para concluir, uma avaliação comparativa dos estados que, do ponto de vista da teoria da libido, ocuparam-nos: o enamoramento, a hipnose, a formação de massas e a neurose.

O *enamoramento* baseia-se na presença simultânea de anseios sexuais diretos e de anseios sexuais inibidos quanto à meta, e o objeto atrai para si uma parte da libido narcísica do Eu. Ele só tem espaço para o Eu e para o objeto.

A *hipnose* divide com o enamoramento a restrição a essas duas pessoas, mas se baseia inteiramente em anseios sexuais inibidos quanto à meta e coloca o objeto no lugar do Ideal do Eu.

A *massa* multiplica esse processo, harmoniza-se completamente com a hipnose quanto à natureza das pulsões que a mantêm unida e quanto à substituição do Ideal do Eu pelo objeto, mas acrescenta a identificação com outros

---

[i] Ver *Totem e tabu*, no final do capítulo II: O tabu e a ambivalência [*Totem und Tabu II*, Das Tabu und die Ambivalenz der Gefühlsregungen], *Ges. Werke*, IX.

indivíduos, a qual talvez tenha sido possível originariamente através da mesma relação com o objeto.

Ambos os estados, hipnose e formação de massa, são precipitados hereditários advindos da filogênese da libido humana, a hipnose enquanto disposição e a massa, além disso, enquanto resquício direto. A substituição dos anseios sexuais diretos pelos inibidos quanto à meta facilita para ambos a separação entre o Eu e o Ideal do Eu, para a qual já havia um início no enamoramento.

A *neurose* se exclui dessa série. Ela também se baseia em uma característica do desenvolvimento da libido do ser humano, na dupla instauração da função sexual direta, interrompida pelo período de latência.[i] Nesse sentido, ela divide com a hipnose e com a formação de massa o caráter de uma regressão, que está ausente no enamoramento. Ela surge onde quer que a evolução das pulsões sexuais diretas para as de meta inibida não tenha sido completamente bem-sucedida e corresponde a um *conflito* entre as pulsões acolhidas no Eu, que passaram por esse desenvolvimento, e as partes dessas mesmas pulsões que, a partir do inconsciente recalcado – da mesma forma que outras moções pulsionais completamente recalcadas –, anseiam por sua satisfação direta. Quanto ao conteúdo, ela é de uma riqueza incomum, tendo em vista que abarca todas as possíveis relações entre o Eu e o objeto, tanto aquelas nas quais o objeto é conservado como também outras, nas quais ele é abandonado ou mesmo instaurado no próprio Eu, mas de qualquer forma ela abarca as relações conflituosas entre o Eu e seu Ideal do Eu.

---

[i] Ver *Teoria sexual*, 5 ed., 1922, p. 96 [*Drei Abhandlungen zur Sexualtheorie, Ges. Werke*, V, p. 135].

226 OBRAS INCOMPLETAS DE S. FREUD

Massenpsychologie und Ich-Analyse (1921)

1921 Primeira publicação: *Internationaler Psychoanalytischer Verlag*, 140 p.

1925 *Gesammelte Schriften*, t. VI, p. 261-349.

1940 *Gesammelte Werke*, t. XIII, p. 73-161

Numa famosa carta datada de 12 de maio de 1919, Freud informa a Ferenczi que havia finalizado a redação de *Além do princípio de prazer* e retomado a escrita de *O infamiliar* (Das Unheimliche). Relata ainda estar perseguindo obstinadamente o fundamento psicanalítico da psicologia de massas, a partir de uma "ideia simples". Isso mostra, por si só, como estão imbricadas a reformulação clínica e metapsicológica da teoria das pulsões, a reflexão estético-literária e a vertente política e social da psicanálise. Numa série de cartas a seus principais interlocutores à época – nomeadamente, Ferenczi, Abraham, Eitingon e Jones –, Freud relata o passo a passo dessas escritas e de seus entrecruzamentos. É durante sua estadia de verão em Gastein, nos Alpes, que a pesquisa sobre a psicologia das massas se avoluma e se impõe sob a forma de um pequeno livro. O primeiro esboço data de setembro de 1920. A reescrita final do ensaio foi realizada entre fevereiro e março de 1921. Trata-se de uma longa elaboração, de aproximadamente 13 meses, com algumas pausas.

A premissa fundamental da reflexão social de Freud é enunciada com toda clareza desde as primeiras linhas desse ensaio: "A psicologia individual é também, de início, simultaneamente psicologia social". Tal premissa é condensada já no próprio título do ensaio, se nos atentarmos à conjunção "e": *Psicologia das massas e análise do Eu*. A expressão "psicologia das massas" remete à disciplina fundada por Gustave Le Bon, ao passo que "análise do Eu" acrescenta a dimensão propriamente metapsicológica do texto, remetendo o leitor imediatamente ao eixo que se consolida a partir de *Para introduzir o narcisismo* (1914) e que conduz aos ensaios mais tardios, como "A dissecção da personalidade psíquica" (1933). A ponte que a conjunção "e", conforme agudamente percebe Assoun (2008, p. 1047), estabelece entre esses dois domínios tão aparentemente diversos pode ser cruzada nos dois sentidos como uma via de mão dupla: tanto a psicologia das massas esclarece a constituição do Eu, quanto a análise do Eu ilumina os mecanismos psíquicos subjacentes aos agrupamentos humanos. "Eu" não é uma categoria transcendental ou uma categoria primária; não existe um "Eu" antes ou independentemente de uma alteridade que funciona como modelo, como objeto, como auxiliar e/ou como adversário. Ao mesmo tempo, fenômenos de massa esclarecem a porosidade do Eu: dissolvido na massa, o Eu regride, suspende inibições, submete-se mais aos afetos do que ao intelecto, inclina-se à violência, etc. Tais fenômenos só são possíveis porque a matéria em circulação tanto no Eu quanto nas massas é a libido.

O ensaio começa com uma revisão da literatura científica sobre a então nascente Psicologia Social. Além de Le Bon, Freud dialoga com William McDougall, Wilfred Trotter e Gabriel Tarde, fazendo um recenseamento crítico das principais obras disponíveis àquela altura. Alguns dos conceitos metapsicológicos mais centrais são mobilizados e/ou explicitados no presente escrito: libido, ideal do Eu, identificação, entre outros. A reflexão social esclarece conceitos metapsicológicos e força os limites disciplinares da psicanálise. Ao mesmo tempo, é no contexto dessa espécie de "clínica inconsciente do laço social" (Assoun, p. 1052) que tanto a clínica de patologias quanto a melancolia e a mania ganham relevo e estofo.

A recepção desse texto é enorme e se espraia em diversos âmbitos. Em 1922, psicanalistas como Géza Róheim e Sandor Ferenczi tomam diferentes aspectos do texto, selando de certa forma o destino cindido da recepção do presente ensaio. Enquanto Róheim destaca aspectos políticos e sociais, Ferenczi insiste sobre o alcance clínico da abordagem. Naquele mesmo ano, Georg Lukács resenha o texto de Freud para o periódico *Die rote Fahne* [A Bandeira Vermelha], publicado pelo Partido Comunista Alemão. Embora reconhecesse méritos na psicanálise, Lukács via nesse texto uma variante de teorias aristocráticas da política, um "exemplo crasso" de quanto são "confusos os métodos dos saberes burgueses". Ainda em 1922, a filosofia do direito de Hans Kelsen extrai consequências da elaboração freudiana sobre os mecanismos de idealização e de identificação para a Teoria do Estado. Esses quatro pequenos exemplos, todos extraídos do ano seguinte à publicação do ensaio, nos mostram a pluralidade de perspectivas que definiram alguns dos eixos principais de leitura e recepção do texto de Freud. Alguns desses eixos repercutem ainda hoje.

Também é digno de nota o proveito tomado por Wilhelm Reich em sua *Psicologia de massas do fascismo*, de 1933, que marcou uma geração de estudiosos e ativistas, e, recentemente, ganhou inesperada atualidade em várias partes do mundo. Por sua vez, Wilfred R. Bion, a partir de sua exitosa experiência como psiquiatra do Exército inglês durante a Segunda Guerra Mundial, estabeleceu os pilares de sua teoria das dinâmicas de grupo valorizando relações horizontais. Seus experimentos de "suspensão da liderança" deixaram claro que o lugar de liderança em um grupo não deve ser deixado vazio, mas quem o ocupa não pode se identificar àquele lugar. Interessado em estudar a efetividade social da psicanálise, Jacques Lacan viajou à Inglaterra ainda em 1945, para estudar o papel da psiquiatria psicanalítica inglesa no trabalho com os soldados julgados incapazes de se adaptar à disciplina militar. Dessa viagem resultam dois artigos, "O tempo lógico e a asserção da certeza antecipada" e "A psiquiatria inglesa e a guerra", nos quais esboça elementos de uma lógica coletiva horizontal, negligenciada por Freud em seu *Massenpsychologie* (*Psicologia das massas*).

O texto de Freud teve especial repercussão nos pensadores da Escola de Frankfurt. Particularmente nos estudos sobre a personalidade autoritária, levados a cabo por Theodor Adorno em parceria com os psicólogos sociais Else Frenkel-Brunswik, Daniel Levinson e Nevitt Sanford. O portentoso estudo proposto por eles na Universidade da Califórnia, em Berkeley, ficou conhecido por propor a Escala-F. O mesmo Adorno, em *A teoria freudiana e o padrão da propaganda fascista*, de 1951, demonstra, com base em Freud, que a propaganda fascista sempre soube que não seria capaz de ganhar as massas por meio de argumentos racionais, e que, por isso, "sua propaganda deve necessariamente ser defletida do pensamento discursivo; deve ser orientada psicologicamente, e tem de mobilizar processos irracionais, inconscientes e regressivos". A *Massenpsychologie* é o texto de Freud com maior número de referências diretas na obra de Adorno. Além dos textos diretamente vinculados às questões da dinâmica psicossocial do fascismo e do preconceito antis-semita, o trabalho é evocado em outros contextos, desde a discussão estética (*Funktionalismus heute*), o direito (*Tabus sexuais e direito hoje*) até a ética e a política (*Educação após Auschwitz*), sem contar com a discus-são meta-teórica da relação entre sociologia e psicologia (*Sobre a relação entre psicologia e sociologia*). O recurso à *Massenpsychologie* permite criticar pretensões reducionistas de teorias que partem unilateralmente seja da psique, seja da sociedade. Permite também assinalar a dinâmica ambi-valente e historicamente cambiante do jogo entre os registros da pulsão, das representações e dos afetos sociais, que a dinâmica das formações sociais autoritárias permite captar com especial agudeza.

Finalmente, vale destacar que Jacques Lacan elaborou uma leitura extremamente singular desse texto, particularmente no que concerne à sua teoria da identificação. É do Capítulo 7 que Lacan extrai e destaca a expressão *"einziger Zug"*, por ele traduzida como "traço unário", um dos pilares de sua retomada a Freud. Não por acaso, *Psicologia das massas e análise do eu* figura entre os textos mais referidos por Lacan, servindo como fundamento de sua teoria da nominação, sua releitura da identificação e do final de análise.

Podemos ver ecos mais recentes por meio de inúmeros autores de diversos campos: não apenas da psicanálise, mas também da psicologia social, da filosofia política, do direito, etc. *A razão populista*, de Ernesto Laclau, é, sem dúvida, um exemplo maior. Não por acaso, Étienne Balibar afirma que o texto de 1921 constitui um ponto de virada na história da filosofia política, justamente por introduzir o inconsciente e a pulsão no cerne da crítica da psicologia política. No Brasil, Christian Dunker mostrou recentemente, em seu "Psicologia das massas digitais e análise do sujeito democrático" (2019), como a distinção entre grupos (fundados no reconhecimento recíproco entre indivíduos) e massas (que supõem a dissolução da individualidade em traços compartilhados) foi profundamente alterada pela linguagem digital, na medida em que

CULTURA, SOCIEDADE, RELIGIÃO **229**

esta permitiria a formação de grupos separados geograficamente, além de novos agenciamentos do anonimato, com consequências políticas maiores para os destinos da democracia.

ADORNO, Theodor W. *Ensaios sobre psicologia social e psicanálise*. São Paulo: Ed. UNESP, 2015.

BALIBAR, Étienne. *Freud et Kelsen 1922*: l'invention du Surmoi. In: *Citoyen Sujet et autres essais d'anthropologie philosophique*. Paris: PUF, 2011. p. 383-434.

DUNKER, Christian. Psicologia das massas digitais e análise do sujeito democrático. In: DUNKER, Christian *et al. Democracia em risco?* São Paulo: Cia das Letras, 2019. p. 116-135.

JONSSON, Stefan. *Crowds and Democracy*: The Idea And Image of The Masses from Revolution to Fascism. Nova York: Columbia University Press, 2013.

KAUFMANN, Pierre. *L'inconscient du politique*. Paris: PUF, 1979.

WHITEBOOK, Joel. *Perversion and Utopia*: a Study in Psychoanalysis and Critical Theory. Cambridge: MIT Press, 1995.

NOTAS

[1] Eugen Bleuler (1857-1939), renomado psiquiatra suíço que cunhou o termo "esquizofrenia", mas que também se dedicou ao estudo do autismo. Era o diretor do famoso Hospital Burghölzli, tendo ali empregado Carl Gustav Jung como médico interno. (N.T.)

[2] Em inglês no original – instinto gregário, mente de grupo. (N.T.)

[3] *Psychologie des foules*, de Gustave Le Bon, foi publicado originalmente em francês, pela editora Félix Alcan, em 1895. (N.E.)

[4] Para Freud, aparentemente, Masse (massa), Menge [multidão/agrupamento] e Gruppe (grupo) são termos usados como aparentes sinônimos. Cf., por exemplo, "Tratamento psíquico" (1905), *Totem e tabu* (1912), *O mal-estar na cultura* (1929), e *O homem Moisés e a religião monoteísta* (1929). (N.T.)

[5] Apesar de Freud utilizar a tradução de Rudolf Eisler, valemo-nos também do texto original de Le Bon para todas as citações de Freud. (N.T.)

[6] Observação do Editor alemão: no texto original em francês consta "inconscientes". (N.T.)

[7] O termo *Rasse* (raça) é usado por Freud geralmente num contexto que parece denotar "etnia" ou "povo", como no emprego de Le Bon, que o autor cita e parafraseia. (N.R.)

[8] No texto de Le Bon: *nombre*. (N.T.)

[9] No texto de Le Bon: *instinctif*. (N.T.)

[10] No texto de Le Bon: *instinctif*. (N.T.)

[11] No texto de Le Bon: *le sauvage*. (N.T.)

[12] A palavra "desejo" é utilizada na língua portuguesa para traduzirmos um dos elementos mais centrais da metapsicologia freudiana, desde seus fundamentos na Interpretação dos sonhos, de 1900. A célebre definição de sonho como "realização (disfarçada) de um desejo (reprimido, recalcado)" emprega o termo *Wunsch*, em detrimento de *Begierde*. Em outras línguas europeias modernas vemos também certa proximidade semântica entre dois termos, tais como no francês *souhait* e no inglês *wish* (mais próximos de *Wunsch*), e *désir* ou *desire*, respectivamente, mais próximos de *Begierde*. Quer dizer, *Wunsch* é o termo empregado tanto para o "voto" ("Desejo-te boas festas!", por exemplo), quanto para uma expressão transitiva de um objeto que lhe satisfizesse, como no caso dos "três desejos" concedidos pelo Gênio a Alladin ou da mulher grávida que afirma ter "desejo por morangos". *Begierde*, contudo, é o termo privilegiado na concepção lacaniana em que "desejo é desejo de desejo"; trata da condição humana provocada pela falta, quer dizer, o apetite, o anseio, a urgência sexual em si, ficando a designação específica do objeto que a satisfizesse como enigma ou ignorada. Nesta coleção viemos traduzindo *Wunsch* invariavelmente por *desejo*. Num sentido de desambiguação, quando traduzimos *Begierde* também por *desejo*, ou ainda por *anseio*, *anelo*, etc., preferimos apresentar o termo alemão entre colchetes logo após sua ocorrência. (N.R.)

[13] Segundo a edição *Oeuvres Complètes* (PUF), os três últimos parágrafos são construídos a partir de ligeiras modificações, glosa e reordenamento de extratos do texto de Le Bon. LAPLANCHE, Jean. (ed.). Œuvres complètes de Freud. Paris: PUF, 1991. (Notices, notes et variantes de Alain Rauzy), vol. XVI, p. 15, nota a. (N.E.)

[14] A palavra alemã *Führer*, reiteradamente usada nesse texto. Traduzida aqui sempre por "líder", caberia também uma tradução mais direta por "condutor" ou "guia". É, aliás, o mesmo epíteto destinado a Hitler pelos alemães no período nazista. A palavra é derivada do verbo *fahren* [conduzir, dirigir], e denota uma liderança "condutora". (N.R.) (N.E.)

Conforme os editores franceses da coleção Oeuvres Complètes, Le Bon escreve originalmente "meheurs des masses" [condutores das massas], traduzindo na edição alemã empregada por Freud por Führer.

[15] Gabriel Tarde (1843-1904), *Les lois de l'imitation*: Étude sociologique. Paris: Alcan, 1890. (N.E.)

[16] Criador do termo "psicoterapia" em 1891, Hyppolyte Bernheim (1843-1919) era um neurologista francês. Seu livro sobre sugestão foi

traduzido por Freud para o alemão ainda em 1888. Freud o visitou em Nancy, em 1889, durante a temporada em que estagiava com Charcot, em Paris. (N.E.)

[17] *Christophorus Christum, sed Christus sustulit orbem:* Constiterit pedibus dic ubi Christophorus? (N.T.)

[18] O pastor luterano Oskar Pfister (1873-1956) foi um dos fundadores da Sociedade Suíça de Psicanálise. Correspondente de Freud por longos 30 anos, concentrava esforços em mostrar a compatibilidade entre religião e psicanálise, assim como buscava aplicar conceitos e técnicas psicanalíticas à educação. Nessa passagem, a obra em questão é *Plato als Voläufer der Psychoanalyse* [Platão como precursor da Psicanálise]. (N.E.)

[19] "Se eu falasse na língua dos homens e dos anjos, e não tivesse o amor, então eu seria um metal que ressoa ou um címbalo que tilinta", e versículos seguintes (*Coríntios* 1:13).

[20] *Mateus* 25:40. (N.R.)

[21] Trata-se de Thomas Woodrow Wilson (1856-1926), 28º Presidente dos Estados Unidos da América. Em 1931, Freud colaborou com o diplomata William C. Bullitt (1891-1967), redigindo um prefácio à biografia de Wilson feita por Bullitt. (N.E.)

[22] Estrutura de vidro ou cristal em forma de gota alongada que se desintegra por completo ao se romper sua ponta. (N.R.)

[23] Na primeira edição: "deixa atrás de si". (N.T.)

[24] Na primeira edição: "que deve primeiro ser eliminado por recalcamento". (N.T.)

[25] *Fremdliebe* significa amar o que é estranho, alheio, diferente. (N.T.)

[26] Jacques Lacan extrai da expressão *"einzigen Zug"* o conceito de "traço unário", um dos pilares de sua teoria da identificação. (N.E.)

[27] Ver *Luto e melancolia*, publicado nesta coleção no volume *Neurose, psicose, perversão*. (N.E.)

[28] Na p. 101 de *Três ensaios sobre a teoria sexual* (1905) (*Ges. Werke*, v. V), Freud afirma que, com o recalcamento, houve um abrandamento nas metas sexuais, o que ele chamou de a "corrente terna" da vida sexual, e que só a investigação psicanalítica pode provar que por detrás dessa "ternura", dessa "veneração" e dessa "admiração" escondem-se os antigos anseios sexuais das pulsões parciais infantis, que agora se tornaram inúteis. Em contraposição a essa "corrente terna" ele introduz aqui a "corrente originária plena", que ainda não sofreu o recalcamento. (N.T.)

[29] A palavra *Herde* significa *rebanho*. Temos no português casos semelhantes de comparação do movimento das massas com o de agrupamentos de animais como, tais como em "movimento de manada". Mas nos parece que "rebanho" no português se liga muito

ao vocabulário religioso, sobretudo cristão. Logo, preferimos aqui uma tradução mais neutra, que mostrasse o elemento gregário, movimento de união e ligação entre os indivíduos numa coletividade. Aliás, o próprio Freud aponta a equivalência linhas abaixo.

[30] Alusão ao clássico da literatura infantil *Just so Stories for Little Children* (*Histórias assim*: para crianças), publicado por Rudyard Kipling em 1902. (N.E.)

[31] No volume desta coleção dedicado especificamente ao texto "Das Unheimliche" apresentamos um extenso esclarecimento de por que o traduzimos por "infamiliar" e não por outras soluções popularizadas, tais como "estranho", "inquietante", "sinistro", "inquietante estranheza", etc. (N.R.)

[32] Ver *Totem e tabu* e as fontes lá citadas.

[33] Trecho da Cena 6 da referida peça de Friedrich Schiller: (*Wie er räuspert und wie er spuckt, / Das habt ihr ihm glücklich abgeguckt*) (N.R.)

[34] A expressão de Freud é *"Der Dichter log die Wirklichkeit um"*, que, apesar de conter o verbo *lügen* (*log*) – mentir, não deve ser traduzida com o verbo "mentir", pois em alemão há uma expressão, *Lügendichtung* (literalmente, poesia/literatura de mentira), que significa "poesia/invenção narrativa que tem como conteúdo histórias improváveis ou fantásticas". (N.T.)

[35] Forma abreviada que Freud utiliza para referenciar seu escrito de 1905 intitulado "Três ensaios sobre a teoria sexual" ("Drei Abhandlungen zur Sexualtheorie").

[36] Referência aos monstros marinhos enfrentados por Ulisses na *Odisseia*, de Homero. A expressão "Entre Cila e Caríbdis" pode ser comparada a outra de uso mais corriqueiro: "Entre a cruz e a espada". (N.R.)

[37] Os sentimentos hostis certamente são construídos de uma maneira um pouco mais complicada. Apenas na primeira edição, nesta nota constava o seguinte: "Os sentimentos hostis, que são construídos de uma maneira um pouco mais complicada, não são exceção a essa regra". (N.T.)

[38] Trata-se aqui de uma citação um tanto imprecisa de *As mulheres sábias* (*Les femmes savantes*), de Molière: *Quoi! Monsieur sait du grec! Ah! Permettez, de grâce/Que, pour l'amour du grec, monsieur, on vous embrasse* (O quê! O senhor sabe grego! Ah! Então por favor permita/que, por amor ao grego, vos beijemos!). (N.T.)

[39] Alusão provável ao romance de Joséphin Péladan, intitulado *Una cum uno*: roman. München: G. Müller, 1917. (N.E.)

[40] No Ato III da peça Major Barbara, publicado em 1905, onde se lê: *"Like all young men, you greatly exaggerate the difference between one young woman and another"* (Como todo rapaz jovem, você exagera demais a diferença entre uma jovem mulher e outra). (N.E.)

O FUTURO DE UMA ILUSÃO (1927)

I

Quando vivemos um longo período em uma determinada cultura e frequentemente nos empenhamos em investigar quais seriam suas origens e os caminhos de seu desenvolvimento, certo dia sentimos, além disso, a tentação de voltar o olhar para a outra direção e perguntar sobre qual destino essa cultura teria pela frente, e por quais transformações ela estaria determinada a passar. Mas logo percebemos que uma investigação como essa seria de antemão depreciada por muitos fatores. Sobretudo pelo fato de que existem apenas poucas pessoas que conseguem ter uma visão da ação humana em toda a sua extensão. Para a maioria delas, tornou-se necessária a limitação a um único ou a poucos campos; mas quanto menos uma pessoa sabe a respeito do passado e do presente, mais inseguro será seu juízo sobre o futuro. E também porque justamente nesse juízo as expectativas subjetivas do indivíduo desempenham um papel difícil de avaliar; estas, por sua vez, mostram-se dependentes de fatores puramente pessoais de sua própria experiência, de sua atitude mais ou menos esperançosa em relação à vida, tal como lhe foi ditada pelo temperamento, pelo sucesso ou pelo fracasso. E, por fim, entra em ação o fato notável de que os seres humanos em geral vivem o seu presente de maneira ingênua, sem poder apreciar seu conteúdo; eles precisam primeiro tomar distância dele, isto é, o presente precisa ter se tornado passado para fornecer pontos de apoio para julgar o que está por vir.

Quem, portanto, ceder à tentação de emitir uma opinião sobre o futuro provável de nossa cultura fará bem em se lembrar das ponderações indicadas anteriormente, assim como da incerteza que se encontra ligada geralmente a qualquer previsão. A consequência disso para mim é que, fugindo rapidamente de tão grande tarefa, irei imediatamente investigar o pequeno território que até agora tem merecido a minha atenção, a partir do momento em que determinei sua posição num contexto mais amplo.

A cultura humana – quero dizer, tudo aquilo em que a vida humana se elevou acima de suas condições animalescas e em que ela se distingue da vida dos animais – e recuso-me a separar cultura [*Kultur*] de civilização [*Zivilisation*][1] – mostra ao observador, como se sabe, dois lados. Em um deles, ela abrange todo o saber e a capacidade que os seres humanos adquiriram para dominar as forças da natureza e extrair desta seus bens para a satisfação das necessidades humanas; e no outro, todos os dispositivos necessários para regular as relações dos seres humanos entre si, e especialmente a distribuição dos bens acessíveis. Essas duas orientações da cultura não são independentes uma da outra, em primeiro lugar, porque as relações mútuas entre os seres humanos são profundamente influenciadas pela medida de satisfação pulsional que os bens existentes tornam possível; em segundo lugar, porque o ser humano isolado, mesmo para outro, pode entrar na condição de um bem, na medida em que aquele utiliza a sua força de trabalho ou o toma como objeto sexual; mas em terceiro lugar, porque cada indivíduo é virtualmente um inimigo da cultura, que supostamente deve ser um interesse humano geral. É notável que os seres humanos, embora não possam existir no isolamento, sintam, não obstante, como gravemente opressivos os sacrifícios que a cultura deles espera para que a vida em comum seja possível. A cultura precisa, portanto, ser defendida contra o indivíduo, e os seus dispositivos, instituições e mandamentos colocam-se a serviço dessa tarefa; estes visam não apenas instaurar uma certa repartição de bens, mas também mantê-la; na verdade, eles precisam proteger das moções hostis dos seres humanos tudo aquilo que serve para a conquista da natureza e para a produção de bens. As criações humanas são fáceis de destruir, e a ciência e a técnica que as construíram também podem ser utilizadas para a sua aniquilação.

Obtemos, assim, a impressão de que a cultura é algo imposto a uma maioria relutante por uma minoria que entendeu como se apropriar dos meios de poder e de coação. Evidentemente, é fácil supor que essas dificuldades não se atenham à natureza mesma da cultura, mas são condicionadas pelas imperfeições das formas de cultura que foram desenvolvidas até agora. De fato, não é difícil apontar essas falhas. Ao mesmo tempo que a humanidade fez progressos contínuos na dominação da natureza e pode esperar ainda maiores, não podemos constatar com segurança um progresso semelhante na regulação dos assuntos humanos; e é provável que em qualquer época, como também agora novamente, muitas pessoas tenham se perguntado se, afinal, vale a pena ser defendida essa porção de aquisição cultural. Poderíamos pensar que teria de ser possível uma nova regulação das relações humanas, que faz com que falhem as fontes de insatisfação com a cultura, na medida em que ela renuncia à coação [*Zwang*] e à repressão pulsional, de modo que os seres humanos, sem serem perturbados por disputas internas, pudessem dedicar-se à aquisição de bens e à sua fruição. Essa seria a época áurea, mas resta saber se um estado como esse se realizaria. Parece mesmo é que toda cultura tem, necessariamente, de se construir sobre a coação e a renúncia pulsional; nem mesmo parece garantido que, com a cessação da coação, a maioria dos indivíduos humanos estaria preparada para assumir a realização do trabalho de que precisam para a aquisição de novos bens vitais. É preciso, penso eu, contar com o fato de que estão presentes, em todos os seres humanos, tendências destrutivas, logo, antissociais e anticulturais, e que estas são muito intensas em um grande número de pessoas, a ponto de determinar a sua conduta na sociedade humana.

Esse fato psicológico tem uma importância decisiva para o julgamento da cultura humana. Se inicialmente podíamos pensar que o essencial nela era a dominação da natureza para a obtenção de bens vitais, e que os perigos que a ameaçavam podiam ser eliminados por meio de uma distribuição adequada desses bens entre as pessoas, agora parece que a ênfase foi transferida do âmbito material para o anímico. Será decisivo saber se e até que ponto se pode diminuir o peso dos sacrifícios pulsionais impostos ao ser humano, reconciliá-los com aqueles que necessariamente permanecem e compensá-los por isso. Podemos prescindir da coação ao trabalho cultural tão pouco quanto da dominação da massa por uma minoria, pois as massas são indolentes e sem propósito, não apreciam a renúncia pulsional, não podem ser convencidas com argumentos de que esta é inevitável, e seus indivíduos fortalecem-se mutuamente, permitindo-se a liberdade de seu desregramento. Só pela influência de indivíduos exemplares, que elas reconheçam como seus líderes [*Führer*], é possível mobilizá-las à realização de trabalhos e às privações de que depende a continuidade da cultura. Tudo vai bem, se esses líderes forem pessoas que possuem uma visão esclarecida sobre as necessidades da vida e tenham dominado seus próprios desejos pulsionais. Mas eles correm o perigo de, para não perderem a sua influência, cederem mais à massa do que esta a eles, e é por isso que parece necessário que eles disponham de meios de poder, para que sejam independentes da massa. Resumindo: duas propriedades muito comuns nos seres humanos são responsáveis pelo fato de que as instituições culturais só podem ser mantidas com uma certa dose de coação, a saber, que espontaneamente os seres humanos não têm vontade de trabalhar e que argumentos nada podem contra as suas paixões.

Sei o que será objetado a essas afirmações. Dirão que o caráter das massas humanas aqui descrito, que deve provar que a coação ao trabalho cultural é indispensável, é ele mesmo apenas a consequência de instituições culturais malogradas, que tornaram os seres humanos amargurados, vingativos e intratáveis. Novas gerações, educadas no amor e na grande estima pelo pensamento, que experimentaram precocemente os benefícios da cultura, terão uma relação distinta com ela, irão senti-la como seu patrimônio mais íntimo, estarão dispostas a fazer em seu benefício os sacrifícios de trabalho e de satisfação pulsional necessários à sua manutenção. Elas poderão prescindir da coação e pouco se distinguirão de seus líderes. Se até agora não houve massas humanas dessa qualidade em nenhuma cultura, isso se deve ao fato de nenhuma cultura ter encontrado ainda os dispositivos para influenciar os seres humanos dessa forma, na verdade, desde a infância.

Podemos duvidar se sequer é possível, ou se já é possível agora, no estado atual de nosso domínio sobre a natureza, produzir dispositivos culturais como esses; podemos perguntar de onde viriam os vários líderes esclarecidos, imperturbáveis e desinteressados que teriam de atuar como educadores das gerações futuras; podemos ficar chocados diante do empenho descomunal de coação que será inevitável até a execução desses propósitos. A grandiosidade desse plano, sua importância para o futuro da cultura humana, não poderá ser contestada. Ele certamente se baseia na visão psicológica de que o ser humano é dotado das mais variadas predisposições pulsionais, às quais as experiências precoces da infância indicam uma orientação definitiva. É por isso que as barreiras à educabilidade do ser humano colocam o seu limite também à efetividade de uma mudança cultural como essa. Devemos colocar em dúvida se e em que medida um outro ambiente cultural pode extinguir as duas propriedades das massas humanas que tanto dificultam a condução dos assuntos humanos. O experimento ainda não foi feito. É provável que uma certa porcentagem da humanidade – em consequência de uma predisposição doentia ou de uma força pulsional excessiva – permaneça sempre associal, mas se apenas conseguirmos reduzir a uma minoria essa maioria que hoje é hostil à cultura, já se terá conseguido muito, talvez tudo o que seja possível conseguir.

Eu não gostaria de causar a impressão de ter me afastado muito do caminho anteriormente traçado para a minha investigação. Por isso, quero assegurar expressamente que está longe de mim julgar o grande experimento cultural que está sendo realizado em um vasto país entre a Europa e a Ásia.[2] Não tenho o conhecimento específico nem a capacidade de decidir sobre a sua viabilidade nem para examinar a adequação dos métodos empregados, ou para medir a extensão do abismo inevitável entre a intenção e a execução. O que lá está sendo engendrado, pelo fato de estar inconcluso, não pode fornecer para a observação o mesmo material que nos fornece a nossa cultura há muito tempo consolidada.

II

Passamos, inesperadamente, do econômico para o psicológico. No início, estávamos tentados a procurar o patrimônio cultural nos bens disponíveis e nos dispositivos que regulam a sua distribuição. Uma vez que reconhecemos que toda cultura assenta-se na coação ao trabalho e na renúncia pulsional, e que por esse motivo ela suscita inevitavelmente uma oposição naqueles que são afetados por tais exigências, ficou claro que os próprios bens, os meios para a sua aquisição e os arranjos para a sua distribuição não podem constituir o que é essencial ou único na cultura. Pois eles são ameaçados pela revolta e pela sede de destruição dos membros da cultura. Ao lado dos bens, entram agora os meios que podem servir para defender a cultura, meios de coação e outros, que devem conseguir reconciliar os seres humanos com ela e recompensá-los por seus sacrifícios. No entanto, estes últimos podem ser descritos como o patrimônio anímico da cultura.

Em nome de um modo de expressão homogêneo, chamaremos de impedimento o fato de uma pulsão não poder ser satisfeita, de proibição o dispositivo que fixa esse impedimento, e de privação o estado provocado pela proibição. O próximo passo será então distinguir entre as privações que dizem respeito a todos e aquelas que dizem respeito simplesmente a grupos, classes ou até mesmo a indivíduos. As primeiras são as mais antigas: com as proibições que as instauraram, a cultura iniciou o descolamento do estado animalesco originário há não se sabe quantos milhares de anos. Para a nossa surpresa, descobrimos que elas ainda estão operantes, continuam formando o núcleo da hostilidade à cultura. Os desejos pulsionais que sob elas padecem renascem em cada criança; há uma classe de seres humanos, os neuróticos, que logo reagem com associabilidade a esses impedimentos.

Esses desejos pulsionais são os do incesto, do canibalismo e do prazer em matar. Soa estranho quando juntamos esses desejos, com cuja rejeição [*Verwerfung*] todos parecem estar de acordo, àqueles outros, que tanto fomentam debates em nossa cultura sobre a sua concessão ou impedimento, mas que psicologicamente seriam justificados. E também a conduta cultural em relação a esses desejos pulsionais mais antigos não é a mesma de forma alguma; só o canibalismo parece ser desaprovado por todos e, para a abordagem não analítica, inteiramente superado; a força dos desejos incestuosos ainda conseguimos sentir por trás da proibição, e o assassinato continua sendo praticado, e até ordenado, sob certas circunstâncias em nossa cultura. Possivelmente teremos pela frente desenvolvimentos dessa cultura em que outras satisfações de desejo, hoje inteiramente possíveis, parecerão tão inadmissíveis como agora as do canibalismo.

Nessas renúncias pulsionais mais antigas, já entrou em questão um fator psicológico que permanece importante para todas aquelas que seguem. Não é correto afirmar que a alma humana, desde os tempos mais antigos, não tenha passado por nenhum desenvolvimento e que, em oposição aos avanços da ciência e da técnica, ela ainda seja a mesma do início da história. Podemos comprovar aqui um desses desenvolvimentos anímicos. Está de acordo com nosso desenvolvimento que uma coação externa seja pouco a pouco interiorizada, pois uma instância anímica especial, o Supereu dos seres humanos, acolhe-a entre seus mandamentos. Cada criança nos exibe o processo de uma tal transformação, e somente através dela a criança se torna um ser moral e social. Esse fortalecimento do Supereu é um patrimônio cultural psicológico altamente valioso. As pessoas nas quais ele se consumou passaram de adversários para portadores da cultura. Quanto maior for o seu número em um grupo cultural, mais segura estará essa cultura e mais ela poderá prescindir dos meios externos de coação. No entanto, a medida dessa interiorização é muito diferente para cada uma dessas proibições pulsionais. Para as já mencionadas exigências culturais mais antigas, parece que a interiorização, se deixarmos de lado a indesejada exceção dos neuróticos, foi amplamente alcançada. Essa proporção se altera se quanto a outras exigências pulsionais. Percebemos, então, com surpresa e preocupação, que uma grande maioria das pessoas só obedece às referidas proibições culturais sob a pressão da coação externa, portanto apenas lá onde ela estiver vigente e enquanto for temida. Isso vale igualmente para aquelas exigências culturais chamadas de morais, que são destinadas de modo igual a todos. A maior parte do que se ouve falar sobre a falta de retidão moral das pessoas está relacionada a isso. Uma infinidade de pessoas dotadas de cultura, que recuaria aterrorizada diante do assassinato ou do incesto, não se impede a satisfação de sua ganância, de seu prazer em agredir, de seus apetites sexuais, e não se abstém de prejudicar o outro através de mentira, de traição, de calúnia, desde que possa fazê-lo permanecendo impune, e isso deve ter sido certamente assim ao longo de muitas épocas da cultura.

Quanto às restrições relativas a apenas determinadas classes da sociedade, deparamo-nos com situações duras e também nunca negligenciadas. É de se esperar que essas classes preteridas invejem as vantagens dos privilegiados e façam tudo para se livrar de seu próprio excesso de privação. Quando isso não é possível, haverá uma duradoura insatisfação no interior dessa cultura, o que poderá levar a revoltas perigosas. Mas, se uma cultura não conseguiu ultrapassar o ponto em que a satisfação de certos membros tem como pressuposto a opressão [*Unterdrückung*] de outra parte, talvez da maioria, e esse é o caso de todas as culturas atuais, então é compreensível que esses reprimidos desenvolvam uma hostilidade intensa contra a cultura que eles viabilizam com seu trabalho, mas de cujos bens eles obtêm somente uma parte muito pequena. Então, não devemos esperar uma internalização das proibições culturais entre os oprimidos; pelo contrário, eles não estão preparados para reconhecer essas proibições e anseiam por destruir a própria cultura, eventualmente até por suprimir seus pressupostos. A hostilidade à cultura desenvolvida por essas classes é tão evidente que, por causa dela, passou-nos despercebida a hostilidade muito mais latente das camadas sociais mais favorecidas. Não é preciso dizer que uma cultura que deixa insatisfeito um número tão grande de participantes e os estimula à revolta não tem nem a perspectiva de se conservar de maneira duradoura, nem o merece.

O grau de interiorização dos preceitos culturais – para dizê-lo de maneira popular e não psicológica: o nível moral dos participantes – não é o único bem de natureza anímica a ser considerado na apreciação de uma cultura. Há também seu patrimônio de ideais e de criações artísticas, isto é, as satisfações que são obtidas de ambos.

Com muita facilidade, tendemos a acolher, entre os nossos bens psíquicos, os ideais de uma cultura, isto é, as estimativas de quais seriam as realizações mais eminentes e mais dignas de nossos anseios. Parece, a princípio, que é como se esses ideais determinassem as realizações do grupo cultural; mas o processo real poderia ser o de que os ideais se formam depois das primeiras realizações, que tornam possível para uma cultura a ação conjunta de dons interiores e circunstâncias externas, e que essas primeiras realizações são então mantidas pelo ideal para terem continuação. A satisfação que o ideal oferece aos membros da cultura é, portanto, de natureza narcísica, baseia-se no orgulho pela realização já bem-sucedida. Para que ela seja completa, necessita da comparação com outras culturas que se lançaram em outras realizações e desenvolveram outros ideais. Por causa dessas diferenças, cada cultura se dá o direito de menosprezar a outra. Dessa maneira, os ideais culturais passam a ser a ocasião de divisão e de inimizade entre diversos grupos culturais, tal como a que aparece com a maior nitidez entre as nações.

A satisfação narcísica, que provém do ideal cultural, também está entre as forças que agem com eficácia contra a hostilidade cultural dentro do grupo cultural. Não são apenas as classes privilegiadas que desfrutam dos benefícios dessa cultura, mas os oprimidos também podem participar dela, na medida em que o direito de desprezar os que estão de fora os compensa pelos danos sofridos em seu próprio grupo. Pode-se, na verdade, ser um plebeu miserável, atormentado por dívidas e pelo serviço militar, mas em compensação se é romano, participa-se da tarefa de dominar outras nações e de prescrever as suas leis. Mas essa identificação dos oprimidos com a classe que os domina e os explora é apenas uma parcela de um contexto maior. Por outro lado, estes podem estar afetivamente ligados àquela e, apesar da hostilidade, vislumbrar seus ideais em seus senhores. Se não existissem essas relações, no fundo satisfatórias, ficaria incompreensível que dessa forma algumas culturas tenham se conservado por tanto tempo, apesar de uma justificada hostilidade de grandes massas humanas.

De uma outra espécie é a satisfação concedida pela arte aos participantes de um grupo cultural, apesar de esta, via de regra, ficar inacessível às massas absorvidas num trabalho extenuante e que não desfrutaram de nenhuma educação pessoal. A arte oferece, como aprendemos há muito tempo, satisfações substitutivas para as mais antigas renúncias culturais, que continuam sendo sentidas da maneira mais profunda, e por isso ela tem um efeito reconciliador como nenhuma outra coisa em relação aos sacrifícios dessas renúncias. Por outro lado, suas criações elevam os sentimentos de identificação, de que tanto necessita todo grupo cultural, dando ensejo a sensações vivenciadas conjuntamente, altamente apreciadas. Mas estas também servem à satisfação narcísica, quando apresentam as realizações de determinada cultura e evocam seus ideais de maneira impressionante.

Talvez a parte mais importante do inventário psíquico de uma cultura ainda não tenha sido mencionada. Trata-se, em seu sentido mais amplo, de ideias [*Vorstellungen*] religiosas; em outras palavras, que justificaremos mais adiante, de suas ilusões.

III

De que consiste o valor especial das ideias religiosas?

Falamos da hostilidade à cultura, produzida pela pressão que esta exerce, pelas renúncias pulsionais que ela exige. Se pensarmos nas suas proibições suprimidas, alguém poderia escolher qualquer mulher que lhe agradasse como objeto sexual, poderia, sem hesitação, matar seu rival por causa da mulher ou se ele estivesse em seu caminho, poderia tomar do outro um bem qualquer sem lhe pedir permissão; que maravilha, que sucessão de satisfações seria então a vida! Na verdade, logo nos deparamos com a próxima dificuldade. Qualquer outro tem exatamente os mesmos desejos que eu, e não me tratará de modo mais indulgente do que eu o tratei. No fundo, portanto, apenas um único indivíduo pode tornar-se irrestritamente feliz com um cancelamento como esse das restrições culturais: um tirano, um ditador, que se apoderou de todos os meios de poder; e mesmo ele tem todas as razões para desejar que os outros ao menos respeitem esse mandamento da cultura: "não matarás".

Mas que ingratidão, que descuido seria ansiar pela supressão da cultura! O que restaria então seria o estado natural, e ele é muito mais difícil de suportar. É verdade que a natureza não exigiria de nós nenhuma restrição pulsional, ela nos deixaria fazer qualquer coisa, mas ela tem a sua maneira especialmente eficaz de nos restringir, ela nos mata friamente, cruelmente, sem consideração, assim nos parece, e é possível que justamente nas ocasiões de nossa satisfação. É justamente por causa desses perigos com os quais a natureza nos ameaça que nos aliamos e criamos a cultura, que, entre outras coisas, deve também tornar possível a nossa vida em comunidade. Pois a principal tarefa da cultura, o verdadeiro fundamento de sua existência, é proteger-nos da natureza.

Sabemos que, de diversas maneiras, ela já o faz bastante bem, e é evidente que mais tarde o fará muito melhor. Mas nenhum ser humano comete o engano de acreditar que a natureza já esteja agora dominada; poucos ousam esperar que um dia ela esteja inteiramente submetida ao ser humano. Aqui estão os elementos que parecem debochar de qualquer coerção humana: a terra, que treme, rompe-se, soterrando tudo o que é humano e obra do ser humano; a água, que, em turbulência, tudo inunda e afoga; a tempestade, que varre tudo para longe; e depois vêm as doenças, que só há pouco tempo reconhecemos como sendo ataques de outros seres vivos; e finalmente o doloroso enigma da morte, para o qual até agora nenhum remédio foi encontrado, nem é provável que o seja. É com essas forças que a natureza se opõe a nós, grandiosa, cruel, inexorável, demonstrando-nos a nossa fraqueza e desamparo, dos quais pensávamos ter escapado pelo trabalho da cultura. Uma das poucas impressões agradáveis e reconfortantes que se pode ter da humanidade é a de que, diante de uma catástrofe natural, ela se esquece das diferenças culturais, de todas as dificuldades internas e hostilidades, e se lembra da grande tarefa comum, a de sua preservação contra o poder descomunal da natureza.

Tal como para a humanidade como um todo, também para o indivíduo a vida é difícil de suportar. A cultura da qual participa impõe-lhe uma dose de privação, os outros seres humanos lhe causam uma certa medida de sofrimentos, seja apesar das prescrições culturais, seja em consequência da imperfeição dessa cultura. A isso se acrescenta aquilo que a natureza indomada lhe inflige em danos, o que é chamado de destino. Um estado permanente de expectativa angustiante e uma severa ofensa ao narcisismo deveriam ser as consequências desse estado. Já sabemos como o indivíduo reage aos danos causados pela cultura e pelos outros: ele desenvolve uma medida correspondente de resistência aos dispositivos dessa cultura e de hostilidade a ela. Mas como ele se defende das forças descomunais da natureza, do destino, que o ameaçam, assim como a todos os outros?

A cultura o libera desse feito, ela o concede para todos de igual maneira, e também é notável que, nesse caso, quase todas as culturas façam o mesmo. Mas ela não se limita à resolução de sua tarefa, que é a de defender os seres humanos contra a natureza, ela apenas lhe dá continuidade por outros meios. A tarefa, nesse caso, é múltipla: a autoestima do ser humano, gravemente ameaçado, exige consolo; o mundo e a vida devem ser aliviados dos seus terrores; e, além disso, o desejo humano de saber, que evidentemente é impulsionado pelo mais forte interesse prático, também quer uma resposta.

Já se obteve muito com o primeiro passo. E este consiste da humanização da natureza. Não podemos nos aproximar de forças e destinos impessoais, eles permanecerão eternamente alheios. Mas se nos elementos as paixões se enfurecem como na própria alma, se mesmo a morte não é algo espontâneo, mas o ato violento de uma vontade maligna, se em toda parte na natureza temos seres à nossa volta, como aqueles que conhecemos em nossa própria sociedade, então podemos respirar aliviados, sentir-nos familiarizados [heimisch] em meio ao que é infamiliar [Unheimlichen], podemos elaborar psiquicamente nosso medo [Angst] sem sentido. Talvez estejamos indefesos, mas não mais paralisados em desamparo, podemos ao menos reagir; mas talvez não estejamos sequer indefesos, podemos passar a utilizar contra esses super-humanos que exercem sua violência no exterior os mesmos meios de que nos servimos em nossa sociedade, podemos tentar implorar-lhes, apaziguá-los, suborná-los, roubando-lhes, através dessa influência, uma parte de seu poder. Uma substituição como essa de uma ciência da natureza pela psicologia não cria apenas certo alívio imediato, ela também mostra o caminho para posterior domínio da situação.

Pois essa situação não é novidade; ela tem um modelo infantil e, na verdade, é apenas a continuação daquela anterior, pois em um desamparo como esse já nos encontramos um dia quando éramos crianças pequenas diante de um casal parental, de quem tínhamos motivos para ter medo, especialmente do pai, de cuja proteção, no entanto, também estávamos seguros contra os perigos que conhecíamos na época. Assim, estava-se prestes a equiparar as duas situações. Nisso, como na vida onírica, o desejo cumpre seu papel. Um pressentimento da morte acomete aquele que está dormindo, quer transportá-lo para o túmulo, mas o trabalho do sonho sabe escolher a condição sob a qual mesmo esse temido acontecimento se transforma em realização de desejo; o sonhador se vê em um antigo túmulo etrusco, para cujo interior desceu radiante por satisfazer seus interesses arqueológicos. Da mesma forma, o ser humano não simplesmente faz das forças da natureza seres humanos, com os quais pode se relacionar como o faz com seus iguais, pois isso também não faria justiça à impressão esmagadora que ele tem delas, mas lhes dá um caráter paterno, transforma-as em deuses, seguindo com isso não apenas um modelo infantil, como tentei mostrar, mas também um filogenético.

Com o tempo, são feitas as primeiras observações de regularidade nos fenômenos naturais e sua conformidade à lei, e, com isso, as forças da natureza perdem seus traços humanos. Mas o desamparo dos seres humanos permanece e, com isso, seu anseio pelo pai e pelos deuses. Os deuses conservam sua tripla tarefa, afastar os terrores da natureza, reconciliar-se com a crueldade do destino, especialmente como ele se mostra na morte, e compensar pelos sofrimentos e privações que são impostos ao ser humano pela coexistência cultural.

Mas pouco a pouco se desloca a ênfase no interior dessas tarefas. Percebe-se que os fenômenos naturais se desenrolam por si mesmos, de acordo com necessidades internas; sem dúvida, os deuses são os senhores da natureza, eles a dispuseram dessa maneira e agora podem deixá-la por sua própria conta. Apenas ocasionalmente eles intervêm em seu curso, com os assim chamados milagres, como que para garantir que eles não abandonaram nada de sua esfera original de poder. No que diz respeito à distribuição dos destinos, subsiste uma desconfortável impressão de que o desespero e o desamparo da espécie humana não podem ser remediados. É aqui que os deuses mais falham; se são eles mesmos que fazem o destino, então precisamos considerar o seu desígnio como insondável; começa a ficar clara para o povo mais bem dotado da Antiguidade a visão de que a *Moira*[3] estava acima dos deuses, e que os próprios deuses têm os seus destinos. E quanto mais a natureza se torna independente, e quanto mais os deuses dela se retiram, tanto mais seriamente todas as expectativas se concentram sobre a terceira tarefa que lhes é atribuída e tanto mais o que é moral se torna seu verdadeiro domínio. Agora, a tarefa divina é ajustar as falhas e danos da cultura, atentar para os sofrimentos que os seres humanos infligem uns aos outros na vida em comum, vigiar a execução dos preceitos da cultura, que os seres humanos seguem tão mal. Aos próprios preceitos da cultura será atribuída uma origem divina, eles são elevados acima da sociedade humana e estendidos à natureza e às questões do mundo.

Assim foi criado um tesouro de representações, nascidas da necessidade de tornar tolerável o desamparo humano, construídas a partir do material das lembranças do desamparo da própria infância e da infância da espécie humana. Podemos reconhecer claramente que esse patrimônio protege o ser humano em duas direções, contra os perigos da natureza e do destino, e contra os danos advindos da própria sociedade humana. No contexto, diríamos: a vida neste mundo serve a um propósito mais elevado, que na verdade não é fácil de adivinhar, mas que certamente significa o aperfeiçoamento do ser humano. É provável que o que é espiritual no ser humano, a alma, que com o passar das eras separou-se do corpo tão lenta e relutantemente, seja o objeto dessa edificação e elevação. Tudo o que acontece neste mundo é execução dos propósitos de uma inteligência que nos é superior, a qual, mesmo que por caminhos difíceis de acompanhar e por desvios, orienta tudo finalmente para o bem, isto é, para tudo o que nos alegra. Sobre cada um de nós vela uma Providência cheia de bondade, só aparentemente severa, que não permite que nos tornemos o joguete das forças descomunais e impiedosas da natureza; a própria morte não é uma aniquilação, nenhum retorno ao inanimado inorgânico, mas o começo de uma nova forma de existência que se situa no caminho para o desenvolvimento superior. E se nos voltarmos para a outra direção, as mesmas leis morais que estabeleceram as nossas culturas também dominam todas as questões do mundo, só que elas são protegidas por uma instância jurídica suprema incomparavelmente mais poderosa e consequente. Ao final, todo o bem recebe a sua recompensa, e todo o mal, sua punição, se não já nesta vida nessa forma atual, então nas próximas existências, que começam depois da morte. Assim, todos os terrores, sofrimentos e durezas da vida estão destinados à exterminação; a vida depois da morte, que dá continuidade à nossa vida terrena, assim como a parte invisível do espectro soma-se à parte visível, traz toda a plena realização, da qual talvez tenhamos sentido falta aqui. E a sabedoria superior que orienta esse decurso, a infinita bondade que nela se expressa, a justiça que nela se impõe, são esses os atributos dos seres divinos, que também nos criaram e ao mundo como um todo. Ou, antes, os de um ser divino no qual, em nossa cultura, todos os deuses das primeiras eras se condensaram. O povo que primeiro conseguiu essa concentração dos atributos divinos não ficou pouco orgulhoso desse avanço. Ele expôs o núcleo paterno que desde sempre esteve oculto atrás de cada figura divina; no fundo isso era um retorno aos inícios históricos da ideia de deus. Agora que Deus era único, as relações com ele puderam reaver a intimidade e a intensidade da relação infantil ao pai. Mas, se fez tanto pelo pai, tal povo queria também ser recompensado, pelo menos ser o único filho a ser amado, o povo escolhido. Muito mais tarde, a piedosa América reivindicou ser *"God's own country"* [o país de Deus],[4] e, para uma das formas sob as quais os seres humanos veneram a divindade, essa também não deixa de ser acertada.

As representações religiosas até aqui resumidas passaram, naturalmente, por um longo desenvolvimento e foram mantidas por diversas culturas em diversas fases. Destaquei uma única dessas fases de desenvolvimento, que corresponde aproximadamente à última configuração que ela assumiu em nossa cultura branca e cristã atual. É fácil perceber que nem todas as partes desse todo se harmonizam igualmente bem entre si, que nem todas as questões urgentes serão respondidas, e que a contradição da experiência cotidiana só poderá ser rechaçada com esforço. Mas, tal como são, essas representações – religiosas, no mais amplo sentido – são estimadas como o patrimônio mais precioso da cultura, como o que há de mais valioso que ela pode oferecer aos seus membros, mais altamente valorizadas do que todas as artes de extrair da terra os seus tesouros, de prover a humanidade com alimentos ou de prevenir as suas doenças, etc. As pessoas pensam não poder tolerar a vida se não atribuem a essas representações o valor que elas reivindicam. E agora surgem as questões: o que são essas representações à luz da Psicologia, de onde elas conseguem a sua alta estima, e, para continuar, timidamente: qual é seu verdadeiro valor?

IV

Uma investigação que avança imperturbada como um monólogo não está inteiramente livre de perigo. Cedemos muito facilmente à tentação de deixar de lado pensamentos que queiram interrompê-la e, em compensação, ficamos com uma sensação de incerteza que, por fim, pretende-se dobrar com um excesso de assertividade. Estou, então, imaginando-me um opositor que acompanhe as minhas explicações com desconfiança, e estarei lhe passando a palavra de vez em quando.

Ouço-o dizer: "O senhor usou repetidamente as expressões: 'a cultura cria essas ideias religiosas', 'a cultura as deixa à disposição dos seus membros'; aí há algo estranho; eu mesmo não saberia dizer por quê; não soam tão evidentes quanto dizer que a cultura criou regulamentos relativos à distribuição do produto do trabalho ou aos direitos relativos à mulher e à criança".

Mas, mesmo assim, acho que estou no direito de me expressar dessa forma. Procurei demonstrar que as ideias religiosas surgiram da mesma necessidade que todas as outras conquistas da cultura, da necessidade de se defender do opressivo poder descomunal da natureza. Acrescentou-se a isso um segundo motivo, a pressão [*Drang*] para corrigir as imperfeições da natureza, sentidas como desagradáveis. É também particularmente pertinente dizer que a cultura presenteia o indivíduo com essas ideias, pois ele já as encontra lá, elas lhe são dadas já prontas, pois ele não seria capaz de tê-las sozinho. É a herança de muitas gerações, à qual ele acede, que ele assume, tal como a tabuada de multiplicação, a geometria, entre outras. É claro que nisso há uma diferença, mas ela está em outro lugar, e agora ainda não pode ser esclarecida. No sentimento de estranheza [*Befremdung*] que o senhor menciona, pode ter participação o fato de que esse patrimônio de ideias religiosas nos costuma ser apresentado como uma revelação divina. Só que isso mesmo já é uma parte do sistema religioso, que negligencia inteiramente o nosso conhecido desenvolvimento histórico dessas ideias e suas diversidades em épocas e culturas distintas.

"Outro ponto que me parece importante. O senhor faz a humanização da natureza proceder da necessidade de pôr fim ao desespero e ao desamparo diante de suas temíveis forças, de se posicionar em relação a elas, e, finalmente, de influenciá-las. Mas um motivo como esse parece ser supérfluo. O ser humano primitivo, na verdade, não tem nenhuma escolha, nenhuma outra forma de pensar. Para ele é natural, inato, projetar o seu ser em direção ao mundo, julgar todos os processos que ele observa como manifestações de seres que, no fundo, são parecidos com ele mesmo. Esse é o único método de sua compreensão. E de forma alguma é evidente, mas muito mais uma notável coincidência, que ele conseguisse satisfazer uma das suas grandes necessidades permitindo-se essa liberdade de sua disposição natural."

Eu não acho isso tão extraordinário. O senhor acha, então, que a maneira de pensar dos seres humanos não tem nenhum motivo prático, que é apenas a expressão de uma desinteressada vontade de saber [*Wiβbegierde*]? Mas isso é mesmo muito improvável. Acredito muito mais que o ser humano, mesmo quando personifica as forças da natureza, segue um modelo infantil. Ele aprendeu com as pessoas de seu primeiro ambiente que, quando estabelece uma relação com elas, esse é o caminho para influenciá-las, e é por isso que, mais tarde, ele trata com a mesma intenção tudo o mais com que se depara, como tratou aquelas pessoas. Portanto, não estou contradizendo a sua observação descritiva; é realmente natural para o ser humano personificar tudo o que ele quer compreender, a fim de dominá-lo mais tarde – a dominação psíquica como preparação para a dominação física –, mas aí eu acrescento o motivo e a gênese dessa peculiaridade do pensar humano.

"E agora ainda um terceiro ponto: o senhor já tratou anteriormente da origem da religião em seu livro *Totem e tabu*. Mas lá é diferente. Tudo tem a ver com a relação pai-filho; Deus é o pai que foi elevado; o anseio pelo pai é a raiz da necessidade religiosa. A partir de então, ao que parece, o senhor descobriu o fator da impotência e do desamparo humanos, ao qual, de maneira geral, é atribuído o papel principal na formação da religião, e agora o senhor retoma como desamparo o que antes era complexo paternal. Posso lhe pedir informações sobre essa transformação?"

Com prazer, eu só estava esperando essa solicitação. Se é que realmente se trate de uma transformação. Em *Totem e tabu* não era o surgimento das religiões que devia ser explicado, mas apenas o do totemismo. O senhor consegue, a partir de qualquer um dos pontos de vista que conhece, compreender que a primeira forma sob a qual a divindade protetora se revelou ao ser humano foi a forma animal, que existia uma proibição de matar e consumir esse animal e ao mesmo tempo, o costume solene de, uma vez ao ano, matá-lo e consumi-lo coletivamente? É justamente isso que ocorre no totemismo. Nem sei se seria conveniente discutir se devemos chamar o totemismo de uma religião. Ele tem estreitas relações com as posteriores religiões de deuses, os animais totêmicos tornaram-se os animais sagrados dos deuses. E as primeiras, mas mais profundas limitações morais – a proibição de matar e a proibição do incesto – surgiram no solo do totemismo. Se o senhor aceita ou não as implicações de *Totem e tabu*, espero que o senhor admita que por todo o livro está disperso um bom número de fatos bastante notáveis, reunidos em um todo consistente.

A questão de saber por que foi que, no longo prazo, o deus animal não foi suficiente e foi substituído pelo deus humano mal foi tocada em *Totem e tabu*, e outros problemas sobre a formação da religião não encontram lá absolutamente nenhuma menção. O senhor toma essa limitação como equivalente a uma negação [*Verleugnung*]? Meu trabalho é um bom exemplo de rigorosa demarcação da parte que a observação psicanalítica pode contribuir para a solução do problema religioso. Se agora estou tentando acrescentar a outra coisa que está menos profundamente escondida, então o senhor não deve me acusar de contradição, como me acusou anteriormente de unilateralidade. Naturalmente é minha tarefa indicar as vias de ligação entre o que foi dito anteriormente e o que apresento agora, entre a motivação mais profunda e a manifesta, entre o complexo paterno e o desamparo e necessidade de proteção do ser humano.

Essas ligações não são difíceis de encontrar. Trata-se das relações entre o desamparo da criança e o do adulto que o prolonga, de maneira que, como era de esperar, a motivação psicanalítica da formação da religião torna-se a contribuição infantil à sua motivação manifesta. Coloquemo-nos no âmbito da vida anímica da criança pequena. O senhor se lembra da escolha de objeto de acordo com o tipo de apoio [*Anlehnungstypos*] de que fala a análise? A libido segue os caminhos das necessidades narcísicas e se prende aos objetos que garantem a sua satisfação. É assim que a mãe, que satisfaz a fome, torna-se o primeiro objeto de amor e certamente também a primeira proteção contra todos os perigos indefinidos e ameaçadores do mundo exterior; ela se torna, poderíamos dizer, a primeira proteção contra o medo [*Angstschutz*].

Nessa função, a mãe é logo substituída pelo pai, que é mais forte e para quem essa função perdurará por toda a infância. Porém, a relação ao pai é marcada por uma ambivalência peculiar. Ele próprio constituía um perigo, talvez ligado à relação anterior com a mãe. Então, não se sente por ele menos temor do que se anseia por ele e se o admira. Os indícios dessa ambivalência da relação ao pai estão profundamente impregnadas em todas as religiões, como também foi exposto em *Totem e tabu*. Quando, então, a pessoa em crescimento percebe que está destinada a ser sempre uma criança, que jamais pode prescindir da proteção contra as forças superiores desconhecidas, ele atribui a elas os traços da figura paterna, cria para si os deuses, que teme e que procura conquistar, e aos quais, no entanto, confia a sua proteção. É assim que o motivo do anseio pelo pai é idêntico à necessidade de proteção contra as consequências da impotência humana; a defesa contra o desamparo infantil empresta à reação contra o desamparo – que o adulto tem, necessariamente, de reconhecer como sendo justamente a formação da religião – seus traços característicos. Mas não é nossa intenção continuar investigando o desenvolvimento da ideia de Deus; vamos tratar aqui do tesouro já completo das ideias religiosas, tal como a cultura o transmite ao indivíduo.

V

Para que retomemos o fio da investigação: qual é, então, a importância psicológica das ideias religiosas, e como podemos classificá-las? A pergunta não é, certamente, nem um pouco fácil de responder. Depois de termos rejeitado diversas formulações, iremos nos deter nesta: trata-se de proposições, enunciados sobre fatos e situações da realidade externa (ou interna), que comunicam alguma coisa que não encontramos por nós mesmos e que reivindicam que se creia nelas. Tendo em vista que elas nos dão informações sobre o que para nós é o mais importante e o mais interessante na vida, elas são particularmente valorizadas. Aquele que nada sabe sobre elas é deveras ignorante; aquele que as acolheu em seu saber pode se considerar muito enriquecido.

É claro que existem muitos desses ensinamentos sobre as coisas mais diversas neste mundo. Cada lição

CULTURA, SOCIEDADE, RELIGIÃO   257

escolar está cheia deles. Tomemos a de geografia. Lá ouvimos: Constança [*Konstanz*] está situada junto ao Lago de Constança [*Bodensee*]. Uma canção estudantil acrescenta: "quem não acreditar, que vá lá ver". Por acaso estive lá e posso confirmar que essa bela cidade está situada à margem de uma vasta extensão de água que todos os moradores dos arredores chamam de Lago de Constança. Agora também estou completamente convencido da precisão dessa afirmação geográfica. A respeito disso, lembro-me de outra experiência muito notável. Eu já era um homem maduro quando estive pela primeira vez na colina da Acrópole de Atenas, entre as ruínas do templo, com o olhar voltado para o mar azul.[5] À minha felicidade misturou-se uma sensação de espanto que me inspirou a seguinte interpretação: "Então é realmente assim como o aprendemos na escola! Como deve ter sido superficial e fraca a crença que naquela época eu adquiri sobre a verdade real daquilo que ouvi, se hoje posso ficar tão espantado!". Mas eu não quero enfatizar demais a importância dessa experiência; há mais uma explicação possível para o meu espanto, que na época não me ocorreu, algo de natureza inteiramente subjetiva, e que tem a ver com a particularidade do local.

Portanto, todos esses ensinamentos exigem para os seus conteúdos uma crença, mas não sem fundamentar sua reivindicação. Eles se dão como o resultado abreviado de um longo processo de pensamento, fundado em observação e certamente também em dedução; quem tiver a intenção de passar ele mesmo por esse processo, em vez de aceitar seu resultado, eles mostram-lhe o caminho a seguir. Quando o conhecimento que o ensinamento proclama não é óbvio, tal como nas afirmações geográficas, sempre se acrescenta a questão de sua proveniência. Por exemplo, a Terra tem a forma de uma esfera; as provas trazidas para isso são o experimento do pêndulo de Foucault,[6] o comportamento do horizonte e a possibilidade de circum-navegar a Terra. Tendo em vista ser impraticável, como percebem todos os participantes, enviar todas as crianças de escola em viagem ao redor da Terra, contentamo-nos em aceitar de "boa-fé" os ensinamentos da escola, mas sabemos, no entanto, que fica aberto o caminho para a convicção pessoal.

Tentemos medir os ensinamentos religiosos com a mesma regra. Quando lançamos a pergunta sobre em que se baseia a sua reivindicação de que se acredite neles, obtemos três respostas que curiosamente se harmonizam mal. Em primeiro lugar, eles merecem crença porque nossos ancestrais já acreditavam neles; em segundo lugar, porque dispomos de provas que nos foram transmitidas a partir justamente dessa pré-história; e em terceiro lugar, porque é absolutamente proibido levantar a questão da autenticidade dessa crença. Esse empreendimento audacioso era, antigamente, punido com os mais cruéis castigos, e ainda hoje a sociedade não vê com bons olhos se alguém o promove novamente.

Esse terceiro ponto tem de despertar as nossas mais fortes preocupações. Uma proibição como essa só pode ter como única motivação o fato de a sociedade conhecer muito bem a incerteza da reivindicação que ela levanta em favor de seus ensinamentos religiosos. Se fosse diferente, ela certamente colocaria o material para isso à disposição de cada um que quisesse procurar para si uma convicção. É por isso que passamos ao exame dos dois outros argumentos com uma desconfiança difícil de ser apaziguada. Devemos acreditar porque os nossos ancestrais acreditaram. Mas esses nossos ancestrais eram muito mais ignorantes do que nós, eles acreditavam em coisas que nos seriam hoje impossíveis de aceitar. Ocorre-nos a possibilidade de que os ensinamentos religiosos também possam ser dessa espécie. As provas que eles nos deixaram estão consignadas em escritos que trazem em si as características do que é duvidoso. Eles são contraditórios, retocados, falsificados; lá onde relatam sobre comprovações efetivas eles mesmos não são comprovados. Não é de muita ajuda afirmar para suas palavras ou também apenas para o seu conteúdo a origem de uma revelação divina, pois essa afirmação já é, ela mesma, uma parte daqueles ensinamentos que deveriam ser investigados quanto à sua credibilidade, e seguramente nenhuma tese pode provar a si mesma.

Chegamos assim ao curioso resultado de que precisamente aquelas manifestações de nosso patrimônio cultural que poderiam ter a maior importância para nós, às quais foram atribuídas as tarefas de nos esclarecer os enigmas do mundo e de nos poupar dos sofrimentos da vida, de que justamente elas possuem a mais frágil comprovação. Não iríamos poder nos decidir por aceitar um fato tão banal quanto o de as baleias parirem os seus filhotes em vez de botarem ovos, se ele não tivesse melhor demonstração.

Esse estado de coisas é, em si, um problema psicológico notável. E que ninguém acredite que as observações anteriores sobre o caráter indemonstrável dos ensinamentos religiosos contenha algo novo! Ele foi sentido em todas as épocas, certamente também pelos antepassados pré-históricos que nos legaram uma herança como essa. É provável que muitos deles tenham se aproximado das mesmas dúvidas que nós, mas pesava sobre eles uma pressão forte demais para que eles tivessem ousado expressá-las. E, desde então, inúmeros seres humanos atormentaram-se com as mesmas dúvidas, que queriam reprimir, porque se consideravam obrigados a acreditar; muitos intelectos brilhantes sucumbiram a esse conflito, muitos caracteres sofreram danos em razão dos compromissos nos quais eles procuravam uma saída.

Se todas as provas que são apresentadas em favor da credibilidade dos ensinamentos religiosos provêm do passado, somos levados a olhar em volta para ver se o presente, que é mais fácil de julgar, não pode também fornecer essas provas. Se conseguíssemos livrar da dúvida nem que fosse apenas uma única parcela do sistema religioso, o todo ganharia de maneira extraordinária em credibilidade. É aqui que se insere a atividade dos espíritas, que estão convencidos da continuidade da alma individual e querem demonstrar para nós, de maneira indubitável, essa tese específica da doutrina religiosa. O que eles infelizmente não conseguem contestar é que as aparições e manifestações de seus espíritos são apenas produções de sua própria atividade anímica. Eles invocaram os espíritos dos maiores homens, dos pensadores mais eminentes, mas todas as manifestações e informações que obtiveram deles foram tão bobas, tão deploravelmente sem sentido, que não se pode acreditar em outra coisa a não ser na capacidade dos espíritos de se adaptarem ao círculo dos seres humanos que os evoca.

Agora é preciso lembrar-se de duas tentativas que dão a impressão de um esforço enérgico em fugir do problema. Uma delas, de natureza forçada, é antiga; a outra é sutil e moderna. A primeira é o *Credo quia absurdum* [Creio porque é absurdo],[7] daquele Padre da Igreja. Isso quer dizer que as doutrinas religiosas fogem às reivindicações da razão, elas estão acima da razão. Temos de sentir a sua verdade interiormente, não é preciso compreendê-la. Acontece que esse *Credo* só é interessante como confissão pessoal; como palavra imperativa não tem valor de obrigatoriedade. Devo ser forçado a acreditar em qualquer absurdo? E, se não, por que justamente neste? Não existe qualquer instância acima da razão. Se a verdade das doutrinas religiosas depende de uma experiência interior que testemunhe essa verdade, o que fazer com os muitos seres humanos que não possuem uma experiência rara como essa? Podemos exigir de todos os seres humanos que utilizem o dom da razão que possuem, mas não podemos construir uma obrigação válida para todos sobre um motivo que só existe para bem poucos. Se um deles adquiriu uma convicção inabalável sobre a verdade real das doutrinas religiosas a partir de um estado de êxtase que o comoveu profundamente, o que isso significa para o outro?

A segunda tentativa é a da filosofia do "como se". Ela estabelece que em nossa atividade de pensamento há uma abundância de suposições cuja falta de fundamento e até mesmo o caráter absurdo nós discernimos inteiramente. Elas são chamadas de ficções, mas que, por diversos motivos práticos, precisaríamos nos conduzir "como se" acreditássemos nessas ficções. Isso valeria para as doutrinas religiosas devido à sua incomparável importância para a manutenção da sociedade humana.[i] Essa argumentação não está muito distante do *Credo quia absurdum*. Mas penso que a exigência do "como se" seja tal que só um filósofo possa estabelecê-la. O ser humano, não influenciado em seu pensamento pelas artes da filosofia, nunca poderá aceitá-la; para ele, tudo está resolvido a partir da admissão do caráter de absurdo, contrário à razão. Justamente no tratamento de seus interesses mais importantes ele não pode ser conduzido

---

[i] Espero não estar cometendo nenhuma injustiça ao deixar que o filósofo do "como se" represente uma opinião que também não é estranha a outros pensadores. Cf. H. Vaihinger, *A filosofia do "como se"* [*Die Philosophie des Als ob*], sétima e oitava ed., 1922, p. 68: "Incluímos no campo da ficção não apenas operações teóricas indiferentes, mas também estruturas conceituais inventadas pelos seres humanos mais nobres, às quais está ligado o coração da parte mais nobre da humanidade e que esta não se deixa arrancar. E de modo algum queremos fazê-lo – enquanto ficção prática deixamos que tudo isso subsista, mas enquanto verdade teórica, isso morre aí mesmo".

a renunciar à segurança que ele exige em relação a todas as suas atividades costumeiras. Lembro-me de uma de minhas crianças que muito cedo se destacou por enfatizar especialmente a objetividade. Sempre que se contava uma história às crianças, que a ouviam com devoção, ele se aproximava e perguntava: é uma história verdadeira? Depois que lhe respondiam que não, ele se afastava com uma feição de desdém. É de se esperar que logo os seres humanos se conduzirão de maneira semelhante em relação às fábulas religiosas, apesar da recomendação do "como se".

Mas, no momento, eles ainda se conduzem de modo inteiramente diferente, e em épocas passadas as ideias religiosas exerceram a mais forte influência sobre a humanidade, apesar de sua indiscutível falta de comprovação. Esse é um novo problema psicológico. É preciso se perguntar: em que consiste a força interna dessas doutrinas, a que circunstância elas devem a sua eficácia, que independe da aceitação racional?

VI

Penso que preparamos suficientemente a resposta a ambas as perguntas. Ela se mostra quando levamos em conta a gênese psíquica das ideias religiosas. Estas, que se fazem passar por ensinamentos, não são precipitados da experiência ou resultados finais do pensamento, são ilusões, realizações dos desejos mais antigos, mais intensos, mais urgentes da humanidade; o segredo de sua força é a força desses desejos. Já sabemos que a impressão assustadora do desamparo infantil despertou a necessidade de proteção – proteção através de amor – oferecida pelo pai; o reconhecimento de que esse desamparo continua pela vida toda foi a causa do apego à existência de outro pai – só que, agora, mais poderoso.

Por intermédio do reino bondoso da divina Providência, a angústia diante dos perigos da vida é aplacada; a instauração de uma ordem moral mundial garante a realização da exigência de justiça, que, com tanta frequência, permaneceu irrealizada no interior da cultura humana; o prolongamento da existência terrena por meio de uma vida futura fornece o quadro espacial e temporal no qual essas realizações de desejo irão se consumar. Respostas às questões enigmáticas colocadas pela vontade de saber [*Wiβbegierde*], tais como sobre a origem do mundo e sobre a relação entre o corporal e o anímico, são desenvolvidas sob os pressupostos desse sistema; o que significa um grandioso alívio para a psique individual é que os conflitos da infância provenientes do complexo paterno, nunca inteiramente superados, sejam-lhe retirados e levados a uma solução aceita por todos.

Quando digo que tudo isso são ilusões, tenho, necessariamente, de delimitar o significado da palavra. Uma ilusão não é a mesma coisa que um erro; ela também não é, necessariamente, um erro. A ideia de Aristóteles de que os insetos nascem da sujeira, à qual o povo ignorante se aferra ainda hoje, era um erro, assim como a de uma geração anterior de médicos de que a *tabes dorsalis*[8] era consequência de um excesso sexual. Seria abusivo chamar esses erros de ilusões. Por outro lado, foi uma ilusão de Colombo ter descoberto um novo caminho para as Índias. A participação de seu desejo nesse erro é bem clara. Podemos indicar como ilusão a afirmação de certos nacionalistas de que os indo-germânicos seriam a única raça humana apta à cultura, ou a crença, que só a Psicanálise destruiu, de que a criança seria um ser sem sexualidade. O que permanece característico da ilusão é a derivação de desejos humanos, e nesse aspecto ela se aproxima da ideia delirante na Psiquiatria, mas também se aparta dela, sem considerar a construção mais complicada da ideia delirante. Na ideia delirante destacamos como fundamental a contradição com a realidade; a ilusão não precisa ser necessariamente falsa, isto é, ser irrealizável, ou estar em contradição com a realidade. Uma senhorita da pequena burguesia pode, por exemplo, criar para si a ilusão de que um príncipe virá para levá-la consigo para casa. Isso é possível, alguns casos dessa espécie já ocorreram. Que o Messias venha e funde uma era dourada é muito menos provável; em função da posição pessoal de quem está julgando, este classificará essa crença como ilusão ou como o análogo de uma ideia delirante. Exemplos de ilusões que se mostraram verdadeiras não são normalmente fáceis de encontrar. Mas a ilusão dos alquimistas de conseguir transformar todos os metais em ouro poderia ser uma dessas. O desejo de ter muito ouro, tanto ouro quanto possível, foi muito amortecido por nossa visão atual das condições da riqueza, no entanto, a Química não mais considera impossível uma transformação dos metais em ouro. Chamamos, então, uma crença de ilusão quando, em sua motivação, a realização de desejo passa para o primeiro plano, e, assim fazendo, desistimos de sua relação com a realidade, da mesma forma como a própria ilusão renuncia às suas comprovações.

Depois dessa informação, voltemo-nos novamente às doutrinas religiosas e, então, autorizamo-nos a dizer, repetindo-nos: todas elas são ilusões, são indemonstráveis, ninguém pode ser forçado a considerá-las verdadeiras, a acreditar nelas. Algumas delas são tão improváveis, estão de tal maneira em contraste com tudo o que penosamente aprendemos sobre a realidade do mundo, que podemos compará-las – com a devida consideração às diferenças psicológicas – com as ideias delirantes. Sobre o valor da realidade da maioria delas não podemos tecer um julgamento.

Da mesma forma que elas são indemonstráveis, são também irrefutáveis. Ainda sabemos muito pouco para abordá-las de maneira crítica. Os enigmas do mundo só se desvelam lentamente à nossa investigação; a ciência ainda não pode hoje dar nenhuma resposta a muitas perguntas. Mas, para nós, o trabalho científico é o único caminho que pode nos levar ao conhecimento da realidade exterior a nós. Por sua vez, é simplesmente ilusão esperar alguma coisa da intuição e da introspecção; elas nada podem nos oferecer, a não ser indicações – difíceis de interpretar – sobre a nossa própria vida anímica, jamais informação sobre as perguntas, às quais a doutrina religiosa dá a resposta tão facilmente. Deixar entrar seu próprio arbítrio na lacuna e, seguindo uma estimativa pessoal, declarar esta ou aquela parte do sistema religioso mais ou menos aceitável seria ultrajante. Para esse propósito, essas perguntas são importantes demais, diríamos talvez: sagradas demais.

Nesse ponto, podemos ser interpelados pela seguinte objeção: então, se até mesmo os céticos obstinados admitem que as afirmações da religião não podem ser refutadas pela razão, por que não devo acreditar nelas, já que elas têm tantas coisas a seu favor, a tradição, o consenso entre os seres humanos e tudo o que existe de reconfortante em seu conteúdo? Sim, por que não? Assim como ninguém pode ser forçado a uma crença, ninguém pode ser forçado a uma incredulidade. Mas, que não nos deixemos incorrer no autoengano, achando que, com justificativas como essas, estaremos seguindo os caminhos do pensamento correto. Se alguma vez a acusação de "subterfúgio" foi apropriada, esse é o lugar. Ignorância é ignorância; dela não advém qualquer direito a crer em algo. Nenhum ser humano razoável irá se conduzir de maneira tão leviana em outros assuntos nem se dará por satisfeito com justificativas tão patéticas para os seus juízos, para a sua tomada de posição; só em relação às coisas mais elevadas e mais sagradas ele se autoriza a isso. Na realidade, trata-se de esforços para simular para si mesmo ou para os outros que ainda persiste na religião, quando há muito tempo se desligou dela. Quando se trata de questões de religião, os seres humanos incorrem em toda sorte de insinceridade e de maus hábitos intelectuais. Filósofos estendem o significado de palavras, até que estas mal consigam conservar alguma coisa do seu sentido original; chamam de "Deus" qualquer abstração confusa que criaram para si e, diante do mundo inteiro, agora também são deístas, crentes em Deus, podem até orgulhar-se por terem identificado um conceito mais elevado e mais puro de Deus, embora seu Deus seja agora mais uma sombra sem substância e não mais a personalidade poderosa da doutrina religiosa. Críticos insistem em declarar como "profundamente religioso" qualquer ser humano que reconheça possuir o sentimento da pequenez humana e da impotência diante do mundo como um todo, embora não seja esse sentimento que defina a essência da religiosidade, mas apenas o passo seguinte, a reação a ele, reação que procura um remédio contra esse sentimento. Aquele que não prossegue, que se contenta humildemente com o papel insignificante do ser humano neste vasto mundo, este é muito mais irreligioso, no sentido mais verdadeiro da palavra.

Não faz parte do plano desta investigação tomar posição sobre o valor de verdade das doutrinas religiosas. A nós basta tê-las reconhecido como ilusões em sua natureza psicológica. Mas não precisamos ocultar que essa descoberta também influencia de maneira poderosa a nossa posição em relação à questão que, para muitos, deve parecer a mais importante. Sabemos, de maneira aproximada, em que épocas as doutrinas religiosas foram criadas e por que tipo de seres humanos. Se, além disso, viermos a saber por que motivos isso ocorreu, então nosso ponto de vista a respeito do problema religioso sofrerá um visível deslocamento. Dizemos a nós mesmos que certamente seria muito agradável se existisse um Deus que fosse um criador de mundos e uma benevolente Providência, se existisse uma ordem moral do mundo e uma vida no além, mas é certamente muito singular que tudo seja da maneira com desejaríamos que fosse. E o mais estranho seria ainda se os nossos antepassados, pobres, ignorantes, sem liberdade, tivessem conseguido resolver todos esses difíceis enigmas do mundo.

VII

Assim que reconhecemos as doutrinas religiosas como ilusões, surge imediatamente a seguinte pergunta, a de saber se outro patrimônio cultural, que temos em alta estima e pelo qual deixamos dominar a nossa vida, não seria também de natureza semelhante. Se os pressupostos que regulam os nossos dispositivos estatais não teriam igualmente de ser chamados de ilusões; se as relações entre os sexos em nossa cultura não seriam turvadas por uma série de ilusões eróticas. Nossa desconfiança tendo sido uma vez despertada, também não recuaremos temerosos diante da pergunta sobre se a nossa convicção – de poder aprender alguma coisa da realidade exterior, através do emprego da observação e do pensamento no trabalho científico – possui um fundamento melhor. Nada deve nos impedir de aprovarmos a virada da observação para o nosso próprio ser e a utilização do pensamento para a sua própria crítica. Uma série de investigações se abre aqui, cujo resultado deveria ser decisivo para a construção de uma "visão de mundo". Supomos também que um esforço como esse não será desperdiçado e que ele trará, ao menos parcialmente, uma justificativa para a nossa suspeita. Mas a capacidade do autor recusa-se a uma tarefa tão abrangente; forçado pela necessidade, ele limita seu trabalho à investigação de uma única dessas ilusões, justamente a religiosa.

Agora, a voz retumbante do nosso opositor nos ordena que paremos. Somos chamados à responsabilidade por causa de nosso procedimento proibido:

"Os interesses arqueológicos são certamente bastante louváveis, mas não se empreende uma escavação se, por meio dela, as moradias das pessoas vivas forem comprometidas, a ponto de elas desabarem e soterrarem os seres humanos sob seus escombros. As doutrinas religiosas não são nenhum assunto sobre o qual se possa especular como outro qualquer. Nossa cultura foi construída sobre elas, a conservação da sociedade humana tem como condição que os seres humanos em sua maioria acreditem na verdade dessas doutrinas. Se lhes ensinarmos que não existe nenhum Deus todo-poderoso e todo-justo, nenhuma ordem mundial divina e nenhuma vida futura, eles se sentirão livres de qualquer obrigação de obedecer aos preceitos culturais. Desinibido e livre de temores, cada um deles seguirá suas pulsões associais e egoístas e procurará exercer seu poder; o caos, que banimos em muitos milhares de anos de trabalho cultural, recomeçará. Mesmo que soubéssemos e pudéssemos comprovar que a religião não detém a posse da verdade, teríamos necessariamente de calá-lo e nos conduzir da maneira como a filosofia do "como se" o exige. No interesse da conservação de todos! E, excetuando o caráter perigoso do empreendimento, isso também seria uma crueldade sem propósito. Inumeráveis seres humanos encontram nas doutrinas da religião seu único consolo, só podem tolerar a vida com a sua ajuda.

Queremos roubar-lhes esse seu apoio e não temos nada melhor para lhes oferecer em troca. Foi admitido que atualmente a ciência não está fazendo muita coisa, mas mesmo que ela tivesse avançado muito mais, ela não bastaria aos seres humanos. O ser humano ainda tem outras necessidades imperativas que jamais serão satisfeitas pela fria ciência, e é muito curioso, e simplesmente o cúmulo da inconsequência, que um psicólogo, que sempre enfatizou o quanto, na vida dos seres humanos, a inteligência recua diante da vida pulsional, agora se esforce por roubar dos seres humanos uma preciosa satisfação de desejo e queira, em troca, compensá-los com nutrição intelectual".

Quantas acusações de uma só vez! Mas estou preparado para refutá-las todas e, além disso, irei sustentar a afirmação de que é um perigo maior para a cultura manter a sua atual relação com a religião, do que se a desfizéssemos. Só que agora nem sei com o que devo começar a minha réplica.

Talvez com a garantia de que eu mesmo considero o meu empreendimento totalmente inofensivo e inócuo. A supervalorização do intelecto, dessa vez, não está do meu lado. Se os seres humanos são assim como os meus opositores os descrevem – e nisso eu talvez não os contradiga –, então não há perigo de que um devoto seja dominado pelas minhas declarações e abandone a sua crença. Além disso, eu não disse nada que outros homens melhores não tenham dito antes de mim, de maneira mais completa, vigorosa, impressionante. O nome desses homens é conhecido; não irei citá-los, pois isso não deve despertar a suspeita de que eu esteja querendo me colocar entre eles. Não fiz nada além de acrescentar – essa é a única coisa nova em minha apresentação – algum fundamento psicológico à crítica de meus grandes predecessores. É difícil esperar que precisamente esse acréscimo obrigue ao efeito que permaneceu negado aos esforços anteriores. É evidente que agora me poderia ser perguntado para que escrevemos coisas como essas se estamos certos de que elas não terão nenhum efeito. Mas voltaremos a esse ponto em seguida.

O único a quem esta publicação pode prejudicar sou eu mesmo. Terei de ouvir as mais descorteses recriminações por frivolidade, limitação, falta de idealismo e de compreensão pelos mais elevados interesses da humanidade. Mas, por outro lado, essas reprimendas não são novas para mim, e, por outro, se alguém, em sua juventude, já se colocou acima do desagrado de seus contemporâneos, que mal este pode lhe fazer na velhice, quando ele está seguro de logo estar fora do alcance de toda benevolência e de todo ressentimento? Em épocas passadas era diferente, com declarações como essas certamente se obtinha uma abreviação de sua existência terrena e uma boa aceleração da oportunidade de fazer suas próprias experiências sobre a vida no além. Mas eu repito, esses tempos já passaram, e hoje este tipo de escrito também não é perigoso nem mesmo para o autor. No máximo, seu livro não poderá ser traduzido ou divulgado num país ou noutro. É claro que justamente em um país que se sente seguro do alto padrão de sua cultura. Mas quando alguém argumenta sobretudo a favor da renúncia ao desejo e da aceitação do destino, é preciso também que, necessariamente, consiga suportar esses danos.

A questão que emergiu então em mim foi a de saber se a publicação deste escrito não poderia, afinal, trazer infortúnio a alguém. Na verdade, a nenhuma pessoa, mas a uma coisa, a causa da Psicanálise. Certamente não se pode negar que ela é minha criação, e foi-lhe demonstrada farta desconfiança e má vontade; se agora apareço com declarações tão desagradáveis, haverá aqueles que estarão absolutamente prontos para fazer o deslocamento de minha pessoa para a Psicanálise. Agora se vê, dirão, aonde a Psicanálise leva. A máscara caiu; ela leva à negação de Deus e do ideal moral, como, afinal, sempre suspeitamos. Para nos impedir dessa descoberta, fizeram-nos crer que a Psicanálise não possuía nenhuma visão de mundo e que não poderia formar nenhuma.

Esse alvoroço será realmente desagradável para mim, por causa de muitos de meus colaboradores, alguns dos quais absolutamente não compartilham de minha posição em relação aos problemas religiosos. Mas a Psicanálise já sobreviveu a muitas tempestades, e é preciso que ela também seja exposta a mais essa. Na verdade, a Psicanálise é um método de investigação, um instrumento imparcial, tal como, por exemplo, o cálculo infinitesimal. Se, com a ajuda desse instrumento, um físico conseguisse descobrir que a Terra, depois de determinado tempo, seria destruída, ficaríamos apreensivos em atribuir ao próprio cálculo tendências destrutivas e em proscrevê-lo por isso. Tudo o que eu disse aqui contra o valor de verdade das religiões prescinde da Psicanálise, já foi dito por outros muito antes de sua existência. Se, a partir da utilização do método psicanalítico, conseguirmos um argumento novo contra o conteúdo de verdade da religião, *tant pis* [tanto pior] para a religião, mas os defensores da religião terão o mesmo direito de se servir da Psicanálise para considerar plenamente a importância afetiva da doutrina religiosa.

E agora, prosseguindo com a defesa: a religião prestou visivelmente grandes serviços à cultura humana, contribuiu muito para a domesticação [*Bändigung*] das pulsões associais, mas não o bastante. Ela dominou a sociedade humana por muitos milhares de anos; teve tempo para mostrar do que é capaz. Se, em relação à maioria dos seres humanos, ela tivesse conseguido deixá-los felizes, consolá-los, reconciliá-los com a vida, fazer deles portadores da cultura, não teria ocorrido a nenhum deles almejar uma modificação das condições existentes. O que vemos em vez disso? Que um número assustadoramente grande de pessoas está insatisfeito com a cultura e se encontra infeliz nela, sente-se como um jugo de que seria preciso livrar-se, e que essas pessoas investem todas as forças em uma modificação dessa cultura, ou chegam ao ponto, com sua hostilidade, de não querer absolutamente saber nada sobre cultura nem sobre restrição das pulsões. Nesse ponto nos será objetado que esse estado se deve justamente a que a religião tenha perdido uma parte de sua influência sobre as massas humanas, precisamente em consequência do lamentável efeito dos avanços na ciência. Iremos registrar essa admissão e aquilo que a motiva e utilizá-los mais tarde para os nossos propósitos, porém, a objeção, em si, não tem força.

É questionável se, de maneira geral, os seres humanos, na época em que as doutrinas religiosas exerciam um domínio irrestrito, eram mais felizes do que hoje; mais morais com certeza eles não eram. Eles sempre entenderam como banalizar os preceitos religiosos para, com isso, tornar vãos os seus propósitos. Os sacerdotes, que tinham de vigiar a obediência à religião, vieram-lhes a calhar nessa tarefa. A bondade de Deus tinha de deter a sua justiça: pecava-se e, em seguida, faziam-se sacrifícios ou uma penitência, e então, estava-se livre para pecar de novo. A interioridade espiritual russa chegou até mesmo à altura da conclusão de que o pecado seria indispensável para usufruir de todas bênçãos da graça divina, portanto, no fundo, seria uma obra que agradava a Deus. É flagrante que os sacerdotes só puderam manter a submissão das massas à religião fazendo tão grandes concessões à natureza pulsional humana. O que ficou disso foi: só Deus é forte e bom, mas o ser humano é fraco e pecador. A imoralidade, em todas as épocas, não encontrou menos apoio na religião do que a moralidade. Se as realizações da religião em relação à felicidade dos seres humanos, à sua aptidão para a cultura[9] e à sua restrição moral não são melhores do que isso, então não pode deixar de surgir a questão de saber se não estamos superestimando a sua necessidade para a humanidade e se agimos sensatamente ao fundamentarmos nela as nossas exigências culturais.

Consideremos a inconfundível situação atual. Como sabemos, admite-se que a religião não mais exerça a mesma influência sobre as pessoas que tinha outrora. (Trata-se, aqui, da cultura europeia cristã.) E isso não porque as suas promessas se tornaram menores, mas porque elas parecem menos críveis aos seres humanos. Reconheçamos que o motivo dessa transformação é o fortalecimento do espírito científico nas camadas superiores da sociedade. (Talvez não seja o único.) A crítica desgastou a força probatória dos documentos religiosos, a ciência natural colocou em evidência os erros contidos neles, a investigação comparativa percebeu a semelhança fatal entre as ideias religiosas que veneramos e as produções espirituais de povos e épocas primitivos.

O espírito científico cria uma maneira específica de nos posicionar em relação às coisas deste mundo; diante das coisas da religião, ele se detém por um instante, vacila e finalmente também transpõe esse limiar. Nesse processo não há nenhuma hesitação, quanto mais seres humanos tiverem acesso ao tesouro de nosso saber, mais se expande a renúncia à crença religiosa, primeiro aos seus vestuários ultrapassados e chocantes, mas depois também aos seus pressupostos fundamentais. Os norte-americanos, que executaram o "processo dos macacos" em Dayton,[10] foram os únicos que se mostraram consequentes. A transição inevitável se consuma, normalmente, passando por meias-medidas e insinceridades.

Das pessoas instruídas e dos que trabalham com o intelecto a cultura tem pouco a temer. No caso deles, ocorre de se substituírem silenciosamente os motivos religiosos da conduta cultural por outros motivos, seculares, além do que eles mesmos são, em grande parte, portadores de cultura. Mas é diferente quando se trata da grande massa dos não instruídos, dos oprimidos [*Unterdrückten*], que têm todos os motivos para ser inimigos da cultura. Enquanto eles não descobrirem que não se acredita mais em Deus, está tudo bem. Mas eles o descobrirão, infalivelmente, mesmo que este meu escrito não seja publicado. E estarão prontos a aceitar os resultados do pensamento científico, sem que neles tenha se configurado a modificação que o pensamento científico provoca nos seres humanos. Será que não existe o perigo de a hostilidade dessas massas à cultura recair sobre o ponto fraco que elas reconheceram naquela que é a sua tirana? Uma vez que só não podemos matar o nosso semelhante, porque o bom Deus o proibiu e porque seremos severamente punidos nesta ou na outra vida, ao descobrirmos, entretanto, que não existe nenhum bom Deus, e que não precisamos temer a sua punição, então certamente mataremos sem hesitação e só poderemos ser impedidos de fazê-lo pela força terrena. Portanto, ou manter essas massas perigosas sob a mais rigorosa sujeição e barrar-lhes cuidadosamente todas as possibilidades de despertarem intelectualmente, ou fazer uma revisão profunda da relação entre cultura e religião.

VIII

Poderíamos pensar que nenhuma dificuldade especial se encontra no caminho da execução dessa última sugestão. É verdade que, nesse caso, renunciamos a alguma coisa, mas talvez ganhemos mais e evitemos um grande perigo. No entanto, assustamo-nos com isso, como se, assim fazendo, estivéssemos expondo a cultura a um perigo muito maior. Quando São Bonifácio derrubou a árvore venerada como sagrada pelos saxões, as pessoas presentes esperavam um acontecimento terrível como consequência do sacrilégio. Ele não ocorreu, e os saxões aceitaram o batismo.

Se a cultura estabeleceu o mandamento de não matar o próximo que odiamos, que nos atrapalha ou cujos bens cobiçamos, isso aconteceu obviamente no interesse na convivência humana, que, do contrário, seria impraticável. Pois o assassino atrairia para si a vingança dos parentes do morto e a surda inveja dos outros que, da mesma forma, sentem uma inclinação interna a um ato de violência como esse. Portanto, ele não ficaria satisfeito por muito tempo com a sua vingança ou seu roubo, mas, ao contrário, teria toda a chance de logo ser ele mesmo assassinado. Mesmo que se protegesse de um adversário isolado com uma força e um cuidado extraordinários, ele teria, necessariamente, de sucumbir a uma unificação de adversários mais fracos. Sem essa unificação, o assassinato continuaria sendo praticado indefinidamente, e, no final, os seres humanos teriam se exterminado uns aos outros. Haveria entre os indivíduos a mesma situação que ainda perdura na Córsega entre famílias, mas normalmente apenas entre nações. O perigo da insegurança da vida, igual para todos, agora une os seres humanos em uma sociedade, que proíbe o indivíduo de matar e se reserva o direito de executar diante de todo aquele que transgredir essa proibição. Isso é, então, justiça e punição.

Porém, não estamos comunicando essa fundamentação racional da proibição de matar, mas estamos afirmando que Deus decretou essa proibição. Ousamos, portanto, adivinhar as suas intenções, e achamos que ele também não quer que os seres humanos se exterminem uns aos outros. Procedendo dessa forma, revestimos a proibição cultural com uma solenidade toda especial, mas com isso estamos arriscando tornar a sua obediência dependente da crença em Deus. Se retrocedermos esse passo, se não mais atribuirmos nossa vontade a Deus, e nos contentarmos com a justificativa social, teremos renunciado, na verdade, a essa transfiguração da proibição cultural, mas também evitado colocá-la em risco. Mas também ganhamos outra coisa. Por uma espécie de difusão ou de infecção, o caráter do que é sagrado, do inviolável, do transcendental, poderíamos dizer, próprio de algumas poucas proibições importantes, estendeu-se a todos os outros dispositivos, leis e regulamentos culturais. Mas nestes, com frequência, a auréola sagrada não cai bem; não apenas porque eles próprios se depreciam mutuamente, tomando decisões opostas, em função do tempo e do lugar, mas também porque ostentam, além disso, todos os signos da insuficiência humana. Neles reconhecemos facilmente o que pode ser apenas produto de um amedrontamento míope, manifestação de interesses mesquinhos ou consequência de pressupostos insuficientes. A crítica que necessariamente temos de fazer a eles diminui, em medida indesejável, o respeito por outras exigências culturais mais bem justificadas. Como é uma tarefa delicada separar o que o próprio Deus exigiu e aquilo que deriva muito mais da autoridade de um parlamento todo-poderoso ou de um alto magistrado, seria uma vantagem indubitável deixar Deus absolutamente fora do jogo e admitir de forma honesta a origem puramente humana de todos os dispositivos e preceitos culturais. Com a pretendida sacralidade, cairia também a rigidez e a imutabilidade desses mandamentos e leis. Os seres humanos poderiam compreender que estes foram criados não tanto para dominá-los, mas muito mais para servir a seus interesses; e conquistariam uma relação mais amigável com eles, estabelecendo como meta, em vez de sua abolição, apenas a sua melhoria. Esse seria um avanço importante no caminho que leva à reconciliação com a pressão da cultura.

Mas a nossa defesa em prol de uma fundamentação puramente racional dos preceitos da cultura, portanto, em remetê-los a uma necessidade social, é aqui repentinamente interrompida por uma dúvida. Escolhemos como exemplo o surgimento da proibição de matar. Acaso a apresentação que fizemos dela corresponde à verdade histórica? Tememos que não; ela parece ser apenas uma construção racionalista. Estudamos justamente esse aspecto da história da cultura humana com o auxílio da Psicanálise e, apoiados nesse esforço, precisamos dizer que, na realidade, ele ocorreu de outra maneira. Motivos puramente racionais são pouco eficazes, mesmo para o ser humano da atualidade, contra estímulos passionais; quão mais impotentes eles não devem ter sido naquele animalesco ser humano da época pré-histórica! Talvez seus descendentes ainda hoje matassem um ao outro sem inibição, se entre aqueles atos homicidas não tivesse havido um, o assassinato do pai primevo, que tivesse provocado uma irresistível reação afetiva de graves consequências. É dessa reação que vem o mandamento: "não matarás", que no totemismo estava restrito ao substituto do pai, e que mais tarde foi estendido a outros, e que ainda hoje não é cumprido sem exceções.

Mas esse pai primevo, de acordo com explicações que não preciso repetir aqui, foi a imagem originária de Deus, o protótipo, a partir do qual as gerações posteriores construíram a figura de Deus. E, com isso, a exposição religiosa tem razão, Deus realmente teve participação no surgimento daquela proibição; foi a sua influência, e não o discernimento sobre a necessidade social, que a criou. E o deslocamento da vontade humana para Deus se justifica plenamente, pois os seres humanos sabiam que tinham eliminado o pai violentamente, em reação ao seu ato sacrílego, propuseram-se a respeitar a sua vontade dali em diante. Portanto, a doutrina religiosa nos comunica a verdade histórica, evidentemente submetida a certa alteração e disfarce; nossa explicação racional a desmente [*verleugnet*].

Percebemos agora que o patrimônio das ideias religiosas não contém apenas realizações de desejo, mas também reminiscências histórias importantes. Esse efeito conjunto de passado e futuro, que incomparável profusão de poder ele não deve emprestar à religião! Mas talvez, com a ajuda de uma analogia, comece a nos ficar clara outra maneira de ver. Não é bom deslocar conceitos para muito longe do solo em que cresceram, mas precisamos dar expressão a um consenso. Sobre a criança humana, sabemos que ela não consegue atravessar bem o seu desenvolvimento em direção à cultura sem passar por uma fase de neurose ora mais ora menos nítida. Isso provém do fato de que a criança não consegue reprimir com um trabalho intelectual racional tantas exigências pulsionais inutilizáveis mais tarde, mas precisa necessariamente domá-las com atos de recalcamento, atrás dos quais se encontra, via de regra, um motivo de medo. A maioria dessas neuroses infantis é superada espontaneamente durante o crescimento; têm esse destino especialmente as neuroses obsessivas da infância. No resto, o tratamento psicanalítico também vai, mais tarde, colocar ordem. De maneira muito semelhante poderíamos supor que a humanidade como um todo, em seu desenvolvimento secular, cai em estados que são muito análogos às neuroses, e, na verdade, pelos mesmos motivos, porque nas épocas de sua ignorância e fraqueza intelectual ela só conseguiu realizar as renúncias pulsionais indispensáveis à coexistência dos seres humanos através de forças puramente afetivas. Os precipitados de processos semelhantes ao recalcamento ocorridos na época pré-histórica permaneceram então entranhados na cultura por muito tempo. A religião seria a neurose obsessiva universal da humanidade; como a da criança, ela veio do complexo de Édipo, da relação com o pai. A partir dessa concepção, poderíamos prever que o afastamento em relação à religião terá de se consumar com a inevitabilidade fatal de um processo de crescimento e que justamente agora nos encontramos no meio dessa fase de desenvolvimento.

Nossa atitude deveria então orientar-se de acordo com o modelo de um educador compreensivo que não se opõe a uma reconfiguração iminente, mas que procura incentivá-la e amenizar a violência de sua irrupção. A essência da religião certamente não se esgota com essa analogia. Se por um lado ela traz restrições obsessivas como só pode fazê-lo uma neurose obsessiva individual, por outro ela contém um sistema de ilusões de desejo com recusa da realidade, tal como só encontramos isoladamente em uma amência, num estado de alegre confusão alucinatória. Estas são apenas comparações, com as quais nos esforçamos por entender o fenômeno social; a patologia individual não nos oferece nenhuma contrapartida plenamente válida.

Foi repetidamente indicado (por mim e especialmente por Theodor Reik) o grau de detalhes a que é possível chegar na analogia da religião com uma neurose obsessiva e o quanto das singularidades e dos destinos da formação da religião podem ser compreendidos por essa via. Também está em consonância com isso o fato de o crente devoto estar altamente protegido contra o perigo de certos adoecimentos neuróticos; a aceitação da neurose geral o dispensa da tarefa de formar uma neurose pessoal.

O reconhecimento do valor histórico de certas doutrinas religiosas aumenta o nosso respeito por elas, mas não torna sem valor a nossa sugestão de excluí-las do papel de motivação dos preceitos culturais. Ao contrário! Com a ajuda desses restos históricos, a concepção dos dogmas religiosos mostrou-se para nós como relíquias neuróticas, por assim dizer, e agora podemos dizer que provavelmente é chegada a hora, tal como no tratamento analítico do neurótico, de substituir os êxitos do recalcamento pelos resultados do trabalho intelectual racional. É possível prever, mas dificilmente lamentar, que essa reelaboração não ficará na renúncia à glorificação solene dos preceitos culturais, que uma revisão geral desses preceitos terá forçosamente como consequência a anulação de muitos deles. Por essa via, a tarefa que nos foi dada de reconciliar os seres humanos com a cultura será resolvida em amplo sentido. Não devemos lamentar a renúncia à verdade histórica quando motivamos racionalmente os preceitos culturais. As verdades que as doutrinas religiosas contêm são, de fato, tão desfiguradas e tão sistematicamente dissimuladas que a massa dos seres humanos não pode reconhecê-las como tal. Um caso parecido é aquele em que contamos à criança que a cegonha traz os recém-nascidos. Com isso, também estamos dizendo a verdade com um encobrimento simbólico, pois sabemos o que essa grande ave significa. Mas a criança não sabe, ela distingue apenas a parte desfigurada e considera-se enganada, e sabemos com que frequência a sua desconfiança dos adultos e a sua insubordinação estão justamente ligadas a essa impressão. Chegamos à convicção de que é melhor omitir a comunicação dessas velações simbólicas da verdade e não impedir à criança o conhecimento das circunstâncias reais adequadas ao seu estágio intelectual.

IX

"O senhor se permite contradições que dificilmente são conciliáveis entre si. Primeiro afirma que um escrito como o seu seria inteiramente inócuo. Ninguém se deixaria roubar sua crença religiosa por considerações desse tipo. Mas como a sua intenção é certamente perturbar essa crença, como fica evidente posteriormente, temos o direito de perguntar: por que publicá-lo, afinal? Em outro trecho, o senhor acaba admitindo que pode ser perigoso, pode até ser muito perigoso, que alguém perceba que não acredita mais em Deus. Até agora esse alguém era dócil, e agora despreza a obediência aos preceitos culturais. Todo o argumento do senhor, de que a motivação religiosa dos mandamentos culturais significaria um perigo para a cultura, está fundado na suposição de que o crente pode ser convertido em descrente, e isso é uma total contradição.

"Há outra contradição quando o senhor, por um lado, admite que o ser humano não pode ser guiado pela inteligência, que ele seria dominado por suas paixões e exigências pulsionais, mas, por outro, sugere substituir os fundamentos afetivos de sua obediência cultural por fundamentos racionais. Quem puder que entenda. A mim parece que uma coisa exclui a outra.

"A propósito, o senhor não aprendeu nada da história? Uma tentativa como essa, de substituir [ablösen] a religião pela razão, já foi feita uma vez, oficialmente e em grande estilo. O senhor se lembra bem da Revolução Francesa e de Robespierre? Mas também da brevidade e do insucesso do experimento. Ele está sendo repetido agora na Rússia, e não precisamos nos perguntar sobre como terminará. O senhor não acha que temos o direito de supor que o ser humano não possa prescindir da religião?

"O senhor mesmo disse que a religião é mais do que uma neurose obsessiva. Mas o senhor não tratou desse seu outro lado. Para o senhor é suficiente efetuar a analogia com a neurose. É preciso libertar os seres humanos da neurose. O que se perde com isso não o preocupa."

É provável que eu tenha provocado a impressão de contradição, por ter tratado com muita pressa de coisas complicadas. Algumas coisas nós podemos remediar. Continuo afirmando que, em um aspecto, o meu escrito é inteiramente inofensivo. Nenhum crente irá se deixar abalar em sua crença com esses argumentos ou outros semelhantes. Um crente tem determinadas ligações afetuosas com os conteúdos da religião. Certamente existe uma infinidade de outros que não são crentes no mesmo sentido. Eles são obedientes aos preceitos da cultura, porque se deixam amedrontar pelas ameaças da religião e temem a religião enquanto são forçados a tomá-la por uma parte da realidade que os restringe. Estes são os que se afastam assim que lhes é permitido abandonar a crença em seu valor de realidade, mas mesmo nesse caso os argumentos não têm nenhuma influência. Eles deixam de temer a religião quando percebem que outros também não a temem, e foi sobre esses que eu afirmei que acabariam sabendo do declínio da influência religiosa, mesmo que eu não publicasse o meu escrito.

Acredito, entretanto, que o senhor mesmo atribuía mais valor à outra contradição da qual me acusa. Os seres humanos são muito pouco acessíveis a justificativas racionais e são inteiramente dominados por seus desejos pulsionais. Por que tirar deles uma satisfação pulsional e querer substituir por justificativas racionais? É claro que os seres humanos são assim, mas o senhor se perguntou se eles têm de ser assim, se a sua mais íntima natureza os obriga a isso? Será que o antropólogo pode apontar o índice craniano de um povo que costuma deformar a cabecinha de suas crianças desde cedo com bandagens? Pense no contraste angustiante entre a inteligência brilhante de uma criança saudável e a fraqueza de pensamento de um adulto mediano. Seria assim tão impossível que justamente a educação religiosa tivesse grande parte da culpa nessa relativa atrofia? Penso que demoraria muito tempo até que uma criança não influenciada começasse a ter pensamentos sobre Deus e sobre as coisas do além. Talvez esses pensamentos tomassem os mesmos caminhos que foram seguidos por seus antepassados, no entanto, não esperamos por esse desenvolvimento, incutimos nela as doutrinas religiosas numa época em que ela não tem nem interesse nem capacidade para discernir o seu alcance. Atraso no desenvolvimento sexual e antecipação da influência religiosa são, mesmo assim, os dois pontos principais no programa da pedagogia atual, não é verdade? Quando o pensamento da criança desperta, as doutrinas religiosas já se tornaram intocáveis. Mas o senhor acha que contribui para o fortalecimento da função do pensamento fechar-lhe um campo tão importante, através da ameaça dos castigos do inferno? Aquele que já foi levado a aceitar sem críticas todos os absurdos que lhe oferecem as doutrinas religiosas, e até mesmo a ignorar as contradições entre elas, não é preciso que sua fraqueza de pensamento nos surpreenda. Só que não temos nenhum outro meio de dominar a força da nossa natureza pulsional, a não ser a nossa inteligência. Como podemos esperar de pessoas sujeitas ao domínio de proibições de pensar que atinjam o ideal psicológico, o primado da inteligência? O senhor também sabe que, em geral, é atribuída às mulheres a assim chamada "debilidade mental fisiológica",[11,12] isto é, uma inteligência mais reduzida que a dos homens. O fato em si é discutível, sua explicação é duvidosa, mas um argumento em favor da natureza secundária dessa atrofia intelectual é o de que as mulheres sofreriam sob o rigor da proibição precoce de voltar o seu pensamento para aquilo que mais as teria interessado, a saber, para os problemas da vida sexual. Enquanto influírem nos primeiros anos do ser humano, além da inibição do pensamento sexual, a do religioso e da lealdade monárquica, derivada deste, realmente não poderemos dizer como ela é de fato.

Mas quero moderar o meu entusiasmo e admitir a possibilidade de que eu também esteja perseguindo uma ilusão. Talvez o efeito da proibição religiosa do pensamento não seja tão grave quanto suponho; talvez se revele que a natureza humana permaneça a mesma, mesmo que não se abuse da educação para garantir a submissão à religião. Isso eu não sei e o senhor também não pode sabê-lo. Não apenas os grandes problemas desta vida parecem insolúveis atualmente, mas também muitas questões de menor importância são difíceis de decidir. Mas concorde comigo que aqui há uma justificativa para uma esperança no futuro, que talvez haja um tesouro a ser desenterrado que possa enriquecer a cultura, de que valha a pena fazer a tentativa de uma educação irreligiosa. Caso ela resulte insatisfatória, então estarei pronto a abandonar a reforma e voltar para o julgamento anterior, puramente descritivo: o ser humano é um ser de inteligência débil, dominado por seus desejos pulsionais.

Em outro ponto, concordo sem reservas com o senhor. Seria certamente um início insensato querer eliminar a religião de maneira violenta e de um só golpe. Sobretudo porque isso não oferece perspectiva de sucesso. O crente não se deixará arrancar a sua crença, não com argumentos e não com proibições. E caso isso fosse conseguido com alguns, seria uma crueldade. É claro que aquele que tomou soníferos por dezenas de anos não conseguirá dormir se lhe for tirado o remédio. Que o efeito dos consolos religiosos possa ser equiparado ao de um narcótico fica bem ilustrado por um algo que está acontecendo na América. Lá, estão querendo agora tirar dos seres humanos − visivelmente sob a influência do domínio das mulheres − todos os meios estimulantes, de embriaguez[13] e de fruição, e saturá-los, em compensação, com o temor a Deus. Também não precisamos nos perguntar sobre o resultado desse experimento.

Portanto, irei contradizê-lo, se o senhor continuar concluindo que o ser humano não pode absolutamente prescindir do consolo da ilusão religiosa, que sem ela ele não suportaria o peso da vida, a cruel realidade. Certamente não o ser humano, no qual se instilou o doce − ou doce-amargo veneno desde a infância. Mas e quanto ao outro que tenha sido criado na sobriedade? Se não sofre de neurose, talvez não precise de nenhum tóxico para entorpecê-la. Com certeza o ser humano ficará então em uma situação difícil: terá de admitir o seu completo desamparo, a sua insignificância na engrenagem do mundo, não sendo mais o centro da criação e não mais o objeto do terno cuidado de uma Providência bondosa. Estará na mesma situação que a criança que deixou a casa paterna, que lhe era tão calorosa e confortável. Mas não é verdade que o destino do infantilismo é ser superado? O ser humano não pode permanecer criança eternamente, um dia ele tem de acabar saindo para a "vida hostil". Pode-se chamar isso de "educação para a realidade"; será que eu ainda preciso revelar ao senhor que a única intenção de meu escrito é chamar a atenção para a necessidade desse avanço?

Por acaso o senhor teme que ele não resista à dura prova? Bem, em todo caso, deixe-nos ter esperança. Já faz alguma diferença quando se sabe que se está confiante de sua própria força. Aprende-se, então, a usá-la corretamente. Inteiramente sem recursos o ser humano não está; a sua ciência lhe ensinou muito desde os tempos do dilúvio e irá aumentar ainda mais o seu poder. E no que diz respeito às grandes necessidades do destino, contra as quais não há remédio, ele aprenderá justamente a suportá-las com resignação. De que lhe valerá a miragem de um grande latifúndio na Lua, de cujas colheitas nunca ninguém teve notícia? Como pequeno agricultor honesto nesta Terra, ele saberá cultivar a sua roça, de modo que esta o sustente. Retirando as suas expectativas em relação ao outro mundo e concentrando todas as forças liberadas na vida terrena, provavelmente conseguirá que a vida seja tolerável para todos e que a cultura não oprima mais ninguém. Então, sem se lamentar, ele poderá dizer junto com um de nossos companheiros de descrença:

> Nós deixaremos o Céu
> Para os anjos e os pardais.[14]

X

"Isso soa mesmo grandioso. Uma humanidade que renuncia às ilusões e com isso torna-se capaz de se arranjar na Terra de maneira tolerável! Mas eu não posso partilhar de suas expectativas. Não porque eu seja o reacionário obstinado, por quem talvez o senhor me tome; não, mas por cautela. Acredito que agora nós trocamos os papéis; o senhor se apresenta como o visionário que se deixa arrebatar por ilusões, e eu represento a exigência da razão, o direito ao ceticismo. O que o senhor apresentou aqui me parece construído sobre erros que, seguindo o seu procedimento, posso chamar de ilusões, porque elas, de modo bastante claro, denunciam a influência de seus desejos. O senhor coloca a sua esperança no fato de que gerações que, na tenra infância, não experimentaram a influência das doutrinas religiosas chegarão facilmente ao almejado primado da inteligência sobre a vida pulsional. Isso, sem dúvida, é uma ilusão; nesse ponto decisivo, dificilmente a natureza humana irá alterar-se. Se eu não estiver errado – sabemos tão pouco sobre outras culturas –, até mesmo hoje existem povos que não crescem sob a pressão de um sistema religioso, e não se aproximam mais do ideal do senhor do que outros. Se o senhor quiser eliminar a religião da nossa cultura europeia, isso só pode acontecer através de outro sistema de doutrinas, e isso, desde o início, assumiria todas as características psicológicas da religião, a mesma sacralidade, rigidez, intolerância, e a mesma proibição de pensar para se defender. O senhor terá, necessariamente, de ter alguma coisa desse tipo, para atender às necessidades da educação. Mas à educação o senhor não pode renunciar. O caminho que leva do lactente ao ser humano é longo, muitas criaturas humanas iriam perder-se nele e não chegariam a tempo de cumprir suas tarefas de vida, caso fossem abandonadas, sem orientação, ao próprio desenvolvimento. As doutrinas que fossem utilizadas em sua educação iriam sempre colocar barreiras ao seu pensamento dos anos mais maduros, exatamente como hoje o senhor censura a religião. O senhor não percebe que o defeito congênito inerradicável de nossa cultura, de qualquer cultura, é que ela impõe que a criança, movida por pulsão e debilidade de pensamento, tome decisões que só a inteligência amadurecida do adulto pode justificar? Entretanto, ela não pode fazer diferentemente, em consequência da compressão do desenvolvimento de séculos da humanidade em alguns anos da infância, e a criança só pode ser levada por forças afetivas a dominar a tarefa que lhe foi atribuída. Aí estão, portanto, as perspectivas que se abrem para o seu 'primado do intelecto'.

"O senhor não deve então se surpreender se defendo a manutenção do sistema doutrinal religioso como fundamento da educação e da convivência humana. É um problema prático, não uma questão de valor de realidade. Já que, no interesse da conservação de nossa cultura, não podemos esperar para influenciarmos o indivíduo, até que ele tenha se tornado maduro para a cultura - muitos jamais se tornarão em absoluto –, e já que nos vemos obrigados a impor ao indivíduo em crescimento algum tipo de sistema de doutrinas que nele terá o efeito de um pressuposto subtraído à crítica, parece-me que o sistema religioso seja, de longe, o mais adequado para isso. É claro que justamente por causa do poder que ele tem de realizar desejos e de consolar, no qual o senhor crê ter reconhecido a "ilusão". Tendo em vista as dificuldades de reconhecer alguma coisa da realidade, e também a dúvida sobre se, afinal, isso é possível para nós, não queremos, então, perder de vista que também as necessidades humanas são uma parte da realidade e, na verdade, uma parte importante que tem a ver conosco de maneira muito particular.

"Encontro ainda outra vantagem da doutrina religiosa em uma de suas peculiaridades, que parece especialmente chocar o senhor. Ela permite uma purificação e uma sublimação conceituais, com as quais se pode suprimir a maior parte do que carrega em si o vestígio do pensamento primitivo e infantil. O que resta, então, é um punhado de ideias, que a ciência não mais contradiz e que também não pode refutar. Essas reconfigurações da doutrina religiosa que o senhor condenou como sendo meias-medidas e compromissos tornam possível evitar a ruptura entre a massa não instruída e o pensador filosófico, conservam a característica comum entre eles, o que é tão importante para a segurança da cultura. Assim, não é preciso temer que o homem do povo acabe sabendo que as camadas superiores da sociedade 'não acreditam mais em Deus'. Acredito agora ter mostrado que o esforço do senhor se reduz à tentativa de substituir uma ilusão provada e de grande valor afetivo por uma outra, não provada e indiferente."

O senhor não deve achar que eu seja inacessível à sua crítica. Sei como é difícil evitar ilusões; talvez também as esperanças, às quais me professei, sejam de natureza ilusória. Mas não abro mão de uma distinção. As minhas ilusões – independentemente do fato de que não exista nenhuma punição por não partilhá-las – não são impossíveis de corrigir como as religiosas, elas não possuem o caráter delirante. Se a experiência viesse a mostrar – não a mim, mas aos outros depois de mim, que pensem da mesma forma – que estamos errados, então renunciaríamos às nossas expectativas. Tome, então, a minha tentativa pelo que ela é. Um psicólogo, que não se engana sobre como é difícil orientar-se neste mundo, esforça-se por julgar o desenvolvimento da humanidade a partir da parca compreensão que adquiriu pelo estudo dos processos anímicos no indivíduo durante seu desenvolvimento de criança até se tornar adulto. Assim fazendo, a ele impõe-se a concepção de que a religião é comparável a uma neurose infantil, e ele é suficientemente otimista para supor que a humanidade irá superar essa fase neurótica, da mesma forma como muitas crianças abandonam a sua neurose semelhante. Essas perspectivas oriundas da psicologia individual podem ser insuficientes, a transferência para o gênero humano, injustificada, o otimismo, infundado; concedo ao senhor todas essas incertezas. Mas é frequente não conseguirmos deixar de dizer o que pensamos, e, para isso, nossa desculpa é que não gastamos mais do que isso vale.

E tenho de me deter em mais dois pontos. Em primeiro lugar, a fraqueza da minha posição não significa nenhum fortalecimento da sua. Penso que o senhor esteja defendendo uma causa perdida. Podemos ainda até enfatizar quanto quer que seja que o intelecto humano é impotente em comparação com a vida pulsional, e teremos razão quanto a isso. No entanto, há algo de muito especial nessa fraqueza; a voz do intelecto é baixa, mas ela não descansa enquanto não receber atenção. No final, depois de incontáveis, repetidas rejeições, ela então a consegue. Esse é um dos poucos pontos em que se tem o direito de ser otimista em relação ao futuro da humanidade, mas ele em si não tem pouca importância. A ele podemos ainda conectar outras esperanças. O primado do intelecto com certeza encontra-se a uma longa, longa distância, mas provavelmente não a uma distância infinita. E como é provável que ele estabeleça para si as mesmas metas, cuja realização o senhor espera do seu Deus – reduzidas à medida humana, naturalmente, até onde a realidade exterior, a Άνάγκη [*Ananke*: necessidade], permiti-lo: o amor entre os homens e a limitação do sofrimento, temos o direito de nos dizer que o nosso antagonismo é apenas provisório, que não é irreconciliável. Esperamos a mesma coisa, mas o senhor é mais impaciente, mais exigente e – por que não devo dizê-lo? – mais egoísta do que eu e os meus. O senhor pretende que a bem-aventurança comece logo após a morte, exige dela o impossível e não quer abandonar a reivindicação de cada uma das pessoas. O nosso Deus Λόγος[i] [*logos*: razão][15] irá realizar, desses desejos, aquilo que a natureza exterior permitir a nós, mas de maneira muito

---

[i] O par de deuses Λόγος – Ανάνκη do holandês Multatuli.

gradual, só num futuro imprevisível e para novas criaturas humanas. Uma compensação para nós, aqueles que na vida sofrem pesadamente, ele não promete. No caminho para essa meta longínqua, as doutrinas religiosas do senhor terão de ser abandonadas, não importa se as primeiras tentativas fracassarem, não importa se as primeiras formações substitutivas se revelarem inconsistentes. O senhor sabe por quê; com o passar do tempo, nada poderá fazer resistência à razão e à experiência, e a oposição da religião contra ambas será claramente palpável. Mesmo as ideias religiosas purificadas não poderão fugir desse destino, enquanto elas quiserem salvar algo do conteúdo consolador da religião. É claro que se elas se restringirem à afirmação de um ser espiritual superior, cujas características são indetermináveis, cujas intenções são indiscerníveis, logo elas estarão imunes à objeção da ciência, mas daí elas também perderão seu interesse para as pessoas.

E em segundo lugar: observe a distinção entre a sua conduta e a minha em relação à ilusão. O senhor tem, necessariamente, de defender a ilusão religiosa com todas as suas forças; se ela for desvalorizada − e ela está, verdadeiramente, ameaçada de maneira suficiente −, então o seu mundo irá desmoronar, e não restará ao senhor nada além de desespero quanto a tudo, a cultura e o futuro da humanidade. Dessa servidão estou livre, nós estamos livres. Já que estamos preparados para renunciar a uma boa parte de nossos desejos infantis, podemos suportar que algumas de nossas expectativas revelem-se como ilusões.

A educação, liberta da pressão das doutrinas religiosas, talvez não altere muito a essência psicológica do ser humano; talvez o nosso deus Λόγος não seja tão onipotente, talvez ele só possa realizar uma pequena parte daquilo que seus predecessores prometeram. Caso precisemos entender isso, o faremos com resignação. Não é por isso que perderemos o interesse no mundo e na vida, pois, em um aspecto, temos um apoio seguro, que falta ao senhor. Acreditamos que seja possível aprender algo sobre a realidade do mundo através do trabalho científico, por meio do qual podemos aumentar nosso poder e de acordo com o qual podemos organizar a nossa vida. Se essa crença for uma ilusão, então estamos na mesma situação que o senhor, mas a ciência nos forneceu a prova, através de êxitos numerosos e importantes, de que ela não é nenhuma ilusão. Ela tem abertamente muitos inimigos, e muitos outros inimigos disfarçados, entre aqueles que não podem perdoá-la por ter enfraquecido a crença religiosa e por ameaçar derrubá-la. Nós a censuramos pelo pouco que nos ensinou e por ter deixado incomparavelmente muito mais na obscuridade. Mas, nesse caso, nós nos esquecemos do quanto ela é jovem, de como foram difíceis os seus inícios e de como é infinitamente pequeno o período de tempo desde o qual o intelecto humano ganhou forças para realizar suas tarefas. Não estaríamos todos em falta ao basearmos os nossos julgamentos em períodos tão curtos de tempo? Deveríamos tomar os geólogos como exemplo. Reclamamos da incerteza da ciência, por ela proclamar hoje como lei aquilo que a próxima geração irá reconhecer como erro e substituir por uma nova lei com um prazo de validade igualmente curto. Mas isso é injusto e, em parte, uma inverdade. A transformação das opiniões científicas consiste de desenvolvimento, de progresso e não de revolução. Uma lei que, de início, foi considerada incondicionalmente válida mostra ser um caso especial de uma regularidade mais abrangente, ou é limitada por outra lei, que só irá ser conhecida mais tarde; uma aproximação grosseira da verdade será substituída por uma mais meticulosamente adequada, que, por sua vez, aguarda novamente um aperfeiçoamento posterior. Em diversos domínios, ainda não foi superada uma fase da investigação na qual são testadas hipóteses que logo terão de ser rejeitadas como inadequadas; mas em outros já existe um núcleo de conhecimento assegurado e quase inalterável. Tentou-se, por fim, desvalorizar radicalmente o esforço científico, através da ponderação de que ele, ligado às condições de nossa própria organização, só pode fornecer resultados subjetivos, enquanto a ele a verdadeira natureza das coisas fora de nós permanece inacessível. Dessa maneira, são desconsiderados alguns fatores decisivos para a concepção do trabalho científico: que a nossa organização, isto é, nosso aparelho anímico, desenvolveu-se justamente no esforço de explorar o mundo exterior, portanto, ele deve ter concretizado em sua estrutura um certo grau de adequação, para que ele mesmo seja parte integrante desse mundo que devemos investigar, e que ele admite muito bem essa investigação; que a tarefa da ciência estará plena-mente circunscrita se nós a limitarmos a mostrar como o mundo nos deve necessariamente parecer em consequência da singularidade de nossa organização; que os resultados finais da ciência, precisamente por causa da natureza de sua aquisição, não apenas são condicionados pela nossa organi-zação, mas também pelo que agiu sobre essa organização; e, finalmente, que tomar o problema de uma constituição do mundo sem considerar o nosso aparelho anímico perceptivo é uma abstração vazia, sem interesse prático.

Não, nossa ciência não é nenhuma ilusão. Mas seria uma ilusão acreditar que poderíamos conseguir em outro lugar o que ela não pode nos oferecer.

Die Zukunft einer Illusion (1927)

1927   Primeira publicação: *Internationaler Psychoanalytischer Verlag*
1928   *Gesammelte Schriften*, t. XI, p. 411-466
1944   *Gesammelte Werke*, t. XIV, p. 323-380

Escrito entre maio e setembro de 1927, Freud não tardou a considerar seu texto "pueril", conforme atesta carta a Ferenczi escrita em 23 de outubro daquele mesmo ano, portanto apenas um mês depois de ter concluído o trabalho e poucos dias antes de sua publicação. Um ano depois, em 25 de novembro de 1928, em uma célebre carta endereçada ao pastor Oskar Pfister, Freud aponta para o que secretamente aproximaria dois importantes textos: *A questão da análise leiga* e *O futuro de uma ilusão*. No primeiro tratar-se-ia de proteger a psicanálise dos médicos; no segundo, dos sacerdotes. No ano seguinte, em carta a Zweig, Freud pergunta ao amigo se ele possuía um exemplar de *O futuro de uma ilusão* e acrescenta que provavelmente não publicaria nada mais em vida, a não ser que fosse bastante pressionado a tal. Anos mais tarde, René Laforgue cita uma apreciação ainda mais dura: "É meu pior livro! Não é um livro de Freud! É o livro de um homem velho! [...] Freud morreu! [...] o impacto incisivo se perdeu".

Em seu pioneiro trabalho com os manuscritos de Freud, Grubrich-Simitis (1995), descobriu que, antes de seu título definitivo, originalmente o texto deveria se chamar *O futuro de nossas ilusões*. É possível conferir os riscos que o próprio autor fez na palavra "nossas" e no sufixo do termo "ilusões". A respeito do título, vale acrescentar ainda que *O futuro de uma ilusão* pode ter sido inspirado não apenas na troca epistolar com o escritor francês Romain Rolland, mas também particularmente na peça intitulada *Liluli,* publicada logo após o fim da Primeira Guerra Mundial. Quando enviou sua peça a Freud, Rolland a dedicou ao "destruidor de ilusões". Na peça, uma espécie de sátira acerca da disputa pela Alsácia-Lorena, Liluli, deusa travessa da ilusão, uma garota magra de cabelos louros e voz doce, lidera uma multidão de Gallipoulets (franceses) que acredita rumar para a terra prometida. Contudo, ao mesmo tempo, vinda do lado oposto, outra multidão, os Hurluberloches (alemães), marcha na mesma direção. Inicialmente, Gallipoulets e Hurluberloches tentam construir uma ponte; contudo, provocados por diplomatas, intelectuais e deusas em guerra, ambos os lados começar a lutar pela ponte. O resultado final é o colapso de todos os vestígios da civilização. A única sobrevivente é Liluli, a ilusão, rainha do mundo. Três anos mais tarde, o próprio Freud menciona rapidamente a peça em uma nota de *O mal-estar na cultura*.

Do ponto de vista de sua genealogia, *O futuro de uma ilusão* se inscreve numa linhagem que remonta a crítica feuerbachiana à religião.

CULTURA, SOCIEDADE, RELIGIÃO 295

Em uma carta endereçada a um amigo, Freud escreveu que "entre todos os filósofos, é este homem [Ludwig Feuerbach] que mais venero e admiro" (GAY, 1999, p. 43). Autor de *A essência do cristianismo* (1841) e *A essência da religião* (1846), Feuerbach denunciava o caráter ilusório da crença religiosa, mostrando a antropologia que subjaz à teologia. Freud vê aí a possibilidade de submeter a religião a uma análise crítica. A ressonância da tese de que a religião seria um sonho da consciência desperta é evidente no trabalho freudiano. A primeira abordagem direta do tema é realizada já em 1907, em "Atos obsessivos e práticas religiosas", no qual o autor propõe "conceber a neurose obsessiva como uma contraparte patológica da educação religiosa [*Religionsbildung*], caracterizando a neurose como uma religiosidade individual e a religião como uma neurose obsessiva universal. A semelhança mais essencial residiria na subjacente renúncia à atividade de pulsões dadas constitucionalmente; e a diferença mais decisiva na natureza dessas pulsões que, na neurose, são de origem exclusivamente sexual, e, na religião, de origem egoísta".

Em *O futuro de uma ilusão*, para além de uma análise estrita de fenômenos religiosos, é toda uma análise do fundamento religioso dos vínculos sociais que se esboça. Desamparo, ilusão, alienação, projeção e realização de desejo são conceitos que se constituem como ferramentas indispensáveis tanto à clínica quanto à crítica social.

É preciso mencionar que o próprio Freud não considerava *O futuro de uma ilusão* sua última palavra em matéria de religião. No pós-escrito (1935) de seu Ensaio autobiográfico (*Selbstdarstellung*), publicado em 1925, lê-se: "Em *O futuro de uma ilusão* eu tinha avaliado a religião como essencialmente negativa; mais tarde, encontrei a fórmula que melhor lhe faria justiça: seu poder se assenta, em todo caso, no seu conteúdo de verdade, mas essa verdade não seria, de modo algum, de ordem material, mas histórica". A publicação de *O homem Moisés e a religião monoteísta*, em 1939, que reavalia não apenas o conteúdo de verdade da religião, como também matiza a esperança de triunfo da razão científica pode ser vista como uma continuação do debate. Do ponto de vista formal, vale mencionar que esse texto mostra o absoluto domínio freudiano das formas literárias: passando de um combate em estilo polêmico a um diálogo com um interlocutor imaginário, Freud pratica aqui a diversidade de estilos que caracteriza sua variada escrita.

A recepção de *O futuro de uma ilusão* foi inicialmente bastante negativa: "reprovação geral", escreve a Eitingon já em 1928. Pouco depois, Jones envia a Freud várias resenhas inglesas, em geral respeitosas: "Na Inglaterra, ninguém ficará chocado por razões religiosas". Do outro lado do Atlântico, o *The New York Times*, no final de dezembro de 1927, escreve: "A religião está condenada, escreve Freud. Ele afirma que ela deverá se apagar diante da ciência" (ASSOUN, 2008, p. 240).

296 OBRAS INCOMPLETAS DE S. FREUD

O primeiro texto que devemos mencionar é *A ilusão de um futuro*, que Oskar Pfister publicou já em 1928, diga-se de passagem, na Revista *Imago* (v. XIV, n. 2/3). Em linhas gerais, o autor tenta desconstruir a crítica freudiana da religião e propor a convergência prática da psicanálise e da religião, as quais buscariam a libertação do sofrimento e a verdade: "Jesus contrapõe seu 'mandamento' do amor ao monismo neurótico obsessivo compulsivo, que impõe um pesado jugo através das crenças ao pé da letra e do meticuloso cerimonialismo". Pfister foi um dos primeiros a ler o "cientificismo" de Freud como uma crença de fundo religioso. Alguns anos mais tarde, René Laforgue insistirá nesse mesmo aspecto em seu *Au delà du scientisme*. Paul Ricoeur, por sua vez, chamou atenção para o caráter "iconoclasta" da psicanálise. É preciso mencionar ainda *O triunfo da religião*, de Jacques Lacan. Invertendo o argumento freudiano, Lacan propõe que a religião, e não a ciência, iria triunfar justamente porque aquela promete devolver o sentido ("apaziguar os corações") ao angustiante real sem sentido, produzido pela própria ciência.

LACAN, Jacques. *O triunfo da religião*. Rio de Janeiro: Zahar, 2003.

LAFORGUE, René. *Au delà du scientisme*. Paris: Trédaniel, 1994.

PFISTER, Oskar. *A ilusão de um futuro*: um embate amigável com o prof. Dr. Sigmund Freud. In: WONDRACEK, Karin H. K. (Org.). *O futuro e a ilusão*: um embate com Freud sobre psicanálise e religião. Petrópolis (RJ): Vozes, 2003.

NOTAS

[1] Importante indicação de Freud quanto aos usos desses dois termos de origem latina. Não é raro vermos a palavra *Kultur*, muitíssimo mais frequente em seu vocabulário, ser traduzida por "civilização". Nesta coleção preferimos traduzir *Kultur* por "cultura" e *Zivilisation* por "civilização", bem como os adjetivos derivados dessas palavras de forma cognata, salvo quando isso gera um estranhamento desnecessário segundo o contexto de ocorrência. (N.R.)

[2] Clara alusão à Rússia comunista da época em que o texto foi escrito. (N.R.)

[3] Divindade do destino na concepção grega. Especialmente em sua mitologia, as moiras seriam as três tecedoras dos destinos, tanto humanos quanto dos deuses. (N.R.)

[4] Aproximando tal noção de nossa cultura vale menção ao dito "Deus é brasileiro". (N.R.)

CULTURA, SOCIEDADE, RELIGIÃO   297

5 Freud visitou Atenas pela primeira vez em 1904, perto de completar 50 anos. O tema é retomado no importante artigo "Distúrbio de memória na Acrópole", dedicado a Romain Rolland em 1936. (N.E.)

6 Menção ao físico francês Jean Bernard Léon Foucault (1819-1868), que, em 1851, demonstrou a rotação da Terra em relação ao seu próprio eixo. (N.E.)

7 Máxima atribuída ao teólogo cartaginense Tertuliano (c. 160-c. 220). (N.R.)

8 Distúrbio de coordenação motora causado por alteração degenerativa da medula espinhal. Esse mal era comumente associado à sífilis. (N.R.)

9 Cf., neste volume (p. 99), "Considerações contemporâneas sobre a guerra e a morte" (1915), primeira parte, em que Freud explica o que entende por essa expressão: "Se chamarmos de aptidão para a cultura [Kultureignung] a capacidade inerente a um ser humano de reconfigurar as pulsões egoístas sob a influência do erotismo, podemos enunciar que ela se compõe de duas partes, uma inata e uma adquirida durante a vida, e que a relação de ambas entre si e com a parte que permaneceu não transformada da vida pulsional é muito variável". (N.T.)

10 Processo do estado do Tennessee contra John Scopes, professor de Biologia da cidade de Dayton, acusado de infração da lei em vigor, que estipulava que qualquer versão da criação do mundo que não fosse a da Gênese estava proibida nas escolas. (N.T.)

11 Referência à expressão "physiologischer Schwachsinn", do psiquiatra Paul Julius Möbius (1853-1907), autor de Sobre a debilidade mental fisiológica da mulher (1903). (N.R.)

12 Expressão de P. J. Möbius. Cf., neste volume (p. 65), o final do artigo "A moral sexual 'civilizada' e a doença nervosa moderna" (1908). (N.T.)

13 Nessa época (1920-1933) vigorava nos Estados Unidos a Lei Seca. (N.R.)

14 Citação de Heinrich Heine em Deutschland (Alemanha) no primeiro capítulo. No original: "Den Himmel überlassen wir / Den Engeln und den Spatzen". Na estrofe seguinte, lê-se: "E se na forma de anjo/ Nos encontrarmos de novo,/ No Céu comeremos juntos/ Felizes tortas e bolos". Cf. Alemanha: um conto de inverno. Tradução de Romero Freitas e Georg Wink. Belo Horizonte: Crisálida, 2011, p. 33. (N.E.) (N.R.)

15 Aqui Freud se refere às formulações de Edward Houves Dekker (1820-1887), que assinava seus textos com o pseudônimo Multatuli. Era um dos autores preferidos do psicanalista. (N.R.)

UMA VIVÊNCIA RELIGIOSA (1928)

No outono de 1927, um jornalista teuto-americano, que tive o prazer de receber em minha casa (G. S. Viereck), publicou uma conversa comigo, na qual também foi relatada a minha falta de crença religiosa e a minha indiferença em relação à continuação da vida após a morte. Essa assim chamada entrevista foi muito lida e trouxe-me, entre outras, a seguinte carta de um médico norte-americano:

"[...] O que mais me impressionou foi a sua resposta à pergunta sobre se o senhor acredita na sobrevivência da personalidade após a morte. O senhor deve ter respondido: não me importo absolutamente com isso.

Estou lhe escrevendo hoje para lhe comunicar uma experiência que tive no ano em que terminei meus estudos de medicina na Universidade de X. Uma tarde, detive-me na sala de dissecção, justamente quando o cadáver de uma velhinha era trazido para dentro e colocado sobre a mesa de dissecção. Essa senhora tinha um rosto tão doce e amável (*this sweet faced woman*), que me causou uma grande impressão. Brotou em mim o pensamento como um clarão: não, não existe nenhum Deus; se existisse um Deus, ele nunca teria permitido que uma velhinha tão querida (*this dear old woman*) fosse trazida para a sala de dissecção.

Quando cheguei em casa nessa tarde, decidi, sob a impressão da visão na sala de dissecção, não voltar a ir a uma igreja. As doutrinas do cristianismo já antes disso haviam sido objeto de dúvida para mim.

Mas enquanto eu ainda estava pensando sobre isso, uma voz falou em minha alma, dizendo que eu ainda devia refletir cuidadosamente sobre a minha decisão. Meu espírito respondeu a essa voz interior: se eu tivesse a certeza de que a doutrina cristã é verdade e que a Bíblia é a palavra de Deus, eu o aceitaria.

No decorrer dos dias seguintes, Deus deixou claro à minha alma que a Bíblia é a palavra de Deus, e que tudo o que é ensinado sobre Jesus Cristo é verdade, e que Jesus é a nossa única esperança. Depois dessa revelação tão clara, aceitei a Bíblia como a palavra de Deus, e Jesus Cristo como meu próprio salvador. Desde então, Deus se revelou a mim ainda através de muitos outros sinais infalíveis.

Como um colega que lhe tem simpatia (*brother physician*), peço-lhe para dirigir seus pensamentos para essa importante questão e lhe asseguro que, se o senhor se envolver com ele com a mente aberta, Deus também revelará a *verdade* à sua alma, assim como fez comigo e com tantos outros...”

Respondi educadamente que ficava feliz em saber que uma experiência como essa havia tornado possível para ele conservar a sua crença. Que, para mim, Deus não tinha feito muito, ele nunca me havia feito escutar uma voz interior como essa, e – em consideração à minha idade – que se ele não se apressasse muito, não seria minha culpa se eu permanecesse até o fim aquilo que eu era agora – *an infidel jew* [um judeu infiel].

A amável resposta do colega continha a garantia de que o judaísmo não constituía nenhum obstáculo no caminho da verdadeira crença e o demonstrou com diversos exemplos. Ela culminava com a informação de que estavam rezando a Deus por mim de maneira fervorosa, para que ele me concedesse *faith to believe* [fé para acreditar], a verdadeira fé.

O resultado dessa intercessão ainda está pendente. Enquanto isso, a vivência religiosa do colega dá o que pensar. Eu gostaria de dizer que ela exige a tentativa de uma interpretação a partir de motivos afetivos, pois é estranha em si e particularmente mal fundamentada logicamente. Como sabemos, Deus permite que aconteçam ainda horrores inteiramente diferentes de colocar sobre a mesa de dissecção o cadáver de uma velhinha com traços faciais simpáticos. Isso foi assim em todas as épocas e não pode ter sido diferente na época em que o colega norte-americano terminava seus estudos. Como médico que se formava, ele também não pode ter estado tão alheio ao mundo a ponto de não saber nada sobre todo o mal. Então, por que a sua indignação teria necessariamente de irromper justamente com essa impressão na sala de dissecção?

A explicação é muito óbvia para aquele que está acostumado a abordar analiticamente as vivências interiores e as ações dos seres humanos, tão óbvia que ela se insinuou diretamente na minha lembrança do assunto em questão. Quando, uma vez, em uma discussão, mencionei a carta do meu devoto colega, relatei que ele havia escrito que o rosto do cadáver da mulher o tinha feito lembrar-se de sua própria mãe. Ora, isso não estava escrito na carta – e a consideração seguinte reitera que é impossível que isso estivesse escrito lá –, mas essa é a explicação que, sob a impressão das ternas palavras com as quais a velha senhora é lembrada (*sweet faced dear old woman*) [essa velhinha querida de rosto amável], impõe-se de maneira irrefutável. O afeto despertado pela lembrança da mãe pode então ser responsabilizado pela debilidade de julgamento do jovem médico. Se não podemos nos libertar do mau hábito da Psicanálise de recorrer a pequenos detalhes como material comprobatório, os quais admitem igualmente outra explicação menos profunda, então também pensaremos no fato de o colega se dirigir a mim como *brother physician* [irmão médico], o que eu, na tradução, só posso reproduzir de maneira imperfeita.

Podemos, portanto, representar o desenrolar dos fatos da seguinte maneira: a visão do corpo nu (ou destinado a ser desnudado) de uma mulher, que lembrou ao jovem a sua mãe, desperta nele o anseio pela mãe proveniente do complexo de Édipo, que também se completa imediatamente com a revolta contra o pai. Para ele, pai e Deus ainda não se distanciaram muito um do outro, a vontade de aniquilar o pai pode se tornar consciente como dúvida da existência de Deus e pode querer legitimar-se, diante da razão, como indignação pelos maus-tratos infligidos ao objeto–mãe. Para a criança, de fato, isso tem tipicamente o valor de maus-tratos, aquilo que o pai faz com a mãe no intercurso sexual. Essa nova moção, deslocada para o campo religioso, é apenas uma repetição da situação edípica e, por isso, sofre o mesmo destino depois de pouco tempo. Ela sucumbe a uma poderosa contracorrente. Durante o conflito, o nível de deslocamento não se mantém, não há argumentos para justificar Deus e também não é dito através de que sinais inequívocos Deus provou a sua existência àquele que duvidava. O conflito parece ter se dado na forma de uma psicose alucinatória, vozes interiores tornam-se audíveis para dissuadi-lo da resistência contra Deus. O resultado da luta manifesta-se novamente no âmbito religioso; é aquele que foi predeterminado pelo destino do complexo de Édipo: em total submissão à vontade do Deus-pai, o jovem tornou-se crente, aceitou tudo o que, desde a infância, foi-lhe ensinado sobre Deus e Jesus Cristo. Ele teve uma vivência religiosa, experimentou uma conversão.

Isso tudo é tão simples e tão transparente que não podemos descartar a questão de saber se, através da compreensão deste caso, ganhou-se, afinal, alguma coisa para a psicologia da conversão religiosa. Remeto a uma obra excelente de Sante de Sanctis (*La conversione religiosa*. Bologna, 1924), que também se beneficia de todas as descobertas da Psicanálise. Encontramos confirmada por essa leitura a expectativa de que de forma alguma os casos de conversão se deixam todos entender tão facilmente como o aqui relatado, mas que o nosso caso não contradiz em nenhum ponto as opiniões que a investigação moderna construiu para si sobre esse assunto. O que caracteriza a nossa observação é a conexão com um ensejo especial que faz a incredulidade reacender, antes que ela seja superada definitivamente por esse indivíduo.

Ein religiöses Erlebnis (1928)

1928 Primeira publicação: *Imago*, v. 14, n. 1, p. 7-10
1928 *Gesammelte Schriften*, t. XI, p. 467-470
1948 *Gesammelte Werke*, t. XIV, p. 393-396

Publicado no início de 1928, esse artigo teria sido redigido pouco antes, no final de 1927. A visita do jornalista teuto-americano George Sylvester Viereck, citada por Freud logo nas primeiras linhas de seu pequeno artigo, teria ocorrido em junho de 1926. No ano seguinte, o jornalista publicou tal relato e uma importante entrevista em seu *Glimpses of the Great*. Foi a publicação desse livro que motivou um médico norte-americano (cuja identidade não pode ser determinada) a escrever a Freud, relatando a "vivência religiosa" que dá título ao presente artigo. Em tom polido, mas não sem fina ironia, Freud interpreta a vivência do médico norte-americano.

O presente artigo não teve grande repercussão. Pelo contrário, sua "recepção" é marcada pelo quase silêncio, pela escassez de comentários, com honrosas exceções. Apesar disso, uma das expressões mais comumente referidas para descrever a relação de Freud com o judaísmo foi formulada nestas linhas: "*an infidel jew*" (um judeu infiel, no original). Seria apenas coincidência que Freud tenha cunhado esse seu epíteto justamente ao ser entrevistado por um jornalista que mais tarde não esconderia sua adesão ao nazismo?

O MAL-ESTAR NA CULTURA (1930)

I

Não podemos conter a impressão de que as pessoas comumente usam falsos critérios, que anseiam para si e admiram nos outros o poder, o sucesso e a riqueza, mas que subestimam os verdadeiros valores da vida. E, no entanto, em cada julgamento genérico como esse corremos o risco de esquecer a diversidade do mundo humano e de sua vida anímica. Existem certos homens que não deixam de ser admirados por seus contemporâneos, embora a sua grandeza esteja em qualidades e realizações que são totalmente estranhas às metas e aos ideais da multidão. Tendemos facilmente a supor, afinal, que apenas uma minoria reconhece esses grandes homens, enquanto a grande maioria não quer saber nada a respeito deles. Mas isso não poderia acontecer de maneira tão simples, graças às incongruências entre o pensamento e a ação dos seres humanos e à polifonia de suas moções de desejo.

Um desses homens excepcionais designa-se como meu amigo em suas cartas. Eu lhe enviei meu pequeno escrito, que trata a religião como ilusão, e ele respondeu que estava inteiramente de acordo com o meu julgamento sobre a religião, mas que lamentava que eu não tivesse considerado a verdadeira fonte da religiosidade. Esta seria um sentimento especial que ele mesmo nunca abandonou, que ele encontrou confirmado por muitos outros e que ele teria o direito de o pressupor em milhões de seres humanos. Um sentimento que ele gostaria de chamar de sensação de "eternidade", um sentimento como o de alguma coisa sem fronteiras, sem barreiras, "oceânico", por assim dizer. Esse sentimento seria um fato puramente subjetivo e não um artigo de fé; nenhuma garantia de continuidade pessoal estaria ligada a ele, mas ele seria a fonte da energia religiosa tomada pelas diversas igrejas e sistemas de religião, orientada por determinados canais, e certamente até mesmo neles dissipada. Só em razão desse sentimento oceânico teríamos o direito de nos chamar de religiosos, mesmo se rejeitarmos qualquer crença e qualquer ilusão.

Essa declaração de meu prezado amigo, que um dia até mesmo reconheceu poeticamente a magia da ilusão, não me trouxe poucas dificuldades.[i] Eu mesmo não consigo encontrar esse sentimento "oceânico" em mim. Não é confortável abordar sentimentos de maneira científica. Podemos tentar descrever seus indícios fisiológicos. Quando isso não é possível – temo que o sentimento oceânico também tenha de se furtar a uma caracterização como essa –, é evidente que não nos resta nada além de nos atermos ao conteúdo de representação que melhor ligar-se associativamente ao sentimento. Se entendi corretamente o meu amigo, então ele está querendo dizer a mesma coisa que um poeta original e bastante singular oferece ao seu herói como consolo diante da morte que este escolheu livremente: "Não podemos cair fora deste

---

[i] *Liluli*, 1923 – Desde a publicação dos dois livros *La vie de Ramakrishna* e *La vie de Vivekananda* (1930), eu não preciso mais esconder que o amigo mencionado no texto é Romain Rolland.

mundo".[i] Portanto, um sentimento de ligação indissolúvel e um pertencimento à totalidade do mundo exterior. Gostaria de dizer que, para mim, isso tem muito mais o caráter de uma visão intelectual, e é claro que não sem estar acompanhada de um matiz afetivo, aliás, da mesma forma como ele também não faltará em outros atos de pensamento de magnitude semelhante. Quanto a mim, eu não poderia me convencer da natureza primária de um sentimento como esse. Mas nem por isso autorizo-me a contestar a sua presença efetiva em outros. A única questão é saber se ele foi interpretado corretamente e se deve ser reconhecido como "*fons et origo*" [fonte e origem] de todas as necessidades religiosas.

Não tenho nada a apresentar que possa influenciar decisivamente a solução desse problema. A ideia de que o ser humano deteria o conhecimento de sua ligação com o mundo que o cerca por meio de um sentimento imediato que, desde o início, teria sido orientado nessa direção soa tão estranha, ajusta-se tão mal à trama da nossa psicologia, que temos o direito de tentar propor uma explicação psicanalítica, isto é, genética de um sentimento como esse. É colocada, então, à nossa disposição a seguinte linha de pensamento: normalmente, nada nos é mais seguro do que o sentimento que temos de nós mesmos, de nosso próprio Eu. Esse Eu aparece para nós como autônomo, unitário, bem posicionado em relação a todo o resto. Que essa aparência seja um engodo, que o Eu, pelo contrário, sem fronteira nítida, tenha continuidade para dentro em uma entidade anímica inconsciente que chamamos de Isso,

---

[i] Christian Grabbe, *Hannibal*: "Com certeza não cairemos para fora deste mundo. Simplesmente estamos nele" [*Ja, aus diesem Welt werden wir nicht fallen. Wir sind einmal darin*].

ao qual, por assim dizer, serve de fachada, isso foi o que somente nos foi ensinado pela investigação psicanalítica, que nos deve ainda muitas informações sobre a relação do Eu com o Isso. Mas, ao menos para fora, o Eu parece manter linhas de fronteira claras e nítidas. Apenas em um estado, na verdade, em um estado extraordinário, que, no entanto, não podemos condenar como doentio, isso é diferente. No auge do enamoramento, a fronteira entre o Eu e o objeto ameaça se sobrepor. Contrariamente a todos os testemunhos dos sentidos, aquele que está enamorado afirma que Eu e Tu são um, e está pronto a se portar como se isso fosse dessa forma. Algo que provisoriamente pode ser suspenso por uma função fisiológica naturalmente também deve poder ser perturbado por processos mórbidos. A Patologia nos faz conhecer um grande número de estados nos quais a delimitação do Eu com o mundo exterior torna-se incerta ou os limites são traçados de maneira realmente incorreta; casos em que partes do próprio corpo, e mesmo aspectos da própria vida anímica – percepções, pensamentos, sentimentos –, aparecem como estranhos e não pertencentes ao Eu; e outros nos quais atribuímos ao mundo exterior aquilo que claramente surgiu no Eu e que deveria ser reconhecido por ele. Logo, também o sentimento do Eu [*Ichgefühl*] está submetido a perturbações, e as fronteiras do Eu não são estáveis.

Outra reflexão diz: esse sentimento do Eu do adulto não pode ter sido assim desde o início. Ele precisa ter passado por um desenvolvimento que não pode ser demonstrado compreensivelmente, mas que se pode construir com certa probabilidade.[1] O lactente ainda não

---

[1] Ver os numerosos trabalhos sobre o desenvolvimento do Eu e o sentimento de Eu de Ferenczi, *Estágios de desenvolvimento do sentido de*

diferencia seu Eu de um mundo externo como fonte das sensações que afluem sobre ele. Ele aprende a fazê-lo pouco a pouco, a partir de diversos estímulos. O que deve necessariamente lhe causar a mais forte impressão é que algumas das fontes de excitação, nas quais posteriormente ele reconhecerá seus órgãos corporais, podem, a qualquer momento, enviar-lhe sensações, enquanto outras, às vezes, são-lhe retiradas – entre elas, a mais cobiçada: o seio materno – e que só serão recuperadas com um grito que pede socorro. Com isso, inicialmente se opõe ao Eu um "objeto" como algo que se encontra "fora" e que só através de uma ação específica particular é forçado a aparecer. Outro impulso para que o Eu se desprenda da massa de sensações, portanto, para o reconhecimento de um "fora", de um mundo exterior, é dado pelas frequentes, múltiplas e inevitáveis sensações de dor e de desprazer, que o princípio de prazer, irrestritamente dominante, busca suspender e evitar. Surge a tendência de que tudo o que possa se tornar fonte de tal desprazer seja isolado pelo Eu, seja jogado para fora, para formar um puro Eu-de-prazer [*Lust-Ich*], ao qual se contrapõe um fora alheio e ameaçador. As fronteiras desse Eu-de-prazer primitivo não podem escapar da retificação pela experiência. Certas coisas que são prazerosas e por isso não se gostaria de abandonar não fazem parte do Eu, são objeto, e algo do tormento de que se quer livrar revela-se, no entanto, como inseparável do Eu, como sendo de procedência interna. Aprendemos um procedimento que consiste em poder distinguir, através do direcionamento intencional da atividade sensorial

---

realidade [*Entwicklungsstufen des Wirklichkeitssinnes*] (1923), até P. Federn, 1926, 1927 e anos seguintes.

e da ação muscular adequada, aquilo que é interno – que pertence ao Eu – do que é externo – proveniente de um mundo exterior, e, com isso, damos o primeiro passo em direção à instauração do princípio de realidade, que deve dominar o desenvolvimento posterior. Essa distinção serve naturalmente ao propósito prático de se defender das sensações de desprazer percebidas e daquelas que ameaçam. Que o Eu, para se defender de certas excitações desprazerosas provenientes de seu interior, não utilize outros métodos além daqueles dos quais ele se serve contra o desprazer vindo de fora será, então, o ponto de partida de importantes distúrbios patológicos.

É dessa maneira, portanto, que o Eu se separa do mundo exterior. Melhor dizendo: originariamente o Eu contém tudo; mais tarde, ele separa de si um mundo exterior. Portanto, nosso atual sentimento de Eu é apenas um resto atrofiado de um sentimento muito mais abrangente, na verdade – de um sentimento que tudo abrangia e que correspondia a uma ligação mais íntima do Eu com o mundo ao seu redor. Se nos for permitido supor que esse sentimento primário do Eu – em maior ou menor medida – conservou-se na vida anímica de muitos seres humanos, então ele se colocaria, como uma espécie de contraparte, ao lado do sentimento de Eu da maturidade, mais restrita e claramente delimitado, e os conteúdos representacionais adequados a ele seriam justamente aqueles de um caráter ilimitado e de uma ligação com o todo, os mesmos com os quais o meu amigo explicou o sentimento "oceânico". Mas temos o direito de supor a sobrevivência daquilo que é originário ao lado do que é posterior, que dele se originou?

Sem dúvida; um acontecimento como esse não é estranho nem ao que é anímico nem a outros domínios. No caso dos animais, insistimos firmemente na suposição de que as espécies de desenvolvimento superior provêm das menos desenvolvidas e, no entanto, encontramos ainda hoje todas as formas simples de vida entre os seres vivos. Os grandes sáurios se extinguiram e deram lugar aos mamíferos, mas um legítimo representante dessa família, o crocodilo, ainda vive conosco. Essa analogia pode estar talvez muito distante e também pecar pelo fato de que as espécies inferiores sobreviventes não são mais, em sua maioria, os legítimos ancestrais das espécies contemporâneas de desenvolvimento superior. De maneira geral, os elos intermediários se extinguiram e só são conhecidos através de reconstrução. No âmbito anímico, ao contrário, a preservação do que é primitivo ao lado do que dele surgiu por transformação é tão frequente que é desnecessário prová-lo com exemplos. Quase sempre esse acontecimento é consequência de uma cisão no desenvolvimento. Uma parcela quantitativa de uma atitude, de uma moção pulsional, permaneceu inalterada, e a outra continuou seu desenvolvimento.

Com isso tocamos no problema mais geral da conservação no psíquico, que ainda quase não recebeu elaboração, mas que é tão estimulante e importante que temos o direito de lhe dedicar um momento de atenção, mesmo que o motivo seja insuficiente. Desde que superamos o erro de crer que o esquecimento comum para nós significa uma destruição do traço mnêmico, logo, uma aniquilação, tendemos à suposição oposta, de que, na vida anímica, nada do que foi uma vez formado pode perecer, de que tudo fica conservado de alguma maneira e que, em circunstâncias apropriadas, por exemplo, através de uma regressão de alcance suficiente, pode ser trazido de novo à luz. Tentemos esclarecer o conteúdo dessa suposição, através de uma comparação extraída de outra área.

Aproveitemos, talvez, o desenvolvimento da Cidade Eterna como exemplo.[i] Os historiadores nos ensinam que a Roma mais antiga foi a Roma Quadrata, um assentamento cercado sobre o Palatino. Depois se seguiu a fase do Septimontium, uma união das colônias situadas sobre as diversas colinas; em seguida, a cidade que foi cercada pela muralha de Sérvio Túlio, e ainda mais tarde, após todas as transformações do período republicano e do primeiro período dos Césares, a cidade que o imperador Aureliano cercou com as suas muralhas.[1] Mas não queremos seguir adiante com as transformações da cidade, e sim perguntar o que um visitante, que pensamos estar munido dos mais completos conhecimentos históricos e topográficos, pode ainda encontrar desses primeiros estágios na Roma de hoje. A muralha Aureliana, salvo por algumas rupturas, ele verá quase que inalterada. Em alguns lugares, ele poderá encontrar trechos do muro de Sérvio trazidos à luz pelas escavações. Se ele souber o suficiente − mais do que a arqueologia atual −, talvez possa traçar no mapa da cidade toda a evolução dessa muralha e o contorno da Roma Quadrata. Dos prédios que algum dia ocuparam esses antigos contornos ele não encontrará nada ou restos escassos, pois eles não mais existem. O máximo que o melhor conhecimento da Roma da República poderia lhe proporcionar seria que ele soubesse indicar os lugares em que os templos e prédios públicos dessa época estavam localizados. O que agora ocupa esses lugares são ruínas, mas não ruínas deles próprios, e sim de suas renovações de épocas posteriores, após incêndios e destruições. Não é preciso

---

[i] De acordo com *The Cambridge Ancient History*, t. VII, 1928. "The founding of Rome", by Hugh Last.

CULTURA, SOCIEDADE, RELIGIÃO   313

dizer especificamente que todos esses resquícios da Roma antiga aparecem dispersos no emaranhado de uma grande cidade dos últimos séculos, desde a Renascença. Muito do que era antigo certamente ainda está enterrado no solo da cidade ou sob os seus modernos edifícios. Esse é o tipo de conservação do passado com o qual nos deparamos em locais históricos como Roma.

Façamos agora a fantástica suposição de que Roma não seja uma morada humana, mas um ser psíquico com um passado igualmente longo e rico, no qual, portanto, nada do que uma vez aconteceu tenha perecido, no qual, ao lado da última fase de desenvolvimento, subsistam também ainda todas as fases anteriores. Isso significaria para Roma, portanto, que sobre o Palatino ainda estariam se elevando à sua antiga altura os palácios imperiais e o Septizonium de Sétimo Severo, e que o castelo de Santo Ângelo ainda estaria exibindo em suas ameias as belas estátuas com as quais ele esteve adornado até o cerco dos godos, etc. Mas ainda há mais: no lugar do Palazzo[2] Caffarelli estaria novamente, sem que precisássemos derrubar esse edifício, o templo de Júpiter Capitolino, e, na verdade, não apenas em sua última configuração, como o viram os romanos do período imperial, mas também em sua forma mais antiga, quando ele ainda apresentava formas etruscas e era ornamentado com antefixas de terracota. Onde agora está o Coliseu podemos admirar também a desaparecida Domus Áurea de Nero; na Praça do Panteão [Piazza della Rotonda], não encontraríamos apenas o Panteão atual, tal como nos foi deixado por Adriano, mas, no mesmo terreno, também a construção original de Agripa; além disso, o mesmo solo suportaria a Igreja Maria Sopra Minerva e o antigo templo, sobre o qual ela foi construída. E então, seria preciso apenas uma alteração na direção do olhar ou na posição, por parte do observador, para obter uma visão ou outra.

É claro que não faz sentido continuar com essa fantasia; ela leva ao irrepresentável e mesmo ao absurdo. Se quisermos expor a sucessão histórica de maneira espacial, isso só pode acontecer através da colocação lado a lado no espaço; o mesmo espaço não tolera duas formas de preenchimento. Nossa tentativa parece ser uma brincadeira inútil; ela só tem uma justificativa: mostra-nos como estamos distantes de dar conta das singularidades da vida anímica por meio de uma exposição visual.

Devemos ainda nos posicionar a respeito de uma objeção. Ela indaga por que escolhemos precisamente o passado de uma cidade para compará-lo com o passado anímico. A suposição da conservação de tudo o que passou também vale para a vida anímica, mas só sob a condição de que o órgão da psique tenha permanecido intacto e de que seu tecido não tenha sofrido trauma ou inflamação. Efeitos destrutivos que pudessem ser equiparados a essas causas de adoecimento não faltam, no entanto, na história de nenhuma cidade, mesmo que ela tenha tido um passado menos agitado que Roma, mesmo que ela, como Londres, quase nunca tenha sido assolada por um inimigo. O desenvolvimento mais pacífico de uma cidade inclui demolições e substituições de construções, e é por isso que a cidade é, de antemão, inapropriada para essa comparação com um organismo anímico.

Cedemos a essa objeção, renunciando a um efeito impactante de contraste, e voltamo-nos para um objeto de comparação pelo menos mais próximo, como o corpo animal ou o humano. Mas aqui também encontramos a mesma situação. As fases mais remotas do desenvolvimento não são mais conservadas em nenhum sentido, elas foram absorvidas pelas fases posteriores, às quais forneceram o material. Não se consegue encontrar o embrião no adulto, a glândula timo que a criança possuía é substituída depois da puberdade pelo tecido conjuntivo, mas ela mesma não está mais presente; nos ossos longos do homem adulto eu posso certamente traçar o contorno do osso infantil, embora ele mesmo tenha desaparecido, na medida em que se alongou e se espessou até atingir a sua forma definitiva. O que fica nesse caso é que uma conservação como essa de todos os estágios preliminares ao lado da configuração final só é possível no anímico, e que não estamos em condições de representar visualmente esse acontecimento claro.

Talvez tenhamos ido longe demais com essa suposição. Talvez devêssemos nos contentar em afirmar que aquilo que passou *pode* ficar conservado na vida anímica e não precisa, *necessariamente*, ser destruído. Em todo caso, é possível, que também no psíquico, algo do que é antigo – dentro da norma ou como exceção – esteja apagado ou absorvido de tal forma que não possa mais ser restabelecido ou reanimado por nenhum processo, ou que a conservação esteja ligada, de modo geral, a determinadas condições favoráveis. É possível, mas nada sabemos sobre isso. Podemos apenas insistir firmemente no fato de que, na vida anímica, a conservação daquilo que é passado é antes a regra do que a estranha exceção.

Se estivermos, então, absolutamente dispostos a reconhecer que existiria um sentimento "oceânico" em muitas pessoas, e fôssemos inclinados a fazê-lo remontar a uma fase precoce do sentimento do Eu, surge a próxima questão, que é a de saber que direito tem esse sentimento de ser visto como a fonte das necessidades [*Bedürnisse*][3] religiosas.

A mim, esse direito não parece imperioso. Pois, afinal, um sentimento só pode ser uma fonte de energia quando ele próprio for a expressão de uma intensa necessidade. Para as necessidades religiosas, a derivação a partir do desamparo infantil e do anseio que este desperta pelo pai não me parece ser irrefutável, tanto mais que esse sentimento não constitui um simples prolongamento da vida infantil, mas é continuamente conservado pelo medo do poder superior do destino. Eu não saberia indicar uma necessidade tão intensa proveniente da infância quanto a de proteção paterna. Com isso, o papel do sentimento oceânico, que poderia de alguma forma aspirar ao restabelecimento do narcisismo ilimitado, é forçado a sair do primeiro plano. A origem da atitude religiosa pode ser rastreada por linhas claras até o sentimento de desamparo infantil. Ainda pode haver algo mais escondido por trás disso, mas, provisoriamente, está encoberto pela névoa.

Posso imaginar que o sentimento oceânico tenha sido posteriormente vinculado à religião. Esse ser-Um com o Universo, que é o conteúdo de pensamento que lhe concerne, interessa-nos, com efeito, como uma primeira tentativa de consolo religioso, como outro caminho para o rechaço ao perigo ameaçador que o Eu reconhece como proveniente do exterior. Admito novamente que para mim é muito difícil trabalhar com essas grandezas pouco palpáveis. Outro amigo,[4] a quem uma insaciável ânsia pelo saber levou às experiências mais incomuns e, finalmente, a se tornar um sabe-tudo, assegurou-me que nas práticas de ioga, pelo afastamento do mundo exterior, pela vinculação da atenção às funções corporais e pela utilização de métodos especiais de respiração, podemos de fato despertar em nós novas sensações e sentimentos de universalidade, que ele quer conceber como regressões a estados originários da vida anímica que há muito tempo foram encobertos. Ele enxerga neles um fundamento fisiológico, por assim dizer, de muitas sabedorias do misticismo. Seria fácil estabelecer aqui relações com algumas modificações obscuras da vida anímica, tais como o transe e o êxtase. Só que me sinto pressionado a mais uma vez exclamar com as palavras do mergulhador de Schiller:

> Que se alegre, aquele que aqui respira na rósea luz.[5]

II

Em meu escrito *O futuro de uma ilusão*, tratou-se muito menos das fontes mais profundas do sentimento religioso e muito mais daquilo que o homem comum entende como sua religião, do sistema de doutrinas e de promessas que, por um lado, esclarecem-lhe os enigmas deste mundo com uma perfeição invejável, e, por outro, asseguram-lhe uma Providência cuidadosa que zelará por sua vida e compensará por eventuais frustrações em uma existência no além. Essa Providência o homem comum não pode imaginar senão como um pai grandiosamente elevado. Só um pai como esse pode conhecer as necessidades da criatura humana, comover-se com os seus pedidos, ser apaziguado com os sinais de seu remorso. Tudo isso é tão flagrantemente infantil, tão estranho à realidade, que para uma convicção humanista será doloroso pensar que a grande maioria dos mortais jamais poderá elevar-se além dessa concepção de vida. É ainda mais embaraçoso descobrir que uma grande parte das pessoas que hoje vivem, que necessariamente precisam admitir que essa religião não se sustenta, procure, entretanto, defender cada pedacinho dela em lastimáveis combates de retirada. Gostaríamos de nos juntar às fileiras dos crentes para repreender os filósofos que acreditam salvar o Deus da religião, substituindo-o por um princípio impessoal, sombriamente abstrato: "Não tomarás Seu santo nome em vão!". Se alguns dos maiores espíritos de épocas passadas fizeram o mesmo, não temos o direito de nos referir a eles nesse contexto. Sabemos por que eles foram obrigados a isso.

Voltemos ao homem comum e à sua religião, a única que deveria portar esse nome. É quando se apresenta a nós em primeiro lugar a conhecida declaração de um dos nossos maiores poetas e sábios, que diz respeito à relação da religião com a arte e a ciência:

> Quem possui ciência e arte
> tem também religião;
> Quem não possui nenhuma das duas;
> que tenha religião![i]

Essas palavras, por um lado, colocam a religião em uma oposição às duas mais elevadas realizações do ser humano, e por outro, afirmam que em seu valor vital elas podem representar-se ou substituir-se mutuamente. Portanto, se quisermos negar a religião ao homem comum, evidentemente não teremos a autoridade do poeta do nosso lado. Tentaremos um caminho especial para avançarmos na apreciação de sua tese. A vida, tal como nos é imposta, é muito difícil para nós, traz-nos muitas dores, desilusões, tarefas insolúveis. Para suportá-la, não podemos prescindir de medidas paliativas. ("As coisas não funcionam sem construções auxiliares",[6] disse-nos

---

[i] Goethe, em "Xênias mansas" IX (Poesia póstuma). [*Wer Wissenschaft und Kunst besitzt,/hat auch Religion/Wer jene beiden nicht besitzt/der habe Religion!*]

Theodor Fontane.) Essas medidas talvez sejam de três tipos: distrações poderosas, que nos permitem menosprezar a nossa miséria, satisfações substitutivas, que a amenizam, e substâncias entorpecentes, que nos tornam insensíveis a ela. Qualquer coisa dessa espécie é indispensável.[i] É às distrações que visa Voltaire, quando termina seu *Cândido*, deixando ressoar o seu conselho de cultivar o seu jardim; a atividade científica também é uma distração como essa. As satisfações substitutivas, como as oferecidas pela arte, são ilusões, em relação com a realidade, e por isso não menos eficazes psiquicamente, graças ao papel que a fantasia conquistou na vida anímica. Os meios entorpecentes influenciam o nosso corpo e alteram a sua química. Não é fácil indicar a posição da religião no interior dessa série. Teremos, necessariamente, de continuar sondando.

A questão sobre o propósito da vida humana foi colocada incontáveis vezes; ela nunca teve nenhuma resposta satisfatória, talvez nem sequer admita alguma. Muitos dos que colocaram a questão acrescentaram: se acontecesse de a vida não ter nenhum propósito, então ela perderia todo o seu valor para eles. Mas essa ameaça não muda nada. Parece muito mais que podemos abandonar a questão. Seu pressuposto parece ser aquela presunção humana da qual já conhecemos tantas outras manifestações. Sobre o propósito da vida dos animais não se fala, a menos que o seu destino consista em servir ao ser humano. Só que isso também não é sustentável, pois o homem não sabe o que fazer com muitos animais − exceto descrevê-los, classificá-los, estudá-los −, e incontáveis espécies de animais também escaparam dessa utilização, pelo fato de terem vivido e sido extintos, antes

---

[i] Em um nível mais baixo, Wilhelm Busch diz a mesma coisa em *A piedosa Helena*: "Quem tem preocupações também tem licor".

que o ser humano os tivesse visto. A religião é novamente a única a saber responder a pergunta a respeito de um propósito da vida. Dificilmente estaremos errados ao decidir que a ideia de um propósito para a vida venha diretamente do sistema religioso.

Por esse motivo, iremos nos voltar para a questão menos pretensiosa de saber o que os próprios seres humanos deixam reconhecer pela sua conduta como sendo o propósito e a intenção de suas vidas, o que eles exigem da vida e o que nela querem alcançar. A resposta dificilmente será equivocada; eles anseiam por felicidade, querem ser felizes e permanecer assim. Esse anseio tem dois lados, uma meta positiva e uma negativa; por um lado, ele quer a ausência de dor e de desprazer, e, por outro, a experiência de intensos sentimentos de prazer. No sentido mais restrito da palavra, "felicidade" refere-se apenas à última meta. Correspondentemente a essa divisão das metas em duas partes, a atividade dos seres humanos desdobra-se em duas direções, dependendo de eles procurarem realizar uma ou outra dessas metas, de maneira predominante ou mesmo exclusiva.

Notamos que é simplesmente o programa do princípio de prazer que determina o propósito da vida. Esse princípio domina o funcionamento do aparelho anímico desde o início; não pode haver dúvida sobre a sua pertinência, e, no entanto, o seu programa está em conflito com o mundo inteiro, tanto com o macrocosmo quanto com o microcosmo. Ele é absolutamente irrealizável, todos os dispositivos do Universo opõem-se a ele; poderíamos dizer que a intenção de que o ser humano seja "feliz" não está no plano da "Criação". O que chamamos de felicidade, no sentido mais rigoroso, provém antes da repentina satisfação de necessidades altamente represadas e, de acordo com a sua natureza, só é possível enquanto fenômeno episódico. Cada continuação de uma situação almejada pelo princípio de prazer só resulta em um sentimento de tépido bem-estar; somos dotados de dispositivos tais que só podemos gozar intensamente o que é contraste, e só podemos gozar muito pouco o estado.[i] Com isso, nossas possibilidades de felicidade já estão limitadas pela nossa constituição. Há dificuldades muito menores para experimentar a infelicidade. O sofrimento ameaça a partir de três lados: do próprio corpo, que, destinado à decadência e à dissolução, não pode nem mesmo prescindir da dor e do medo como sinais de alarme; do mundo exterior, que pode voltar sua raiva contra nós com suas forças descomunais, implacáveis e destrutivas; e, finalmente, das relações com outros seres humanos. O sofrimento que provém dessa fonte, talvez o sintamos de maneira mais dolorosa do que qualquer outro; somos inclinados a ver nele um ingrediente de certa forma supérfluo, mesmo que, em termos de destino, ele não pudesse ser menos inevitável do que os sofrimentos oriundos de outra fonte.

Não é de se admirar que, sob a pressão dessas possibilidades de sofrimento, os seres humanos acabem por moderar a sua exigência de felicidade – assim como o próprio princípio de prazer transformou-se em um mais modesto princípio de realidade sob a influência do mundo exterior –, que já se considerem felizes por terem escapado à infelicidade, por terem superado o sofrimento, e que, de maneira bem geral, a tarefa de evitar o sofrimento coloque para o segundo plano a do ganho de prazer. A reflexão ensina que podemos tentar

---

[i] Goethe até mesmo adverte: "Nada é mais difícil de suportar do que uma série de dias bonitos". Mesmo assim, isso pode ser um exagero.

resolver essa tarefa por vias muito diversas; todas essas vias foram recomendadas pelas diferentes escolas de sabedoria de vida e seguidas pelos seres humanos. A satisfação irrestrita de todas as necessidades impõe-se como a maneira mais tentadora de condução da vida, mas isso significa colocar o gozo antes da prudência e receber sua punição logo depois. Os outros métodos, nos quais evitar o desprazer é o principal propósito, distinguem-se de acordo com a fonte de desprazer para a qual eles voltam a maior atenção. Nesse caso, existem procedimentos extremos e moderados, unilaterais e outros que atacam vários pontos ao mesmo tempo. Isolamento voluntário, distanciamento dos outros, eis a proteção mais imediata contra o sofrimento que pode advir para qualquer um a partir de relações humanas. Compreendemos que a felicidade que podemos alcançar através dessa via é a da quietude. Contra o temeroso mundo exterior não podemos fazer outra coisa a não ser defender-nos com um tipo qualquer de afastamento, se quisermos resolver essa tarefa por nós mesmos. É evidente que existe outro caminho melhor, no qual, enquanto membro da comunidade humana, passamos a atacar a natureza com a ajuda da técnica guiada pela ciência e a submetemos à nossa vontade. Trabalhamos, então, com todos pela felicidade de todos. Mas os métodos mais interessantes para a prevenção contra o sofrimento são aqueles que procuram influenciar o próprio organismo. É que, afinal, todo sofrimento é apenas sensação, ele só existe enquanto o percebemos, e só o percebemos em consequência de determinados dispositivos do nosso organismo.

O método mais cru, mas também o mais eficaz para uma influência como essa é o químico, a intoxicação. Não acredito que alguma pessoa consiga compreender plenamente seu mecanismo, mas é fato que existem substâncias estranhas ao corpo, cuja presença no sangue e nos tecidos nos propicia sensações imediatas de prazer, mas também altera de tal maneira as condições de nossa vida sensível que nos tornamos inaptos à recepção de moções de desprazer. Esses dois efeitos não apenas ocorrem simultaneamente, mas também parecem estar intimamente ligados um ao outro. No entanto, deve haver substâncias em nossa própria química corporal, que façam algo semelhante, pois conhecemos pelo menos um estado patológico, a mania, no qual ocorre essa conduta semelhante à embriaguez, sem que tenha sido introduzida nenhuma droga entorpecente. Além disso, nossa vida anímica normal apresenta oscilações de liberação facilitada ou dificultada de prazer, paralelamente às quais há uma receptividade diminuída ou aumentada de desprazer. É muito lamentável que esse lado tóxico dos processos anímicos tenha escapado à investigação científica. A ação das substâncias entorpecentes na luta pela felicidade e no afastamento da miséria é a tal ponto apreciada como um bem-estar que indivíduos, assim como povos, reservaram-lhe uma posição sólida em sua economia libidinal. Somos agradecidos a elas não apenas pelo ganho imediato de prazer, mas também por uma porção ardentemente almejada de independência em relação ao mundo exterior. Pois certamente sabemos que, com a ajuda do "destruidor de preocupações", podemos nos livrar a qualquer hora da pressão da realidade e encontrar refúgio em um mundo próprio, que ofereça condições melhores de se obter sensações. Sabemos que é precisamente essa propriedade das substâncias entorpecentes que condiciona também o seu perigo e sua nocividade. Elas são, em certas circunstâncias, culpadas pelo desperdício de grandes quantidades de energia, que poderiam ser utilizadas para o melhoramento da sorte humana.

Mas a construção complicada do nosso aparelho anímico permite toda uma série de influências diferentes. Assim como a satisfação pulsional é felicidade, também é causa de grande sofrimento para nós quando o mundo exterior nos deixa passar necessidades, quando se recusa a saciar as nossas necessidades. Podemos ter a expectativa, portanto, de ficar livres de uma parte do sofrimento, através de uma ação sobre essas moções pulsionais. Esse modo de defesa contra o sofrimento não agride mais o aparelho sensorial, ele procura dominar as fontes internas das necessidades. De maneira extrema, isso ocorre quando mortificamos as pulsões, como o ensina a sabedoria de vida oriental e como o realiza a prática da ioga. Se isso dá certo, certamente abandonamos também qualquer outra atividade (sacrificamos a vida) e apenas adquirimos novamente, por outro caminho, a felicidade da quietude. Seguimos pelo mesmo caminho, com metas mais moderadas, se almejamos apenas a dominação da vida pulsional. O que então domina são as instâncias psíquicas superiores, que se submeteram ao princípio da realidade. Assim fazendo, o propósito da satisfação não é abandonado de modo algum; uma certa proteção contra o sofrimento é alcançada, pelo fato de que a insatisfação das pulsões mantidas dependentes não é sentida tão dolorosamente quanto a das pulsões não inibidas. Mas, por outro lado, existe uma inegável redução das possibilidades de gozo. O sentimento de felicidade na satisfação de uma moção pulsional selvagem não domada pelo Eu é incomparavelmente mais intenso do que a saciação de uma pulsão domada. A irresistibilidade a impulsos perversos, talvez a atração daquilo que é proibido em geral, encontra aqui uma explicação econômica.

Outra técnica de defesa contra o sofrimento serve-se dos deslocamentos da libido, os quais nosso aparelho anímico autoriza, e através dos quais sua função ganha tanto em flexibilidade. A tarefa a ser resolvida é deslocar as metas pulsionais de tal maneira que não possam ser atingidas pelo impedimento do mundo exterior. A sublimação das pulsões presta aqui sua ajuda. Estaremos obtendo o máximo se soubermos elevar suficientemente o ganho de prazer que provém das fontes de trabalho psíquico e intelectual. Nesse caso, o destino pouco nos fará mal. As satisfações dessa espécie, tal como a alegria do artista com a criação, com a encarnação da figura de sua fantasia, a do pesquisador com a solução de problemas e com o reconhecimento da verdade, possuem uma qualidade particular, que certamente um dia poderemos caracterizar metapsicologicamente. Por ora, podemos apenas dizer, figurativamente, que elas nos parecem "mais refinadas e mais elevadas", mas a sua intensidade é abafada, quando comparada com a da saciação de moções pulsionais grosseiras e primárias; elas não abalam a nossa corporeidade. Mas a fraqueza desse método reside em não ser universalmente aplicável e em só ser acessível a poucas pessoas. Ele pressupõe predisposições especiais e aptidões que não são precisamente frequentes em proporção eficaz. E mesmo a esses poucos ele não pode assegurar proteção plena contra o sofrimento, ele não lhes cria uma armadura impenetrável contra as flechas do destino e costuma falhar quando o próprio corpo se torna a fonte do sofrimento.[i]

---

[i] Quando não existe uma predisposição especial que prescreva imperativamente a direção dos interesses vitais, o trabalho profissional comum, acessível a qualquer um, pode tomar o lugar que lhe foi indicado pelo sábio conselho de Voltaire. Não é possível apreciar de maneira suficiente, no limite de um exame sucinto, a importância do trabalho para a economia da libido. Nenhuma outra técnica de condução da vida liga tão fortemente o indivíduo à realidade quanto

Se já nesse procedimento fica claro o propósito de nos tornarmos independentes do mundo exterior, na medida em que procuramos as nossas satisfações nos processos psíquicos internos, os mesmos traços aparecem mais fortemente no procedimento seguinte. Neste, a relação com a realidade torna-se ainda mais frouxa, a satisfação é obtida a partir de ilusões que reconhecemos como tais sem nos deixarmos perturbar em nosso gozo, pelo seu afastamento em relação à realidade. O campo de onde provêm essas ilusões é o da vida de fantasia; ele foi, naquela época, quando se consumou o desenvolvimento do senso de realidade [*Realitätssinnes*], expressamente dispensado das exigências da prova de realidade e permaneceu destinado ao cumprimento de desejos de difícil realização. Acima de tudo, entre as satisfações dessas fantasias, está o gozo de obras de arte, que, por intermédio do artista, torna-se acessível também àquele que não é ele mesmo o criador.[i] Aquele que é receptivo à

---

a ênfase no trabalho, que ao menos o insere com segurança em um aspecto da realidade, a comunidade humana. A possibilidade de deslocar uma porção volumosa de componentes libidinais, narcísicos, agressivos e mesmo eróticos sobre o trabalho profissional e sobre as relações humanas ligadas a ele empresta-lhe um valor que não fica atrás de seu caráter indispensável de afirmação e de justificação da existência na sociedade. A atividade profissional proporciona uma satisfação especial quando é escolhida livremente, portanto, quando ela permite que se tornem utilizáveis, por meio de sublimação, inclinações que estejam presentes, moções pulsionais continuadas ou reforçadas constitucionalmente. E, no entanto, como caminho para a felicidade, o trabalho é pouco apreciado pelas pessoas. Não se acorre a ele como a outras possibilidades de satisfação. A grande maioria dos seres humanos só trabalha obrigada pela necessidade, e dessa aversão natural dos seres humanos ao trabalho derivam os mais graves problemas sociais.

i Cf. *Formulações sobre os dois princípios do acontecer psíquico* [*Formulierungen über die zwei Prinzipien des psychischen Geschehens*] (*Ges. Werke*, VIII) e

influência da arte não sabe como avaliar suficientemente a importância dessa influência como fonte de prazer e como consolo para a vida. E, no entanto, a suave narcose à qual a arte nos transporta não faz mais do que produzir uma libertação passageira das necessidades da vida e não é forte o suficiente para fazer esquecer a miséria real.

De maneira mais enérgica e mais profunda opera outro procedimento, que tem como único inimigo a realidade como sendo a fonte de todo sofrimento e com a qual não é possível viver, e, por essa razão, é preciso romper com todas as relações com ela, se quisermos ser felizes em qualquer sentido que seja. O eremita dá as costas a este mundo, não quer ter nada a ver com ele. Mas podemos fazer mais, podemos querer recriá-lo, construir outro em seu lugar, no qual os traços mais intoleráveis estejam extintos e tenham sido substituídos por outros, mais afins ao nosso próprio desejo. Aquele que, em desesperada indignação, tomar esse caminho para a felicidade geralmente não alcançará nada; a realidade é muito forte para ele. Ele se tornará um delirante e, na maioria das vezes, não encontrará ninguém que o ajude na concretização de seu delírio. Mas diremos que cada um de nós se porta, em algum ponto, de maneira semelhante ao paranoico, que corrige, através de uma formação de desejo, um aspecto do mundo intolerável para ele e inscreve esse delírio na realidade. O caso que pode reivindicar uma importância especial é o de que um número maior de pessoas empreenda conjuntamente a tentativa de criar para si uma garantia de felicidade e uma proteção contra o sofrimento através de uma reconfiguração delirante da

---

Conferências introdutórias à Psicanálise [*Vorlesungen zur Einführung in die Psychoanalyse*], XXIII (*Ges. Werke*, XI).

realidade. Podemos caracterizar também as religiões da humanidade como um delírio de massa dessa ordem. É evidente que o delírio jamais é reconhecido por aquele que ainda o está compartilhando.

Não acredito que esteja completo esse inventário dos métodos através dos quais os seres humanos esforçam-se por obter a felicidade e por manter distante o sofrimento, e também sei que o material permite outros arranjos. Um desses procedimentos eu ainda não mencionei; não que eu o tivesse esquecido, mas porque ele ainda nos ocupará em outro contexto. E, além disso, como seria possível esquecer justamente essa técnica da arte de viver? Ela se distingue pela mais notável reunião de traços característicos. Naturalmente ela também procura alcançar a independência em relação ao destino – como é melhor chamá-lo – e, com esse propósito, ela desloca a satisfação para processos anímicos internos, servindo-se, para isso, da capacidade de deslocamento da libido, mencionada anteriormente, mas ela não se afasta do mundo exterior, ao contrário, agarra-se aos seus objetos e consegue a felicidade a partir de uma relação afetiva com eles. Nessa situação, ela tampouco se satisfaz com a meta, por assim dizer, cansadamente resignada com a evitação do desprazer, mas, antes, passa por ela sem lhe dar atenção e atém-se firmemente no anseio originário, passional, por uma realização positiva da felicidade. Talvez ela se aproxime mais dessa meta do qualquer outro método. Estou me referindo, naturalmente, àquela orientação de vida que toma o amor como centro, que tem a expectativa de que toda satisfação venha do fato de amar e de ser amado. Uma posição psíquica como essa é bem familiar a todos nós; uma das formas de manifestação do amor, o amor sexual, proporcionou-nos a mais intensa das experiências, a de uma sensação de prazer arrebatadora, dando-nos, assim, o exemplo para o nosso anseio por felicidade. Nada mais natural do que insistirmos em procurar a felicidade, indo pelo mesmo caminho em que a encontramos primeiro. No entanto, o ponto fraco dessa técnica de vida é bem claro; do contrário, não teria ocorrido a nenhum ser humano abandonar esse caminho para a felicidade por outro. Nunca estamos tão desprotegidos contra o sofrimento do que quando amamos, nunca mais desamparadamente infelizes do que quando perdemos o objeto amado ou o seu amor. Mas a técnica de vida fundada sobre o valor de felicidade do amor não se esgota com isso, há muito mais a dizer sobre esse assunto.

Aqui podemos acrescentar o caso interessante de que a felicidade da vida é procurada sobretudo no gozo da beleza, onde quer que ela se apresente aos nossos sentidos ou ao nosso julgamento, da beleza das formas e dos gestos humanos, de objetos naturais e das paisagens, das criações artísticas e até mesmo científicas. Essa posição estética para com a meta da vida oferece pouca proteção contra sofrimentos ameaçadores, mas consegue compensar por muitas coisas. O gozo da beleza possui um caráter peculiar de sentimento levemente inebriante. Não há uma utilidade evidente da beleza; sua necessidade cultural não se deixa entender, e, no entanto, não poderíamos prescindir dela na cultura. A ciência da estética investiga as condições sob as quais o belo é experimentado; sobre a natureza e a proveniência da beleza ela não pôde fornecer nenhum esclarecimento; como de costume, a falta de resultado é encoberta por um dispêndio de palavras altissonantes e vazias de conteúdo. Infelizmente, nesse sentido, a Psicanálise tampouco diz muito sobre a beleza. Somente a derivação do campo da sensação sexual parece assegurada; esse seria um exemplo perfeito de uma moção inibida quanto à meta. A "beleza" e o "encanto" são, originariamente, propriedades do objeto sexual. É notável que os próprios genitais, cuja visão sempre tem um efeito excitante, mesmo assim, quase nunca sejam julgados belos; em contrapartida, a característica da beleza parece estar aderida a certas características sexuais secundárias.

Apesar dessa incompletude, já me atrevo a fazer algumas observações conclusivas sobre nossa investigação. O programa que o princípio de prazer nos impõe, de ser feliz, não pode ser realizado; ainda assim, não temos o direito – não, não podemos – de abandonar os esforços para, de alguma forma, aproximarmo-nos de sua realização. Para isso, podemos tomar caminhos muito diversos, ou antecipando o conteúdo positivo da meta, o ganho de prazer, ou o conteúdo negativo, de evitar o desprazer. Por nenhum desses caminhos podemos alcançar tudo aquilo que almejamos [*begehren*]. A felicidade, no sentido moderado em que é reconhecida como possível, é um problema da economia libidinal do indivíduo. Aqui não há nenhum conselho que sirva para todos; cada um precisa tentar por si mesmo a maneira particular para se tornar feliz. Os fatores mais variados atuarão para indicar os caminhos de sua escolha. Tudo irá depender de quanta satisfação real ele pode esperar do mundo exterior e até que ponto ele age para se tornar independente dele; e também, por fim, de quanta força ele acredita dispor, para modificá-lo de acordo com seus desejos. Já nesse caso, além das circunstâncias externas, a constituição psíquica do indivíduo será decisiva. O ser humano predominantemente erótico irá privilegiar as relações afetivas com outras pessoas, o narcísico, autossuficiente, irá procurar as satisfações essenciais em seus processos anímicos internos, o homem de ação não irá desistir do mundo exterior, no qual ele pode testar a sua força. Para o tipo intermediário entre esses, a natureza dos seus talentos e a medida que lhe for possível de sublimação pulsional irão determinar aonde ele deve direcionar seus interesses. Toda decisão extrema é punida por expor o indivíduo aos perigos que a insuficiência da técnica de vida escolhida de modo exclusivo traz consigo. Assim como o prudente comerciante evita aplicar todo o seu capital em um só lugar, talvez também a sabedoria da vida aconselhe a não esperar toda a satisfação de uma única aspiração. O êxito nunca é garantido, depende da conjunção de muitos fatores, talvez não mais de nenhum outro do que da capacidade da constituição psíquica em adaptar a sua função ao ambiente e em aproveitá-lo para o ganho de prazer. Aquele que traz uma constituição pulsional particularmente desfavorável e não tiver passado, de acordo com as regras, pela reconfiguração e pelo reordenamento dos componentes de sua libido, indispensáveis para uma atividade posterior, terá dificuldades em obter felicidade a partir de sua situação exterior, sobretudo quando for colocado diante de tarefas mais difíceis. Como última técnica de vida, que ao menos lhe promete satisfações substitutivas, é-lhe oferecida a fuga para a doença neurótica, fuga, na maioria parte das vezes, já consumada na juventude. Aquele que então, em um período posterior de sua vida, vê fracassarem os seus esforços pela felicidade ainda encontra consolo no ganho de prazer da intoxicação crônica, ou empreende a tentativa desesperada de rebelião da psicose.[i]

---

[i] Sinto-me obrigado a apontar ao menos uma das lacunas que restaram na apresentação acima. Uma observação das possibilidades humanas de felicidade não deveria deixar de levar em conta a relação entre o narcisismo e a libido de objeto. Precisamos saber o que significa essencialmente para a economia da libido depender de si mesma.

A religião prejudica esse jogo de escolha e de adaptação, na medida em que impõe a todos, de igual maneira, o seu caminho para a obtenção da felicidade e para a proteção contra o sofrimento. Sua técnica consiste em rebaixar o valor da vida e em desfigurar de maneira delirante a imagem do mundo real, o que tem como pressuposto a intimidação da inteligência. A esse preço, através da fixação violenta a um infantilismo psíquico e da inclusão num delírio coletivo, a religião consegue poupar muitos seres humanos da neurose individual. Mas não mais do que isso; existem, como dissemos, muitos caminhos que podem levar à felicidade acessível ao ser humano, mas nenhum que leve até lá com segurança. Quando o crente se vê finalmente levado a falar sobre os "desígnios inescrutáveis" de Deus, está com isso admitindo que só lhe restou, como última possibilidade de consolo e fonte de prazer no sofrimento, a submissão incondicional. E se ele está pronto para ela, provavelmente teria podido poupar-se desse descaminho.

III

Nossa investigação sobre a felicidade não nos ensinou até agora muita coisa que já não fosse de conhecimento geral. Mesmo se dermos continuidade a ela com a pergunta sobre por que ser feliz é tão difícil para os seres humanos, parece que a perspectiva de descobrir algo novo não é muito grande. Já demos a resposta quando mencionamos as três fontes de onde vem o nosso sofrimento: o poder superior da natureza, a fragilidade do nosso próprio corpo e a inadequação dos dispositivos que regulam as relações dos seres humanos entre si na família, no Estado e na sociedade. No que diz respeito às duas primeiras, nosso julgamento não pode oscilar por muito tempo; ele nos obriga a reconhecer essas fontes de sofrimento e a nos entregarmos ao inevitável. Nunca dominaremos a natureza completamente; nosso organismo, ele próprio uma parte dessa natureza, será sempre uma formação passageira, limitada quanto à adaptação e à realização. Desse reconhecimento não surge nenhum efeito paralisante; ao contrário, ele indica a direção de nossa atividade. Que não podemos acabar com todo o sofrimento, mas, ainda assim, acabar com alguns e atenuar outros, disto nos convenceu uma experiência de milhares de anos. De maneira diferente nos conduzimos em relação à terceira fonte, a social. Esta, não queremos absolutamente admitir, não conseguimos compreender por que os dispositivos criados por nós mesmos não deveriam ser sobretudo uma proteção e um benefício para nós todos. No entanto, se pensarmos no quanto fomos malsucedidos justamente na prevenção contra essa parcela de sofrimento, surge a suspeita de que por trás disso também poderia estar uma parte da natureza invencível, só que, dessa vez, uma parte de nossa própria constituição psíquica.

Ao começarmos a nos ocupar com essa possibilidade, esbarramos em uma afirmação que é tão surpreendente que nela queremos nos deter. Ela enuncia que uma grande parte da culpa por nossa miséria é daquilo que chamamos de nossa cultura; seríamos muito mais felizes se a abandonássemos e voltássemos a nos encontrar em condições primitivas. Eu considero isso surpreendente, porque — como quer que seja definido o conceito de cultura — está estabelecido que tudo aquilo com que tentamos nos proteger da ameaça que provém das fontes do sofrimento pertence justamente à mesma cultura.

Por que via, afinal, tantos chegaram a essa postura desconcertante de hostilidade à cultura? Acho que uma insatisfação profunda e de longa duração com o estado cultural vigente preparou o terreno sobre o qual em seguida, em ocasiões históricas determinadas, surgiu uma condenação. Acredito que conheço a última e a penúltima dessas ocasiões; não sou suficientemente instruído para remontar ao seu encadeamento tão longe na história da espécie humana. Já na vitória do cristianismo sobre as religiões pagãs deve ter estado envolvido um fator como esse hostil à cultura. Ele estava, na verdade, relacionado à desvalorização da vida terrena, efetuado pela doutrina cristã. A penúltima ocasião se instaurou quando, no progresso das viagens de descobrimento, entrou-se em contato com povos e tribos primitivos. Em consequência de uma observação insuficiente e de uma concepção equivocada de seus usos e costumes, eles pareciam aos europeus levar uma vida simples, com poucas necessidades, feliz, que para os visitantes culturalmente superiores era inacessível. A experiência posterior corrigiu alguns julgamentos dessa espécie; em muitos casos, uma medida de facilitação da vida, que se devia à generosidade da natureza e à comodidade na satisfação das grandes necessidades, foi atribuída equivocadamente à ausência de elaboradas exigências culturais. A última ocasião é particularmente familiar para nós; ela surgiu quando se ficou conhecendo o mecanismo das neuroses, que ameaçam minar o pouco de felicidade do homem civilizado. Descobriu-se que o ser humano se torna neurótico porque ele não consegue tolerar a quantidade de impedimentos que a sociedade lhe impõe a serviço de seus ideais culturais, e disso foi concluído que se essas exigências fossem abolidas ou reduzidas, isso significaria um retorno às possibilidades de felicidade.

Há mais um fator de decepção a ser acrescentado aqui. Nas últimas gerações, os seres humanos fizeram progressos extraordinários nas ciências naturais e em sua aplicação técnica, fortalecendo o seu domínio sobre a natureza de uma maneira antes inimaginável. Os detalhes desses avanços são de conhecimento geral, sendo desnecessário enumerá-los. Os humanos orgulham-se dessas conquistas e têm direito a isso. Mas eles acreditam ter percebido que essa possibilidade recém-adquirida de usufruir do espaço e do tempo, essa subjugação das forças da natureza, a realização de um anseio milenar não elevou a quantidade da satisfação prazerosa que eles esperavam da vida e não os tornou, segundo suas sensações, mais felizes. Deveríamos nos contentar em extrair dessa constatação a conclusão de que o poder sobre a natureza não é a única condição para a felicidade das pessoas, assim como não é a única meta dos empenhos culturais, e não deveríamos deduzir daí a ausência de valor dos avanços técnicos para a economia da nossa felicidade. Seria possível objetar: então, será que não constitui um ganho positivo de prazer, um aumento inequívoco do sentimento de felicidade, se eu puder ouvir, quantas vezes quiser, a voz de um filho que vive há centenas de quilômetros de distância de mim, se eu puder ter notícia, no tempo mais breve possível após o desembarque do amigo, que ele atravessou bem a longa e difícil viagem? Será que não significa nada o fato de a medicina ter conseguido diminuir de maneira tão extraordinária a mortalidade dos bebês, o perigo de infecção das mulheres parturientes, e até mesmo prolongar, por um número considerável de anos, a duração média de vida do ser humano na cultura? E a esses benefícios, que devemos à tão criticada época dos progressos científicos e técnicos, podemos ainda acrescentar uma longa série; – mas aqui a voz da crítica pessimista se faz ouvir e advertir que a maioria dessas satisfações segue o modelo daquele "prazer barato", anunciado em certa anedota. Sentimos esse prazer quando, em uma fria noite de inverno, esticamos a perna nua para fora da coberta e a recolhemos novamente. Se não existissem ferrovias que superassem as distâncias, o filho nunca teria deixado a cidade paterna; e não precisaríamos de telefone para ouvir a sua voz. Se a navegação entre oceanos não tivesse sido estabelecida, meu amigo não teria empreendido a viagem marítima e eu não teria precisado do telégrafo para apaziguar a minha preocupação por ele. De que nos serve a limitação da mortalidade infantil, se é justamente ela que nos impõe a mais extrema moderação na concepção de filhos, de modo que, no conjunto, afinal, não criamos mais filhos do que nas épocas anteriores ao domínio da higiene, mas, ao mesmo tempo, submetemos a nossa vida sexual no casamento a condições difíceis e provavelmente trabalhamos contra a benéfica seleção natural? E, enfim, de que nos serve uma vida longa se ela é lamentável, pobre em alegrias e tão carregada de sofrimento que só podemos saudar a morte como redentora?

Parece certo que não nos sentimos bem em nossa cultura atual, mas é muito difícil formarmos para nós um julgamento quanto a se, e até que ponto, os seres humanos de épocas anteriores se sentiam mais felizes e que papel tinham nisso as suas condições culturais. Sempre teremos a tendência a apreender a miséria objetivamente, isto é, a nos transportar, com as nossas reivindicações e receptividades, para aquelas condições, para depois examinar quais ensejos encontraríamos nelas para obtermos sensações de felicidade e de infelicidade. Esse modo de observação, que parece objetivo, porque abstrai as variações da sensibilidade subjetiva, é, naturalmente, o mais subjetivo possível, na medida em que coloca todas as outras constituições anímicas desconhecidas no lugar da nossa própria constituição. Mas a felicidade é algo inteiramente subjetivo. Ainda que possamos até mesmo recuar, com horror, diante de certas situações, tais como a dos escravos das galés na Antiguidade, a do camponês da Guerra dos Trinta Anos, a da vítima da Santa Inquisição, a do judeu que esperava o *pogrom*, é-nos impossível, apesar de tudo, colocar-nos no lugar dessas pessoas e intuir as alterações que foram provocadas na recepção das sensações de prazer e de desprazer pelo estado originário de estupor, pela gradual insensibilidade, pela suspensão das expectativas e pelas maneiras mais grosseiras e mais refinadas de narcotização. No caso de uma possibilidade extrema de sofrimento também são acionados determinados dispositivos anímicos de proteção. Parece-me infecundo levar adiante esse aspecto do problema.

É tempo de nos ocuparmos com a essência dessa cultura, cujo valor de felicidade é colocado em dúvida. Não exigiremos nenhuma fórmula que expresse essa essência em poucas palavras enquanto ainda não tivermos aprendido algo de nossa investigação. Basta-nos, portanto, repetir[i] que a palavra "cultura" [*Kultur*] caracteriza a soma total das realizações e dos dispositivos através dos quais a nossa vida se distancia da de nossos antepassados animais e que servem a duas finalidades: a proteção do ser humano contra a natureza e a regulamentação das relações dos seres humanos entre si. Para entender mais, iremos reunir cada um dos traços de cultura, tal como eles se apresentam nas sociedades humanas. Para isso, iremos nos deixar guiar, sem hesitação, pelo uso da língua, ou, como também dizemos, pela intuição linguística, confiando que dessa maneira estaremos fazendo justiça a conhecimentos interiores que ainda se opõem à expressão em palavras abstratas.

---

[i] Ver: O futuro de uma ilusão, 1927. (*Ges. Werke*, XIV).

O começo é fácil: reconhecemos como culturais todas as atividades e valores que são úteis ao ser humano, por colocarem a terra a seu serviço, por protegerem-no contra a violência das forças da natureza, etc. Esse lado do que é cultural é o que oferece menos dúvidas. Recuando longe o bastante, os primeiros atos culturais foram a utilização de ferramentas, a domesticação do fogo[7] e a construção de habitações. De todos eles, a domesticação do fogo se sobressai como uma realização totalmente extraordinária, sem precedentes;[i] com os outros, o ser humano avançou por caminhos que, depois disso, ele continuou a seguir e para os quais o estímulo é fácil de imaginar. Por meio de todas as suas ferramentas, o ser humano aperfeiçoa os seus órgãos – motores, bem como os sensoriais – ou remove os obstáculos para o seu funcionamento. Os motores colocam

---

[i] Um material psicanalítico incompleto, que não se deixa interpretar com segurança, permite, ainda assim, ao menos uma suposição – que parece fantástica – sobre a origem dessa proeza humana. É como se o ser humano primitivo tivesse o hábito, caso ele encontrasse o fogo, de satisfazer um prazer infantil a ele vinculado, apagando-o com seu jato de urina. Sobre a concepção fálica originária da chama em forma de língua estirando-se nas alturas não pode haver nenhuma dúvida, de acordo com as lendas existentes. Extinguir o fogo pela micção – a que ainda recorrem as posteriores crianças gigantes Gulliver em Liliput e o Gargântua de Rabelais – era, portanto, como um ato sexual com um homem, como uma fruição da potência masculina na competição homossexual. Quem primeiro renunciou a esse prazer, poupando o fogo, pôde levá-lo embora consigo e colocá-lo a seu serviço. Ao atenuar o fogo de sua própria excitação sexual, ele domesticou a força natural do fogo. Essa grande conquista cultural seria, portanto, a recompensa por uma renúncia pulsional. E além disso, é como se a mulher tivesse sido nomeada guardiã desse fogo mantido prisioneiro no lar doméstico, porque sua conformação anatômica lhe proíbe ceder a uma tentação de prazer como essa. É notável também a regularidade com que as experiências analíticas testemunham a relação entre a ambição, o fogo e o erotismo ligado à micção.

à sua disposição forças imensas que ele pode, a exemplo de seus músculos, adequar para a direção que quiser; o navio e o avião fazem com que nem a água nem o ar possam impedir a sua locomoção. Com os óculos, ele corrige os defeitos da lente em seu olho; com o telescópio, ele enxerga a longínquas distâncias; com o microscópio, ele supera as fronteiras da visibilidade, delimitadas pela estrutura de sua retina. Com a câmera fotográfica, ele criou um instrumento que retém as fugidias impressões visuais, que é o que o disco do gramofone deve lhe fornecer para as impressões sonoras igualmente efêmeras, sendo ambos, no fundo, materializações da capacidade que lhe foi dada para a lembrança, a da sua memória. Com a ajuda do telefone, ele ouve a partir de distâncias que mesmo os contos maravilhosos considerariam inalcançáveis; a escrita foi, originariamente, a língua daquele que está ausente; a moradia, um substituto do ventre materno [*Mutterleib*], o primeiro e provavelmente o sempre ainda ansiado alojamento, no qual nos encontrávamos seguros e nos sentíamos tão bem.

Não soa apenas como um conto maravilhoso, mas é diretamente a realização de todos os desejos desses contos – não, da maioria deles – o que o homem, através de sua ciência e técnica, produziu sobre esta Terra, na qual ele surgiu primeiro como um frágil ser animal, e na qual cada indivíduo de sua espécie deve ingressar novamente como um lactente desamparado – *oh inch of nature!* [ó polegada da natureza!] Todo esse patrimônio ele pode reivindicar como aquisição cultural. Há muito tempo atrás, ele havia formado para si uma representação ideal de onipotência e de onisciência que ele encarnou em seus deuses. Atribuiu a eles tudo aquilo que parecia inalcançável aos seus desejos – o que lhe era proibido. Portanto, podemos dizer que esses deuses eram ideais culturais. Agora, ele se aproximou bastante do alcance desse ideal, ele próprio quase se tornou um deus. É evidente que apenas da maneira como, de acordo com o julgamento humano geral, os ideais costumam ser alcançados. Não completamente em alguns aspectos, de forma alguma em outros, ou apenas em parte. O ser humano tornou-se uma espécie de deus-protético, por assim dizer, verdadeiramente grandioso, quando emprega todos os seus órgãos auxiliares, mas estes não cresceram com ele e, ocasionalmente, ainda lhe dão muito trabalho. A esse propósito, ele tem o direito de se consolar com a ideia de que esse desenvolvimento não estará encerrado precisamente com o ano de 1930 d.C. Tempos distantes irão trazer consigo novos avanços, provavelmente inimagináveis, para esse campo da cultura, e irão aumentar ainda mais sua semelhança com Deus. No entanto, no interesse de nossa investigação, não queremos esquecer, igualmente, que o ser humano de hoje não se sente feliz com essa semelhança.

Reconhecemos, então, que um país possui uma cultura elevada, quando descobrimos que nele é cultivado e providenciado de maneira adequada tudo o que serve para a exploração da terra pelo ser humano e para a sua proteção contra as forças da natureza, portanto, resumindo brevemente: tudo o que lhe é útil. Num país como esse, os rios que ameaçam com inundações teriam o seu curso regulado, sua água seria levada através de canais até onde ela é imprescindível. O solo seria trabalhado cuidadosamente e cultivado com vegetação adequada para dar frutos; as riquezas minerais das profundezas seriam extraídas esmeradamente e convertidas em ferramentas e utensílios necessários. Os meios de transporte seriam abundantes, rápidos e seguros, os animais perigosos seriam exterminados, e a criação de animais domésticos floresceria. Mas nós ainda temos outras exigências a fazer à cultura e esperamos encontrá-las notavelmente realizadas nesses mesmos países. Como que querendo negar a reivindicação que fizemos primeiro, acolhemos igualmente como cultural aquilo que os seres humanos fazem quando vemos sua preocupação voltar-se também para coisas que não são nada úteis, que antes parecem inúteis, como quando, em uma cidade, as áreas ajardinadas, necessárias como parques infantis e reservatórios de ar, também tenham canteiros de flores, ou quando as janelas das moradias são enfeitadas com vasos de flores. Logo percebemos que o inútil, que esperamos que seja apreciado pela cultura, é a beleza; exigimos que o homem da cultura venere a beleza, onde quer que ele a encontre na natureza, e que a produza em objetos enquanto o trabalho de suas mãos for capaz. Mas ainda falta muito até que as nossas reivindicações à cultura se esgotem. Exigimos ainda ver os signos de limpeza e de ordem. Só podemos pensar mal da cultura de uma cidade do interior inglesa da época de Shakespeare, quando lemos que havia um grande monte de esterco diante da porta de sua casa paterna, em Stratford; ficamos indignados e classificamos de "barbárie", que é o oposto de cultural, quando encontramos os caminhos do Bosque de Viena repletos de papéis espalhados. Qualquer espécie de sujeira nos parece incompatível com a cultura; estendemos também ao corpo humano a exigência de limpeza; ouvimos, espantados, sobre o mau cheiro que costumava exalar a pessoa do *Roi Soleil* [Rei Sol], e balançamos a cabeça quando, em Isola Bella, é-nos mostrada a minúscula bacia de que se servia Napoleão em seu asseio matinal. Nem ficamos surpresos, na verdade, se alguém chegar a estabelecer o uso do sabão como sendo precisamente um parâmetro cultural. Ocorre o mesmo com a ordem, que, tal como a limpeza, tem a ver inteiramente com a obra do ser humano. Mas, ao mesmo tempo que não devemos esperar encontrar limpeza na natureza, a ordem, ao contrário, foi copiada da natureza; a observação das grandes regularidades astronômicas deu ao ser humano não apenas o exemplo, mas também os primeiros pontos de referência para a introdução da ordem em sua vida. A ordem é uma espécie de compulsão à repetição, que, por um dispositivo estabelecido de uma vez por todas, decide quando, onde e como algo tem de ser feito, de modo que, em cada caso idêntico, hesitações e oscilações são poupadas. O benefício da ordem é inteiramente inegável, ele possibilita ao ser humano a melhor utilização do espaço e do tempo, ao mesmo tempo que preserva as suas forças psíquicas. Teríamos o direito de esperar que ele se estabelecesse desde o início e sem coerção na atividade humana, e podemos nos admirar que esse não seja o caso, que o ser humano, ao contrário, dê mostras de uma inclinação natural para a negligência, a irregularidade e a falta de confiabilidade em relação ao seu trabalho, e só com muito esforço ele possa ser educado para imitar os exemplos celestes.

Beleza, limpeza e ordem ocupam, evidentemente, uma posição especial entre as exigências da cultura. Ninguém irá afirmar que elas seriam tão importantes para a vida quanto o domínio das forças da natureza e de outros fatores que ainda iremos conhecer, e, ainda assim, ninguém irá querer, de bom grado, dispensá-las como se fossem coisas secundárias. Que a cultura não seja concebida apenas para o que é útil é o que mostra o exemplo da beleza, que não queremos que falte entre os interesses da cultura. A utilidade da ordem é bastante evidente; no caso da limpeza, temos de considerar que ela também é exigida pela higiene, e podemos supor que esse contexto não era de todo estranho ao ser humano, mesmo antes da época da prevenção científica das doenças. Mas a utilidade não nos explica esse empenho inteiramente; precisa haver outra coisa em jogo.

Mas não imaginamos poder caracterizar melhor a cultura por nenhum outro traço que através da valorização e do cultivo das mais elevadas atividades psíquicas, das realizações intelectuais, científicas e artísticas, do papel de liderança concedido às ideias na vida dos seres humanos. Entre essas ideias encontram-se, acima de tudo, os sistemas religiosos, sobre cuja complexa estrutura tentei lançar luz em outro lugar;[8] ao lado deles, as especulações filosóficas, e, finalmente, aquilo que podemos chamar de formações de ideal dos seres humanos, suas representações de uma possível perfeição da pessoa isoladamente, do povo, da humanidade inteira, e das exigências que eles apresentam em razão dessas ideias. Que essas criações não sejam independentes uma da outra, mas que sejam muito mais intimamente entrelaçadas entre si, dificulta tanto a sua exposição quanto a sua derivação psicológica. Se supusermos, de maneira bem geral, que o motor de todas as atividades humanas seja a aspiração a duas metas confluentes, a utilidade e o ganho de prazer, então o mesmo deve valer para as manifestações culturais aqui mencionadas, embora isso só seja facilmente visível nas atividades científica e artística. Mas não podemos duvidar que as outras atividades também correspondam a fortes necessidades dos seres humanos, talvez àquelas que só são desenvolvidas em uma minoria. Também não devemos nos deixar equivocar por julgamentos de valor sobre alguns desses sistemas religiosos, filosóficos e alguns desses ideais; quer neles procuremos a mais elevada realização do espírito humano, quer os deploremos como desvios, temos que reconhecer que a sua presença, em especial a sua predominância, significa um alto nível de cultura.

Como último traço característico de uma cultura, certamente não o menos importante, iremos apreciar de que maneira são reguladas as relações dos seres humanos entre si, as relações sociais que dizem respeito ao ser humano na condição de vizinho, de força auxiliar, de objeto sexual para outro, de membro de uma família, de um Estado. Aqui se torna particularmente difícil nos proteger de determinadas exigências ideais e compreender o que é, de fato, cultural. Talvez iniciemos com a explicação de que o elemento cultural passaria a existir com a primeira tentativa de regular essas relações sociais. Se uma tentativa como essa não ocorresse, então essas relações ficariam submetidas à arbitrariedade do indivíduo, isto é, o mais forte fisicamente as decidiria no sentido de seus interesses e suas moções pulsionais. Nada aí mudaria se esse mais forte encontrasse, por sua vez, um indivíduo ainda mais forte. A vida humana em comum só se tornará possível caso se encontre reunida uma maioria que seja mais forte do que cada um dos indivíduos e que se mantenha unida contra cada um dos indivíduos. O poder dessa comunidade opõe-se então como "direito" ao poder do indivíduo, poder esse que vai ser condenado como "violência bruta" [rohe Gewalt]. Essa substituição do poder do indivíduo pelo da comunidade é o passo cultural decisivo. Sua essência consiste em que os membros da comunidade limitem-se em suas possibilidades de satisfação, enquanto o indivíduo antes não conhecia nenhuma barreira como essa. A próxima exigência cultural é, portanto, a da justiça, isto é, a garantia de que, uma vez que passe a existir a ordem de direito, ela não seja novamente infringida em favor de um indivíduo. Com isso, não está sendo julgado o valor ético de um direito como esse. Outro caminho do desenvolvimento cultural parece visar a que esse direito não seja mais a expressão da vontade de uma pequena comunidade – casta, camada da população, tribo –, que, em relação a outras massas, talvez mais amplas, porte-se novamente como um indivíduo violento. O resultado final deve ser um direito ao qual todos – pelo menos aqueles capazes de viver em comunidade – contribuíram com seus sacrifícios pulsionais, e que não deixe ninguém – novamente, com a mesma exceção – tornar-se vítima da violência bruta.

A liberdade individual não é nenhum bem cultural. Antes de qualquer cultura ela era maior, no entanto, na época, na maior parte das vezes sem valor, porque o indivíduo quase não era capaz de defendê-la. Com o desenvolvimento cultural, ela sofre restrições, e a justiça exige que ninguém seja delas poupado. O que se manifesta em uma comunidade humana como ímpeto de liberdade pode ser a revolta contra uma injustiça existente e, assim, ser favorável a um desenvolvimento ulterior da cultura, permanecer compatível com a cultura. Mas também pode provir do resto da personalidade originária não domado pela cultura e tornar-se, assim, a base da hostilidade cultural. O ímpeto de liberdade volta-se, portanto, contra determinadas formas e exigências da cultura ou contra a cultura de maneira absoluta. Não parece que, através de algum tipo de influência, seja possível levar o ser humano a converter a sua natureza na de um cupim, ele sempre defenderá muito bem a sua pretensão de liberdade individual contra a vontade da massa. Uma boa parte da luta da humanidade acumula-se ao redor da única tarefa de encontrar um equilíbrio adequado, isto é, que proporcione felicidade, entre essas reivindicações individuais e as reivindicações culturais da massa, e um dos problemas do destino da humanidade é saber se esse equilíbrio pode ser alcançado através de uma determinada configuração da cultura ou se o conflito é irreconciliável.

Ao nos deixarmos indicar, pelo sentimento comum, que traços na vida do ser humano devem ser chamados de culturais, obtivemos uma impressão nítida do quadro geral da cultura, mas certamente sem aprender por ora nada que não seja de conhecimento geral. Ao fazê-lo, guardamo-nos de concordar com o preconceito de que cultura seria sinônimo de aperfeiçoamento, de que seria o caminho traçado para o ser humano em direção à perfeição. Mas agora impõe-se a nós uma perspectiva que talvez leve a outro lugar. O desenvolvimento da cultura parece-nos um processo singular que se desenrola sobre a humanidade, processo no qual muitas coisas nos dão certa impressão de familiaridade. Esse processo nós podemos caracterizar pelas modificações que ele empreende nas conhecidas disposições pulsionais humanas, cuja satisfação não deixa de ser a tarefa econômica de nossa vida. Algumas dessas pulsões são absorvidas de tal maneira que em seu lugar surge alguma coisa que, em um indivíduo isolado [*beim Einzelindividuum*], descrevemos como uma particularidade do caráter. O exemplo mais notável desse processo encontramos no erotismo anal das crianças. Seu interesse originário pela função excretória, seus órgãos e seus produtos transforma-se, no decorrer do crescimento, no grupo de particularidades que nos são conhecidas como parcimônia, senso de ordem e de limpeza, as quais são em si mesmas valiosas e bem-vindas, mas podem intensificar-se até atingir uma predominância flagrante e então produzir o que chamamos de caráter anal. Como isso acontece não sabemos; quanto à exatidão dessa concepção não há nenhuma dúvida.[i] Descobrimos então que ordem e limpeza são exigências culturais essenciais, se bem que a sua necessidade para a vida não fica exatamente clara, muito menos a sua adequação como fontes de fruição. Chegando a esse ponto, a semelhança do processo cultural com o desenvolvimento da libido do indivíduo não podia deixar de se impor a nós em primeiro lugar. Outras pulsões são levadas a deslocar, a transferir para outras vias as condições de sua satisfação, o que, na maioria dos casos, coincide com a *sublimação* (das metas pulsionais), bem conhecida por nós, mas, em outros casos, ainda pode distinguir-se dela. A sublimação da pulsão é um traço particularmente saliente do desenvolvimento da cultura, ela possibilita que atividades psíquicas superiores, científicas, artísticas, ideológicas tenham um papel tão importante na vida cultural. Quando cedemos à primeira impressão, somos tentados a dizer que a sublimação é, sobretudo, um destino imposto às pulsões pela cultura. Mas é melhor refletir mais longamente sobre isso. Em terceiro lugar, finalmente, e isso parece ser o mais importante, é impossível não ver em que medida a cultura é construída sobre a renúncia pulsional, o quanto ela tem como pressuposto precisamente a não satisfação (repressão, recalcamento ou o que mais?) de pulsões poderosas. Esse "impedimento cultural" domina o grande campo das relações sociais dos seres humanos; já sabemos que ele é a causa da hostilidade contra a qual todas as culturas têm de lutar. Ele também colocará pesadas exigências ao nosso trabalho científico; temos aí muita explicação para dar. Não é fácil entender como seria possível subtrair a satisfação de uma pulsão. Isso não se faz inteiramente sem

---

[i] Ver Caráter e erotismo anal, 1908 [Charakter und Analerotik] (*Ges. Werke*, VII) e numerosas contribuições posteriores de E. Jones, etc.

perigo; quando não o compensamos economicamente, devemos estar preparados para sérias perturbações.

Mas se quisermos saber que valor pode reivindicar a nossa concepção do desenvolvimento da cultura enquanto um processo particular, comparável ao amadurecimento normal do indivíduo, é evidente que temos, necessariamente, de atacar outro problema e nos colocar a questão de saber a quais influências o desenvolvimento da cultura deve a sua origem, como ele nasceu e o que determinou seu curso.

IV

Essa tarefa parece desmedida, e podemos admitir a possibilidade de seu fracasso. Mas aqui está o pouco que pude adivinhar.

Depois que o homem primitivo descobriu que estava em suas mãos – a ser entendido literalmente – melhorar a sua sorte na Terra através do trabalho, não lhe podia ser indiferente se outro trabalhasse com ele ou contra ele. O outro ganhou para ele o valor de colaborador, com quem era útil conviver. Ainda anteriormente, em sua pré-histórica forma simiesca, ele adotou o hábito de formar famílias; os membros da família foram provavelmente os seus primeiros ajudantes. Supostamente, a fundação da família estava ligada ao fato de que a necessidade de satisfação genital não mais entrava em cena como um visitante que aparecia de repente em sua casa, e depois de sua partida não dava mais notícias por um longo tempo, mas se estabeleceu no indivíduo como um locatário permanente. Com isso, o macho [*Männchen*] ganhou um motivo para ficar com a mulher [*Weib*] ou, de modo mais geral, com os objetos sexuais perto de si; as fêmeas [*Weibchen*], que não queriam separar-se de seus filhotes indefesos, tiveram também, no interesse deles, de ficar com o macho mais forte.[i] Nessa família primitiva, constatamos ainda

---

[i] A periodicidade orgânica do processo sexual foi, na verdade, conservada, mas a sua influência sobre a excitação sexual psíquica foi antes revertida em seu contrário. Essa modificação está antes de tudo relacionada com a diminuição dos estímulos olfativos, através dos quais o processo de menstruação agia sobre a psique masculina. Seu papel foi assumido por estímulos visuais que, em oposição aos estímulos olfativos intermitentes, puderam manter um efeito permanente. O tabu da menstruação provém desse "recalcamento orgânico" como defesa contra uma fase de desenvolvimento superada; todas as outras motivações são provavelmente de natureza secundária (cf. C. D. Daly, Mitologia hindu e complexo de castração [Hindumythologie und Kastrationskomplex], *Imago*, XIII, 1927). Esse processo se repete em outro nível, quando os deuses de um período cultural superado tornam-se demônios. Mas a própria diminuição dos estímulos olfativos parece ser consequência do afastamento do ser humano em relação à terra, da decisão de andar na posição vertical, que agora tornava os até então recobertos genitais, visíveis e carentes de proteção, provocando, assim, a vergonha. Portanto, no início desse processo cultural catastrófico, estaria situada na adoção da postura ereta do ser humano. O encadeamento, a partir de agora, passa pela desvalorização dos estímulos olfativos e pelo isolamento durante o período menstrual e vai até a preponderância dos estímulos visuais e a visibilidade dos genitais, e depois até a continuidade da excitação sexual, a fundação da família e, com isso ao limiar da cultura humana. Essa é apenas uma especulação teórica, mas suficientemente importante para merecer uma verificação exata das condições de vida dos animais próximos ao ser humano.

Mesmo na avidez cultural por limpeza, que posteriormente encontra uma justificativa em considerações higiênicas, mas que já havia se manifestado antes que estas fossem compreendidas, um fator social é inequívoco. O estímulo para a limpeza nasce da ânsia por eliminar os excrementos que se tornaram desagradáveis para a percepção sensorial. Sabemos que isso é diferente quando se trata da criação das crianças. Os excrementos não provocam nenhuma aversão na criança, eles lhe parecem ter valor enquanto parte que se desprendeu de seu corpo. A esse respeito, a educação insiste, de maneira especialmente enérgica, na aceleração do curso de desenvolvimento que se aproxima e que irá tornar os excrementos sem valor, asquerosos, repugnantes e desprezíveis. Uma alteração de valor como essa não seria possível se esses

a ausência de um traço essencial da cultura; o arbítrio do chefe supremo e pai era irrestrito. Em *Totem e tabu* tentei indicar o caminho que conduzia dessa família até a fase seguinte de convivência sob a forma de alianças entre irmãos. Depois de vencer o pai, os filhos fizeram a experiência de que a união pode ser mais forte do que o indivíduo. A cultura totêmica baseia-se nas restrições que eles tiveram necessariamente de impor uns aos outros para a manutenção da nova condição. Os preceitos do tabu foram o primeiro "direito". A vida em comum dos seres humanos era, portanto, duplamente constituída, pela coerção ao trabalho, que a necessidade exterior criou, e pelo poder do amor que não queria prescindir, no que diz respeito ao homem, do objeto sexual encontrado na mulher, e à mulher, da porção que dela foi separada, que é a criança. Eros e Ananque também se tornaram os pais da cultura humana. O primeiro resultado foi que agora até mesmo um número maior de seres humanos podia viver em comunidade. E como nesse caso duas grandes potências

---

materiais expelidos do corpo não fossem condenados, por seus fortes odores, a partilhar do destino reservado aos estímulos olfativos, depois que o ser humano em postura ereta se afastou do solo. O erotismo anal sucumbiu, portanto, primeiro ao "recalcamento orgânico", que preparou o caminho para a cultura. O fator social, que providencia a transformação posterior do erotismo anal, encontra-se atestado pelo fato de que, apesar de todos os avanços do desenvolvimento, o odor de seus próprios excrementos quase não é inconveniente para o ser humano, apenas o das excreções do outro. Aquele que não é asseado, ou seja, aquele que não esconde os seus excrementos está, portanto, ofendendo o outro, não mostrando nenhuma consideração com ele, e é isso mesmo que sugerem os xingamentos mais fortes e mais comuns. Porque seria incompreensível o ser humano usar o nome de seu amigo mais fiel do mundo animal como xingamento, se o cão não atraísse o desprezo do ser humano por duas particularidades: por ser um animal olfativo, que não se intimida diante de excrementos, e por não se envergonhar de suas funções sexuais.

agiam juntas, foi possível esperar que o desenvolvimento seguinte fosse se consumar de maneira suave, com um domínio cada vez maior do mundo exterior, bem como com a ampliação contínua do número de pessoas incluídas na comunidade. Então, não entendemos facilmente como essa cultura pode ter outro efeito sobre seus participantes que não seja o de fazê-los felizes.

Antes que investiguemos de onde uma perturbação pode vir, façamos uma digressão tomando o amor como um fundamento da cultura, para preenchermos uma lacuna deixada em uma discussão anterior. Dissemos que a experiência de que o amor sexual (genital) proporciona ao ser humano as mais fortes experiências de satisfação, fornecendo-lhe propriamente o exemplo para toda a felicidade, deveria ter-lhe sugerido que continuasse a procurar a satisfação da felicidade para a sua vida no terreno das relações sexuais, e que situasse o erotismo genital no centro da vida. E prosseguimos dizendo que, por esse caminho, iríamos nos tornar, da maneira mais problemática, dependentes de uma parcela do mundo exterior, a saber, do objeto de amor escolhido, e que iríamos nos expor ao maior dos sofrimentos, caso fôssemos por ele desdenhados, ou o perdêssemos por infidelidade ou por morte. Por isso, os sábios de todos os tempos desaconselharam expressamente esse caminho de vida; no entanto, ele não perdeu a sua atração para um grande número de criaturas humanas.

A uma escassa minoria, por sua constituição, ainda assim é possível encontrar a felicidade pela via do amor, mas, para isso, são indispensáveis amplas modificações da função do amor. Essas pessoas se desobrigam da aceitação do objeto, quando deslocam o valor maior de ser amado para o próprio amor; elas protegem-se contra a sua perda quando dirigem o seu amor não a objetos específicos, mas, na mesma medida, a todos os seres humanos, e elas evitam as oscilações e as desilusões do amor genital desviando-se de sua meta sexual e transformando a pulsão em uma moção *inibida quanto à meta*. O que, dessa maneira, elas provocam em si mesmas, esse estado de um sentimento equilibrado, inconfundível, terno, não tem muita semelhança exterior com a vida amorosa genital, de agitação turbulenta, da qual ela no entanto é derivada. São Francisco de Assis pode ter levado mais longe essa utilização do amor em favor do sentimento de felicidade interior; aquilo que reconhecemos como uma das técnicas de realização do princípio de prazer foi também, de várias maneiras, vinculado à religião, com a qual ele deve estar associado nas remotas regiões em que é ignorada a distinção entre o Eu e os objetos e destes entre si. Uma observação ética, cuja motivação mais profunda ficará clara para nós, quer ver nessa propensão ao amor pelos seres humanos e pelo mundo em geral a posição mais elevada à qual o ser humano pode chegar. Já aqui gostaríamos de colocar nossas duas objeções principais. Um amor que não escolhe parece-nos perder uma parte de seu próprio valor, pois está cometendo uma injustiça com o objeto. E mais: nem todos os seres humanos merecem ser amados.

Aquele amor que fundou a família continua operando na cultura, em sua conformação originária, na qual ele não renuncia à satisfação sexual direta, bem como em sua forma modificada, enquanto ternura de meta inibida. Sob as duas formas, ele prossegue com a sua função de ligar um número maior de seres humanos uns aos outros, e de maneira mais intensa do que alcança o interesse da comunidade de trabalho. O descuido da linguagem no emprego da palavra "amor" encontra uma justificativa genética. Chamamos de amor a relação entre o homem e a mulher que, em razão de suas necessidades genitais, fundaram uma família; mas também chamamos de amor os sentimentos positivos entre pais e filhos, entre os irmãos e irmãs na família, apesar de termos necessariamente de descrever essa relação como amor de meta inibida, como ternura. É que o amor de meta inibida foi originariamente amor plenamente sensual e ainda o é no inconsciente do ser humano. Ambos, amor plenamente sensual e amor de meta inibida, ultrapassam a família e estabelecem novas ligações com pessoas, até então, desconhecidas. O amor genital leva a novas formações de família, o amor inibido quanto à meta leva a "amizades" que se tornam culturalmente importantes, porque elas escapam a muitas das limitações do amor genital, por exemplo, à sua exclusividade. Mas a relação do amor com a cultura perde, no curso do desenvolvimento, seu caráter inequívoco. De um lado, o amor opõe-se aos interesses da cultura, e de outro, a cultura ameaça o amor com sensíveis restrições.

Essa desavença parece inevitável; seu motivo não pode ser reconhecido imediatamente. Ela se manifesta primeiro como um conflito entre a família e a comunidade maior, à qual pertence o indivíduo. Já havíamos intuído que uma das principais ambições da cultura é aglomerar os seres humanos em grandes unidades. Mas a família não quer liberar o indivíduo. Quanto mais íntima for a coesão entre os membros da família, mais e com maior frequência eles tendem a se isolar dos outros, e mais difícil lhes será a entrada no círculo mais amplo da vida. O modo de vida em comum mais antigo filogeneticamente, só existente na infância, resiste a ser substituído pelo modo de convivência cultural adquirido posteriormente. Desprender-se da família torna-se, para cada adolescente, uma tarefa em cuja solução a sociedade frequentemente o apoia através de ritos de puberdade e de iniciação. Ficamos com a impressão de que estas seriam dificuldades que pesam sobre qualquer desenvolvimento psíquico, e até mesmo, no fundo, sobre qualquer desenvolvimento orgânico.

Além disso, as mulheres logo entram em oposição com a corrente de cultura e deflagram a sua influência que retarda e retém as mesmas mulheres que, no início, através das exigências do seu amor, haviam estabelecido o fundamento da cultura. As mulheres representam os interesses da família e da vida sexual; o trabalho de cultura tornou-se cada vez mais um assunto dos homens, coloca-lhes tarefas cada vez mais difíceis, obriga-os a sublimações pulsionais, às quais as mulheres estão menos preparadas. Já que o ser humano não dispõe de quantidades ilimitadas de energia psíquica, ele tem necessariamente de resolver as suas tarefas por meio de distribuição adequada da libido. O que ele utiliza para fins culturais ele subtrai em grande parte das mulheres e da vida sexual: a constante convivência com homens, sua dependência dos relacionamentos com eles, afastam-no até mesmo de suas tarefas de marido e de pai. É assim que a mulher se vê relegada ao segundo plano pelas exigências da cultura e entra em uma relação hostil com ela.

Da parte da cultura, a tendência à restrição da vida sexual não é menos nítida do que a outra tendência, a da expansão do círculo cultural. Já a primeira fase de cultura, a do totemismo, traz consigo a proibição da escolha incestuosa de objeto, talvez a mutilação mais contundente que a vida amorosa humana experimentou ao longo dos tempos. Por meio do tabu, da lei e dos costumes, são estabelecidas outras restrições que atingem tanto os homens quanto as mulheres. Nem todas as culturas vão igualmente longe nesse ponto; a estrutura econômica da sociedade influencia também a medida da liberdade sexual restante. Já sabemos que nesse aspecto a cultura segue a coerção da necessidade econômica, uma vez que ela precisa retirar da sexualidade um grande montante de energia psíquica que ela mesma consome. Nessa circunstância, a cultura se conduz em relação à sexualidade como uma tribo ou uma camada da população que submeteu outra à sua exploração. O medo da rebelião dos reprimidos leva a rigorosas medidas de precaução. Nossa cultura europeia ocidental mostra um ponto alto desse desenvolvimento. É inteiramente justificado, psicologicamente, que ela comece por proibir as manifestações da vida sexual infantil, pois não há nenhuma perspectiva de contenção dos apetites sexuais dos adultos se não tiver sido antecipado um trabalho com ela na infância. Só não se deixa justificar de forma alguma o fato de a sociedade de cultura ter chegado ao ponto de negar também esses fenômenos facilmente comprováveis e mesmo notáveis. A escolha de objeto do indivíduo sexualmente maduro é restrita ao sexo oposto, a maior parte das satisfações extragenitais são interditadas como perversões. A exigência de uma vida sexual de mesma natureza para todos anunciada nessas proibições coloca-se para além das desigualdades na constituição inata e adquirida dos seres humanos, bloqueia o gozo sexual para um grande número deles, tornando-se assim a fonte de uma grave injustiça. O êxito dessas medidas restritivas poderia ser, então, que para aqueles que são normais, que não foram impedidos constitucionalmente, todo o interesse sexual flua, sem perdas, para os canais que foram deixados abertos. Mas aquilo que ficou livre da proscrição, o amor genital heterossexual, continua a sofrer o prejuízo através das limitações da legitimidade e da monogamia. A cultura atual dá claramente a entender que só irá autorizar as relações sexuais com base em uma ligação única, indissolúvel, entre um homem e uma mulher; que não lhe agrada a sexualidade como fonte independente de prazer e que só está disposta a tolerá-la como fonte, até agora insubstituível, de reprodução de seres humanos.

Trata-se, naturalmente, de um extremo. Sabemos que isso se provou impraticável, mesmo por breves períodos. Só os fracos se resignaram perante uma invasão tão ampla em sua liberdade sexual; naturezas mais fortes só o fizeram sob a condição de uma compensação, sobre a qual poderemos falar mais adiante. A sociedade cultural se viu obrigada a aceitar em silêncio muitas transgressões que, de acordo com os seus regulamentos, ela deveria ter perseguido. Apesar de tudo, não podemos cair no erro contrário e supor que uma atitude cultural como essa seria absolutamente inofensiva por não ter atingido todos os seus propósitos. A vida sexual do ser humano de cultura, no entanto, foi seriamente lesada, provocando, às vezes, a impressão de uma função em estado de involução, assim como parecem estar, enquanto órgãos, nossos dentes e o nosso cabelo. Provavelmente temos o direito de supor que a sua importância diminuiu sensivelmente enquanto fonte de sensações de felicidade, portanto, enquanto realização do nosso propósito de vida.[i] Às vezes pensamos reconhecer que não é apenas a pressão

---

[i] Entre as criações literárias do sensível inglês J. Galsworthy, que hoje desfruta de reconhecimento geral, bem cedo apreciei uma pequena história intitulada "The appletree" [A macieira]. Ela mostra, de maneira veemente, como, na vida do homem de cultura atual, não há mais nenhum espaço para o amor simples e natural de duas criaturas humanas.

da cultura, mas algo na essência da própria função que nos impede a satisfação completa e nos força a outros caminhos. Pode ser um erro, é difícil de decidir.[i]

---

[i] Algumas observações para apoiar a suposição mencionada acima: até mesmo o ser humano é um ser animal de disposição bissexual inequívoca. O indivíduo corresponde a uma fusão de duas metades simétricas, das quais, na visão de muitos pesquisadores, uma é puramente masculina, e a outra é feminina. É igualmente possível que cada metade tenha sido hermafrodita originariamente. A sexualidade é um fato biológico que, embora de importância extraordinária para a vida anímica, é psicologicamente difícil de compreender. Estamos acostumados a dizer: todo ser humano exibe moções pulsionais, necessidades, propriedades tanto masculinas quanto femininas, no entanto, o caráter do que é masculino e do que é feminino a Anatomia bem que pode apontar, mas não a Psicologia. Para esta, a oposição sexual se desvanece na oposição entre atividade e passividade, e é por isso que nós deixamos coincidir, sem muita preocupação, a atividade com a masculinidade e a passividade com a feminilidade, o que de modo algum se confirma sem exceções na série animal. A doutrina da bissexualidade está ainda muito obscura, e o fato de que ela ainda não tenha encontrado nenhuma conexão com a doutrina das pulsões deve necessariamente ser sentido pela Psicanálise como uma grave perturbação. Seja como for, se aceitarmos como fato que o indivíduo, em sua vida sexual, quer satisfazer desejos tanto masculinos quanto femininos, estaremos preparados para a possibilidade de que essas reivindicações não sejam realizadas pelo mesmo objeto, e de que elas se perturbem mutuamente quando não conseguirem manter-se separadas uma da outra e conduzir cada moção por uma trilha especial, adequada a ela. Outra dificuldade surge da circunstância de que a relação erótica, além de seus próprios componentes sádicos, encontra-se muito frequentemente acompanhada de uma quantidade de pura inclinação à agressão. O objeto de amor nem sempre mostrará tanta compreensão e tolerância para com essas complicações quanto aquela camponesa que se queixava de que seu marido não a amava mais, porque fazia uma semana que não a espancava.

Mas a suposição que chega mais fundo é aquela que se liga às explicações da nota da página 349, e segundo a qual, com postura ereta dos humanos, e a desvalorização do sentido olfativo, a sexualidade como um todo, e não apenas o erotismo anal, ameaçava se tornar uma vítima do recalcamento orgânico, de modo que, desde então, a função sexual é acompanhada por uma repugnância, não justificável de outra maneira, que impede uma satisfação completa, forçando-a a se afastar

V

O trabalho psicanalítico nos ensinou que justamente esses impedimentos à vida sexual não são tolerados pelos assim chamados neuróticos. Eles criam para si em seus sintomas satisfações substitutivas que, entretanto, ou criam elas mesmas os sofrimentos, ou se tornam fontes de sofrimento, na medida em que lhes causam dificuldades com o mundo ao seu redor e com a sociedade. Este último caso é fácil de compreender, o outro nos coloca um novo enigma. Mas a cultura exige ainda outros sacrifícios além do da satisfação sexual.

Concebemos a dificuldade do desenvolvimento cultural como uma dificuldade geral de desenvolvimento, remetendo-a à inércia da libido, à sua aversão a abandonar

---

da meta sexual, em direção a sublimações e deslocamentos de libido. Sei que Bleuler ("A resistência sexual" [Der Sexualwiderstand], *Jahrbuch für psychoanalyt. und psychopathol. Forschungen*, v. V, 1913) uma vez fez alusão à existência de uma posição originária de recusa como essa em relação à vida sexual. Todos os neuróticos e muitos além deles ficam chocados com o fato de que *inter urinas et faeces nascimur* [nascemos entre urina e fezes]. Os genitais também produzem fortes sensações olfativas que são intoleráveis para muitos seres humanos e lhes estraga o prazer do intercurso sexual. É assim que surgiria, como a raiz mais profunda do recalcamento sexual que avança com a cultura, a defesa orgânica da nova forma de vida adquirida com a postura ereta, oposta à existência animalesca anterior, um resultado da investigação científica que coincide, de maneira notável, com os preconceitos banais que se fizeram ouvir com frequência. Mesmo assim, estas são, no momento, apenas possibilidades incertas, não corroboradas pela ciência. Também não podemos esquecer que, apesar da inegável desvalorização dos estímulos olfativos, existem povos, mesmo na Europa, que têm em alta estima, como meios estimulantes da sexualidade, os fortes odores genitais tão repugnantes para nós, e não querem renunciar a eles (Ver os levantamentos folclóricos consecutivos à "enquete" de Iwan Bloch, *Sobre o sentido olfativo na vita sexualis* [Über den Geruchssinn in der vita sexualis], em anos diferentes de *Anthroprophyteia*, de Friedrich S. Krauß.

uma antiga posição por uma nova. Dizemos mais ou menos o mesmo quando fazemos derivar a oposição entre cultura e sexualidade do fato de que o amor sexual é uma relação entre duas pessoas, na qual um terceiro só pode ser supérfluo ou perturbador, enquanto a cultura está apoiada em relações entre um número maior de pessoas. No auge de um relacionamento amoroso não resta nenhum interesse pelo mundo ao nosso redor; o casal de amantes basta a si mesmo e nem sequer precisa do filho em comum para ser feliz. Em nenhum outro caso Eros revela tão claramente o núcleo de seu ser, a intenção de fazer um a partir de vários, mas, assim como isso se tornou proverbial, tão logo ele o conseguiu com o enamoramento entre duas pessoas, ele não quer ir além.

Até aqui, podemos imaginar muito bem que uma comunidade de cultura seja composta de indivíduos duplos como esses, que, libidinalmente saciados em si mesmos, estejam vinculados uns aos outros através do laço da comunidade de trabalho e de interesses. Nesse caso, a cultura não precisaria extrair nenhuma energia da sexualidade. Mas esse desejável estado não existe e nunca existiu; a realidade nos mostra que a cultura não se contenta com as ligações que até agora lhe foram concedidas, que ela também quer ligar libidinalmente os membros da comunidade, que ela se serve de todos os meios, privilegia qualquer caminho, para estabelecer fortes identificações entre eles, e reúne um nível máximo de libido inibida quanto à meta para fortalecer os laços comunitários com relações de amizade. Para a realização desses propósitos, será inevitável a restrição da vida sexual. Mas o que nos falta é compreender a necessidade que impele a cultura por esse caminho e que justifica a sua oposição à sexualidade. Só pode se tratar de um fator perturbador que ainda não descobrimos.

Uma das assim chamadas exigências ideais da sociedade de cultura pode aqui nos mostrar a pista. Ela enuncia: amarás o próximo como a ti mesmo; ela é conhecida no mundo inteiro, é com certeza mais antiga do que o cristianismo que a apresenta como a sua exigência mais digna de orgulho, mas seguramente não é tão antiga assim; em épocas já históricas ela ainda era estranha aos seres humanos. Iremos nos posicionar ingenuamente em relação a ela, como se ouvíssemos falar dela pela primeira vez. Assim, não poderemos reprimir um sentimento de surpresa e de estranhamento. Por que faríamos isso? Em que isso nos ajudaria? Mas, sobretudo, como colocaríamos isso em prática? Como isso nos seria possível? Meu amor é algo que me é precioso, algo que não tenho o direito de descartar irresponsavelmente. Ele me impõe deveres, para os quais eu preciso estar preparado para cumprir com sacrifícios. Quando eu amo outra pessoa, ela tem de merecê-lo de alguma maneira (estou desconsiderando a vantagem que ela possa me trazer, bem como a sua possível importância para mim como objeto sexual; essas duas espécies de relação não são levadas em conta no preceito do amor ao próximo). Ela irá merecê-lo se for tão semelhante a mim em aspectos importantes que nela eu possa amar a mim mesmo; irá merecê-lo se for tão mais perfeita do que eu que nela eu possa amar o meu ideal de minha própria pessoa; tenho de amá-la se for o filho de meu amigo, pois a dor do amigo, caso um sofrimento o atinja, seria também a minha dor, eu teria de partilhá-la. Mas, se ela me for desconhecida, se não puder atrair-me por meio de nenhum valor próprio, por nenhuma importância que já tenha assumido em minha vida afetiva, ser-me-á difícil amá-la. E até mesmo eu estaria sendo injusto ao fazê-lo, pois o meu amor é considerado por todos os meus como uma preferência; seria uma injustiça contra eles colocar-lhes um estranho em pé de igualdade. Mas se for meu dever amá-la, com o amor universal, apenas porque ela também é um ser desta Terra, como o inseto, como a minhoca, como uma cobra-d'água, então, temo que lhe caberá uma quantia irrelevante de amor, que não poderia ser tanto quanto aquela que, de acordo o julgamento da razão, eu tenha o direito de reservar para mim mesmo. Para que serve um preceito apresentado de maneira tão solene se o seu cumprimento não pode ser recomendado como razoável?

Se olho mais de perto, encontro ainda mais dificulda-des. Não apenas esse desconhecido não é, em geral, digno de ser amado – e é preciso que eu o reconheça honesta-mente –, ele tem é mais direito à minha hostilidade, até mesmo ao meu ódio. Ele parece não ter o mínimo amor por mim, não demonstra por mim a menor consideração. Ele não hesita em me prejudicar, caso isso lhe traga algu-ma vantagem, e nem ao menos se pergunta se o grau do seu benefício corresponde ao tamanho do dano que ele me causa. Além do mais, ele não precisa nem mesmo tirar vantagem desse fato; se com isso ele puder apenas satisfazer um prazer qualquer, ele não hesitará em me ridicularizar, ofender-me, caluniar-me, em mostrar seu poder sobre mim, e, quanto mais seguro ele se sente e mais desamparado eu fico, com maior certeza poderei esperar essa conduta dele contra mim. Se acontecer de ele se conduzir de modo diferente, se ele mostrar a mim, enquanto desconhecido, consideração e respeito, estou disposto a lhe retribuir de maneira semelhante, sem mais, sem aquele preceito. Aliás, se esse mandamento grandioso dissesse: Ama teu próximo como o teu próximo te ama, eu não o contestaria. Há um segundo mandamento que me parece ainda mais incom-preensível e desencadeia em mim uma oposição ainda mais forte. Ele diz: ama teus inimigos. Mas, se penso bem, não tenho razão para rejeitá-lo como se fosse uma impertinência ainda mais forte. No fundo, é a mesma coisa.[i]

Acredito estar ouvindo agora a advertência de uma voz plenamente digna: é justamente porque o próximo não é digno de ser amado, mas, ao contrário, é seu inimigo, que você deve amá-lo como a si mesmo. Compreendo então que esse é um caso semelhante ao *Credo quia absurdum* [Creio porque é absurdo].

Então é muito provável que o próximo, ao ser intimado a me amar como a si mesmo, responda exatamente como eu e me rejeite com os mesmos argumentos. Espero que, objetivamente, não com o mesmo direito, mas é certo que pensará a mesma coisa. Ainda assim, há diferenças na conduta dos seres humanos, que a Ética [*Ethik*], desconsiderando aquilo que as condiciona, classifica como "boas" e "más". Enquanto essas diferenças inegáveis não forem eliminadas, a observância das altas exigências éticas irá significar um prejuízo aos propósitos da cultura, posto que ela, pura e simplesmente, estabelece prêmios para a maldade. Não podemos descartar aqui a lembrança de um incidente ocorrido no Parlamento francês, quando estava

---

[i] Um grande poeta pode autorizar-se a expressar, ao menos de maneira jocosa, verdades psicológicas severamente proibidas. Heinrich Heine assim o confessa: "Eu tenho um modo de pensar dos mais pacíficos. Meus desejos são: uma modesta cabana, um teto de palha, mas uma boa cama, uma boa comida, leite e manteiga bem frescos, flores na janela, belas árvores na frente da porta, e se o bom Deus quiser me fazer bem feliz, ele irá me permitir experimentar a alegria de que nessas árvores estejam enforcados, digamos, seis ou sete de meus inimigos. Com o coração compadecido diante de sua morte, eu os perdoarei por toda injustiça que me infligiram na vida – é verdade que temos de perdoar os nossos inimigos, mas não antes que sejam enforcados" (Heine, *Pensamentos e ideias espontâneas* [*Gedanken und Einfälle*]).

sendo negociada a pena de morte; um orador vinha intervindo ardentemente a favor de sua abolição e recebeu tempestuosos aplausos, quando uma voz vinda do salão os interrompeu com as palavras: *"Que messieurs les assassins commencent!"* [Que os senhores assassinos comecem!].[9]

Por trás de tudo isso, o que há de realidade negada de bom grado é que o ser humano não tem uma natureza pacata, ávida de amor, e que no máximo até consegue defender-se quando atacado, mas que, ao contrário, a ele é dado o direito de também incluir entre as suas habilidades pulsionais uma poderosa parcela de inclinação para a agressão. Em consequência disso, o próximo não é, para ele, apenas um possível colaborador e um objeto sexual, mas é também uma tentação, de com ele satisfazer a sua tendência à agressão, de explorar a sua força de trabalho sem uma compensação, de usá-lo sexualmente sem o seu consentimento, de se apropriar de seus bens, de humilhá-lo, de lhe causar dores, de martirizá-lo e de matá-lo. *Homo homini lupus*[10] [o homem é o lobo do homem]; quem é que tem a coragem, depois de todas as experiências da vida e da história, de contestar essa frase? Via de regra, essa agressão cruel aguarda uma provocação, ou coloca-se a serviço de algum outro intuito, cuja meta também poderia ser alcançada por meios mais suaves. Em circunstâncias que lhe são favoráveis, quando foram excluídas as forças ânimicas contrárias que costumam inibi-la, ela se manifesta, até mesmo espontaneamente, revelando o ser humano como uma besta selvagem, alheia à tendência de poupar a própria espécie. Aquele que relembrar as atrocidades durante a migração dos povos, as invasões dos hunos, aqueles que chamamos de mongóis sob o comando de Gengis Khan e Tamerlão, a conquista de Jerusalém pelos devotos cruzados e até mesmo os horrores da última

Guerra Mundial terá de se curvar humildemente diante da facticidade dessa concepção.

A existência dessa inclinação para a agressão, que podemos perceber em nós mesmos, e com razão pressupor nos outros, é o fator que perturba a nossa relação com o próximo e obriga a cultura a arcar com seus custos. Em consequência dessa hostilidade primária dos seres humanos entre si, a sociedade de cultura está constantemente ameaçada de se desintegrar. O interesse da comunidade de trabalho não a manteria unida; paixões pulsionais são mais fortes do que interesses sensatos. A cultura precisa tudo mobilizar para colocar barreiras às pulsões de agressão dos seres humanos, para suprimir as suas manifestações através de formações reativas. Daí, portanto, o recurso a métodos que devem estimular os seres humanos a identificações e a ligações amorosas inibidas quanto à meta, daí a restrição à vida sexual, e daí também o mandamento ideal de amar o próximo como se ama a si mesmo, que realmente se justifica pelo fato de nada ser tão contrário à natureza humana originária. A despeito de todo esse esforço, esse empenho cultural não obteve muito até agora. Ele espera prevenir os excessos mais grosseiros da violência brutal, dando a si mesmo o direito de exercer violência contra os criminosos, mas a lei não consegue compreender as manifestações mais prudentes e refinadas da agressão humana. Cada um de nós acaba desistindo, vendo como ilusões as expectativas que na juventude tínhamos em relação aos nossos semelhantes, e podemos aprender o quanto a vida nos ficou difícil e dolorosa por causa de sua maldade. Por outro lado, seria uma injustiça censurar a cultura por querer excluir a luta e a competição das atividades humanas. Elas são certamente imprescindíveis, mas um antagonismo não é necessariamente uma hostilidade; a primeira é apenas mal utilizada como pretexto para a segunda.

Os comunistas acreditam ter encontrado o caminho para a solução do mal. O homem seria inequivocamente bom e bem intencionado em relação ao próximo, mas a instituição da propriedade privada teria corrompido a sua natureza. A posse de bens privados confere poder ao indivíduo e, com isso, a tentação de maltratar o próximo; aquele que foi excluído da posse irá, necessariamente, revoltar-se contra o opressor, com hostilidade. Se a propriedade privada fosse eliminada, se todos os bens fossem tornados comuns e se todos os seres humanos pudessem usufruir desses bens, a maldade e a hostilidade desapareceriam entre os seres humanos. Já que todas as necessidades estariam satisfeitas, ninguém teria motivos para ver o outro como inimigo e todos se submeteriam de boa vontade ao trabalho necessário. Não tenho como fazer a crítica econômica do sistema comunista e não tenho como investigar se a abolição da propriedade privada é conveniente e vantajosa.[i] Mas sou capaz de reconhecer em seu pressuposto psicológico uma ilusão insustentável. Com a abolição da propriedade privada, privamos do prazer humano com a agressão uma de suas ferramentas, certamente uma ferramenta poderosa, mas não a mais poderosa. Nada é alterado, nem mesmo em sua essência, no que diz respeito às diferenças de poder e de

---

[i] Aquele que, em sua juventude, amargou a desgraça da pobreza, experimentou a indiferença e a arrogância dos abastados, deveria estar protegido da suspeita de não mostrar nenhuma compreensão e boa vontade em relação aos esforços para lutar contra a desigualdade de bens e o que dela deriva. Mas é evidente que se essa luta quer apelar para a exigência abstrata de justiça na igualdade de todos os seres humanos, será muito fácil objetar que a natureza, por dotar os indivíduos com atributos físicos e dons intelectuais altamente desiguais, instaurou injustiças contra as quais não há remédio.

influência, de que a agressão faz uso abusivo para os seus propósitos. A agressão não foi criada pela propriedade, ela reinava, quase que irrestritamente, em tempos pré-históricos, quando a propriedade era ainda muito inexpressiva, mas ela já aparece na criação familiar, mal a propriedade tinha acabado de abandonar a sua forma anal originária, ela forma o sedimento de todas as relações ternas e amorosas entre os seres humanos, talvez com a única exceção da relação de uma mãe para com seu filho homem. Se eliminamos o direito pessoal aos bens materiais, permanece ainda o privilégio proveniente das relações sexuais, que necessariamente irá tornar-se a fonte mais intensa de desgosto e da hostilidade mais acirrada entre os seres humanos que até então estavam em pé de igualdade. Se abolirmos também esse privilégio por meio da total liberação da vida sexual, se, portanto, abolirmos a família, que é a célula germinal da cultura, certamente não poderemos prever que novos caminhos pode tomar o desenvolvimento da cultura, mas uma coisa temos o direito de esperar: que esse traço indestrutível da natureza humana também acompanhará esse desenvolvimento aonde quer que ele vá.

Evidentemente não será fácil para os seres humanos renunciar à satisfação dessa tendência à agressão; eles não se sentem bem em relação a ela. Não deve ser menosprezada a vantagem de um círculo cultural mais restrito, a de permitir à pulsão encontrar uma saída na hostilização daqueles que se acham fora dele. Sempre é possível ligar um grande número de pessoas pelo amor, desde que restem outras para que se exteriorize a agressividade. Uma vez, ocupei-me com o fenômeno de que justamente comunidades vizinhas e até próximas umas das outras em outros aspectos atacam-se e ridicularizam-se, como os espanhóis e os portugueses, os alemães do norte e os do sul, os ingleses e os escoceses, etc. Dei a esse fenômeno o nome de "narcisismo das pequenas diferenças",[11] o que não traz muita contribuição para a sua explicação. Passamos a reconhecer nele uma satisfação conveniente e relativamente inofensiva da tendência à agressão, através da qual é facilitada a coesão dos membros da comunidade. Desse modo, o povo dos judeus, espalhado em todas as direções, prestou os méritos mais dignos de reconhecimento vindos de todos os lados da cultura dos povos que os acolheram; infelizmente todas as matanças de judeus da Idade Média não bastaram para tornar essa época mais pacífica e mais segura para os seus companheiros cristãos. Depois que o apóstolo Paulo fez do amor universal pela humanidade o fundamento de sua comunidade cristã, a extrema intolerância do cristianismo contra aqueles que permaneceram de fora tornou-se uma consequência inevitável; os romanos, que não fundaram no amor a sua comunidade estatal, desconheciam a intolerância religiosa, embora, para eles, a religião fosse um assunto do Estado e o Estado estivesse impregnado de religião. Também não foi nenhum acaso incompreensível o fato de o sonho de um império germânico mundial ter convocado, como seu complemento, o antissemitismo, e reconhecemos como compreensível que a tentativa de edificar uma nova cultura comunista na Rússia encontre a sua sustentação psicológica na perseguição aos burgueses. Só nos perguntamos preocupados o que farão os sovietes depois que tiverem exterminado os seus burgueses.

Se a cultura impõe, não apenas à sexualidade, mas também à tendência à agressão do ser humano, tão grandes sacrifícios, então entendemos melhor por que se torne difícil para o ser humano nela sentir-se feliz. Para o homem pré-histórico, as coisas eram de fato melhores nesse aspecto, pois ele não conhecia nenhuma restrição à pulsão. Em contrapartida, a sua garantia de desfrutar dessa felicidade por longo tempo era das mais exíguas. O ser humano de cultura trocou um tanto da possibilidade de felicidade por um tanto de segurança. No entanto, não devemos esquecer que na família pré-histórica apenas o chefe desfrutava de uma liberdade pulsional como essa; os outros viviam sob opressão escrava. A oposição entre uma minoria que desfrutava das vantagens da cultura e uma maioria que foi destituída dessas vantagens era, portanto, naquela época originária, levada ao extremo. Sobre os homens primitivos que vivem em nossos dias, aprendemos, através da mais cuidadosa averiguação, que de forma alguma temos o direito de invejar a sua vida pulsional por sua liberdade; ela está submetida a restrições de outra ordem, mas talvez de um rigor maior do que a do moderno ser humano de cultura.

Quando objetamos ao nosso estado atual de cultura, e com razão, o quão insuficientemente ele satisfaz nossas exigências por uma organização de vida que nos faça felizes; quando objetamos contra o tanto de sofrimento com que ele consente e que poderia ser evitado; quando, com crítica impiedosa, esforçamos-nos por expor as raízes de sua imperfeição, estamos exercendo o nosso simples direito, e não nos colocando como inimigos da cultura. Temos o direito de esperar que, em nossa cultura, pouco a pouco se façam valer essas alterações que satisfaçam melhor as nossas necessidades e que escapem a essa crítica. Mas talvez também nos familiarizemos com a ideia de que existem dificuldades inerentes à essência da cultura e que não cederão a nenhuma tentativa de reforma. Além das tarefas de restrição pulsional, para as quais estamos preparados, impõe-se a nós o perigo de um estado que podemos chamar de "a miséria psicológica da massa". Tal perigo é mais ameaçador lá onde a ligação social é estabelecida sobretudo por identificação dos participantes entre si, enquanto personalidades de liderança não atingem aquela importância que lhes seria devida na formação de massa.[i] O atual estado de cultura dos Estados Unidos da América forneceria uma boa oportunidade para estudar esse temido dano cultural. Mas resisto à tentação de entrar na crítica da cultura desse país; não quero suscitar a impressão de que quisesse eu mesmo me servir de métodos norte-americanos.

VI

Em nenhum trabalho tive, como dessa vez, a sensação tão forte de apresentar algo que é de conhecimento geral, de desperdiçar papel e tinta e, na sequência, o trabalho do tipógrafo e a tinta de impressão, para relatar coisas que, afinal, são evidentes por si mesmas. É por isso que de bom grado irei tirar proveito do fato de ter surgido um indício de que o reconhecimento de uma pulsão de agressão peculiar e autônoma possa significar uma modificação na doutrina psicanalítica das pulsões.

Acabará sendo revelado que isso não é bem assim, que se trata simplesmente de compreender de modo mais rigoroso uma viragem há muito consumada e persegui-la em suas consequências. De todos os aspectos da teoria analítica desenvolvidos gradualmente, foi a doutrina das pulsões que, tateando, avançou com mais dificuldades. E, no entanto, ela era tão indispensável ao conjunto que foi preciso colocar alguma coisa em seu lugar. Na completa desorientação dos inícios, a máxima do filósofo-poeta

---

[i] Ver: Psicologia de massas e análise do Eu [Massenpsychologie und Ich-Analyse], 1931 (*Ges. Werke*, XIII).

Schiller me deu o primeiro ponto de apoio, de que "a fome e o amor" mantêm coesa a engrenagem do mundo. A fome podia ser considerada representante dessas pulsões que querem conservar o indivíduo, o amor anseia por objetos; sua função principal, favorecida de todas as maneiras pela natureza, é a da conservação da espécie. Foi assim que primeiramente as pulsões do Eu e as pulsões de objeto opuseram-se umas às outras. Para a energia das últimas, e exclusivamente para ela, introduzi o nome de libido; estava assim em curso a oposição entre as pulsões do Eu e as pulsões "libidinais" de amor, no sentido mais amplo, dirigidas ao objeto. Uma dessas pulsões de objeto, a pulsão sádica, distinguia-se, na verdade, pelo fato de sua meta não ser nada amorosa, e além disso, em muitos aspectos, ela se ligava claramente às pulsões do Eu e não podia esconder seu estreito parentesco com as pulsões de apoderamento sem propósito libidinal, mas essa discrepância foi superada; o sadismo pertencia, então, claramente à vida sexual, o jogo cruel podia substituir o da ternura. A neurose apareceu como o desfecho de uma luta entre o interesse de autoconservação e as exigências da libido, luta na qual o Eu havia vencido, mas ao preço de graves sofrimentos e renúncias.

Todo analista admitirá que ainda hoje isso não soa como um erro há muito superado. Enquanto isso, uma modificação tornou-se indispensável, no momento em que a nossa investigação avançou do recalcado para o recalcante, das pulsões de objeto para o Eu. Aqui, tornou-se decisiva a introdução do conceito de narcisismo, ou seja, a visão de que o próprio Eu está investido de libido, que é até mesmo sua morada original e que também permanece, por assim dizer, o seu quartel general. Essa libido narcísica se volta para os objetos, torna-se assim libido de objeto, e pode se transformar novamente em libido narcísica. O conceito de narcisismo permitia apreender analiticamente a neurose traumática, assim como muitas afecções próximas às psicoses e também elas mesmas. A interpretação das neuroses de transferência como tentativas do Eu de se defender da sexualidade não precisou ser abandonada, mas o conceito de libido foi ameaçado. Tendo em vista que as pulsões do Eu também eram libidinais, pareceu por um instante inevitável fazer coincidir, de maneira geral, a libido com a energia pulsional, como Carl Gustav Jung pretendera anteriormente. No entanto, restou algo como uma convicção, ainda por fundamentar, de que as pulsões não podem ser todas da mesma espécie. O passo seguinte dei em *Além do princípio de prazer* (1920), quando me chamou a atenção pela primeira vez a compulsão à repetição e o caráter conservador da vida pulsional. Partindo de especulações sobre o início da vida, bem como de paralelos biológicos, extraí a conclusão de que seria necessário que houvesse, além da pulsão de conservar a substância vivente e de aglomerá-la em unidades cada vez maiores,[i] outra pulsão, oposta a ela, que ansiaria por dissolver essas unidades e por reconduzi-las ao estado primordial, inorgânico. Portanto, além de Eros, haveria uma pulsão de morte; e, a partir da ação conjunta e mutuamente contraposta de ambas, foi possível explicar os fenômenos da vida. Mas naquele momento não era fácil demonstrar a atividade dessa suposta pulsão de morte. As manifestações de Eros eram suficientemente evidentes e ruidosas; podíamos supor que a pulsão de morte trabalhava

---

[i] A oposição, que aparece nesse contexto, entre a incansável tendência expansiva de Eros e a natureza em geral conservadora das pulsões é digna de nota e pode tornar-se o ponto de partida de novas interrogações.

em silêncio, no interior do ser vivente, pela sua dissolução, mas evidentemente isso não constituía nenhuma prova. O que nos levou mais longe foi a ideia de que uma parte da pulsão se voltaria contra o mundo exterior e daí viria à luz como pulsão para a agressão e para a destruição. Assim, a pulsão seria ela mesma compelida a se colocar a serviço de Eros, visto que o ser vivo aniquilava qualquer outra coisa, fosse ela animada ou inanimada, em vez de a si mesmo. Inversamente, a restrição dessa agressão voltada para fora iria intensificar a autodestruição, que, de qualquer forma, está sempre acontecendo. Ao mesmo tempo, podia-se intuir, a partir desse exemplo, que as duas espécies de pulsão aparecem raramente − talvez nunca − isoladas uma da outra, mas que, ao contrário, elas se fundem em proporções diversas, muito variáveis, tornando-se assim irreconhecíveis ao nosso juízo. No sadismo, conhecido há muito tempo como pulsão parcial da sexualidade, estaríamos em presença de uma aliança particularmente intensa dessa espécie, entre o anseio amoroso e a pulsão de destruição, da mesma forma que em sua contraparte, o masoquismo, estaríamos diante de uma ligação entre a destruição, dirigida para o interior, e a sexualidade, ligação através da qual a tendência normalmente imperceptível torna-se justamente evidente e tangível.

A suposição da pulsão de morte ou de destruição encontrou resistência mesmo nos círculos analíticos; sei o quanto está difundida a tendência de atribuir, de preferência, tudo o que no amor é encontrado de perigoso e de hostil a uma bipolaridade originária em sua própria essência. Eu havia, de início, sustentado as concepções desenvolvidas aqui, apenas a título de tentativa, mas com o passar do tempo elas adquiriram tal poder sobre mim que não posso mais pensar de outra maneira. O que quero dizer é que, teoricamente, elas são incomparavelmente mais utilizáveis do que quaisquer outras possíveis, elas geram aquela simplificação, sem negligenciar ou violar os fatos, à qual almejamos no trabalho científico. Reconheço que no sadismo e no masoquismo sempre tivemos diante de nossos olhos as manifestações, fortemente aliadas ao erotismo, da pulsão de destruição voltadas para o exterior e para o interior, mas não entendo mais como pudemos ignorar a ubiquidade da agressão e da destruição não eróticas, e deixar de lhe conceder o devido lugar na interpretação da vida. (É que a sede de destruição voltada para dentro, quando não está eroticamente colorida, quase sempre foge à percepção.) Lembro-me de minha própria posição de defesa quando a ideia da pulsão de destruição emergiu pela primeira vez na literatura psicanalítica,[12] e quanto tempo demorou até que eu me tornasse receptivo a ela. Que outros tenham mostrado, e ainda mostrem, a mesma rejeição surpreende-me menos. Pois as criancinhas não gostam de ouvir,[13] quando é mencionada a inclinação inata do ser humano para o "mal", para a agressão, para a destruição, e também para a crueldade. É que Deus as criou à imagem de sua própria perfeição e ninguém quer ser lembrado do quanto é difícil unir – apesar das promessas da *Christian Science*[14] – a inegável existência do mal com a Sua onipotência ou a Sua bondade. O Diabo seria a melhor saída enquanto justificativa para Deus; ele assumiria, nesse caso, o mesmo papel economicamente atenuante que o do judeu no mundo do ideal ariano. Mas, mesmo assim: podemos, afinal, da mesma forma exigir de Deus explicações pela existência do Diabo, bem como pelo mal que ele encarna. Em vista dessas dificuldades, é aconselhável a qualquer um, em lugar adequado, fazer uma profunda reverência à natureza profundamente moral do ser humano; isso o ajudará a conquistar a simpatia de todos e, em compensação, ele será poupado de muitas coisas.[i]

O nome de libido pode novamente ser utilizado para as manifestações de força de Eros, para distingui-las da energia da pulsão de morte.[ii] Devemos admitir que é um tanto mais difícil apreender esta última, intuí-la, por assim dizer, apenas como resíduo por trás de Eros, e que ela nos escapa lá onde não é revelada pela aliança com Eros. É no sadismo, onde ela modifica a meta erótica no seu próprio sentido, embora ao mesmo tempo satisfaça plenamente o anseio sexual, que conseguimos ter a mais clara visão de sua essência e de sua relação com Eros. Mas mesmo lá onde ela surge sem propósito

---

[i] A identificação do princípio do mal com a pulsão de destruição tem um efeito particularmente convincente no Mefistófeles de Goethe:

"Pois tudo o que nasce,/

Merece perecer./- -

Assim, o que chamais de pecado,/destruição, em suma, o mal,/

é o elemento a mim adequado". ["*Denn alles, was entsteht,/Ist wert, daß es zu Grunde geht./So ist denn alles, was Ihr Sünde,/Zerstörung, kurz das Böse nennt,/Mein eigentliches Element*".]

O que o próprio Diabo designa como seu adversário não é o sagrado, o bem, mas a força de procriação da natureza, de multiplicação da vida, ou seja, Eros.

- -

"Do ar, da água, bem como da terra//Desprendem-se milhares de germes,/No seco, no úmido, no quente, no frio!/Se eu não tivesse reservado a chama para mim,/Eu não teria nada propriamente para mim". ["*Der Luft, dem Wasser, wie der Erden,/Entwinden tausend Keime sich,/Im Trocken, Feuchten, Warmen, Kalten!/Hätt' ich mir nicht die Flamme vorbehalten,/Ich hätte nichts Aparts für mich*"].

[ii] Podemos enunciar a nossa concepção atual mais ou menos na seguinte proposição: em qualquer manifestação pulsional a libido está envolvida, mas nem tudo dessa manifestação é libido.

sexual, incluindo a mais cega fúria de destruição, não podemos ignorar que a sua satisfação está conectada a um gozo [*Genuß*] narcísico extraordinariamente elevado, pelo fato de essa satisfação mostrar ao Eu a realização de seus antigos desejos de onipotência. Moderada e domada, inibida em sua meta, por assim dizer, a pulsão de destruição, dirigida aos objetos, tem necessariamente de proporcionar ao Eu a satisfação de suas necessidades vitais e o domínio sobre a natureza. Como a suposição dessa pulsão está essencialmente baseada em razões teóricas, é preciso admitir que ela também não esteja inteiramente a salvo de objeções teóricas. Mas é assim que as coisas se apresentam a nós exatamente agora, no estado atual de nossas perspectivas; a investigação e a reflexão futuras trarão certamente a clareza decisiva.

Para tudo o que segue, atenho-me, portanto, ao ponto de vista de que a inclinação à agressão é uma predisposição pulsional originária e autônoma do ser humano e retorno à ideia de que a cultura encontra nela o seu obstáculo mais poderoso. Em algum momento, no curso desta investigação, não conseguimos tirar do nosso pensamento a ideia de que a cultura seria um processo especial que se desenrola sobre a humanidade, e continuo ainda sob o encanto dessa ideia. Acrescentaremos que ela seria um processo a serviço de Eros, que quer agrupar indivíduos humanos isolados, mais tarde famílias, depois tribos, povos, nações, em uma grande unidade, a humanidade. Por que isso teria de acontecer não sabemos; essa seria justamente a obra de Eros. Essas massas humanas devem ser ligadas libidinalmente umas às outras; só a necessidade, ou só as vantagens da comunidade de trabalho não as manteriam unidas. Mas a esse programa de cultura opõe-se a pulsão de agressão natural dos seres humanos, a hostilidade de um contra todos e de todos contra um. Essa pulsão de agressão é o derivado e o principal representante da pulsão de morte que encontramos ao lado de Eros, que com ele divide o domínio do mundo. E agora, penso eu, o sentido do desenvolvimento cultural não é mais obscuro para nós. Esse desenvolvimento tem necessariamente de nos mostrar a luta entre Eros e morte, pulsão de vida e pulsão de destruição, tal como ela se consuma na espécie humana. Essa luta é, sobretudo, o conteúdo essencial da vida, e por isso o desenvolvimento da cultura pode ser caracterizado, sem mais delongas, como a luta da espécie humana pela vida.[i] E é essa disputa de gigantes que as nossas babás querem aplacar com a "cantiga de ninar sobre o céu" [*Eiapopeia vom Himmel*]![15]

VII

Por que nossos parentes, os animais, não apresentam nenhuma luta cultural como essa? Ah, isso nós não sabemos. Muito provavelmente, alguns entre eles, as abelhas, as formigas, os cupins lutaram por milhares de anos até encontrar essas instituições estatais, essa distribuição de funções, essa restrição feita aos indivíduos que hoje admiramos neles. O que caracteriza a nossa condição atual é o fato de nossas sensações nos dizerem que não nos sentiríamos felizes em nenhum desses estados animais e em nenhum dos papéis neles atribuídos ao indivíduo. Em outras espécies, pode ser que se tenha chegado a um

---

[i] Provavelmente com uma definição mais precisa: tal como essa luta teve de se configurar a partir de certo acontecimento que ainda resta adivinhar.

equilíbrio temporário entre as influências do ambiente e as pulsões que se debatem nessas espécies e, com isso, a uma cessação do desenvolvimento. No caso do homem pré-histórico, pode ser que uma nova iniciativa da libido tenha alimentado uma renovada rebelião da pulsão de destruição. Temos aqui muitas perguntas, para as quais ainda não há resposta.

Outra pergunta nos é mais evidente. De quais meios a cultura se serve para inibir a agressão que a ela se opõe, para torná-la inofensiva e para talvez eliminá-la? Já conhecemos alguns desses métodos, mas os que parecem mais importantes, ainda não. Podemos estudá-los na história do desenvolvimento do indivíduo. O que acontece com ele, que torna a sua agressão inoperante? Algo muito notável, que não teríamos intuído e que, no entanto, é tão evidente. A agressão é introjetada, interiorizada, mas, na verdade, é enviada de volta para o lugar de onde veio, portanto, é voltada contra o próprio Eu. Lá, ela é assumida por uma parte do Eu, que se opõe ao restante como Supereu, e então, como "consciência moral", exerce contra o Eu essa mesma disponibilidade rigorosa para a agressão, que o Eu teria, com prazer, saciado em outros indivíduos, desconhecidos a ele. Chamamos de consciência de culpa a tensão entre o severo Supereu e o Eu que lhe está submetido; ela se manifesta como necessidade de punição. A cultura lida, portanto, com o perigoso prazer de agressão do indivíduo, enfraquecendo-o, desarmando-o e vigiando-o, por meio de uma instância em seu interior, como se fosse a ocupação de uma cidade conquistada.

Sobre o surgimento do sentimento de culpa, o analista pensa diferentemente dos demais psicólogos; mesmo para ele não é fácil prestar contas por isso. De início, se perguntamos como alguém pode chegar a ter um sentimento de culpa, recebemos uma resposta que não podemos contestar: a pessoa sente-se culpada (devotos dizem: pecadora) quando fez alguma coisa que reconhece como "má". Daí percebemos quão pouco essa resposta nos dá. Talvez, depois de alguma hesitação, seja acrescentado que mesmo quem não fez esse mal, mas simplesmente reconhece em si a intenção de fazê-lo, pode se considerar culpado, e então surge a questão de saber por que, neste caso, a intenção é tida como equivalente à execução. Ambos os casos, no entanto, pressupõem que o mal já tenha sido reconhecido como condenável, como algo a ser excluído da execução. Como é que se chega a essa decisão? Podemos recusar a existência de um discernimento original, natural, por assim dizer, para diferenciar o bem do mal. No mais das vezes, o mal não é, em absoluto, aquilo que é prejudicial, perigoso ao Eu, ao contrário, é até mesmo algo desejado por ele, que lhe traz prazer. Aqui se manifesta, portanto, uma influência desconhecida; é ela que determina o que deve ser chamado de bem ou de mal. Tendo em vista que a própria sensibilidade não teria levado o ser humano pelo mesmo caminho, ele tem de ter um motivo para se submeter a essa influência desconhecida. Esse motivo é fácil de descobrir em seu desamparo e em sua dependência dos outros, e pode ser mais bem caracterizado como medo [*Angst*] da perda de amor. Se ele perde o amor do outro, de quem é dependente, então ele também perde a proteção contra diversas espécies de perigo, expondo-se sobretudo ao perigo de esse outro superpotente lhe provar sua superioridade na forma de punição. O mal é, portanto, inicialmente, aquilo através do qual somos ameaçados com a perda do amor; por medo dessa perda, temos, necessariamente, de evitá-lo. É por isso que também faz pouca diferença se já fizemos o mal ou se apenas queremos fazê-lo; em ambos os casos, o perigo só surge quando a autoridade o descobre, e em ambos os casos esta iria se conduzir da mesma maneira.

Chamamos esse estado de "má consciência",[16] mas na verdade, ele não merece esse nome, pois nessa fase a consciência de culpa é claramente apenas medo da perda do amor, medo "social". Na criança pequena, ele nunca pode ser outra coisa, mas mesmo em muitos adultos ele não se altera além do fato de que, em lugar do pai ou de ambos os pais, entra a comunidade humana maior. É por isso que eles só se permitem, regularmente, realizar o mal que lhes promete conveniências se estiverem seguros de que a autoridade nada saiba sobre isso, ou de que ela nada lhes poderá fazer, e o seu medo é unicamente de serem descobertos.[i] É com esse estado que a sociedade de nossos dias, de modo geral, precisa contar.

Uma grande mudança só irá acontecer quando a autoridade for interiorizada por meio da constituição de um Supereu. Com isso, os fenômenos da consciência são elevados a uma nova fase; no fundo, é só agora que deveríamos falar de consciência moral e de sentimento de culpa.[ii] Agora, é anulado também o medo de ser descoberto e, completamente, a diferença entre fazer o mal e querer fazê-lo, pois, diante do Supereu, nada pode ser escondido, nem sequer pensamentos. A gravidade real da situação passou, com certeza, pois a nova autoridade, o

---

[i] Pensemos no famoso mandarim de Rousseau!

[ii] Qualquer pessoa experiente entenderá e levará em conta que nesta apresentação abrangente está sendo nitidamente separado aquilo que realmente se consuma como transições fluentes e que não se trata apenas da existência de um Supereu, mas de sua força relativa e de sua esfera de influência. Até aqui, tudo sobre consciência moral e culpa é, na verdade, de conhecimento geral e é quase incontestável.

Supereu, não tem, como acreditamos, nenhum motivo para maltratar o Eu, com o qual ele está intimamente ligado. Mas a influência da gênese, que deixa continuar vivendo aquilo que foi passado e superado, manifesta-se no fato de que, no fundo, tudo permanece como era no início. O Supereu atormenta o Eu pecador com as mesmas sensações de angústia e fica à espreita de oportunidades de deixá-lo ser punido pelo mundo exterior.

Nessa segunda fase de desenvolvimento, a consciência moral apresenta uma singularidade, que na primeira era desconhecida e que não é mais fácil de explicar. É que ela se porta com uma severidade e uma desconfiança tanto maiores quanto mais virtuoso for o ser humano, de modo que, no final, são justamente aqueles que foram mais longe na santidade que se acusam da mais grave condição pecaminosa. Com isso, a virtude perde uma parte da recompensa que lhe foi prometida, o Eu dócil e contido não desfruta da confiança de seu mentor e, ao que parece, esforça-se, em vão, para obtê-la. Agora alguém estaria pronto a objetar que estas seriam dificuldades fabricadas artificialmente. A consciência moral mais severa e mais vigilante seria justamente o aspecto que caracteriza o ser humano moral, e se os santos se fazem passar por pecadores, eles não o fariam sem razão, se considerarmos as tentações de satisfação pulsional às quais eles estão expostos em medida particularmente elevada, tendo em vista que tentações, como sabemos, só aumentam sob um impedimento continuado, enquanto, em caso de satisfação ocasional, ao menos elas diminuem temporariamente. Outro fato do campo da ética, tão rico em problemas, é o de que *o infortúnio*, portanto, o impedimento exterior, promove consideravelmente o poder da consciência moral no Supereu. Enquanto a pessoa vai bem, sua consciência moral também é amena e permite ao Eu lidar com toda espécie de coisas; quando atingido por um infortúnio, ele faz um retorno a si mesmo, reconhece sua condição pecaminosa, intensifica as exigências de sua consciência moral, impõe-se privações e se castiga com penitências.[i] Povos inteiros se conduziram e ainda se conduzem dessa maneira. Mas isso pode ser explicado confortavelmente a partir da fase infantil originária da consciência moral, fase que, portanto, depois da introjeção no Supereu, não é abandonada, mas continua a existir ao lado e por trás dela. O destino é considerado um substituto da instância parental; quando passamos por infortúnio, isso significa que não somos mais amados por essa força suprema, e, ameaçados por essa perda do amor, curvamo-nos novamente diante da representação parental no Supereu, aquela que queríamos desprezar quando éramos felizes. Isso se torna particularmente claro quando reconhecemos no destino apenas a expressão da vontade divina, no sentido estritamente religioso. O povo de Israel se julgava o predileto de Deus, e quando o grande Pai deixou desabar infortúnio após infortúnio sobre esse seu povo, este não ficou desorientado nessa relação ou duvidou do poder e da justiça de Deus, mas engendrou os profetas, que o repreenderam por sua condição pecaminosa, e criou, a partir de sua consciência de culpa, os preceitos mais rigorosos de sua religião sacerdotal. É curioso o modo diferente de

---

[i] Esse estímulo da moral através do infortúnio é tratado por Mark Twain em um delicioso conto: "The first melon I ever stole" [O primeiro melão que roubei]. Por acaso, esse primeiro melão não estava maduro. Ouvi o próprio Mark Twain contar essa história em público. Depois de enunciar o título, interrompeu-se e perguntou-se, como que duvidando: *"Was it the first?"* [Foi o primeiro?]. Com isso, ele havia dito tudo. O primeiro, portanto, não tinha sido o único.

se comportar do primitivo! Se ele teve uma desventura, não atribui a culpa a si mesmo, mas ao fetiche, que evidentemente não cumpriu o seu dever, e irá espancá-lo, em vez de punir a si mesmo.

Conhecemos, portanto, duas origens do sentimento de culpa: o que surge do medo da autoridade e o outro, posterior, que surge do medo do Supereu. O primeiro obriga a renunciar às satisfações pulsionais, e o outro, tendo em vista que não se pode esconder do Supereu a persistência dos desejos proibidos, obriga, além disso, à punição. Aprendemos também como entender a severidade do Supereu, isto é, a exigência da consciência moral. Ela simplesmente prolonga a severidade da autoridade externa que é sucedida e, em parte, substituída por ela. Vemos agora em que relação à consciência de culpa se encontra a renúncia pulsional. Originariamente, a renúncia pulsional era, de fato, a consequência do medo da autoridade externa; renunciava-se a satisfações para não perder o amor dessa autoridade. Se essa renúncia era realizada, então estamos quites com ela, e não deveria restar nenhum sentimento de culpa. No caso do medo do Supereu é diferente. Aqui, a renúncia pulsional não ajuda de maneira suficiente, pois o desejo persiste e não se deixa ocultar diante do Supereu. Apesar da renúncia bem-sucedida, sobrevirá um sentimento de culpa, e esta é uma grande desvantagem econômica da instauração do Supereu, ou, como podemos dizer, da formação da consciência moral. A renúncia pulsional agora não tem mais nenhum efeito completamente libertador, a virtuosa abstinência não é mais recompensada com a garantia do amor; um infortúnio que ameaça de fora – perda do amor e punição por parte da autoridade externa – foi trocada por uma continuada infelicidade, a tensão da consciência de culpa.

Essas relações são tão emaranhadas e ao mesmo tempo tão importantes que, apesar dos perigos da repetição, ainda gostaria de abordá-las por outro lado. A sequência temporal seria, portanto, a seguinte: primeiro, renúncia pulsional em consequência do medo da agressão da autoridade externa – é a isso que equivale o medo da perda do amor; o amor protege dessa agressão da punição –, depois, estabelecimento da autoridade interna, renúncia pulsional em consequência do medo dessa autoridade, medo da consciência moral. No segundo caso, equivalência entre ato mau e intenção má, portanto, consciência de culpa, necessidade de punição. A agressão da consciência moral conserva a agressão da autoridade. Até aqui, isso certamente ficou claro, mas onde resta espaço para o fortalecimento da consciência moral sob a influência da infelicidade (da renúncia imposta do exterior), para a extraordinária severidade da consciência moral entre os melhores e os mais dóceis? Já explicamos as duas particularidades da consciência moral, mas supostamente ficou a impressão de que essas explicações não chegam até o fundo, de que deixam um resto inexplicado. E aqui finalmente intervém uma ideia que é inteiramente própria à Psicanálise e desconhecida ao modo de pensar habitual dos seres humanos. Ela é de tal natureza que nos permite entender por que o assunto teve de nos parecer tão confuso e opaco. Pois ela diz que, no início, a consciência moral (mais exatamente: o medo que mais tarde se torna consciência moral) é, na verdade, a causa da renúncia pulsional, mas que mais tarde a relação se inverte. Toda renúncia pulsional se torna, a partir de agora, uma fonte dinâmica da consciência moral, cada nova renúncia intensifica a sua severidade e intolerância, e se apenas pudéssemos colocar isso em consonância com a história da origem da consciência moral, tal como a conhecemos, seríamos tentados a admitir a seguinte tese paradoxal: a consciência moral é a consequência da renúncia pulsional; ou: a renúncia pulsional (que nos é imposta de fora) cria a consciência moral, que então exige mais uma renúncia pulsional.

Afinal, a contradição entre essa tese e o que afirmamos anteriormente sobre a gênese da consciência moral não é tão grande, e vemos um caminho para reduzi-la ainda mais. A fim de facilitar a exposição, tomemos o exemplo da pulsão de agressão e suponhamos que, nessas condições, sempre se trate de renúncia pulsional. É evidente que essa será apenas uma suposição provisória. O efeito da renúncia pulsional sobre a consciência moral ocorre, então, de maneira tal que cada parcela de agressão que deixamos de satisfazer é assumida pelo Supereu, e a sua agressão (contra o Eu) aumenta. O que não está bem de acordo com isso é o fato de a agressão originária da consciência moral ser a severidade prolongada da autoridade externa, ou seja, de não ter nada a ver com renúncia. Mas superamos essa desarmonia se supusermos outra derivação para esse primeiro provimento de agressão no Supereu. Contra a autoridade que impede a criança às primeiras, mas também às mais importantes satisfações, tem de necessariamente ter se desenvolvido nela uma medida considerável de inclinação à agressão, não importando de que espécie eram as renúncias pulsionais exigidas. Forçada pela necessidade, a criança precisou renunciar à satisfação dessa agressão vingativa. Ela sai dessa situação economicamente difícil pela via de mecanismos conhecidos, acolhendo em si, por identificação, essa autoridade inatacável, que agora se torna o Supereu e apodera-se de toda aquela agressão que, enquanto criança, teríamos gostado de praticar contra ela. O Eu da criança precisa se contentar com o triste papel da autoridade rebaixada dessa forma – do pai. Trata-se de uma inversão da situação, como é tão frequente. "Se eu fosse o pai e você o filho, eu te trataria mal." A relação entre Supereu e Eu é a do retorno, desfigurado [*entstellt*] pelo desejo, de relações reais entre o Eu ainda não dividido e um objeto externo. Isso também é típico. Mas a diferença essencial é que a severidade originária do Supereu não é aquela – ou não é muito bem aquela que experimentamos da parte dele, ou que a ele atribuímos, mas representa a própria agressão contra ele. Se isso procede, podemos realmente afirmar que a consciência moral teria, no início, surgido da repressão de uma agressão e, no curso posterior, teria se fortalecido com novas repressões como essas.

E agora, qual dessas duas concepções está certa? A primeira, que nos parecia geneticamente tão inatacável, ou essa nova, que aprimora a teoria de uma maneira tão bem-vinda? Evidentemente, ambas se justificam também segundo o testemunho da observação direta; elas não se opõem uma à outra e até mesmo coincidem em um ponto, pois a agressão vingativa da criança também será determinada pela medida de agressão punitiva que ela espera do pai. Mas a experiência ensina que a severidade do Supereu desenvolvida por uma criança não reproduz, de modo algum, a severidade do tratamento que ela própria experimentou.[i] Elas parecem ser independentes; uma criança que recebeu uma educação amena pode adquirir uma consciência moral severa. No entanto, também seria incorreto querer exagerar essa independência; não é difícil nos convencermos de que a severidade da

---

[i] Como foi corretamente salientado por Melanie Klein e outros autores ingleses.

educação também exerce uma forte influência na formação do Supereu infantil. Isso significa que, na formação do Supereu e no surgimento da consciência moral, atuam conjuntamente fatores constitucionais inatos e influências do meio, do ambiente real, e que isso de forma alguma é estranho, mas a condição etiológica geral de todos os processos dessa espécie.[i]

Também podemos dizer que, quando a criança reage aos primeiros grandes impedimentos pulsionais com uma agressão demasiada, ela está seguindo, ao fazê-lo, um modelo filogenético, e está indo além da reação justificada na atualidade, pois o pai dos tempos pré-históricos era certamente terrível e podia-se esperar dele o grau mais extremo de agressividade. As diferenças entre as duas concepções da gênese da consciência moral diminuem, portanto, ainda mais se passarmos da história do desenvolvimento individual para a do filogenético. Em compensação, aparece uma nova diferença importante nesses dois processos. Não podemos negligenciar a hipótese de que o sentimento de culpa da humanidade provenha do

---

[i] Fr. Alexander, em *Psicanálise da personalidade total* (1927), apreciou adequadamente os dois tipos principais de métodos patogênicos de educação, a severidade e o mimo excessivos, na sequência do estudo de Aichhorn sobre o estado de abandono. O pai "excessivamente dócil e complacente" promoverá a ocasião para a formação de um Supereu excessivamente rigoroso na criança, porque, para essa criança, sob a impressão do amor que ela recebe, não resta outra saída para a sua agressão a não ser voltá-la para dentro. No caso da criança em estado de abandono, que foi criada sem amor, desaparece a tensão entre o Eu e o Supereu, e toda a sua tensão pode voltar-se para fora. Portanto, independentemente de um suposto fator constitucional, estamos autorizados a dizer que a rigorosa consciência moral nasce da ação conjunta de duas influências vitais, o impedimento pulsional, que desencadeia a agressão, e a experiência amorosa, que volta essa agressão para dentro e a transfere para o Supereu.

complexo de Édipo, e que foi adquirido com o assassinato do pai pela união dos irmãos. Naquele tempo, houve uma agressão que não foi reprimida, mas executada; a mesma agressão cuja repressão deve ser a fonte do sentimento de culpa na criança. Eu não me surpreenderia agora se um leitor exclamasse, irritado: "Então é inteiramente indiferente se matamos o pai ou não, de qualquer maneira teremos um sentimento de culpa! Nesse caso podemos nos permitir algumas dúvidas. Ou está errado que o sentimento de culpa provenha de agressões reprimidas, ou então toda essa história do assassinato do pai é um romance, e os filhos do homem pré-histórico não mataram seus pais com mais frequência do que fazem os de hoje. Além disso, se este não é nenhum romance, mas uma história plausível, então teríamos um caso em que aconteceria aquilo que o mundo inteiro espera, ou seja, que nos sintamos culpados por realmente termos feito algo que não pode ser justificado. E para esse caso que, de qualquer maneira, acontece todos os dias, a Psicanálise ficou nos devendo uma explicação".

Isso é verdade e deve ser reparado. Mas também não é nenhum segredo especial. Quando ficamos com um sentimento de culpa após fazermos algo errado e porque o fizemos, deveríamos antes chamar esse sentimento de remorso. Ele diz respeito apenas a um ato, pressupondo naturalmente que uma *consciência moral*, a propensão a se sentir culpado, já existisse antes do ato. Portanto, um remorso como esse nunca irá nos ajudar a encontrar a origem da consciência moral e do sentimento de culpa. Nesses casos cotidianos, o andamento costuma ser o de que uma necessidade pulsional adquiriu a intensidade para fazer valer a sua satisfação contra a consciência moral, ainda que com a sua força limitada, e de que com o enfraquecimento natural da necessidade causado por sua satisfação é restaurada a relação anterior de forças. Portanto, a Psicanálise faz bem ao excluir dessas discussões o caso do sentimento de culpa por remorso, por mais frequente que ele possa ser e por maior que seja a sua importância prática.

Mas, se o sentimento de culpa remontar até o assassinato do pai originário, tratou-se, afinal, de um caso de "remorso", e por acaso não haveria naquela época, de acordo com os pressupostos, consciência moral e sentimento de culpa antes do ato? De onde veio o remorso, neste caso? Certamente esse caso tem de nos esclarecer o segredo do sentimento de culpa e colocar um fim aos nossos embaraços. E penso que o faça. Esse remorso foi o resultado da ambivalência primordial de sentimentos em relação ao pai, pois os filhos o odiavam, mas também o amavam; depois que o ódio foi apaziguado com a agressão, no remorso pelo ato veio à luz o amor, erigiu o Supereu por identificação ao pai, deu-lhe o poder do pai, como que por punição pelo ato de agressão praticado contra ele, criou as restrições que deviam proteger contra a repetição do ato. E como a inclinação à agressão em relação ao pai se repetiu nas gerações seguintes, o sentimento de culpa continuou existindo e reforçou-se novamente a cada agressão reprimida e transferida para o Supereu. Penso que agora, finalmente, compreendemos duas coisas com toda a clareza: a parte do amor no surgimento da consciência moral e a inevitabilidade fatal do sentimento de culpa. Assassinar o pai ou abster-se do ato não é realmente decisivo, tem-se necessariamente de se sentir culpado nos dois casos, pois o sentimento de culpa é a expressão do conflito de ambivalência, da eterna luta entre Eros e a pulsão de destruição ou de morte. Esse conflito é alimentado assim que é atribuída ao ser humano a tarefa da vida em comum; enquanto essa comunidade só conhecer a forma da família, ele tem de se manifestar no complexo de Édipo, instituir a consciência moral e criar o primeiro sentimento de culpa. Se for tentada uma ampliação dessa comunidade, o mesmo conflito se prolonga e se reforça em formas que são dependentes do passado e terá como consequência uma nova intensificação do sentimento de culpa. Como a cultura obedece a um impulso erótico interno que lhe ordena reunir os seres humanos em uma massa intimamente ligada, ela só pode atingir essa meta pela via de um fortalecimento sempre crescente do sentimento de culpa. O que foi iniciado com o pai se consuma com a massa. Se a cultura for o percurso de desenvolvimento necessário da família até a humanidade, então está indissoluvelmente ligada a ela – como consequência do conflito de ambivalência inato, como consequência do eterno desacordo entre amor e anseio de morte –, a intensificação do sentimento de culpa talvez elevado a um ponto que o indivíduo ache difícil tolerar. Somos lembrados da comovente acusação do grande poeta contra os "poderes celestiais":

> Vocês nos conduzem para a vida, E deixam que o pobre se torne culpado,
> Depois o abandonam ao tormento,
> Pois toda culpa é vingada na terra.[17]

E bem que podemos suspirar com o reconhecimento de que é dado a certas pessoas, extrair, verdadeiramente sem esforço, do turbilhão dos próprios sentimentos, os conhecimentos mais profundos, aos quais o resto de nós tem que preparar o caminho por meio de uma incerteza torturante e de um tatear incansável.

VIII

Tendo chegado ao final de um caminho como este, o autor necessariamente tem de pedir desculpas aos seus leitores por não ter sido um guia mais habilidoso, por não tê-los poupado da experiência de passar por trechos áridos e por desvios tortuosos. Não há dúvida de que se pode fazê-lo melhor. Quero tentar, *a posteriori*, compensar alguma coisa.

Em primeiro lugar, suspeito que entre os leitores tenha ficado a impressão de que as discussões sobre o sentimento de culpa tenham ultrapassado o âmbito deste ensaio ao tomarem um espaço excessivo, forçando para a margem seu outro conteúdo, com o qual elas não estão sempre em íntima relação. Isso pode ter perturbado a estrutura do ensaio, mas corresponde inteiramente à intenção de colocar o sentimento de culpa como o problema mais importante do desenvolvimento da cultura e de demostrar que o preço a pagar pelo avanço da cultura é uma perda de felicidade em consequência da intensificação do sentimento de culpa.[i] O que ainda soa estranho nesse

---

[i] "É assim que a consciência moral faz de todos nós covardes..." [Referência a *Hamlet*, de Shakespeare, ato 3, cena 1].

O fato de ocultar ao ser adolescente o papel que a sexualidade irá desempenhar em sua vida não é a única censura que precisamos fazer à educação de hoje. Ela peca, além disso, ao não prepará-lo contra a agressão, da qual ele está destinado a se tornar o objeto. Ao liberar para a vida a juventude com uma orientação psicológica tão equivocada, ela não se conduz de maneira diferente do que as pessoas que vão a uma expedição polar com roupas de verão e mapas dos lagos da Itália setentrional. Aqui aparece claramente um certo abuso das exigências éticas. A rigidez dessas exigências não causaria muito dano se a educação dissesse: é assim que os seres humanos deveriam ser para serem felizes e fazerem outros felizes; mas precisamos contar com o fato de que eles não são assim. Em vez disso, deixam o jovem acreditar que

enunciado, que é o resultado final de nossa investigação, pode ser provavelmente remetido à relação inteiramente peculiar e ainda absolutamente incompreendida entre o sentimento de culpa e a nossa consciência. Nos casos comuns de remorso, que consideramos normais, o sentimento de culpa se faz perceptível à nossa consciência com suficiente clareza; é que estamos acostumados a dizer "consciência de culpa" em vez de "sentimento de culpa". Do estudo das neuroses, às quais certamente devemos as indicações mais preciosas para o entendimento do que é normal, resultam relações plenas de contradição. Em uma dessas afecções, a neurose obsessiva, o sentimento de culpa impõe-se, em alto e bom tom, à consciência, ele domina o quadro patológico, bem como a vida do doente, mal deixando que apareça outra coisa a seu lado. Mas, na maioria dos outros casos e formas de neurose, ele fica completamente inconsciente, sem, por isso, manifestar efeitos mais insignificantes. Os doentes não acreditam em nós quando lhes atribuímos um "sentimento de culpa inconsciente"; para sermos compreendidos por eles nem que seja pela metade, falamo-lhes de uma necessidade inconsciente de punição, na qual o sentimento de culpa se manifesta. Mas a relação com a forma da neurose não deve ser superestimada; mesmo na neurose obsessiva há tipos de doente que não percebem seu sentimento de culpa, ou então apenas o sentem como um mal-estar atormentador, uma espécie de angústia quando são impedidos de realizar certas ações. Deveríamos poder entender essas coisas de uma vez por todas, mas ainda não podemos. Talvez aqui seja bem-vinda a observação de que o sentimento

---

todos os outros cumprem os preceitos éticos, que portanto são virtuosos. Com isso se funda a demanda de que ele também seja assim.

de culpa, no fundo, não seja nada além de uma variedade tópica de angústia [*Angst*]; em suas fases posteriores, ele coincide inteiramente com o *medo* [*Angst*] *do Supereu*. E no caso da angústia, as mesmas variações extraordinárias aparecem em sua relação com a consciência. De alguma forma o medo se esconde por trás de todos os sintomas, mas ora reclama ruidosamente a consciência toda para si, ora esconde-se tão perfeitamente que somos obrigados a falar de medo inconsciente ou – se quisermos ter uma consciência moral mais puramente psicológica, já que o medo é, antes de tudo, apenas uma sensação [*Empfindung*] – de possibilidades de medo. E é por isso que podemos perfeitamente pensar que mesmo a consciência de culpa produzida pela cultura não seja reconhecida como tal, que em grande parte permaneça inconsciente, ou venha à luz como um mal-estar, como uma insatisfação para a qual procuramos outras motivações. Pelo menos as religiões nunca subestimaram o papel do sentimento de culpa na cultura. Elas até mesmo surgem – o que eu não havia apreciado em outro lugar[i] – com a pretensão de libertar a humanidade desse sentimento de culpa que elas chamam de pecado. A partir da maneira como essa redenção é obtida no cristianismo, pela morte por sacrifício de um único indivíduo que, dessa maneira, assume para si uma culpa comum a todos, tiramos então uma conclusão sobre qual pode ter sido a primeira ocasião para a aquisição dessa culpa originária, com a qual a cultura teve início.[ii]

É possível que acabe não sendo muito importante, mas não será supérfluo que esclareçamos o significado de algumas palavras como: "Supereu", "consciência moral",

---

[i] Quer dizer: em *O futuro de uma ilusão* (1927), incluído neste volume.

[ii] *Totem e tabu* (1912), (*Ges. Werke*, IX).

"sentimento de culpa", "necessidade de punição", "remorso", que talvez tenhamos utilizado muitas vezes de maneira frouxa e intercambiável. Todas se referem à mesma conjuntura, mas nomeiam diversos aspectos dela. O Supereu é uma instância explorada por nós, a consciência moral é uma função que, entre outras, atribuímos a ele, que deve vigiar e julgar as ações e intenções do Eu, exercendo uma atividade de censura. O sentimento de culpa, a rigidez do Supereu, é portanto a mesma coisa que a severidade da consciência moral; ele é a percepção concedida ao Eu, de que ele é vigiado dessa maneira; ele é a estimativa da tensão entre os anseios do Eu e as exigências do Supereu; e o medo dessa instância crítica que está na base de toda essa relação, a necessidade de punição, é uma manifestação pulsional do Eu, a qual, sob a influência do Supereu sádico, tornou-se masoquista, isto é, ela utiliza, para fins de uma ligação erótica com o Supereu, uma parcela da pulsão existente no Eu para a destruição interna. Não deveríamos falar de consciência moral antes que um Supereu seja comprovado; quanto à consciência de culpa, é preciso reconhecer que ela existe antes do Supereu, portanto antes também da consciência moral. Ela é então a expressão imediata do medo da autoridade externa, o reconhecimento da tensão entre o Eu e esta última, o derivado direto do conflito entre a necessidade de ser amado por essa autoridade e a pressão para a satisfação pulsional, cuja inibição engendra a inclinação para a agressão. A sobreposição desses dois extratos do sentimento de culpa – um por medo da autoridade externa, e outro por medo da autoridade interna – dificultou-nos a visão de algumas das relações da consciência moral. Remorso é uma designação geral para a reação do Eu em um caso de sentimento de culpa; ele contém o material, pouco transformado, de sensações de medo ainda eficazes em um segundo plano; ele próprio é uma punição e pode incluir a necessidade de punição; ele também pode, portanto, ser mais antigo que a consciência moral.

Não fará mal nenhum apresentarmos mais uma vez as contradições que nos confundiram durante algum tempo em nossa investigação. O sentimento de culpa devia ser, em certo ponto, a consequência de agressões que foram evitadas, mas, uma outra vez, e precisamente em seu início histórico, o assassinato do pai, a consequência de uma agressão executada. Também encontramos a saída para essa dificuldade. A instauração da autoridade interna, do Supereu, justamente alterou essas relações de maneira profunda. Antes o sentimento de culpa coincidia com o remorso; fazemos notar, a propósito, que o termo "remorso" deve ser reservado para a reação que ocorre após a efetiva execução da agressão. Depois, a diferença entre a agressão intencionada e a agressão realizada perdeu a sua força em consequência da onisciência do Supereu; agora, um ato de violência realmente executado podia gerar sentimento de culpa – como o mundo inteiro sabe – tanto quanto um ato de violência simplesmente intencionado – como a Psicanálise o reconheceu. Para além da alteração da situação psicológica, o conflito de ambivalência de ambas as pulsões originárias produz o mesmo efeito. Estamos próximos da tentação de procurar aqui a solução do enigma da relação variável do sentimento de culpa para com a consciência. O sentimento de culpa que provém do remorso pela má ação teria necessariamente de permanecer consciente, e o sentimento de culpa que provém da percepção do mau impulso poderia permanecer inconsciente. Só que não é tão simples assim; a neurose obsessiva o contradiz energicamente. A segunda contradição era a de que a energia agressiva com a qual pensamos estar equipado o Supereu, de acordo com uma das concepções, simplesmente prolonga a energia punitiva da autoridade externa e a conserva para a vida anímica, enquanto outra concepção estima que seria muito mais a nossa própria agressão, que não alcançou utilização, a que deve ser mobilizada contra essa autoridade inibidora. A primeira doutrina pareceu adaptar-se melhor à história, a segunda, à teoria do sentimento de culpa. Uma reflexão mais a fundo quase que obliterou demais essa oposição aparentemente inconciliável; o que restou de essencial e de comum é que se trata de uma agressão deslocada para o interior. A observação clínica permite, por sua vez, distinguir realmente duas fontes para a agressão atribuída ao Supereu, das quais uma ou outra exerce o efeito mais forte em cada caso, mas que, de maneira geral agem, conjuntamente.

Penso que aqui seja o lugar para defender seriamente uma concepção que eu havia sugerido anteriormente como uma hipótese provisória. Na literatura analítica mais recente constatamos uma predileção pela doutrina segundo a qual qualquer espécie de impedimento, qualquer satisfação pulsional inviabilizada, teria ou poderia ter como consequência a intensificação do sentimento de culpa.[i] Acredito que estaremos obtendo um grande benefício teórico se isso for adotado apenas para as pulsões *agressivas*, e não encontraremos muita coisa que contradiga tal suposição. Pois como devemos explicar dinâmica e economicamente que, em lugar de uma exigência pulsional não realizada, ocorra um aumento do sentimento de culpa?

---

[i] Em particular, E. Jones, Susan Isaacs, Melanie Klein; mas também, de acordo com o que eu entendo, Reik e Alexander.

Isso parece, no entanto, só ser possível pelo caminho mais longo no qual o impedimento da satisfação erótica suscita uma parcela de inclinação agressiva contra a pessoa que perturba a satisfação, e em que essa própria agressão tem de ser novamente reprimida. Mas nesse caso, então, é apenas a agressão que se transforma em sentimento de culpa ao ser reprimida e atribuída ao Supereu. Estou convencido de que poderemos apresentar muitos processos de uma maneira mais simples e mais transparente se restringirmos às pulsões agressivas a descoberta da Psicanálise sobre a derivação do sentimento de culpa. A consulta ao material clínico não fornece, nesse caso, nenhuma resposta clara, porque, de acordo com a nossa pressuposição, as duas espécies de pulsão quase nunca aparecem em estado puro, isoladas uma da outra; mas a apreciação de casos extremos certamente apontará na direção que eu espero. Estou tentado a extrair uma primeira vantagem dessa concepção mais severa, aplicando-a ao processo de recalcamento. Os sintomas das neuroses são, como aprendemos, essencialmente satisfações substitutivas para desejos sexuais não realizados. No andamento do trabalho analítico, aprendemos, para a nossa surpresa, que talvez toda neurose oculte um montante de sentimento de culpa inconsciente que, por sua vez, consolida os sintomas através da sua utilização como punição. Agora parece plausível formular esta proposição: quando um esforço pulsional sucumbe ao recalcamento, seus elementos libidinais são transpostos em sintomas, e seus componentes agressivos, em sentimento de culpa. Mesmo que essa proposição só esteja correta em uma aproximação mediana, ela merece o nosso interesse.

Muitos leitores deste ensaio devem estar sob a impressão de que ouviram com excessiva frequência a fórmula da luta entre Eros e pulsão de morte. Ela estava destinada a caracterizar o processo de cultura que se desenrola na humanidade, mas ela também dizia respeito ao desenvolvimento do indivíduo, e, além disso, teria supostamente revelado o segredo da vida orgânica. Parece ser indispensável investigar as relações desses três processos entre si. Agora, o retorno da mesma fórmula está justificado, se mencionarmos que o processo cultural da humanidade, tal como o desenvolvimento do indivíduo, também são processos de vida e que devem, portanto, necessariamente, fazer parte do caráter mais geral da vida. Por outro lado, é justamente por isso que a comprovação desse aspecto geral não irá contribuir em nada para uma distinção, enquanto ele não for limitado por condições especiais. Só podemos, portanto, nos tranquilizar ao enunciarmos que o processo de cultura seria aquela modificação do processo de vida que o processo de cultura experimenta sob a influência de uma tarefa colocada por Eros e estimulada por Ananque, a real necessidade, e essa tarefa é a reunião de seres humanos isolados em uma comunidade que os liga libidinalmente uns aos outros. Mas se considerarmos a relação entre o processo de cultura da humanidade e o processo de desenvolvimento ou de educação do ser humano individual, decidiremos sem muita hesitação que ambos são de natureza muito semelhante, se é que não se trata do mesmo processo envolvendo objetos de tipo diferentes. O processo cultural da espécie humana é naturalmente uma abstração de uma ordem mais elevada do que o desenvolvimento do indivíduo, e por isso mais difícil de apreender com clareza, tampouco a busca por analogias deve ser exagerada de maneira obsessiva; mas, diante da semelhança das metas – aqui, a inserção de um indivíduo em uma massa humana, lá, o estabelecimento de uma unidade de massa a partir de muitos indivíduos –, a semelhança dos meios utilizados para isso e fenômenos que daí surgiram não pode surpreender. Um traço distintivo dos dois processos, tendo em vista a sua importância extraordinária, não pode ser silenciado por muito tempo. No processo de desenvolvimento do indivíduo, o programa do princípio de prazer, o fato de encontrar a satisfação da felicidade é mantido como meta principal; a inserção em ou a adaptação a uma comunidade humana parece ser uma condição dificilmente evitável, que deve ser preenchida no caminho que leva à obtenção dessa meta de felicidade. Se isso acontecesse sem essa condição, talvez fosse melhor. Em outros termos: o desenvolvimento individual nos parece um produto da interferência de dois anseios, o anseio por felicidade, que costumamos chamar de "egoísta", e o anseio pela união com os outros na comunidade, que chamamos de "altruísta". As duas designações não vão muito além da superfície. No desenvolvimento individual, como já foi dito, a ênfase principal recai, geralmente, sobre o anseio egoísta ou anseio por felicidade; o outro anseio, que se pode chamar de "cultural", contenta-se, via de regra, com o papel de uma restrição. É diferente no processo cultural; aqui, a meta de estabelecimento de uma unidade a partir de indivíduos humanos é, de longe, a coisa principal; a meta de se tornar feliz na verdade ainda existe, mas é pressionada para o segundo plano; e quase que parece que a criação de uma grande comunidade humana daria mais certo se não precisássemos nos preocupar com a felicidade do indivíduo. O processo de desenvolvimento do indivíduo pode ter seus aspectos particulares que não reencontramos no processo cultural da humanidade; é apenas na medida em que esse primeiro processo tem como meta a conexão com a comunidade que ele precisa coincidir com o segundo.

Assim como o planeta ainda orbita em torno de seu corpo central enquanto executa uma rotação sobre seu próprio eixo, assim também o ser humano individual participa no desenvolvimento da humanidade, enquanto segue seu próprio caminho na vida. Mas, aos nossos olhos incautos, o jogo de forças no céu parece congelado numa ordem eternamente igual; no acontecer orgânico, vemos ainda como lutam as forças umas com as outras e como os resultados do conflito se modificam constantemente. Assim também os dois anseios, aquele pela felicidade individual e aquele pela conexão humana, têm de lutar um contra o outro em cada indivíduo; é assim que os dois processos, o de desenvolvimento individual e o de desenvolvimento da cultura, precisam afrontar-se com hostilidade e disputar o terreno um com o outro. Mas essa luta entre o indivíduo e a sociedade não é um derivado da oposição, provavelmente inconciliável, entre Eros e morte, as pulsões originárias. Ela não apenas significa uma desavença doméstica da libido, comparável à disputa pela repartição da libido entre o Eu e os objetos, mas também permite um equilíbrio final no indivíduo, bem como no futuro da cultura – assim o esperamos –, mesmo que no presente ela ainda dificulte tanto a vida do indivíduo.

A analogia entre o processo de cultura e a via de desenvolvimento do indivíduo pode ser ampliada em um aspecto importante. Estamos no direito de afirmar, efetivamente, que a comunidade também desenvolve um Supereu, sob cuja influência se consuma o desenvolvimento da cultura. Deve ser uma tarefa tentadora para um conhecedor das culturas humanas acompanhar em detalhe essa paridade. Quero me limitar a destacar alguns pontos mais marcantes. O Supereu de uma época cultural tem uma origem semelhante ao do ser humano individual; ele está fundado na impressão que deixaram as personalidades de grandes líderes, seres humanos de esmagadora força de espírito, ou aqueles nos quais um dos anseios humanos encontrou a caracterização mais intensa e pura, e por isso também, quase sempre, a mais unilateral. A analogia vai ainda mais longe, em muitos casos, pelo fato de que, durante a sua vida, essas pessoas – com suficiente frequência, mas não sempre – foram ridicularizadas pelos outros, maltratadas, ou até mesmo eliminadas de maneira cruel, tal como o pai originário só foi elevado à condição de divindade muito tempo depois de seu violento assassinato. Para essa conexão de destino, o personagem de Jesus Cristo é justamente o exemplo mais tocante, se é que esse personagem não pertence ao mito que lhe deu vida a partir de uma lembrança obscura daquele processo originário. Outro ponto de concordância é que o Supereu-da-cultura [*Kultur-Über-Ich*], inteiramente como o do indivíduo, coloca severas exigências ideais, cuja falta de observância é castigada com a "angústia da consciência moral" ["*Gewissensangst*"]. Aqui, na verdade, produz-se o caso notável de que os processos anímicos em causa nos são, do ponto de vista da massa, mais familiares, mais acessíveis à consciência, do que podem sê-lo para o indivíduo. Neste, em caso de tensão, apenas as agressões do Supereu se fazem audíveis como censuras, enquanto as próprias exigências permanecem frequentemente inconscientes no segundo plano. Se as trazemos para o conhecimento consciente, verificamos que elas coincidem com os preceitos do respectivo Supereu-da-cultura. Nesse ponto, os dois processos, o processo de desenvolvimento cultural da massa e o próprio processo do indivíduo, são, por assim dizer, regularmente colados um ao outro. E é por isso que muitas manifestações e propriedades do

Supereu podem ser mais facilmente reconhecidas em sua conduta na comunidade de cultura do que no indivíduo.

O Supereu-da-cultura desenvolveu seus ideais e elevou as suas exigências. Entre as últimas, as que dizem respeito às relações dos seres humanos entre si são agrupadas como Ética. Em todas as épocas, atribuiu-se o maior valor a essa Ética, como se precisamente dela se esperassem realizações especialmente importantes. E, de fato, a Ética se volta para aquele ponto que, em qualquer cultura, é facilmente reconhecível como o lugar mais frágil. A Ética, portanto, pode ser concebida como uma tentativa terapêutica, como um esforço para alcançar, através de um mandamento do Supereu, aquilo que até então não pode ser alcançado por meio de qualquer outro trabalho cultural. Isso nós já sabemos, e é por isso que aqui se trata de perguntar como se pode eliminar o maior obstáculo à cultura, a inclinação constitutiva dos seres humanos à agressão mútua, e é precisamente por isso que se torna especialmente interessante para nós o provavelmente mais jovem dos mandamentos culturais do Supereu, o mandamento que diz: "Ama teu próximo como a ti mesmo". Na investigação sobre as neuroses e na terapia das neuroses chegamos ao ponto de erguer duas censuras ao Supereu do indivíduo: ele se preocupa muito pouco, na severidade de seus mandamentos e de suas proibições, com a felicidade do Eu, não levando em consideração as resistências contra a obediência, a força pulsional do Isso e as dificuldades do ambiente real. Por isso, com propósito terapêutico, somos frequentemente forçados a combater o Supereu, e nos esforçamos para reduzir suas exigências. Podemos fazer objeções muito semelhantes contra as exigências éticas do Supereu-da-cultura. Ele também não se preocupa suficientemente com os fatos da constituição anímica dos seres humanos; ele decreta um mandamento e não pergunta se é possível ao ser humano obedecer-lhe. Ao contrário, ele supõe que tudo o que é ordenado ao Eu do ser humano é psicologicamente possível de ser cumprido, que o Eu dispõe do controle irrestrito sobre o seu Isso. Isto é um erro, e mesmo no caso dos assim chamados seres humanos normais, o domínio sobre o Isso não pode elevar-se além de determinados limites. Se exigimos mais, engendramos revolta no indivíduo, ou neurose, ou o fazemos infeliz. O mandamento "Ama teu próximo como a ti mesmo" é a mais forte defesa contra a agressão humana e um exemplo excelente do procedimento não psicológico do Supereu-da-cultura. O mandamento é impraticável; uma inflação tão grandiosa de amor só pode diminuir o seu valor, ela não pode eliminar a necessidade. A cultura negligencia tudo isso; ela apenas adverte que quanto mais difícil for a observância do preceito, maior é o seu mérito. Só que aquele que seguir esse preceito na cultura atual só se coloca em desvantagem em relação àquele que se coloca acima dele. Como deve ser violento esse obstáculo cultural que é a agressividade, se a defesa contra ela consegue tornar tão infeliz quanto ela mesma! A assim chamada Ética natural não tem nada a oferecer nesse caso, a não ser a satisfação narcísica de se ter o direito de se considerar melhor do que os outros. A Ética que se apoia na religião faz intervir aqui as suas promessas de uma vida melhor no além. Penso que enquanto a virtude não valer a pena já aqui nesta Terra, a Ética estará pregando em vão. Também me parece indubitável que uma mudança real nas relações dos seres humanos com a posse de bens traga, nesse caso, mais ajuda do que qualquer mandamento ético; no entanto, essa visão é turvada, no caso dos socialistas, por um novo desconhecimento idealista da natureza humana e tornada sem valor para a aplicação.

A linha de observação que quiser acompanhar o papel de um Supereu nos fenômenos do desenvolvimento da cultura me parece prometer muitos outros esclarecimentos. Vou me apressar para concluir. No entanto, há uma questão da qual dificilmente posso me esquivar. Se o desenvolvimento da cultura tem uma semelhança tão ampla com o desenvolvimento do indivíduo e trabalha com os mesmos meios, não seria justificado diagnosticar que muitas culturas – ou épocas da cultura – e possivelmente toda a humanidade – teriam se tornado "neuróticas" sob a influência dos anseios culturais? Ao desmembramento analítico dessas neuroses poderiam se ligar recomendações terapêuticas que teriam o direito a um grande interesse prático. Eu não saberia dizer se uma tentativa como esta de transferir a Psicanálise à comunidade de cultura seria insensata ou condenada à esterilidade. Mas seria preciso ser muito cauteloso e não se esquecer de que, no entanto, trata-se apenas de analogias e de que não é apenas perigoso para seres humanos, mas também para conceitos, serem arrancados da esfera em que surgiram e em que se desenvolveram. Além disso, o diagnóstico das neuroses de comunidade se depara com uma dificuldade especial. O que na neurose individual nos serve de primeiro apoio é o contraste no qual o doente se retira do seu ambiente supostamente "normal". Um pano de fundo como esse deixa de existir em uma massa afetada por um mesmo distúrbio, ele teria de ser buscado em outro lugar. E, no que diz respeito à utilização terapêutica dessa visão, o que ajudaria a análise mais adequada da neurose social, se ninguém possui a autoridade de impor a terapia à massa? Apesar de todas essas dificuldades, estamos no direito de esperar que um dia alguém assuma o desafio de uma Patologia de tais comunidades culturais.

Está muito longe de mim, pelos mais diversos motivos, fazer uma avaliação da cultura humana. Esforcei-me por manter afastado de mim o preconceito entusiástico de que a nossa cultura seria o bem mais precioso que possuímos e que podemos adquirir, e que o seu caminho teria de nos conduzir, necessariamente, a alturas de perfeição inimaginável. Posso pelo menos ouvir, sem indignação, o crítico que pensa que, se considerarmos as metas do anseio cultural e os meios dos quais ele se serve, teríamos de chegar à conclusão de que todo o esforço não vale a pena e que o resultado só poderia ser um estado que o indivíduo teria que achar intolerável. Minha imparcialidade me é facilitada pelo fato de que sei muito pouco sobre todas essas coisas, e com certeza sei apenas que os julgamentos de valor dos seres humanos são dirigidos absolutamente por seus desejos de felicidade, que são, portanto, uma tentativa de apoiar as suas ilusões com argumentos. Eu entenderia muito bem se alguém destacasse o caráter inevitável da cultura humana, e se, por exemplo, dissesse que a inclinação para a restrição da vida sexual ou para a instituição do ideal de humanidade às custas da seleção natural seriam orientações de desenvolvimento que não se deixam dissuadir nem desviar, e diante das quais o melhor seria nos curvarmos, como se fossem necessidades da natureza. Também conheço a objeção a isso, a de que esses anseios, considerados insuperáveis, foram, no curso da história da humanidade, frequentemente desprezados e substituídos por outros. Então, falta-me a coragem para me erguer diante de meus semelhantes como profeta e curvo-me diante de sua repreensão de que não sou capaz de lhes trazer nenhum conforto, pois é isto que, no fundo, todos exigem, o mais selvagem revolucionário não menos apaixonadamente do que os mais obedientes devotos piedosos.

A questão do destino da espécie humana parece-me ser a de saber se, e em que medida, o seu desenvolvimento cultural será bem-sucedido em dominar a perturbação trazida à sua vida em comum através da pulsão humana de agressão e de autodestruição. Talvez, em relação a isso, a época presente mereça precisamente um interesse especial. Os seres humanos chegaram agora tão longe na dominação das forças da natureza que, com sua ajuda, seria fácil exterminarem-se uns aos outros até o último homem. Eles sabem disso, e é daí que vem boa parte de sua atual inquietação, de sua infelicidade e de seu ânimo amedrontado. E agora é preciso esperar que o outro dos dois "poderes celestiais", o eterno Eros, faça um esforço para se afirmar na luta contra seu adversário também imortal. Mas quem pode prever o êxito e o desfecho?[18]

406 OBRAS INCOMPLETAS DE S. FREUD

Das Unbehagen in der Kultur (1930)

1930   Primeira publicação: *Internationaler Psychoanalytischer Verlag*
1934   *Gesammelte Schriften*, t. XII, p. 29-114
1944   *Gesammelte Werke*, t. XIV, p. 421-506

A carta que Romain Rolland escrevera a Freud em 5 de dezembro de 1927 é o ponto de partida desse ensaio que é considerado, por muitos, a melhor realização literária do psicanalista. Referindo-se a Ramakrishna, mas baseando-se igualmente em sua própria experiência, o escritor não apenas inspira, mas também, de certo modo, desafia Freud: "Eu adoraria que o senhor fizesse uma análise do sentimento religioso espontâneo, ou, mais exatamente, da sensação religiosa que é [...] o fato simples e direto da sensação do Eterno (que pode muito bem não ser eterno, mas simplesmente sem limites perceptíveis, como que oceânico)". A resposta chega em 14 de julho de 1929: "Sua carta de 5 de dezembro de 1927, contendo suas observações sobre o sentimento que você descreve como 'oceânico', não me deixou em paz. Acontece que no novo trabalho, ainda incompleto, o qual tenho diante de mim, tomo essa observação como ponto de partida; menciono esse sentimento 'oceânico' e tento interpretá-lo do ponto de vista de nossa psicologia. O ensaio aborda outros assuntos, lida com a felicidade, a cultura e o sentimento de culpa; não menciono seu nome, mas mesmo assim deixo pistas que levam a você. Caso você tenha alguma reserva sobre minha citação dessa observação, peço que me previna". Poucos dias depois, Freud recebe a autorização e agradece. Em sua resposta, felicita Rolland pela publicação das brochuras sobre as vidas de Ramakrishna e de Vivekananda, mas acrescenta: "Não espere nenhuma apreciação do sentimento 'oceânico'. Eu busco apenas, graças a uma derivação analítica, descartá-lo, por assim dizer, de meu caminho". E completa dizendo que a música e a mística, especialidades de seu interlocutor francês, eram mundos completamente estranhos a ele.

Inicialmente, o ensaio havia sido intitulado A felicidade na cultura (*Das Glück in der Kultur*). Segundo Grubrich-Simitis (1995, p. 174), Freud teria riscado essa linha e substituído por A infelicidade na cultura (*Das Unglück in der Kultur*). O título definitivo será fixado depois de o manuscrito ter sido entregue à editora, pouco antes da impressão. Max Eitingon recebe uma cópia do manuscrito como presente de Natal, o que nos dá uma ideia da cronologia da escrita.

Extratos do capítulo 1 ("O Sentimento oceânico") e do capítulo 5 ("Amor ao próximo e pulsão de agressão") foram publicados separadamente na revista *Psychoanalytische Bewegung* [Movimento psicanalítico], respectivamente, nos volumes 1 (n. 4, nov./dez. 1929) e 2 (n. 1, jan./

fev. 1930). Na edição de 1931, foram incluídas algumas notas, além de frase final, que faz pender o tom do texto para uma conclusão mais sombria do que a que foi publicada originalmente em 1930. A frase acrescentada na segunda edição é a seguinte: "Mas quem pode prever o êxito e o desfecho?" (neste volume, p. 405). O que teria ocorrido entre a primeira e a segunda edições, para que Freud acrescentasse essa frase mais sombria, quando a conclusão da edição original acenava para a força de Eros? Não é possível saber ao certo. Sabemos é que, nesse curto intervalo de tempo, o nazismo teve suas primeiras vitórias eleitorais expressivas. Coincidência? Freud dizia não acreditar nelas.

Sobre a tradução do título, é preciso fazer pelo menos duas observações. A controvérsia acerca de "cultura" ou "civilização" para verter "*Kultur*" ultrapassa em muito uma mera questão terminológica e possui consequências teóricas e políticas maiores (ver o texto de apresentação deste volume, p. 7). Quanto ao vocábulo "*Unbehagen*" (traduzido em francês por "*Malaise*", em espanhol por "*malestar*" e em inglês por "*discontents*"), trata-se de uma palavra que evoca, além de mal-estar, acepções vizinhas, como desconforto ou desassossego. O adjetivo "*behagen*" tem o sentido de "agradável"; como verbo, "*behagen*" quer dizer agradar, satisfazer; já o substantivo "*Behagen*" evoca agrado, deleite, satisfação. Christian Dunker (2015) explica que "*behagen*" deriva do radical "*Hag*" (bosque, clareira, mata), evocando um local propício à estadia, ao estar. Nesse sentido, ele sugere que devemos compreender "*Unbehagen*" como uma oposição não exatamente ao "bem-estar", mas ao próprio "estar".

A recepção de O *mal-estar na cultura* é de tal envergadura que não poderia ser resumida em uma nota, exigiria antes um verdadeiro compêndio. Muitos psicanalistas trataram o texto inicialmente como uma "obra sociológica", querendo, com isso, mitigar seu valor "psicanalítico". A primeira coisa que salta aos olhos é como o conceito chave do título espraiou-se na cultura, fornecendo o termo central para títulos os mais diversos: *Mal-estar na estética, Mal-estar na modernidade, O mal-estar da pós-modernidade, Mal-estar na democracia, Mal-estar na educação,* etc. Fenômeno equivalente ocorre em inglês: *Liberalism and its discontents; Feminism and its discontents; Globalization and its discontents,* etc.

Seria difícil, contudo, não mencionar pelo menos alguns nomes próprios nessa lista de leitores imediatos. Em grande medida, o legado de O *mal-estar* figurou como um dos campos mais disputados entre diferentes correntes do freudismo. Revisionistas ou revolucionários, a disputa acirrou-se desde bastante cedo. Já em 1936, *A revolução sexual* (no original, *Die Sexualität im Kulturkampf*, literalmente *A sexualidade na batalha cultural*), de Wilhelm Reich, marcaria a recepção da psicanálise ao denunciar supostas dívidas dela com a classe burguesa e com o patriarcado. Por sua vez, Herbert Marcuse publicou, em 1955,

408 OBRAS INCOMPLETAS DE S. FREUD

seu célebre *Eros e Civilização,* cujo título alude diretamente à fórmula inglesa do título *Civilization and its discontents.* Buscando uma síntese entre Freud e Marx, Marcuse propõe elementos para a construção de uma sociedade não repressiva. O texto seminal de Freud é referência constante na obra de Adorno, desde os seus primeiros escritos e recobre domínios tão variados como a psicologia social do preconceito, a musicologia, a crítica cultural, a educação e a reflexão meta-teórica sobre as ciências humanas. Ponto crucial nessa recepção é a *Dialética do esclarecimento,* escrita com Max Horkheimer. O recurso ao *O mal-estar* permite descobrir sob a própria razão um fundo obscuro e inassimilável de violência e de irracionalidade. A relação interna entre *"Kultur"* e violência regressiva é lida por Adorno e Horkheimer no registro de uma dialética de mito e esclarecimento, natureza e história, pulsão pré-individual e cultura, batizando parte importante do que Adorno escreveu sobre as relações entre indivíduo, psicologia e sociedade.

Um ponto de inflexão na recepção do ensaio é *O seminário: a ética da psicanálise* (1959-1960), de Jacques Lacan, que aborda *O mal-estar* como "síntese" da experiência freudiana, reinserindo o ensaio de Freud no cânone da psicanálise, numa época em que parte dos psicanalistas considerava o ensaio desprovido de interesse clínico ou metapsicológico. O deslocamento proposto do plano sociológico para o horizonte da ética psicanalítica teve ampla repercussão.

Seria injusto mencionar este ou aquele trabalho, já que é vasta a miríade de autores, escolas e perspectivas que se valeram de *O mal-estar.* Contudo, por sua repercussão, podemos destacar *O mal-estar da pós-modernidade,* livro de Zygmunt Bauman que sugere que o imperativo de consumo e a exigência de satisfação, próprios da sociedade contemporânea, contrastariam a renúncia e a moderação, próprios à era moderna.

DUNKER, Christian. *Mal-estar, sofrimento e sintoma.* São Paulo: Boitempo, 2015.

MASSON, Jeffrey M. *The Oceanic Feeling*: The Origins of Religious Sentiment in Ancient India. Berlim: Springer, 1980.

NOTAS

[1] As datas falam por si. Sérvio Túlio viveu no século VI a.C.; Aureliano governou o Império de Roma entre os anos 270 e 275 d.C. (N.E.)

[2] Mais uma vez, os grandes hiatos temporais são determinantes para ler a analogia proposta por Freud. Com efeito, o Palazzo Caffarelli

CULTURA, SOCIEDADE, RELIGIÃO   409

é uma construção iniciada em 1538, após a demolição do Templo de Júpiter Capitolino, cuja primeira construção remonta à fundação da República romana, no século V a.C. O sítio tem especial interesse arqueológico, na medida em que o Templo foi construído e reconstruído diversas vezes ao longo dos séculos, em geral por cima das mesmas fundações. (N.E.)

[3] Costuma-se traduzir tanto a palavra *Bedürfnis* quanto *Notwendigkeit* por "necessidade" em português. Cabe aqui, porém, uma ressalva. Enquanto em *Notwendigkeit* trata-se de uma necessidade vital ou material inequívoca e impessoal como a fome, a sede e o sono, *Bedürfnis* remete a uma forma extrema de urgência ou premência, sobretudo no campo psíquico, sendo, portanto, de cunho mais subjetivo. (N.R.)

[4] Trata-se provavelmente de Frederick Eckstein (1861-1939). (N.E.)

[5] Versos de *O mergulhador* (*Der Taucher*), de Friedrich Schiller: *Es freue sich/Wer da atmet im rosigen Licht*. (N.R.)

[6] Referência a uma passagem do romance *Effi Briest* de 1895 do referido Theodor Fontane (1819-1898). Considerado por muitos o maior nome do Realismo em língua alemã. (N.R.)

[7] Sobre essa temática em especial, ver o próximo texto deste livro intitulado "Sobre a conquista do fogo" (Zur Gewinnung des Feuers) de 1931, um ano após a publicação deste texto. (N.R.)

[8] Clara alusão ao texto *O futuro de uma Ilusão* (De Zukunft einer Illusion) de 1927 que também compõe esta coletânea. (N.R.)

[9] Freud havia aludido a essa frase em carta a Fliess, de 6 de abril de 1897. O episódio remonta, segundo a anotação das *Oeuvres Complètes* (vol. XVIII, p. 297, nota b) à revista satírica *Les Guêpes*, em que Alphonse Karr, ao falar da abolição da pena de morte em assuntos de políticas, escreve: "*Si l'on veut abolir la peine de mort en ce cas, que M.M. les assassins commencent: qu'ils ne tuent pas, on les tuera pas*" (Se quisermos abolir a pena de morte nesses casos, que os senhores assassinos comecem: se eles não matarem, nós não os mataremos). (N.E.)

[10] A sentença, formulada pelo comediante romano Plauto (254-184 a.C.), foi tornada célebre por Thomas Hobbes, filósofo inglês do século XVII, em sua obra *Do cidadão*. (N.E.)

[11] A expressão surge pela primeira vez em "O tabu da virgindade" (nesta coleção, no volume *Amor, sexualidade, feminilidade*, p. 164). (N.E.)

[12] De acordo com os editores franceses, cf. Sabina Spielrein, "Die Destruktion als Ursache des Werdens" (A destruição como causa do vir-a-ser), *Jb. Psychoanal. Psychopath. Forsch.*, v. 4, p. 465-503, 1912. (N.T.)

410 OBRAS INCOMPLETAS DE S. FREUD

[13] De acordo com a edição francesa, Goethe (*Ballade*, 1813). Poema no qual todas as estrofes terminam com "Die Kindlein, sie hören es gerne" (as criancinhas gostam de ouvir). (N.T.)

[14] Igreja fundada nos Estados Unidos, em 1866, por Mary Baker Eddy. Seu propósito é restabelecer o cristianismo primitivo e seu elemento de cura espiritual que se havia perdido. (N.T.)

[15] Referência a Heinrich Heine, *Alemanha, um conto de inverno* (Deutschland, ein Wintermärchen), livro I, estrofes 6 e 7, em que é evocado o canto de uma jovem que toca harpa. (N.T.)

[16] Preferimos aqui uma tradução mais direta de "*schlechtes Gewissen*", mas poderíamos pensar aqui na noção de "consciência pesada", mais corriqueira em português brasileiro. (N.T.)

[17] "*Ihr führt in's Leben uns hinein,/Ihr lasst den Armen schuldig werden,/ Dann überlasst Ihr ihn der Pein,/Denn jede Schuld rächt sich auf Erden*". Goethe, "Canções do harpista", em *Wilhelm Meister*. (N.T.)

[18] A última frase foi acrescentada a partir da edição de 1931. (N.E.)

SOBRE A CONQUISTA DO FOGO (1932)

Em uma nota ao meu escrito *O mal-estar na cultura*[1] (p. 449, v. XIV), mencionei – ainda que de passagem – a suposição, baseada no material psicanalítico, que poderia ser feita sobre a conquista do fogo pelo ser humano primitivo. A contestação de Albert Schaeffer[2] (*O Movimento Psicanalítico*, ano II, 1930, p. 251) e a surpreendente referência de Erlenmeyer,[i] no artigo precedente, à proibição mongol de urinar sobre as cinzas,[ii] levaram-me a retomar esse tema.[iii]

Penso, de fato, que a minha suposição de que a precondição para o domínio do fogo seria a renúncia ao

---

[i] E. H. Erlenmeyer, Nota sobre a hipótese freudiana a respeito da domesticação do fogo [Notiz zur Freudschen Hypothese über die Zähmung des Feuers], *Imago*, XVIII, 1932.

[ii] Certamente sobre as cinzas quentes, das quais ainda se pode obter fogo, e não sobre cinzas apagadas.

[iii] A contestação de Lorenz, em "Caos e rito" [Chaos und Ritus] (*Imago*, XVII, 1931, p. 433-494), parte da pressuposição de que a domesticação do fogo só teria absolutamente começado com a descoberta de que se era capaz de gerá-lo voluntariamente através de algum tipo de manipulação. – Por outro lado, o Dr. J. Hárnik remete-me a uma declaração do Dr. Richard Lasch (na compilação de Georg Buschan, *Etnografia ilustrada* [*Illustrierte Völkerkunde*], Stuttgart, 1922, v. I, p. 24): "Supõe-se que a arte de *conservar* o fogo precedeu, em muito tempo, a arte de gerar o fogo; uma prova disso é fornecida pelo fato de que os atuais aborígenes pigmeus que habitam as ilhas Andaman supostamente possuem e preservam o fogo, mas não conhecem nenhum método autóctone para gerá-lo".

prazer acentuadamente homossexual de apagá-lo com o jato de urina possa ser confirmada pela interpretação da lenda grega de Prometeu, se considerarmos as distorções que é preciso esperar, quando se passa do fato para o conteúdo mítico. Essas distorções são da mesma espécie, e não piores, do que aquelas que reconhecemos cotidianamente, quando, a partir de sonhos dos pacientes, reconstruímos as suas experiências recalcadas de infância, que, no entanto, são extremamente importantes. Os mecanismos aí empregados são a figuração por meio de símbolos e a transformação no contrário. Não posso me arriscar a explicar dessa forma todos os aspectos do mito; além da situação original, outros processos, mais tardios, podem ter contribuído para o seu conteúdo. Mas os elementos que admitem uma interpretação analítica são, contudo, os mais patentes e os mais importantes, a saber, a maneira como Prometeu transporta o fogo, o caráter do ato (sacrilégio, roubo, fraude contra os deuses) e o sentido do seu castigo.

O titã Prometeu, herói cultural que ainda é divino,[i] talvez originariamente mesmo um demiurgo e criador de seres humanos, traz, então, aos seres humanos o fogo, que ele havia furtado dos deuses e escondido em um bastão oco, um caniço de funcho. Em uma interpretação de sonho, iríamos, com prazer, querer entender um objeto como esse como um símbolo do pênis, embora a ênfase incomum no fato de ele ser oco nos incomode nesse caso. Mas como juntamos esse caniço-pênis com a preservação do fogo? Isso parece sem perspectiva, até que nos lembramos do processo, tão frequente no sonho, da reversão, da transformação no contrário, da inversão das relações, processo que tão frequentemente esconde de nós o sentido

---

[i] Pois Hércules é um semideus, e Teseu, inteiramente humano.

do sonho. Não é o fogo que o ser humano alberga em seu caniço-pênis, mas, ao contrário, o meio de apagar o fogo, a água de seu jato de urina. A essa relação entre fogo e água conecta-se, então, um material analítico rico e bem conhecido.

Em segundo lugar, a aquisição do fogo é um sacrilégio; este foi obtido por roubo ou furto. Esse é um traço constante em todas as lendas sobre a conquista do fogo; ele é encontrado entre os povos mais diversos e mais distantes, e não apenas na lenda grega de Prometeu, o Portador do Fogo. E aqui deve estar conservado, portanto, o conteúdo essencial da reminiscência desfigurada da humanidade. Mas por que a conquista do fogo está inseparavelmente conectada à representação de um sacrilégio? Quem aqui é o prejudicado, o enganado? Essa lenda, em Hesíodo, dá uma resposta direta, na medida em que, em outro relato, que não tem a ver diretamente com o fogo, Prometeu, na organização das oferendas, permite que Zeus seja trapaceado em favor dos seres humanos. Portanto, os deuses são os enganados! O mito concede aos deuses, como é sabido, a satisfação de todos os seus apetites, aos quais a criatura humana tem, necessariamente, de renunciar, tal como o sabemos pelo incesto. Diríamos, de acordo com o modo de expressão analítico, que a vida pulsional, o Isso, seria o deus enganado pela relutância em apagar o fogo; na lenda, um apetite humano foi transformado em um privilégio divino. Mas, na lenda, a divindade não tem nada do caráter de um Supereu, ela continua sendo o representante da avassaladora vida pulsional.

A transformação no contrário é a mais radical em um terceiro aspecto da lenda, na punição do Portador do Fogo. Prometeu é acorrentado a um rochedo, um abutre lhe devora o fígado todos os dias. Nas lendas de outros povos sobre o fogo, um pássaro também tem um papel, é preciso que ele tenha algo a ver com o assunto; mas no momento abstenho-me de interpretar. Por outro lado, sentimo-nos em terreno mais firme quando se trata da explicação de por que o fígado foi escolhido como o ponto do castigo. O fígado era considerado pelos antigos a sede de todas as paixões e todos os apetites [*Begierden*]; uma punição como a de Prometeu era, portanto, conveniente para um criminoso movido por suas pulsões, que havia cometido sacrilégio sob o impulso de maus apetites. Mas o exato contrário vale para o Portador do Fogo; ele praticou a renúncia pulsional e mostrou como é benéfico, mas também como é indispensável uma renúncia pulsional como essa para o propósito cultural. Então, por que um benefício cultural como esse teve de ser tratado pela lenda, depois de tudo, como um crime passível de punição? Bem, se através de todas as distorções a lenda deixa transparecer que a conquista do fogo tinha como pressuposto uma renúncia pulsional, então ela expressa abertamente, apesar de tudo, o rancor que a humanidade, movida por suas pulsões, teria de sentir contra o herói da cultura. E isso está de acordo com as nossas perspectivas e expectativas. Sabemos que a exigência à renúncia pulsional e a sua instituição provocam hostilidade e prazer de agressão, que só em uma fase posterior do desenvolvimento psíquico se transforma em sentimento de culpa.

A opacidade da lenda de Prometeu, bem como a de outros mitos sobre o fogo, é intensificada pela circunstância de que o fogo devia forçosamente apresentar-se ao homem primitivo como algo análogo a uma paixão amorosa – diríamos: como símbolo da libido. O calor que o fogo irradia evoca a mesma sensação do estado que acompanha a excitação sexual, e a chama lembra, por sua forma e seus movimentos, o falo em ação. Que a chama se apresentava como falo para o sentido mítico está fora de dúvida; a lenda das origens do rei Sérvio Túlio, de Roma, ainda pode testemunhar a seu favor. Quando nós mesmos falamos do fogo que consome a paixão e das labaredas em forma de língua, e, portanto, comparamos a labareda a uma língua, não estamos tão distanciados do modo de pensar de nossos ancestrais primitivos. Em nossa apresentação sobre a origem da conquista do fogo também estava incluída, na verdade, a pressuposição de que, para o ser humano originário, a tentativa de apagar o fogo com a sua própria água significava uma luta prazerosa com outro falo.

Pela via dessa comparação simbólica, outros elementos puramente fantásticos podem, portanto, ter penetrado o mito e nele ter se entrelaçado com os elementos históricos. Certamente é difícil resistir à ideia de que, se o fígado é a sede da paixão, ele significa simbolicamente a mesma coisa que o próprio fogo, e de que então o seu consumo e a sua renovação diários são uma descrição apropriada da conduta dos apetites amorosos que, satisfeitos diariamente, renovam-se diariamente. Ao pássaro, que se sacia com o fígado, caberia então o significado do pênis, que não lhe é normalmente estranho, como permitem reconhecer as lendas, os sonhos, o uso da língua e figurações plásticas da Antiguidade. Um pequeno passo além leva ao pássaro Fênix, que, de cada uma de suas mortes por fogo, ressurge rejuvenescido, e que provavelmente, muito antigamente, referiu-se ao falo reanimado após o seu adormecimento, mais que ao Sol que se põe no ocaso, para depois novamente voltar a nascer.

Podemos perguntar se é permitido acreditar que a atividade formadora de mitos seja capaz de tentar – como se fosse uma brincadeira, por assim dizer – figurar, de maneira disfarçada, como manifestação corporal, os processos anímicos conhecidos por todos, mas altamente interessantes, sem outro motivo que não seja o simples prazer da figuração. A isso certamente não podemos responder com segurança sem termos entendido a essência do mito, mas, para os nossos dois casos, é fácil reconhecer o mesmo conteúdo e, com isso, uma determinada tendência. Eles descrevem o restabelecimento dos apetites libidinais após o seu desvanecimento mediante uma saciedade, portanto a sua indestrutibilidade, e esse destaque está perfeitamente em seu lugar como consolo, se o núcleo histórico do mito trata de uma derrota da vida pulsional, de uma renúncia pulsional que se tornou necessária. É como a segunda parte da reação compreensível do homem primitivo afrontado em sua vida pulsional; após o castigo do sacrílego, a garantia de que, no fundo, ele nada prejudicou.

Em um lugar inesperado encontramos a reversão na direção contrária em outro mito que, aparentemente, tem muito pouco a ver com o mito sobre o fogo. A Hidra de Lerna, com suas inúmeras cabeças de serpente com línguas tremulantes − entre essas cabeças, uma que é imortal −, é, como o testemunha o seu nome, um dragão das águas [*Wasserdrache*]. Hércules, o herói cultural, luta com ela e decepa-lhe as cabeças, mas estas sempre tornam a crescer, e ele só domina o monstro depois de ter extinguido pelo fogo a sua cabeça imortal. Um dragão das águas que é dominado pelo fogo − é algo que não faz nenhum sentido. Mas o que faz sentido, como em tantos sonhos, é a inversão do conteúdo manifesto. Então a Hidra é um incêndio, as cabeças de serpente com línguas tremulantes são as labaredas do incêndio e, como prova de sua natureza libidinal, elas mostram novamente, tal como o fígado de Prometeu, o fenômeno do renascimento, da renovação, depois da tentada destruição. Hércules extingue então esse incêndio com... água. (A cabeça imortal é, sem dúvida, o próprio falo, e sua aniquilação, a castração.) Mas Hércules é também o libertador de Prometeu, é aquele que mata o pássaro devorador do fígado. Não deveríamos imaginar uma correspondência mais profunda entre os dois mitos? É como se o ato de um dos heróis fosse compensado pelo outro. Prometeu havia proibido o apagamento do fogo – como a lei do mongol –, Hércules o havia autorizado no caso de um incêndio que ameaçasse provocar uma calamidade. O segundo mito parece corresponder à reação, de uma época cultural mais tardia, diante da circunstância da conquista do fogo. Ficamos com a impressão de que a partir daqui poderíamos penetrar um bom trecho nos segredos do mito, mas certamente a sensação de certeza só irá nos acompanhar por um curto trecho.

Para a oposição entre fogo e água, que domina todo o campo desses mitos, há ainda um terceiro fator, que pode ser colocado em evidência, além do fator histórico e do simbólico-fantástico, que é um fato fisiológico descrito pelo poeta em seus versos:

> Aquilo que, para o ser humano, serve para urinar
> É com isso que ele cria seu semelhante[3]

O membro do homem tem duas funções, cuja coexistência é um aborrecimento para muitos. Ele assegura o esvaziamento da bexiga e realiza o ato amoroso, que apazigua o anseio da libido. A criança ainda acredita poder reunir as duas funções; segundo a sua teoria, as crianças vêm ao mundo porque o homem urina no ventre da mulher. Mas o adulto sabe que na realidade esses dois atos são inconciliáveis – tão inconciliáveis quanto fogo e água. Quando o membro entra naquele estado de excitação, que lhe valeu ser igualado com o pássaro, e enquanto são experimentadas aquelas sensações, que lembram o calor do fogo, urinar é impossível; e inversamente, quando o membro se serve do esvaziamento da água do corpo, parecem apagar-se todas as suas relações com a função genital. A oposição das duas funções poderia nos levar a dizer que o ser humano apaga seu próprio fogo com a sua própria água. E o ser humano primitivo, que dependia de suas próprias sensações corporais e de suas próprias circunstâncias corporais para entender o mundo externo, não pôde deixar passar despercebido e não utilizar as analogias que a conduta do fogo lhe mostrava.

Zur Gewinnung des Feuers (1932)

1932 Primeira publicação: *Imago*, v. 18, n. 1, p. 8-13
1928 *Gesammelte Schriften*, t. XII, p. 141-147
1944 *Gesammelte Werke*, t. XVI, p. 3-9

Conforme Erne Jones, esse artigo foi escrito em dezembro de 1931. Trata-se do desdobramento de uma hipótese formulada em nota de rodapé de *O mal-estar na cultura* (neste volume, p. 338), na qual Freud relaciona o progresso civilizacional de domínio do fogo à renúncia de apagá-lo com jato de urina. O presente artigo pretende fundamentar a hipótese por meio de uma leitura do Mito de Prometeu.

A correlação entre fogo e micção interessava a Freud desde a época da correspondência com Fließ. Em carta de 27 de setembro de 1898, temas como enurese noturna e excitação sexual são explicitamente articulados. Também em sua análise da história clínica de Dora, principalmente na interpretação do primeiro sonho, o Mito de Prometeu fornece uma chave de leitura. Algo similar ocorre também no caso "Homem dos lobos".

Pode-se ler o presente artigo, como propôs Jacques Le Rider, como uma espécie de "desconstrução", uma "inversão irônica" do Mito de Prometeu, inspirada numa atmosfera nietzschiana.

LE RIDER, Jacques. Les intellectuels viennois et Nietzsche: autour de Sigmund Freud. In: *Bourel et Le Rider, De Sils-Maria à Jérusalem*: Nietzsche et le judaisme: les intellectuels juifs et Nietzsche. Paris: Éditions du Cercle, 1991.

NOTAS

[1] Esta nota encontra-se no Capítulo III, de *O mal-estar na cultura* (1930), neste volume (p. 338). Vamos transcrevê-la aqui, na íntegra: "Um material psicanalítico incompleto, que não se deixa interpretar com segurança, permite, ainda assim, ao menos uma suposição – que parece fantástica – sobre a origem dessa proeza humana. É como se o ser humano primitivo tivesse o hábito, caso ele encontrasse o fogo, de satisfazer um prazer infantil a ele vinculado, apagando-o com seu jato de urina. Sobre a concepção fálica originária da chama em forma de língua estirando-se nas alturas não pode haver nenhuma dúvida, de acordo com as lendas existentes. Extinguir o fogo pela micção – a que ainda recorrem as posteriores crianças gigantes Gulliver em

Liliput e o Gargântua de Rabelais – era, portanto, como um ato sexual com um homem, como uma fruição da potência masculina na competição homossexual. Quem primeiro renunciou a esse prazer, poupando o fogo, pôde levá-lo embora consigo e colocá-lo a seu serviço. Ao atenuar o fogo de sua própria excitação sexual, ele domesticou a força natural do fogo. Essa grande conquista cultural seria, portanto, a recompensa por uma renúncia pulsional. E, além disso, é como se a mulher tivesse sido nomeada guardiã desse fogo mantido prisioneiro no lar doméstico, porque sua conformação anatômica lhe proíbe ceder a uma tentação de prazer como essa. É notável também a regularidade com que as experiências analíticas testemunham a relação entre a ambição, o fogo e o erotismo ligado à micção." (N.T.)

[2] "Der Mensch und das Feuer" (O homem e o fogo) artigo publicado em *Die psychoanalytische Bewegung*, Ano II, 1930. (N.R.)

[3] "Was dem Menschen dient zum Seichen,/Damit schafft er Seinesgleichen". (N.T.)

POR QUE A GUERRA? (1933)

CARTA DE EINSTEIN A FREUD

Caputh, junto a Potsdam, 30 de julho de 1932

Prezado Senhor Freud!

Sinto-me muito contente pelo fato de que – através da sugestão de um debate em forma de livre troca de opiniões, com uma pessoa de minha própria escolha, sobre um problema escolhido livremente – a Liga das Nações e seu Instituto Nacional de Cooperação Intelectual, em Paris, ofereceram-me a oportunidade única de debater com o senhor sobre essa questão que, no estado atual das coisas, aparece como a mais importante da civilização: há um caminho para libertar os seres humanos da fatalidade da guerra? A visão de que, através dos progressos da técnica, essa indagação tenha se tornado uma questão de existência para a humanidade civilizada está em geral bastante impregnada, e, mesmo assim, todos os esforços ardentes em favor de sua solução até agora fracassaram em medida assustadora.

Acredito que mesmo entre aqueles que se ocupam de maneira prática e profissional desse problema há o desejo vivo, nascido de um certo sentimento de impotência, de perguntar às pessoas sobre a sua concepção do problema, pessoas que, por sua atividade científica habitual, tomaram uma grande distância em relação aos problemas da vida. No que me concerne, a orientação habitual do meu pensamento não me fornece nenhum acesso às profundezas do querer e do sentir humanos, de modo que, na troca de opiniões que estamos tentando, não posso fazer muito mais do que tentar elaborar a postulação da questão e, antecipando as tentativas de solução mais externas, dar a oportunidade ao senhor de esclarecer a questão do ponto de vista de seu conhecimento profundo da vida pulsional humana. Confio que o senhor possa indicar meios de educação que sejam capazes de eliminar, por um caminho de certa forma não político, os obstáculos psicológicos que aquele que não é experiente em psicologia certamente entende, mas cujas correlações e variabilidade não consegue julgar.

Como eu mesmo sou um ser humano livre de afetos de natureza nacionalista, parece me simples o aspecto exterior, organizacional do problema: os Estados criam uma autoridade legislativa e judiciária para arbitrar todos os conflitos que surgem entre eles. Eles se comprometem a se submeter às leis estabelecidas pela autoridade legislativa, a apelar para a jurisdição em todos os casos litigiosos, a se curvar incondicionalmente às suas decisões, bem como a executar todas as medidas que a jurisdição julgar necessárias para a realização de suas decisões. Aqui já me deparo com a primeira dificuldade: uma jurisdição é uma instituição humana que quanto menos poder tiver à sua disposição para impor as suas decisões, mais estará inclinada a tornar suas decisões acessíveis a influências extrajurídicas. É um fato com o qual temos de contar:

direito e poder estão inseparavelmente ligados, e os veReditos de um órgão judiciário se aproximam mais do ideal de justiça da comunidade, em cujo nome e interesse o direito é pronunciado, quanto mais essa comunidade conseguir meios de poder para exigir respeito ao seu ideal de justiça. Mas no momento estamos muito longe de possuir uma organização supraestatal que seja capaz de conferir à sua jurisdição uma autoridade incontestável e de forçar à obediência absoluta na execução de seus decretos. Assim, impõe-se a mim a primeira constatação: o caminho que leva à segurança internacional passa pela renúncia incondicional dos Estados a uma parte de sua liberdade de ação, vale dizer, de sua soberania, e deveria estar fora de dúvida que não há outro caminho que leve a essa segurança.

Considerando o insucesso dos esforços dos últimos decênios, empreendidos, sem dúvida, seriamente para atingir essa meta, cada um sente claramente que estão em curso forças psicológicas poderosas que paralisam esses esforços. Algumas dessas forças são evidentes. A necessidade de poder da classe dominante de um Estado opõe-se a uma restrição dos direitos soberanos deste. Essa urgência de poder político nutre-se frequentemente do anseio pelo poder de uma outra classe, o qual se manifesta no plano material e econômico. Penso aqui principalmente na presença, no seio de um povo, de um pequeno mas resoluto grupo, inacessível às considerações e às inibições sociais, formado por pessoas para as quais a guerra, a fabricação e a venda de armamentos não são nada além de uma oportunidade de tirar vantagens pessoais e de alargar o campo pessoal de seu poder.

Mas essa simples constatação significa apenas um primeiro passo no reconhecimento dos contextos.

Imediatamente surge a questão: como é possível que a minoria que acabamos de mencionar possa colocar a serviço de seus apetites a massa do povo, que, em uma guerra, só tem a sofrer e a perder? (Quando falo da massa do povo, não excluo dela aqueles que, soldados de todos os graus, fizeram da guerra uma profissão, na convicção de que estão servindo à defesa dos bens supremos de seu povo e de que, às vezes, a melhor defesa é o ataque.) Aqui a resposta imediata parece ser: a minoria dos que hoje dominam tem em suas mãos sobretudo a escola, a imprensa e frequentemente também as organizações religiosas. Por esses meios, ela domina e dirige os sentimentos da grande massa e faz dela seu instrumento apático.

Mas essa resposta também não esgota essa relação, pois surge a questão: como é possível que a massa se deixe inflamar, através dos meios mencionados, até o frenesi e o sacrifício de si? A resposta só pode ser: no ser humano habita uma necessidade de odiar e de aniquilar. Essa predisposição, em épocas normais, está presente de forma latente e então vem à tona apenas na forma do que é anormal; mas ela pode ser despertada com uma relativa facilidade e intensificar-se em psicose de massa. Aqui parece situar-se o problema mais profundo do inteiramente fatal complexo de efeitos. Aqui está o ponto que só o grande conhecedor das pulsões humanas pode esclarecer.

Isso leva à última pergunta: existe uma possibilidade de conduzir o desenvolvimento psíquico dos seres humanos de modo que se tornem capazes de resistir às psicoses de ódio e à aniquilação? E nesse caso de forma alguma estou pensando apenas nos ditos sem instrução. Em minhas experiências de vida é precisamente muito mais o que chamamos de "inteligência" que sucumbe tanto mais facilmente às fatídicas sugestões de massa, porque ela não costuma criar diretamente da experiência, mas atingir pela via do papel impresso, que é a mais conveniente e a mais completa.

Para concluir, mais um ponto: até agora só falei de guerra entre Estados, portanto, daquilo que chamamos de conflitos internacionais. Tenho consciência de que a agressividade humana também opera sob outras formas e em outras condições (por exemplo, a guerra civil, que antigamente se devia a causas religiosas, e hoje, a causas sociais; e a perseguição a minorias nacionais). Mas destaquei conscientemente a forma mais representativa e mais calamitosa, porque desenfreada, de conflito entre comunidades humanas, porque é sobre ela que talvez possamos melhor demonstrar como poderiam ser evitados os conflitos bélicos.

Sei que o senhor, em seus escritos, respondeu ora direta, ora indiretamente a todas as questões que têm relação com o problema premente que nos interessa. Mas será de grande proveito se o senhor apresentar, especialmente à luz de seus novos conhecimentos, o problema da pacificação do mundo, visto que de uma apresentação como essa podem resultar muitos esforços frutíferos.

Com as mais amistosas saudações de seu
Einstein

CARTA DE FREUD A EINSTEIN

Caro senhor Einstein!

Quando soube que o senhor tinha a intenção de me convidar para uma troca de ideias sobre um tema ao qual o senhor dedica o seu interesse, e que também lhe parece digno do interesse de outros, aceitei prontamente. Eu esperava que o senhor fosse escolher um problema na fronteira daquilo que hoje é conhecido, ao qual cada um de nós, tanto o físico como o psicólogo, pudesse abrir o seu acesso particular, de modo que, partindo de lados distintos, eles se encontrassem no mesmo terreno. No entanto, o senhor me surpreendeu ao colocar a questão de saber o que poderíamos fazer para defender as pessoas da fatalidade da guerra. De início assustei-me sob a impressão de minha – quase que eu disse: nossa – incompetência, pois isso me pareceu ser uma tarefa prática que compete aos estadistas. Mas depois entendi que o senhor havia levantado a questão não como explorador da natureza e como físico, mas como filantropo que tinha seguido as sugestões da Liga das Nações, assim como o explorador polar Fridtjof Nansen, quando assumiu a tarefa de prestar auxílio às vítimas, famintas e sem teto, da Guerra Mundial.[1] Dei-me conta também de que não me estava sendo exigido fazer sugestões práticas, mas que eu devia apenas indicar como o problema da prevenção contra a guerra se apresenta em termos de uma abordagem psicológica.

Mas sobre isso o senhor também disse quase tudo em sua carta. O senhor me tirou o vento das velas, por assim dizer, mas vou navegar com prazer no seu rastro e me contentar de confirmar tudo o que o senhor propõe, na medida em que o apresentarei de maneira mais ampliada, de acordo com o melhor do meu conhecimento – ou da minha suposição.

O senhor inicia com a relação entre direito e poder. Esse é, certamente, o ponto de partida correto para a nossa investigação. Posso substituir a palavra "poder" [*Macht*] por "violência" [*Gewalt*],[2] uma palavra mais intensa e mais dura? Direito e violência são hoje opostos para nós. É fácil mostrar como um se desenvolveu a partir do outro, e se remontarmos às primeiras origens e examinarmos como isso aconteceu na primeira vez, a solução do problema se nos apresenta sem esforço. Mas me perdoe se no que se segue eu relatar algo que é conhecido e reconhecido por todos como se fosse alguma novidade; o contexto me obriga a fazê-lo.

Os conflitos de interesse entre os seres humanos são decididos, em princípio, com o emprego da violên-cia. Isso é assim em todo o reino animal, do qual o ser humano não deveria se excluir; para o ser humano, no entanto, somam-se ainda conflitos de opinião, que alcan-çam as mais altas abstrações e parecem exigir uma outra técnica de decisão. Mas essa é uma complicação posterior. No início, em uma pequena horda de seres humanos, era a maior força muscular que decidia a quem alguma coisa deveria pertencer ou a vontade de quem deveria ser executada. A força muscular aumenta e logo é substituída pelo uso de ferramentas; vence aquele que tiver as melhores armas ou que souber usá-las de maneira mais habilidosa. Com a introdução da arma, a superioridade intelectual já começa a tomar o lugar da força muscular bruta; o propósito último da luta permanece o mesmo: uma das partes, pelo prejuízo que experimenta e pela paralisia de suas forças, deve ser forçada a abandonar a sua reivindicação ou a sua oposição. Isso é conseguido integralmente quando a violência elimina o adversário de maneira permanente, logo, quando o mata. Isso tem duas vantagens: a de ele não poder retomar uma vez mais a sua posição de adversário e a de que o seu destino desencoraja outros a seguirem seu exemplo. Além disso, a morte do inimigo satisfaz uma inclinação pulsional que terá de ser mencionada mais adiante. À intenção de matar pode opor-se a consideração de que o inimigo possa ser utilizado em serviços utilitários, se o deixarmos com vida, sob intimidação. Então, a violência contenta-se em subjugá-lo, em vez de matá-lo. Começa-se a poupar o inimigo, mas o vencedor tem de, a partir de então, contar com a vigilante sede de vingança do vencido, e abandona uma parte de sua própria segurança.

Esse é, então, o estado originário, o domínio do maior poder, da violência bruta ou apoiada intelectualmente. Sabemos que esse regime foi modificado no curso do desenvolvimento, um caminho levou da violência ao direito, mas qual? Apenas um único, no meu entender. Ele passa pelo fato de que a maior força de um pode ser compensada pela reunião de muitos fracos. "*L'union fait la force*" [a união faz a força]. A violência é rompida pela união, e agora o poder desses que estão unidos constitui o direito, em oposição à violência do indivíduo. Estamos vendo que o direito é o poder de uma comunidade. Ele não deixa de ser violência, pronta para se voltar contra qualquer indivíduo que se oponha a ela; trabalha com os mesmos meios, persegue os mesmos fins; realmente, a diferença reside apenas no fato de que ele não é mais a violência de um indivíduo que se impõe, mas a da comunidade. Mas, para que se realize essa passagem da violência ao novo direito, uma condição psicológica precisa ser preenchida. É preciso que a união de muitos seja estável e duradoura. Se ela se estabelecer apenas com o propósito de combater aquele que é superpotente e se desintegrar depois de ele ser derrotado, nada seria obtido. O primeiro que se considerasse forte iria almejar de novo um domínio de violência, e o jogo se repetiria sem cessar. A comunidade tem necessariamente de se manter de maneira permanente, organizar-se, criar regulamentos que previnam as temidas revoltas, instituir órgãos que vigiem a observância das prescrições – das leis – e se encarreguem da execução dos atos legais de violência. Ao se reconhecer uma comunidade de interesses como essa, estabelecem-se entre os membros de um grupo humano unificado ligações afetivas, sentimentos comunitários, nos quais se assenta a sua verdadeira força.

Com isso, penso que todo o essencial foi colocado: a superação da violência através da transferência do poder a uma unidade maior, que é mantida coesa pelas ligações afetivas entre os seus membros. Todo o resto são aplicações e repetições. As relações são simples enquanto a comunidade for constituída por um número de indivíduos de força igual. As leis dessa associação determinam então qual é a medida de liberdade pessoal para empregar a sua força como violência a que o indivíduo precisa renunciar, para possibilitar uma segura vida em comum. Mas um estado de tranquilidade como esse só é concebível teoricamente; na verdade, a situação se complica, pelo fato de a comunidade, de início, incluir elementos de poder desigual, homens e mulheres, pais e filhos, e logo, em consequência da guerra e da submissão, vencedores e vencidos, que se transformam em senhores e escravos. O direito da comunidade se torna então a expressão das relações desiguais de poder em seu meio, as leis serão feitas por e para os dominantes, e elas concederão poucos direitos aos submetidos. A partir daí, haverá duas fontes de inquietação em relação ao direito, mas também de progressão do direito. Em primeiro lugar, as tentativas individuais entre aqueles que são os dominantes para se elevar acima das restrições válidas para todos, portanto, para retroceder do domínio do direito para o domínio da violência; em segundo lugar, os esforços constantes dos oprimidos para conseguirem mais poder e para ver essas modificações reconhecidas na lei, portanto, ao contrário, para operar um avanço de um direito desigual para um direito igualitário. Esta última corrente irá se tornar especialmente importante se no interior da comunidade realmente ocorrerem deslocamentos nas relações de poder, como pode acontecer em consequência de fatores históricos variados. O direito pode, então, adaptar-se lentamente às novas relações de poder, ou, o que acontece com mais frequência, não estando a classe dominante disposta a considerar essa modificação, parte-se para a revolta, para a guerra civil, portanto, para uma suspensão temporária do direito e para novas provas de violência, após as quais uma nova ordem de direito é instituída. Há ainda uma outra fonte de modificação do direito que só se manifesta de maneira pacífica; trata-se da transformação cultural dos membros da comunidade, mas ela pertence a um contexto que só mais tarde poderá ser considerado.

Estamos vendo, portanto, que mesmo no interior da comunidade a solução de conflitos de interesse através da violência não é evitada. Mas as necessidades e os pontos em comum que derivam da vida em comunidade no mesmo terreno propiciam um rápido encerramento de lutas como essas, e a probabilidade de soluções pacíficas sob essas condições aumenta cada vez mais. Mas um olhar sobre a história da humanidade nos mostra uma série infindável de conflitos entre uma comunidade e outra ou várias outras, entre maiores e menores unidades, cidades, províncias, tribos, povos, impérios, que quase sempre são decididos pela prova de força da guerra. Guerras como essas terminam seja por pilhagem, seja pela submissão e conquista totais de uma das partes. Não podemos julgar as guerras de conquista de maneira uniforme. Muitas delas, como a dos mongóis e turcos, só trouxeram desastre; outras, ao contrário, contribuíram para a transformação da violência em direito, ao então estabelecerem unidades maiores, no interior das quais a possibilidade de empregar a violência cessou, e uma nova ordem de direito apaziguou os conflitos. Assim, as conquistas dos romanos trouxeram a preciosa *pax romana* aos países mediterrâneos. O afã expansionista que possuíam os reis franceses criou uma França florescente, unida pela paz. Por mais paradoxal que isso soe, temos de admitir que a guerra não seria nenhum meio inapropriado para estabelecer a tão almejada paz "eterna", porque ela é capaz de criar aquelas grandes unidades no interior das quais um forte poder central [*Zentralgewalt*] torna impossíveis outras guerras. Mas, apesar de tudo, ela não é adequada neste caso, pois os resultados da conquista, em geral, não são duradouros;

as unidades recém-criadas desagregam-se novamente, no mais das vezes em consequência da falta de coesão entre as partes unidas pelo poder da violência [*Gewalt*]. E além disso, até agora a conquista só pôde criar uniões parciais, embora de grande extensão, cujos conflitos, mais do que nunca, exigiram a decisão pela violência. Assim, como consequência de todos esses esforços bélicos, resultou apenas que a humanidade trocou as numerosas e mesmo incessantes pequenas guerras por grandes guerras, raras, mas tanto mais devastadoras.

Aplicando isso a nosso presente, obtém-se o mesmo resultado a que o senhor chegou por um caminho mais curto. Uma prevenção segura contra as guerras só é possível se as pessoas se unirem para a instituição de um poder central ao qual será transferido o direito de arbitrar em todos os conflitos de interesses. Aqui estão claramente reunidas duas exigências, a de que seja criada uma instância suprema como essa e a de que a ela seja outorgado o poder necessário. Uma só não valeria de nada. Pois bem, a Liga das Nações foi concebida como uma instância desse tipo, mas a outra condição não foi preenchida; a Liga das Nações não tem um poder próprio e só pode obtê-lo se os membros da nova união, os Estados isolados, cederem-no. Mas, para isso, parece haver pouca perspectiva atualmente. Em face da Liga das Nações, nós daríamos prova de total incompreensão se não soubéssemos que há uma tentativa que raramente, ou talvez nunca, foi arriscada nessa escala na história da humanidade. Trata-se da tentativa de obter autoridade – isto é, influência compulsória –, que de outro modo se fundamenta na posse do poder, através do apelo a determinadas posturas ideais. Vimos que o que mantém uma comunidade coesa são duas coisas: a coação [*Zwang*] da violência e os laços afetivos – que tecnicamente chamamos de identificações – entre os membros. Caso faltar um desses fatores, o outro pode eventualmente manter a comunidade. Naturalmente essas ideias só terão um significado se elas exprimirem pontos importantes em comum entre seus membros. Pergunta-se, então, qual é a sua força. A história ensina que, de fato, elas exerceram seus efeitos. A ideia pan-helênica, por exemplo, a consciência de que se era melhor do que os bárbaros que viviam nas redondezas, que encontrou uma expressão tão intensa nas anfictionias, nos oráculos e nos jogos, era suficientemente forte para atenuar os costumes belicistas entre os gregos, mas evidentemente não foi capaz de prevenir disputas bélicas entre facções do povo grego, nem sequer de impedir uma cidade ou uma liga de cidades de se aliar ao inimigo persa para prejudicar um rival. Tampouco o sentimento comunitário cristão, que era, contudo, poderoso o bastante, conseguiu impedir, na época do Renascimento, que pequenos e grandes Estados cristãos buscassem a ajuda do sultão em suas guerras mútuas. E mesmo em nosso tempo, não existe nenhuma ideia à qual possamos atribuir uma autoridade unificadora como essa. Que os ideais nacionais que hoje imperam entre os povos pressionam para um efeito oposto está bastante evidente. Há pessoas que predizem que só a introdução generalizada da maneira de pensar bolchevista poderá pôr fim às guerras, mas hoje estamos de qualquer modo muito distantes dessa meta e talvez ela só possa ser alcançada após terríveis guerras civis. Parece, portanto, que a tentativa de substituir o poder real pelo poder das ideias ainda se vê condenada ao fracasso. É um erro de cálculo não considerar que o direito era originalmente violência bruta e que ainda hoje não pode prescindir do apoio da violência.

Agora posso passar a comentar outra de suas teses. O senhor se surpreende de que seja tão fácil incitar as pessoas para a guerra e supõe que haja algo nelas, uma pulsão de odiar e aniquilar que vai ao encontro dessa incitação. Novamente só posso concordar irrestritamente com o senhor. Acreditamos na existência de uma pulsão como essa, e justamente nos esforçamos nos últimos anos para estudar as suas manifestações. O senhor me permite, nesta oportunidade, apresentar-lhe uma parte da doutrina das pulsões, à qual chegamos na Psicanálise, após muitos tenteios e hesitações? Supomos que as pulsões dos seres humanos sejam somente de dois tipos, aquelas que querem conservar e unir – que chamamos de eróticas, bem no sentido de Eros, no *Banquete*, de Platão, ou ainda sexuais, com uma extensão consciente do conceito popular de sexualidade – e as outras, que querem destruir e matar; agrupamos estas últimas como pulsão de agressão ou pulsão de destruição. O senhor pode ver que é apenas a transfiguração teórica da oposição entre o amar e o odiar, conhecida por todos, que talvez mantenha uma relação originária com a polaridade entre a atração e a repulsão, que tem um papel em seu campo. Mas não nos deixe ir muito depressa nas avaliações do bem e do mal. Uma dessas pulsões é tão indispensável quanto a outra; da ação conjunta e antagônica de ambas surgem as manifestações da vida. Pois bem, parece que quase nunca uma pulsão de uma espécie pode atuar isoladamente; ela sempre está ligada, dizemos – aliada a um certo montante da outra parte, que modifica a sua meta ou, em algumas circunstâncias, até mesmo possibilita a sua realização. Assim, por exemplo, a pulsão de autoconservação é certamente de natureza erótica, mas ela tem necessidade de fazer uso da agressão, se ela tiver de firmar o seu propósito. Da mesma forma, a pulsão de amor dirigida aos objetos requer um complemento da pulsão de apoderamento, se alguma vez ela quiser se apropriar de seu objeto. A dificuldade de isolar as duas pulsões em suas manifestações é o que, por tanto tempo, impediu-nos de reconhecê-las.

Se o senhor quiser me acompanhar por mais um trecho do caminho, saberá que as ações humanas permitem reconhecer ainda uma complicação de outra espécie. Muito raramente a ação [*Handlung*] é a obra de uma única moção pulsional, que em si e por si precisa já ser composta de Eros e de destruição. Em regra, muitos motivos configurados da mesma maneira precisam se encontrar para possibilitar a ação. Um de seus colegas já sabia disso, o Prof. Georg Christoph Lichtenberg, que, no tempo dos nossos clássicos, ensinava Física em Göttingen; mas talvez como psicólogo ele tenha sido mais importante do que como físico. Ele inventou a "rosa dos motivos", ao dizer: "As motivações pelas quais fazemos alguma coisa podem ser ordenadas como os 32 ventos, e seus nomes podem ser formados de maneira semelhante, como por exemplo, *pão – pão – glória* ou *glória – glória – pão*". Quando, portanto, os seres humanos são incitados à guerra, deve haver um bom número de motivos com que eles devem concordar, nobres e maldosos, sobre os quais falamos abertamente, e outros sobre os quais calamos. Não temos nenhuma razão para expô-los todos. O prazer na agressão e na destruição certamente está entre eles; incontáveis crueldades da história e do cotidiano confirmam a sua existência e a sua força. A fusão dessas tendências destrutivas com outras, eróticas e ideais, facilita, naturalmente, a sua satisfação. Às vezes, quando ouvimos falar dos atos de atrocidade da história, temos a impressão de que os motivos ideais só teriam servido de pretexto aos apetites destrutivos;

e outras vezes, por exemplo, no caso das crueldades da Santa Inquisição, pensamos que os motivos ideais teriam se imposto à consciência, e os destrutivos teriam lhe trazido um reforço inconsciente. As duas coisas são possíveis.

Receio estar abusando do seu interesse, que evidentemente está ligado à prevenção contra a guerra, e não às nossas teorias. No entanto, gostaria de me demorar mais um momento em nossa pulsão de destruição, cuja popularidade de modo algum consegue acompanhar a sua importância. Com certa dose de especulação, chegamos efetivamente à concepção de que essa pulsão opera no interior de cada ser vivo e almeja então levá-lo à dissolução, reconduzir a vida ao estado de matéria inanimada. Ela mereceu, com toda a seriedade, o nome de pulsão de morte, enquanto as pulsões eróticas representam os anseios da vida. A pulsão de morte torna-se pulsão de destruição na medida em que, com a ajuda de órgãos especiais, é voltada para fora, contra os objetos. O ser vivo preserva, por assim dizer, sua própria vida destruindo a vida alheia. Mas uma parte da pulsão de morte permanece ativa no interior do ser vivo, e fizemos a tentativa de derivar um grande número de fenômenos normais e patológicos dessa interiorização da pulsão de destruição. Cometemos até mesmo a heresia de explicar o surgimento de uma consciência moral através de uma viragem como essa da agressão para o interior. O senhor percebe que não é totalmente inócuo se esse processo se consumar em uma medida excessivamente grande, o que é certamente malsão, enquanto a viragem dessas forças pulsionais para a destruição no mundo exterior alivia o ser vivo e só pode ter efeito benéfico. Isso serviria de desculpa biológica para todas as ambições odientas e perigosas contra as quais lutamos. Precisamos admitir que elas estão mais próximas da natureza do que a nossa resistência a elas, para a qual também nós ainda precisamos encontrar uma explicação. Talvez o senhor tenha ficado com a impressão de que nossas teorias seriam uma espécie de mitologia que, neste caso, nem sequer seria particularmente agradável. Mas toda e qualquer ciência não termina numa espécie de mitologia como esta? Ao senhor parece hoje ser diferente na Física? Do que foi dito anteriormente, retiramos para os nossos fins imediatos simplesmente o fato de que não há nenhuma perspectiva em se querer abolir as tendências agressivas dos seres humanos. Pode ser que existam, em regiões privilegiadas da Terra, onde a natureza fornece em superabundância tudo o que o ser humano necessita, tribos cuja vida transcorre com brandura e para as quais coação e agressão são desconhecidas. Dificilmente posso acreditar nisso, gostaria de saber mais sobre essas pessoas felizes. Os bolchevistas também esperam poder fazer desaparecer a agressão humana assegurando a satisfação das necessidades materiais e, em outros aspectos, estabelecendo a igualdade entre os membros da comunidade. Eu considero isso uma ilusão. Por enquanto, eles estão armados da maneira mais cuidadosa, e, para manter a coesão de seus adeptos, não utilizam nada menos do que o ódio contra os que estão de fora. Além disso, como o senhor mesmo observa, não se trata de eliminar completamente a tendência humana à agressão; pode-se tentar desviá-la o bastante para que ela não tenha de encontrar a sua expressão na guerra.

A partir de nossa doutrina mitológica das pulsões, encontramos facilmente uma fórmula para as vias indiretas de combater a guerra. Se a disposição para a guerra é uma decorrência da pulsão de destruição, então é natural evocar contra ela o oponente dessa pulsão, Eros. Tudo o que produz ligações afetivas entre as pessoas, pode ter efeito contrário à guerra. Essas ligações podem ser de dois tipos:

primeiramente ligações como aquelas com um objeto de amor, mesmo que sem metas sexuais. A Psicanálise não precisa se envergonhar de aqui falar de amor, pois a religião diz a mesma coisa: "ame teu próximo como a ti mesmo". Acontece que isso é fácil de exigir, mas difícil de cumprir. O outro tipo de ligação dá-se através de identificação. Tudo o que produz interesses comuns entre as pessoas suscita esses sentimentos comuns, essas identificações. Nela se baseia, em grande parte, o edifício da sociedade humana.

De uma de suas queixas sobre o abuso de autoridade extraio uma segunda sugestão para o combate indireto à inclinação para a guerra. Faz parte da desigualdade inata e não eliminável entre as pessoas que elas se dividam em líderes e dependentes. Os últimos constituem a grande maioria; eles têm necessidade de uma autoridade que tome decisões por eles, à qual eles se submetam incondicionalmente, na maioria das vezes. Aqui deveria ser acrescentado que, necessariamente, se teria de consagrar mais cuidado do que até agora para educar uma camada superior de pensadores autônomos, não propensos à intimidação, e combatentes pela verdade, sobre os quais recairia a orientação das massas não autônomas. Que as usurpações dos poderes estatais e a proibição do pensamento pela Igreja não sejam favoráveis a um intento dessa natureza, isso não requer de nenhuma prova. Naturalmente o Estado ideal seria uma comunidade de seres humanos que submeteu a sua vida pulsional à ditadura da razão. Nada mais poderia suscitar uma união tão perfeita e capaz de resistência entre as pessoas, mesmo sob a renúncia às ligações afetivas entre elas. Mas é altamente provável que esta seja uma esperança utópica. Os outros meios para o impedimento indireto da guerra são certamente mais exequíveis, mas não prometem nenhum êxito rápido. Acabamos pensando, com má-vontade, nos moinhos que moem tão lentamente que poderíamos morrer de fome antes de obter a farinha.

Como o senhor pode ver, é nisso que resulta pedir conselhos sobre tarefas práticas urgentes a um teórico alheio ao mundo. Melhor seria esforçar-se, em cada caso isolado, para enfrentar o perigo com os meios que justamente temos em mãos. Mas eu gostaria de tratar de mais uma questão que o senhor não colocou em sua carta e que me interessa particularmente. Por que nos indignamos tanto com a guerra, o senhor e eu e tantos outros, por que não a aceitamos como mais uma das muitas penosas desgraças da vida? Afinal, ela parece estar de acordo com a natureza, bem fundada biologicamente, praticamente inevitável. Não se abale com minha pergunta. Para fins de uma investigação, talvez possamos colocar a máscara de distanciamento, da qual na realidade não dispomos. A resposta será: porque todo e qualquer ser humano tem o direito à sua própria vida, porque a guerra aniquila vidas humanas cheias de esperança, coloca cada um dos seres humanos em situações que o degradam, obriga-o a assassinar outros, o que ele não quer, destrói valores materiais preciosos, resultados do trabalho humano, e muitas outras coisas. E também porque a guerra, em sua configuração atual, não oferece mais a oportunidade de realizar o antigo ideal heroico, e porque uma guerra futura, em consequência do aperfeiçoamento dos meios de destruição, poderia significar a exterminação de um ou talvez dos dois adversários. Tudo isso é verdade e parece tão incontestável que nos admiramos apenas que a prática da guerra ainda não tenha sido rejeitada por um acordo geral entre as pessoas. Certamente podemos discutir sobre alguns desses pontos. A questão é saber se a comunidade também não deve ter um direito sobre a vida do indivíduo;

não podemos condenar todas as espécies de guerra com a mesma medida; enquanto houver reinos e nações dispostos à aniquilação desconsiderada de outros, estes outros terão de estar armados para a guerra. Mas queremos passar por cima de tudo isso rapidamente, pois não é essa a discussão a que o senhor me convocou. Tenho em mente outra coisa: acredito que a razão principal pela qual nos indignamos contra a guerra é que não podemos deixar de fazê-lo. Somos pacifistas porque temos razões orgânicas para isso. Então nos é fácil justificar nossa posição com argumentos.

É claro que isso não pode ser entendido sem explicação. O que penso é o seguinte: desde tempos imemoriais, ocorre na humanidade o processo de desenvolvimento da cultura. (Sei que outros preferem chamá-lo de civilização.) É a esse processo que devemos o melhor do que nos tornamos e uma boa parte daquilo de que sofremos. Os fatores que o ocasionaram e seus inícios são obscuros, seu desfecho, incerto, algumas de suas características são evidentes. Talvez ele leve à extinção da espécie humana, pois é prejudicial à função sexual em mais de uma maneira, e já hoje em dia raças incultas e camadas mais atrasadas da população multiplicam-se mais do que as altamente instruídas. Talvez esse processo seja comparável à domesticação de certas espécies de animais; sem dúvida, ele traz consigo modificações corporais; ainda não nos acostumamos com a ideia de que o desenvolvimento cultural seja um processo orgânico como esse. As alterações psíquicas concomitantes ao processo cultural são notáveis e inequívocas. Elas consistem em um deslocamento progressivo das metas pulsionais e de uma restrição das moções pulsionais. Sensações que para os nossos ancestrais eram plenas de prazer tornaram-se indiferentes ou até mesmo desagradáveis para nós; existem razões orgânicas para as nossas exigências ideais éticas e estéticas terem mudado. Das características psicológicas da cultura, duas parecem ser as mais importantes: o fortalecimento do intelecto, que começa a dominar a vida pulsional, e a interiorização da inclinação à agressão, com todas as suas consequências vantajosas e perigosas. No entanto, as posturas psíquicas que o processo de cultura nos impõe estão em contradição com a guerra da maneira mais gritante, e é por isso que temos de nos indignar com ela, nós simplesmente não a suportamos mais; e não se trata apenas de uma recusa intelectual e afetiva; para nós, pacifistas, trata-se de uma intolerância constitucional, uma idiossincrasia de alguma forma levada ao extremo. E na verdade parece que as degradações estéticas da guerra não têm um papel menor em nossa revolta do que as suas crueldades.

Quanto tempo ainda temos de esperar até que os outros também se tornem pacifistas? Não saberíamos dizer, mas talvez não seja uma esperança utópica que a influência desses dois fatores, a postura cultural e a angústia [*Angst*] justificada diante dos efeitos de uma guerra futura, consiga pôr fim à prática da guerra em um tempo previsível. Por quais caminhos ou desvios não podemos adivinhar. Enquanto isso, temos o direito de nos dizer: tudo o que estimula o desenvolvimento cultural também trabalha contra a guerra.

Eu o cumprimento cordialmente e lhe peço que me perdoe se as minhas considerações o decepcionaram.

Seu

Sigm. Freud

442 OBRAS INCOMPLETAS DE S. FREUD

Warum Krieg? (1933)

1933 Primeira publicação: *Internationales Institut für Geistige Zusammen-arbeit (Völkerbund)*
1934 *Gesammelte Schriften*, t. XII, p. 349-363
1950 *Gesammelte Werke*, t. XVI, p. 13-27

Albert Einstein foi um dos primeiros cientistas convidados pela Liga das Nações, através de seu Instituto Internacional para Cooperação Intelectual, para o projeto que visava promover a troca de cartas entre intelectuais de renome internacional sobre assuntos de interesse geral. Foi o próprio Einstein que sugeriu o nome de Freud. Segundo James Strachey, em junho de 1932, o secretário-geral do Instituto escreveu a Freud, convidando-o a participar da iniciativa. A carta de Einstein chegou a Viena no início de agosto, e a resposta de Freud foi terminada no mês seguinte. A correspondência foi publicada em Paris, em março de 1933, em três línguas: alemão, francês e inglês. Não surpreende que sua circulação tenha sido proibida na Alemanha, que assistia à rápida ascensão do nazismo (não custa lembrar que o decisivo incêndio do Reichstag [Parlamento] havia ocorrido em fevereiro, com a subsequente suspensão de direitos civis e a vitória do Partido Nazista em março do mesmo ano, com quase 44% dos votos).

Einstein e Freud tiveram um único encontro, em 1927, em Berlim. Em carta a Ferenczi, Freud teria dito que Einstein entendia de psicologia tanto quanto ele entendia de física, o que teria permitido uma conversa agradável.

Um dos pontos altos da carta é a teoria da violência que ela esboça: em sua análise sobre a gênese do direito, Freud pergunta: "Posso substituir a palavra "poder" [*Macht*] por "violência" [*Gewalt*], uma palavra mais intensa e mais dura? Direito e violência são hoje opostos para nós. É fácil mostrar como um se desenvolveu a partir do outro" (neste volume, p. 427). Essa tese encontra ecos importantes em autores da filosofia política contemporânea. Freud, contudo, não foi o primeiro a propô-la. Pouco antes, em 1921, Walter Benjamin em sua *Por uma crítica da violência* (*Zur Kritik der Gewalt*) já havia notado certa zona de indistinção irredutível entre violência e poder, cujo impasse a própria linguagem exibe: *Gewalt* designa tanto poder quanto violência.

Recentemente, a filósofa norte-americana Judith Butler apoiou--se explicitamente na intolerância de Freud para com a guerra, para propor sua política da não violência. Uma não violência que não se confunde com um pacifismo ingênuo, na medida em que não prescinde do caráter agressivo inevitável da pulsão de morte, mas a redesenha e a redireciona precisamente contra a própria violência.

BENJAMIN, Walter. *Zur Kritik der Gewalt*. [Por uma crítica da violência]. *Gesammelte Schriften*, v. 2, p. 179-203. (In: BOLLE, Willi. *Documentos de cultura, documentos de barbárie*: escritos escolhidos, seleção e apresentação de Willi Bolle. Tradução de Celeste H. M. Souza Ribeiro *et al*. São Paulo: Cultrix, 1986.)

BUTLER, Judith. *The Force of Nonviolence*: The Ethical in the Political. London; New York: Verso, 2020.

DERRIDA, Jacques. *Força de lei*: o fundamento místico da autoridade. São Paulo: Martins Fontes, 2010.

TEIXEIRA, Antônio. Crítica do poder e violência da linguagem. In: OLIVEIRA, Cláudio. (Org.). *Filosofia, psicanálise e sociedade*. Rio de Janeiro: Azougue, 2011.

NOTAS

[1] Evidentemente, como a troca de correspondência ocorre em 1932, Freud só poderia estar se referindo à Primeira Guerra Mundial. (N.R.)

[2] Cabe aqui o esclarecimento de que Gewalt, na língua alemã, designa "violência" em seu sentido primeiro, mas pode também significar "poder" ou "força". (N.R.)

COMENTÁRIOS SOBRE O ANTISSEMITISMO (1938)

Ao examinar os comentários que as últimas perseguições de judeus suscitaram na imprensa e na literatura, caiu-me nas mãos um ensaio que me pareceu tão incomum, que dele fiz anotações para meu próprio uso. O que o autor escreveu foi aproximadamente o seguinte: "Já coloco, de início, que não sou judeu e que, portanto, não se trata de uma posição egoísta o que me impele a fazer meus comentários. No entanto, interessei-me vivamente pelas irrupções antissemitas de nosso tempo e dediquei a minha atenção particular aos protestos contra eles. Esses protestos vinham de dois lados, da Igreja e do mundo laico; os primeiros, em nome da religião, e os outros, fazendo apelo às exigências humanitárias; os primeiros foram pouco numerosos e chegaram tarde, mas finalmente chegaram, e até mesmo Sua Santidade, o Papa, ergueu a sua voz. Confesso que, nas manifestações dos dois lados, senti falta de algo, de alguma coisa em seu início e de alguma outra coisa em seu final. E agora quero tentar acrescentá-lo!

"Penso que poderíamos fazer todos esses protestos serem precedidos por uma determinada introdução que diria o seguinte: 'Sim, é verdade, eu também não gosto dos judeus. Eles me são, de algum modo, estranhos e antipáticos.

Possuem numerosas características desagradáveis e grandes defeitos. Acredito também que a influência que exerceram sobre nós e nossos assuntos foi eminentemente nociva. Sua raça, comparada com a nossa, é evidentemente inferior, todas as suas atividades o confirmam'. E então, poderia se seguir, sem nenhuma contradição, aquilo que realmente contêm esses protestos. 'Mas nós somos partidários de uma religião do amor. Devemos inclusive amar os nossos inimigos como a nós mesmos. Sabemos que o filho de Deus sacrificou a sua vida na Terra para livrar todos os seres humanos do peso dos pecados. Ele é o nosso modelo, e por isso significa pecar contra a sua intenção e contra o mandamento da religião cristã, se aceitarmos que os judeus sejam humilhados, maltratados, roubados e condenados à miséria. Precisamos protestar contra isso, independentemente do fato de os judeus merecerem muito ou pouco um tratamento como esse. De forma semelhante expressa-se o mundo laico, que acredita no Evangelho da humanidade!'

"Confesso que todas essas manifestações não me satisfizeram. Além da religião do amor e da humanidade, existe também uma religião da verdade, e ela apareceu muito brevemente nesses protestos; mas a verdade é que nós, por longos séculos, tratamos o povo judeu injustamente, e que continuamos a fazê-lo, na medida em que os avaliamos injustamente. Aquele entre nós que não começar por reconhecer a nossa culpa não cumpriu a sua obrigação nesse assunto. Os judeus não são piores do que nós, eles possuem características um tanto diversas e outros defeitos, mas, de modo geral, não temos nenhum direito de olhá-los com desdém. Em relação a nós, eles são até mesmo privilegiados em alguns aspectos. Eles não precisam de tanto álcool, como nós, para considerar a vida suportável; os crimes de brutalidade, assassinato, roubo e atos de violência sexual são raridades entre eles; sempre deram muito valor à realização e ao interesse intelectuais; sua vida familiar é mais profunda; cuidam melhor de seus pobres, e a caridade é, para eles, um dever sagrado. Tampouco devemos chamá-los de inferiores em qualquer sentido. Desde que lhes permitimos a colaboração em nossas tarefas culturais, eles mostraram seu mérito através de contribuições valiosas em todos os campos da ciência, da arte e da técnica, e recompensaram abundantemente a nossa tolerância. Portanto, desistamos finalmente de lhes dar favores, quando eles têm direito à justiça."

Naturalmente uma tomada de partido tão decidida por parte de um não judeu causou em mim uma profunda impressão. Mas agora tenho de confessar algo curioso. Sou um homem muito velho, minha memória não é mais o que era antes. Não consigo mais me lembrar de onde li o ensaio do qual fiz as extrações nem de quem o assinou como autor. Será que algum dos leitores deste jornal pode vir em minha ajuda?

Acaba de me ser sussurrado que provavelmente eu teria em mente [o livro do Conde Heinrich Coudenhove-Kalergi *A essência do antissemitismo* [*Das Wesen des Antisemitismus*], no qual está contido precisamente aquilo de que o autor procurado por mim sentiu falta nos protestos recentes, e até mesmo outras coisas. Eu conheço esse livro; ele foi publicado em 1901 e reeditado em 1929 por seu filho com um prefácio elogiável. Mas não pode ser. O que tenho em mente é um comentário mais curto e de data mais recente. Ou será que estou absolutamente enganado, que não existe nada parecido, e a obra dos dois Coudenhove permaneceu sem nenhuma influência sobre os contemporâneos?

Sigmund Freud

448 OBRAS INCOMPLETAS DE S. FREUD

Ein Wort zum Antisemitismus (1938)

1938 Die Zukunft: ein neues Deutschland ein neues Europa, v. 7, n. 2, 25
nov.

Segundo James Strachey, o periódico que publicou esse pequeno escrito era uma espécie de "Semanário alemão émigré", como o
havia descrito Arthur Koestler, editor que viajou de Paris a Londres a
fim de persuadir Freud a contribuir com um texto para o volume. O
presente artigo contém uma longa citação de um "ensaio incomum",
cuja autoria estrategicamente não é referida. O comentário de Freud é
cheio de sutileza. Ao encenar uma espécie de "distúrbio de memória",
o autor faz emergir uma espécie de subtexto, que estaria latente nos
nobres protestos contra o ressurgimento do antissemitismo na década
de 1930. Não apenas a violência atual repete uma violência passada
contida: o psicanalista faz emergir o que estaria recalcado na própria
gramática do protesto. O gesto de convocar o leitor a participar da
investigação dá o tom de sagacidade do analista: "Não consigo mais
me lembrar onde li o ensaio do qual fiz as extrações, nem de quem
o assinou como autor. Será que algum dos leitores deste jornal pode
vir em minha ajuda?".

FUKS, Betty. Freud e a judeidade: a vocação do exílio. Rio de Janeiro:
Zahar, 2000.

Posfácio
MEDO, DESAMPARO E PODER SEM CORPO[i]

Vladimir Safatle

*Minha mãe pariu
gêmeos,
eu e o medo.*
Thomas Hobbes

Normalmente, acreditamos que uma teoria dos afetos não contribui para o esclarecimento da natureza dos impasses dos vínculos sociopolíticos. Pois aceitamos que a dimensão dos afetos diz respeito à vida individual dos sujeitos, enquanto a compreensão dos problemas ligados aos vínculos sociais exigiria uma perspectiva diferente, capaz de descrever o funcionamento estrutural da sociedade e de suas esferas de valores. Os afetos nos remeteriam a sistemas individuais de fantasias e crenças, o que impossibilitaria a compreensão da vida social como sistema de regras e normas. Tal distinção não seria apenas uma realidade de fato, mas uma necessidade de direito. Pois, quando os afetos entram na cena política, eles só poderiam implicar a impossibilidade de orientar a conduta a partir de julgamentos racionais, universalizáveis por serem baseados na procura do melhor argumento.

---

[i] Originalmente publicado em SAFATLE, Vladimir. *O circuito dos afetos: Corpos políticos, desamparo e o fim do indivíduo*. Belo Horizonte: Autêntica, 2016. Texto ligeiramente modificado. (N.E.)

No entanto, um dos pontos mais ricos da experiência intelectual de Sigmund Freud é a insistência na possibilidade de ultrapassar tal dicotomia. Freud não cansa de nos mostrar quão fundamental é uma reflexão sobre os afetos, no sentido de uma consideração sistemática sobre a maneira como a vida social e a experiência política produzem e mobilizam afetos que funcionarão como base de sustentação geral para a adesão social. Maneira de lembrar a necessidade de desenvolver uma reflexão social que parta da perspectiva dos indivíduos, não se contentando com a acusação de "psicologismo" ou com descrições sistêmico-funcionais da vida social. O que não poderia ser diferente para alguém que insistia em afirmar: "mesmo a sociologia, que trata do comportamento dos homens em sociedade, não pode ser nada mais que psicologia aplicada. Em última instância, só há duas ciências, a psicologia, pura e aplicada, e a ciência da natureza".[1] Mas, em vez de ver sujeitos como agentes maximizadores de utilidade ou como mera expressão calculadora de deliberações racionais, Freud prefere compreender a forma como indivíduos produzem crenças, desejos e interesses a partir de certos circuitos de afetos quando justificam, para si mesmos, a necessidade de aquiescer à norma, adotando tipos de comportamentos e recusando repetidamente outros.

A perspectiva freudiana não é, no entanto, apenas a expressão de um desejo em descrever fenômenos sociais a partir da intelecção de seus afetos. Freud quer também compreender como afetos são produzidos e mobilizados para bloquear o que normalmente chamaríamos de "expectativas emancipatórias". Pois a vida psíquica que conhecemos, com suas modalidades de conflitos, sofrimentos e desejos, é uma produção de modos de circuito de afetos. Por outro lado, a própria noção de "afeto" é indissociável de uma dinâmica de imbricação que descreve a alteração produzida por algo que parece vir do exterior e que nem sempre é constituído como objeto da consciência representacional. Por isso, ela é a base para a compreensão tanto das formas de *instauração sensível da vida psíquica* quanto da natureza social de tal instauração. Fato que nos mostra como, desde a origem: "o *socius* está presente no Eu".[2] Ser afetado é instaurar a vida psíquica através da forma mais elementar de sociabilidade, essa sociabilidade que passa pela *aiesthesis* e que, em sua dimensão mais importante, constrói vínculos inconscientes.

Tal capacidade instauradora da afecção tem consequências políticas maiores. Pois tanto a superação dos conflitos psíquicos quanto a possibilidade de experiências políticas de emancipação pedem a consolidação de um impulso em direção à mutação dos afetos, impulso em direção à capacidade de ser afetado de outra forma. Nossa sujeição é afetivamente construída, ela é afetivamente perpetuada e só poderá ser superada afetivamente, a partir da produção de uma outra *aiesthesis*. O que nos leva a dizer que a política é, em sua determinação essencial, um modo de produção de circuito de afetos, da mesma forma como a clínica, em especial em sua matriz freudiana, procura ser dispositivo de desativação de modos de afecção que sustentam a perpetuação de configurações determinadas de vínculos sociais. Nesse sentido, o interesse freudiano pela teoria social não é fruto de um desejo de construir teorias altamente especulativas sobre antropogênese, teoria das religiões, origem social dos sentimentos morais e violência. Na verdade, Freud é movido, a sua maneira, por um questionamento sobre as condições psíquicas para a emancipação social e por uma forte teorização a respeito da natureza sensível de seus bloqueios.

Por outro lado, ao tentar compreender as modalidades de circulação social dos afetos, Freud privilegia as relações verticais próprias aos vínculos relativos às figuras de autoridade, em especial às figuras paternas. São basicamente esses tipos de afeto que instauram a vida psíquica através de processos de identificação. O que não poderia ser diferente para alguém que via nesta forma muito peculiar de empatia (*Einfühlung*) chamada "identificação" o fundamento da vida social.[3] Tal privilégio dado por Freud a essas relações verticais foi motivo de críticas das mais diversas tradições.[4] Pois, aparentemente, em vez de dar conta do impacto da autonomização das esferas de valores na modernidade e dos seus modos de legitimação, Freud teria preferido descrever processos de interação social que nunca dizem respeito, por exemplo, aos vínculos entre membros da sociedade em relações horizontais, mas apenas a relação destes com a instância superior de uma figura de liderança ou a relações entre membros mediadas pela instância superior do poder. Como se os sujeitos sempre se reportassem, de maneira direta, a instâncias personalizadas do poder, como se as relações sociopolíticas devessem ser compreendidas a partir das categorias de relações individuais entre dois sujeitos em situação tendencial de dominação e servidão. Estratégia que implicaria um estranho resquício de categorias da filosofia da consciência transpostas para o quadro da análise da lógica do poder. O que nos levaria a crer, por exemplo, que a expressão institucional do Estado teria sempre a tendência a se submeter à figura de uma pessoa singular na posição de líder.

No entanto, podemos dizer que Freud age como quem afirma que a relação com a liderança é o verdadeiro *ponto obscuro* da reflexão política contemporânea. Há uma demanda contínua de expressão do poder em liderança, há uma lógica da incorporação que vem da natureza constitutiva do poder na determinação das identidades coletivas. Isso está presente tanto em sociedades ditas democráticas quanto autoritárias. De fato, inexiste, em Freud, uma esfera política na qual a relação com a autoridade não seja poder constituinte das identidades coletivas devido à força das identificações, daí a tendência a fenômenos de incorporação.[5] À primeira vista, como veremos mais à frente, este parece ser o resultado necessário, mas nem por isso menos problemático, da tendência freudiana em não livrar a figura do dirigente político de analogias político-familiares ou teológico-políticas.[6]

Essa centralidade da discussão sobre a natureza da liderança no interior da reflexão sobre o político não deve ser compreendida, no entanto, como a expressão natural da pretensa necessidade de os homens enquanto animais políticos se submeterem a figuras de autoridade, como se o homem fosse um animal que procura necessariamente um mestre, mesmo que Freud em alguns momentos faça afirmações nesse sentido. Na verdade, Freud intuitivamente percebe como a soberania, seja ela atualmente efetiva ou virtualmente presente enquanto demanda latente, é *o* problema constitutivo da experiência política, ao menos dessa experiência política que marca a especificidade da modernidade ocidental. Contrariamente a teóricos como Michel Foucault, Freud não acredita em alguma forma de ocaso do poder soberano em prol do advento de uma era de constituição de individualidades a partir de dinâmicas disciplinares e de controle social. Ele simplesmente acredita que o poder soberano, mesmo quando não se encontra efetivamente constituído na institucionalidade política,[7] continua em latência como demanda fantasmática dos indivíduos. A recorrência contínua, mesmo em nossa contemporaneidade, de sobreposições entre as representações do dirigente político, do chefe de Estado, do pai de família, do líder religioso, do fundador da empresa deveria nos indicar que estamos diante de um fenômeno mais complexo do que regressões de indivíduos inaptos à "maturidade democrática". Compreender a natureza dessa demanda pelo lugar soberano do poder, assim como a força libidinal responsável por sua resiliência, é uma tarefa a qual Freud, à sua maneira, se impôs.

No entanto, não se trata apenas de compreendê-la, mas também de pensar caminhos possíveis para desativá-la, caminhos para – se quisermos usar um sintagma analítico – atravessar tal fantasia. Mas, tal como no trabalho analítico, não é questão de crer que, "uma vez desvelada a armadilha libidinal do político, devemos abandoná-la à história caduca de seu delírio ocidental, substituindo-lhe uma estética ou uma moral".[8] Pois tal crença transformaria a psicanálise em um modelo de crítica que crê poder contentar-se com os desvelamentos dos mecanismos de produção das ilusões sociais, na esperança de um desvelamento dessa natureza ter a força perlocucionária capaz de modificar condutas. Seríamos mais fiéis a Freud se compreendêssemos o processo de travessia como indução à mutação interna no sentido e no circuito dos afetos que fantasias produzem. Freud age como quem explora as ambiguidades de nossas fantasias sociais, como quem desconstrói (e a palavra não está aqui por acaso) a aparente homogeneidade de seu funcionamento, permitindo assim que outras histórias apareçam lá onde acreditávamos encontrar apenas as mesmas histórias. Não se trata de uma crítica pela qual ilusões sociais seriam denunciadas a partir de normatividades possíveis, ainda latentes, que serviriam de fundamento para outra forma de vida em sociedade. Como se fosse o caso de desqualificar uma normatividade atual a partir da perspectiva de uma normatividade virtual a respeito da qual Freud seria o enunciador eleito. A crítica freudiana é uma espécie de abertura à possibilidade de transformação das normas através da exploração de sua ambivalência interna – no nosso caso, transformação da soberania através da exploração de efeitos ainda inauditos do poder. Há algo na hipótese do poder soberano que não pode ser completamente descartado como figura regressiva de dominação; há algo em seu lugar que parece pulsar para além dos efeitos de sujeição que tal poder parece necessariamente implicar, bastando lembrar tanto as discussões sobre a soberania *popular* quanto a constituição da soberania como lugar da subjetividade emancipada.[9] Isso talvez explique por que haverá em Freud dois paradigmas distintos de figuras de autoridade. Uma deriva das fantasias ligadas ao pai primevo, enunciada inicialmente em *Totem e tabu*, e que alcançará *Psicologia das massas e análise do eu*. Outra, que é quase a negação interna da primeira e nos abre espaço para uma reavaliação da dimensão política do pensamento freudiano, aparecerá de forma tensa nesta obra palimpsesto e testamentária que é *O homem Moisés e a religião monoteísta*. Gostaria de dedicar-me a esse primeiro paradigma, a fim de pensar o tipo de mutação dos afetos que permite o advento da política como prática de transformação.

O VERDADEIRO ESCULTOR DA VIDA SOCIAL

Partamos de algumas considerações iniciais sobre um pressuposto freudiano central, a saber, *o afeto que nos abre para os vínculos sociais é o desamparo*. A princípio, essa poderia parecer uma versão modernizada de uma ideia presente, por exemplo, em Thomas Hobbes, a respeito do medo como afeto político central, pois afeto mais forte que nos levaria a aquiescer à norma, constituindo a possibilidade de uma vida em sociedade que permitiria nos afastarmos do estado de natureza. Lembremos, neste contexto, de algumas características importantes da ideia hobbesiana.

"Durante o tempo em que os homens vivem sem um poder comum capaz de mantê-los todos em temor respeitoso", diz Hobbes em passagem célebre, "eles se encontram naquela condição a que se chama guerra; e uma guerra que é de todos os homens contra todos os homens".[10] A saída do estado de natureza e de sua guerra de todos contra todos, estado este resultante de uma igualdade natural que não implica consolidação da experiência do bem comum, mas conflito perpétuo entre interesses concorrenciais, se faria pelas vias da internalização de um "temor respeitoso" constantemente reiterado e produzido pela força de lei de um poder soberano. Pois "se os bens forem comuns a todos, necessariamente haverão de brotar controvérsias sobre quem mais gozará de tais bens, e de tais controvérsias inevitavelmente se seguirá o tipo de calamidades, as quais, pelo instinto natural, todo homem é ensinado a esquivar".[11] Proposição que ilustra como as individualidades seriam animadas por algo como uma força de impulso dirigido ao excesso. Não pode haver bens comuns porque há um desejo excessivo no seio dos indivíduos, desejo resultante de a "natureza ter dado a cada um direito a tudo"[12] sem que ninguém esteja assentado em alguma forma de lugar natural. Tal excesso aparece, necessariamente para Hobbes, não apenas através do egoísmo ilimitado, mas também através da cobiça em relação ao que faz o outro gozar, da ambição por ocupar lugares que desalojem aquele que é visto preferencialmente como concorrente. Pois o excesso, como é traço comum de todos os homens, só pode acabar como desejo pelo mesmo. "Muitos, ao mesmo tempo, têm o apetite pelas mesmas coisas."[13] Assim, Hobbes descreve como o aparecimento histórico de uma sociedade de indivíduos liberados de toda forma de lugar natural ou de regulação coletiva predeterminada só pode ser compreendido como o advento de uma "sociedade da insegurança total",[14] não muito distante daquela que podemos encontrar nas sociedades neoliberais contemporâneas.

Contra a destrutividade amedrontadora desse excesso que coloca os indivíduos em perpétuo movimento, fazendo-os desejar o objeto de desejo do outro, levando-os facilmente à morte violenta, faz-se necessário o governo. O que demonstra como a possibilidade mesma da existência do governo e, por consequência, ao menos nesse contexto, a possibilidade de estabelecer relações através de contratos que determinem lugares, obrigações, previsões de comportamento, estariam vinculadas à circulação do medo como afeto instaurador e conservador de relações de autoridade.[15] Esse medo teria a força de estabilizar a sociedade, paralisar o movimento e bloquear o excesso das paixões. Isso leva comentadores, como Remo Bodei, a insistir em uma "cumplicidade entre razão e medo", não apenas porque a razão seria impotente sem o medo, mas principalmente porque o medo seria, em Hobbes, uma espécie de "paixão universal calculadora" por permitir o cálculo das consequências possíveis a partir da memória dos danos, fundamento para a deliberação racional e a previsibilidade da ação.[16] Por isso, o medo ligado à força coercitiva da soberania deve ser visto apenas como certa astúcia para defender a vida social de medo maior:

> porque os vínculos das palavras são demasiado fracos para refrear a ambição, a natureza, a avareza, a cólera e outras paixões dos homens, se não houver o medo de algum poder coercitivo – coisa impossível de supor na condição de simples natureza, em que os homens são todos iguais, e juízes do acerto dos seus próprios temores.[17]

É verdade que Hobbes também afirma: "As paixões que fazem os homens tender para a paz são o medo da morte, o desejo daquelas coisas que são necessárias para uma vida confortável e a esperança de consegui-las por meio do trabalho".[18] Da mesma forma, ele lembra que, sendo a força da palavra demasiado fraca para levar os homens a respeitarem seus pactos, haveria duas maneiras de reforçá-la: o medo ou ainda o orgulho e a glória por não precisar faltar com a palavra. Tais considerações parecem abrir espaço à circulação de outros afetos sociais, como a esperança e um tipo específico de amor-próprio ligado ao reconhecimento de si como sujeito moral.[19] No entanto, a antropologia hobbesiana faz com que tais afetos circulem apenas em regime de excepcionalidade, o que fica claro em afirmações como: "de todas as paixões, a que menos faz os homens tender a violar as leis é o medo. Mais: excetuando algumas naturezas generosas, é a única coisa que leva os homens a respeitá-las".[20] Faltaria à maioria dos homens a capacidade de se afastar da força incendiária das paixões e atingir essa situação de esfriamento na qual o vínculo político não precisaria fazer apelo nem ao temor nem sequer ao amor (que, enquanto modelo para a relação com o Estado, acaba por construir a imagem da soberania à imagem paterna, modelando a política na família).[21] Ou seja, o esfriamento das paixões aparece como função da autoridade soberana e condição para a perpetuação do campo político, mesmo que tal esfriamento se pague com a moeda da circulação perpétua de outras paixões que parecem nos sujeitar à contínua dependência.

Por isso, mais do que expressão de uma compreensão antropológica precisa, que daria a Hobbes a virtude do realismo político resultante da observação desencantada da natureza humana, seu pensamento possui como horizonte uma lógica do poder pensada a partir de uma limitação política, no caso, de uma impossibilidade de pensar a política para além dos dispositivos que transformam o amparo produzido pela segurança e pela estabilidade em afeto mobilizador do vínculo social. Política na qual "o *protego ergo obligo* é o *cogito ergo sum* do Estado".[22] Difícil não chegar a uma situação na qual esperamos finalmente por "um quadro jurídico no interior do qual não exista realmente mais conflitos apenas regras a colocar em vigor".[23] Pois o Estado hobbesiano é, acima de tudo, um Estado de proteção social que se serve de todo poder possível, instaurando um domínio de legalidade própria, neutro em relação a valores e verdade, para realizar sua tarefa sem constrangimento externo algum, ou seja, como uma máquina administrativa que desconhece coerções em sua função de assegurar a existência física daqueles que domina e protege. Um Estado construído a partir da dessocialização de todo vínculo comunitário, constituindo-se como o espaço de uma "relação de não relações".[24]

O fato fundamental no interior dessa relação de não relações é a necessidade que tal legitimação da soberania pela capacidade de amparo e segurança tem da perpetuação contínua da imagem da violência desagregadora à espreita, da morte violenta iminente caso o espaço social deixe de ser controlado por uma vontade soberana de amplos poderes.[25] Sendo o Estado nada mais que "a guerra civil constantemente impedida através de uma força insuperável",[26] ele precisa provocar continuamente o sentimento de desamparo, da iminência do estado de guerra, transformando-o imediatamente em medo da vulnerabilidade extrema, para assim legitimar-se como força de amparo fundada na perpetuação de nossa dependência. Na verdade, devemos ser mais precisos e lembrar que a autoridade soberana tem sua legitimidade assegurada não apenas por instaurar uma relação baseada no medo para com o próprio soberano, mas principalmente por fornecer a imagem do distanciamento possível em relação a uma fantasia social de desagregação imanente no laço social e de risco constante da morte violenta. Uma fantasia social que Hobbes chama de "guerra de todos contra todos". É através da perpetuação da iminência de sua presença que a autoridade soberana encontra seu fundamento. É alimentando tal fantasia social que se justifica a necessidade do "poder pacificador" da representação política, ou seja, do abrir mão de meu direito natural em prol da constituição de um representante cujas ações soberanas serão a forma verdadeira de minha vontade. Só assim o medo poderá "conformar as vontades de todos"[27] os indivíduos, como se fosse o verdadeiro escultor da vida social.

É importante ainda salientar que essa fantasia pede uma dupla fundamentação. Por um lado, ela apela à condição presente dos homens. Não sendo uma hipótese histórica, o estado de natureza é uma inferência feita a partir da análise das paixões atuais.[28] Hobbes pede que lembremos como "todos os países, embora estejam em paz com seus vizinhos, ainda assim guardam suas fronteiras com homens armados, suas cidades com muros e portas, e mantêm uma constante vigilância". Lembra ainda como os "particulares não viajam sem levar sua espada a seu lado, para se defenderem, nem dormem sem fecharem -- não só as portas, para proteção de seus concidadãos – mas até seus cofres e baús, por temor aos domésticos".[29] Mas notemos um ponto central. A espada que carrego, as trancas na minha porta e em meus baús, os muros da cidade na qual habito são índices não apenas do desejo excessivo que vem do outro. Eles são índices indiretos do excesso do meu próprio desejo. Como se Hobbes afirmasse: "Olhe para suas trancas e você verá não apenas seu medo em relação ao outro, mas o excesso de seu próprio desejo que o desampara por querer levá-lo a situações nas quais imperam a violência e o descontrole da força". A retórica apela aqui a uma universalidade implicativa.

De toda forma, como não se trata de permitir que configurações atuais sejam, de maneira indevida, elevadas à condição de invariante ontológica, faz-se absolutamente necessária também a produção contínua dessas construções antropológicas do exterior caótico e do passado sem lei. Ou seja, mesmo não sendo uma hipótese histórica, não há como deixar de recorrer à antropologia para pensar o estado de natureza. Assim, aparecem construções como esta que leva Hobbes a acreditar que "os povos selvagens de muitos lugares da América, com exceção do governo de pequenas famílias, cuja concórdia depende da concupiscência natural, não possuem nenhuma espécie de governo, e vivem nos nossos dias daquela maneira brutal que antes referi".[30] Na verdade, sempre deverá haver um "povo selvagem da América" à mão, o Estado sempre deverá criar um risco de contaminação da vida social pela violência exterior, independentemente de onde esse exterior esteja, seja geograficamente no Novo Mundo ou no Oriente Médio, seja historicamente em uma cena originária da violência. Ao menos nesse ponto, Carl Schmitt é o mais consequente dos hobbesianos quando afirma que "Palavras como Estado, república, sociedade, classe e ademais soberania, Estado de direito, absolutismo, ditadura, plano, Estado neutro ou total, etc. são incompreensíveis quando não se sabe quem deve ser, *in concreto*, atingido, combatido, negado e refutado com tal palavra".[31]

POLÍTICA DO DESAMPARO

Trata-se de um *topos* clássico do comentário de textos freudianos insistir em certas proximidades possíveis entre Freud e proposições como essas de Hobbes.[32]

Normalmente, começa-se por afirmar que a antropologia freudiana seria tão marcada por uma matriz concorrencial-individualista quanto a hobbesiana, a ponto de aceitar uma figuração belicista das relações sociais em sua expressão imediata. Haveria alguma forma de partilha entre os dois autores no que se refere ao que convencionamos chamar de esfera das reflexões sobre a natureza humana. Lembremos uma afirmação como esta:

> o ser humano não tem uma natureza pacata, ávida de amor, e que no máximo até consegue defender-se quando atacado, mas que, ao contrário, a ele é dado o direito de também incluir entre as suas habilidades pulsionais uma poderosa parcela de inclinação para a agressão. Em consequência disso, o próximo não é, para ele, apenas um possível colaborador e um objeto sexual, mas é também uma tentação, de com ele satisfazer a sua tendência à agressão, de explorar a sua força de trabalho sem uma compensação, de usá-lo sexualmente sem o seu consentimento, de se apropriar de seus bens, de humilhá-lo, de lhe causar dores, de martirizá-lo e de matá-lo. *Homo homini lupus* [o homem é o lobo do homem] (neste volume, p. 363).

A metáfora hobbesiana utilizada por Freud, que afasta do horizonte toda pressuposição de uma tendência imediata à cooperação, deixaria claro como o vínculo social só poderia se constituir a partir da restrição a essa crueldade inata, a essa agressividade pulsional que parece ontologicamente inscrita no ser do sujeito. Dessa forma, uma "hostilidade primária dos seres humanos entre si" (neste volume, p. 364) seria o fator permanente de ameaça à integração social.[33] Tal crueldade não parece ser completamente maleável de acordo com transformações sociais. Daí por que "Sempre é possível ligar um grande número de pessoas pelo amor, desde que restem outras para que se exteriorize a agressividade" (neste volume, p. 370). Ou seja, os vínculos cooperativos baseados no amor ou em alguma forma de intersubjetividade primária só são realmente capazes de sustentar relações sociais alargadas à condição de dar espaço à constituição de diferenças intoleráveis alojadas em um exterior que será objeto contínuo de violência. Tais vínculos de amor permitem a produção de espaços de afirmação identitária a partir de relações libidinais de identificação e investimento. Mas a constituição identitária é indissociável de uma regulação narcísica da coesão social, o que explica por que Freud fazia questão de lembrar que, "Depois que o apóstolo Paulo fez do amor universal pela humanidade o fundamento de sua comunidade cristã, a extrema intolerância do cristianismo contra aqueles que permaneceram de fora tornou-se uma consequência inevitável" (neste volume, p. 367). Não é difícil compreender como tal exteriorização da agressividade, assim como toda e qualquer aceitação de restrições pulsionais, só poderá ser feita apelando ao medo como afeto político central. Medo do exterior, do poder soberano, da despossessão produzida pelo outro ou ainda da destruição produzida por si mesmo.

Lembremos ainda como, em Freud, o amor não aparece como fundamento para a segurança emocional advinda do saber-se amparado pelo desejo do Outro. Antes, ele é marcado por uma consciência de vulnerabilidade expressa no sentimento constante de angústia da perda do amor. Nesse sentido, tais relações não podem servir de fundamento para a construção de alguma forma de segurança afetiva pretensamente fundamental para a consolidação de vínculos sociais estáveis e capazes de assegurar o desenvolvimento não problemático de identidades.

No entanto, se até aqui a posição freudiana parece proto-hobbesiana, há de se lembrar de uma distinção decisiva. Falta a Freud a aceitação hobbesiana da necessidade da soberania como uma espécie de contraviolência estatal legítima que, por isso, seria instauradora do direito e da associação contratual, pois limitadora da violência desagregadora dos indivíduos. Ao contrário, se Freud é atento ao mal-estar na cultura é por saber que a crueldade entre indivíduos tende a ser repetida pela crueldade da pretensa contraviolência soberana. A limitação da violência desagregadora dos indivíduos não é, no seu caso, legitimada como condição necessária para o aparecimento de algo semelhante a um espaço político que não se dissolverá em guerra de todos contra todos pois garantido pela submissão integral a um poder soberano comum. A submissão a tal poder é uma tarefa impossível devido ao excesso irredutível de violência que a vida pulsional representa a toda ordem social que procure integrá-la.[34]

Nesse ponto, Freud poderia parecer prisioneiro de um certo núcleo metafísico da política, presente nessa forma de radicalizar a irredutibilidade da violência como constante antropológica. Podemos falar em "núcleo metafísico" porque a violência irredutível das relações interpessoais, além de ser elevada a paradigma intransponível do político, tal como em Hobbes, pareceria fadada a só se realizar de uma forma, a saber, como experiência da vulnerabilidade diante da agressividade vinda do outro. Tal invariabilidade das figuras da violência parece expressão de uma certa crença metafísica na essência intransponível das relações humanas. No entanto, essa aparência de aprisionamento é um erro. Sem desconsiderar os vínculos entre antropologia e política, Freud acaba por desconstruir a sobreposição metafísica entre violência e agressividade com sua base afetiva soldada no fogo do medo. Há uma gramática ampla da violência a partir de Freud que não se conjuga apenas como agressividade contra o outro, mas pode aparecer também de forma mais produtiva como desagregação do Eu enquanto unidade rígida, como despersonalização enquanto modo de destituição subjetiva, como despossessão nas relações intersubjetivas entre outros. Como o ser em Aristóteles, a violência se dirá de várias formas, terá várias determinações afetivas e se inscreverá socialmente de modos variados.

Talvez devido a tal variabilidade gramatical da violência, a contraviolência repressiva soberana não será apenas impossível, mas também ilegítima por aparecer como puro processo produtor de sofrimento psíquico neurótico através da constituição de figuras de autoridade que retiram sua legitimidade da perpetuação da sujeição sob a máscara da condição necessária para a conservação do vínculo social. Perpetuação da sujeição cujas estratégias Freud descreverá ao discorrer sobre a forma como as figuras modernas da soberania são normalmente marcadas por construções narrativas que tendem a repetir estruturas próximas daquelas que encontramos na paranoia.

Por isso, é difícil aceitar certa leitura corrente que conclui ser simplesmente impossível uma política emancipatória a partir de Freud, assim como seria, na verdade, impossível toda e qualquer política que não se reduzisse a simples gestão do medo social. Tal conclusão não é inelutável. Para qualificar melhor o debate precisamos nos perguntar se é possível, para Freud, desenvolver formas de vínculos sociais não baseados no medo como afeto central. É neste ponto que devemos introduzir reflexões sobre o desamparo como modo específico de vulnerabilidade. Gostaria de mostrar como há uma experiência política que se constitui a partir da circulação do desamparo e como tal circulação fornece uma via renovada para pensarmos o político. Na verdade, Freud pode nos mostrar como uma política realmente emancipatória, de certa forma, funda-se na capacidade de fazer circular socialmente a experiência de desamparo e sua violência específica, e não de construir fantasias que nos defendam dela. Pois a política pode ser pensada enquanto prática que permite ao desamparo aparecer como fundamento de produtividade de novas formas sociais, na medida em que impede sua conversão em medo social e que nos abre para acontecimentos que não sabemos ainda como experimentar. Essa é uma maneira possível de lembrar que a política não pode ser reduzida a uma mera gestão do serviço dos bens, ou mesmo de reiteração de teleologias históricas assentadas no necessitarismo do que está previamente assegurado, mas é, na sua determinação essencial, prática de confrontação com acontecimentos que desorientam a *aisthesis* do tempo e do espaço, assim como o caráter regular das normas e dos lugares a serem ocupados. Por isso, ela necessariamente nos confronta com acontecimentos que nos desamparam com a violência do que aparece para nossa forma de pensar como até então impossível, radicalmente fora de lugar, contingente. *Toda ação política é inicialmente uma ação de desabamento e só pessoas desamparadas são capazes de agir politicamente.* Como gostaria de mostrar na última parte deste livro, sujeitos políticos só se constituem a partir da internalização de tais desabamentos.

A respeito da compreensão freudiana do desamparo, lembremos inicialmente como ele não se confunde com o medo. Desde Aristóteles, medo implica preparo e reação diante de um perigo real, iminente ou imaginado.[35] Freud tem, por exemplo, uma distinção clássica a respeito da diferença entre medo e angústia: "A angústia tem uma inconfundível relação com a *expectativa*: é angústia *diante de* algo. Nela há uma característica de *indeterminação* e *ausência de objeto*; a linguagem correta chega a mudar-lhe o nome, quando ela encontra um objeto e o substitui por *medo* [*Furcht*]".[36] Ou seja, podemos dizer que o medo é essa forma de angústia que encontrou um objeto, no sentido de reação ao perigo produzido por um objeto possível de ser representado. Pensando em chave não muito distante, Hobbes verá, no medo, a "expectativa de um mal",[37] ou seja, a projeção futura de uma representação capaz de provocar formas de desprazer e violência. Essa ideia da possibilidade de representação do objeto do afeto é central. É a possibilidade de tal representação que provoca a reação dos pelos que se eriçam como sinal de defesa, da atenção que é redobrada, da respiração que acelera como quem espera por um ataque.

Já o desamparo (*Hilflosigkeit*) tem algo de desabamento das reações possíveis, de paralisia sem reação (como no caso da hipnose de terror dos animais) ou mesmo da extrema vulnerabilidade vinda do fato de se estar fora de si, mas agora dependendo de um Outro que não sei como responderá. Daí por que a situação típica de desamparo na literatura psicanalítica diz respeito aos desdobramentos do estado de prematuração do bebê ao nascer (com sua incompletude funcional e sua insuficiência motora). Por nascer e permanecer durante muito tempo na incapacidade de prover suas próprias exigências de satisfação, incapacidade de saber o que fazer para prové-las, o bebê estaria sempre às voltas com uma situação de desamparo que marca sua abertura à relação com os pais e sua profunda dependência para com os mesmos. Como a vida humana desconhece normatividades imanentes, a afecção originária só pode ser, ao menos para Freud, a expressão da vulnerabilidade do sujeito no interior da relação com o Outro e da ausência de resposta articulada diante das exigências postas pela necessidade. No entanto, o desamparo não será produzido apenas pela consciência da vulnerabilidade do sujeito na

468 OBRAS INCOMPLETAS DE S. FREUD

sua relação ao Outro, mas também pela própria ausência de resposta adequada às excitações pulsionais internas. Ou seja, há uma dupla articulação entre fontes internas e externas.

Freud, porém, não se contenta em descrever o desamparo como um estado inicial afetivo de impotência a ser ultrapassado no interior do processo de maturação individual, o que explica o uso freudiano do desamparo para falar de fenômenos como o estranhamento (*Unheimlichkeit*), a consciência da vulnerabilidade diante da força do outro, a herança filogenética da memória da vulnerabilidade da espécie na era histórica da glaciação ou, ainda, o sentimento diante da desagregação da visão religiosa de mundo. Paulatinamente, fica claro como o desamparo passa da condição de "dado biológico originário" para uma "dimensão essencial, própria ao funcionamento psíquico".[38] Cada vez fica mais claro como o uso freudiano parece fazer ressoar o sentido concreto do termo alemão *Hilflosigkeit*, ou seja, estar em uma "condição sem ajuda" possível.

Procurando uma definição estrutural, Freud associa então o desamparo à inadequação da "avaliação de nossa força em comparação com a grandeza"[39] da situação de perigo ou de excitação. Tal inadequação entre minha capacidade de reação, de controle, em suma, de representação sob a forma de um objeto, e a magnitude do que tenho diante de mim, dá à situação um caráter traumático. A desmesura, pensada principalmente no sentido de ausência de capacidade de medida, é a condição para o desamparo. Assim, Freud pode afirmar: "a angústia é, de um lado, expectativa (*Erwartung*) do trauma, e, de outro, repetição atenuada do mesmo. As duas características que nos chamaram a atenção na angústia têm origens diversas, portanto. Sua relação com a expectativa se liga à situação de perigo; sua indeterminação e ausência de objeto, à situação traumática de desamparo, que é antecipada na situação de perigo".[40]

A indeterminação da qual fala Freud a respeito da situação traumática de desamparo tem, ao menos, duas fontes. Primeiro, ela indica uma experiência temporal específica. Contrariamente ao medo, ou mesmo à esperança, o desamparo não projeta um horizonte de expectativas que permite aos instantes temporais ganharem a forma da continuidade assegurada pela projeção do acontecimento futuro. Medo e esperança são, a sua maneira, dois afetos complementares, pois estão vinculados em sua dependência mútua em relação à temporalidade da expectativa, temporalidade do acontecimento por vir, seja ele positivo ou negativo. É tal temporalidade que o desamparo elimina, inaugurando outra temporalidade, desprovida de expectativa, que se expressa em um caráter fundamental de indeterminação.

Por outro lado, a indeterminação provocada pela inadequação entre a avaliação de nossa força e a grandeza da situação própria ao desamparo remete necessariamente ao excesso de força pulsional, em especial ao excesso representado pela excitação pulsional. Em relação aos objetos que possam representar sua satisfação, a pulsão sempre se coloca com potência de excesso. Foi pensando muitas vezes em tal característica que Freud fala do desamparo como experiência de uma "dor que não cessa", de um "acúmulo de necessidades que não obtém satisfação", isso para sublinhar o caráter de desabamento das reações possíveis. Pois estar desamparado é estar sem ajuda, sem recursos diante de um acontecimento que não é a atualização de meus possíveis. Por isso, ele provoca a suspensão, mesmo que momentânea, da minha capacidade de ação, representação e previsão. Estar desamparado é, em uma fórmula feliz do psicanalista Jacques André,[41] estar diante de algo que teve lugar, mas não foi experimentado. Por não ser a atualização de meus possíveis, a situação de desamparo implica sempre reconhecimento de certa forma de impotência, tanto do sujeito em sua agência quanto da ordem simbólica que o suporta, em sua capacidade de determinação. Há uma suspensão da capacidade de ordenamento simbólico que nos aproxima do que Lacan entende por experiência da ordem do real, daí a função do desamparo na experiência de final de análise.[42]

Mas, a princípio, não é evidente por que um afeto dessa natureza poderia ter função política, a não ser no interior de um modelo de "psicologização" das demandas sociais na qual exigências políticas tenderiam a se transformar em procura por formas múltiplas de amparo ou, se quisermos utilizar um termo contemporâneo, de *care*. Nessa psicologização na qual demandas políticas de transformação se inscrevem como demandas de cuidado dirigidas à instância atual do poder, bloqueia-se por completo a possibilidade de a política deixar de ser outra coisa que *o balcão universal das reparações por danos sofridos*. Não há possibilidade para o aparecimento de sujeitos políticos com força de transformação, pois temos apenas representantes de demandas pontuais de reparação diante de um poder constituído e reconhecido enquanto tal. Mas se, para Freud, admitir a vulnerabilidade do desamparo é condição fundamental para a emancipação social, isso ocorre porque não se trata aqui de uma experiência de resignação diante da vulnerabilidade, de demanda de cuidado por figuras protopaternas de autoridade ou uma experiência de exploração política contínua do medo. O que temos em Freud é uma maneira de pensar os caminhos da afirmação do desamparo, com sua *insegurança ontológica*[43] que pode nos levar à consequente redução de demandas por figuras de autoridade baseadas na constituição fantasmática de uma força soberana ou mesmo por crenças providenciais a orientar a compreensão teleológica de processos históricos. O desamparo nos mostra como a ação política é ação sobre o fundo de insegurança ontológica.

Note-se que o desamparo como afeto político não deve ser confundido, ao menos neste contexto, com a aceitação resignada de certo desencantamento ligado ao desinflacionamento de nossas expectativas de reconciliação social. Muito menos deve ser visto como o saldo necessário da aceitação "madura" da inexistência de alguma espécie de providência a nos guiar. Como se fosse o caso de confundir "maturidade política" com alguma forma de afirmação do caráter necessariamente deceptivo da experiência comum. Em todos esses casos, afirmar o desamparo equivaleria a formas de melancolia social, o que o transformaria no afeto de uma vida democrática pensada como esfriamento geral das paixões de ruptura e como fruto da acomodação à finitude da potência limitada de nossas ações.

Na verdade, trata-se aqui de seguir outra via e compreender o desamparo como condição para o desenvolvimento de certa forma de coragem afirmativa diante da violência provocada pela natureza despossessiva das relações intersubjetivas e pela irredutibilidade da contingência como forma fundamental do acontecimento. Pois, se estar desamparado é estar diante de situações que não podem ser lidas como atualizações de nossos possíveis, situações dessa natureza podem tanto produzir o colapso da capacidade de reação e a paralisia quanto o engajamento diante da transfiguração dos impossíveis em possíveis através do abandono da fixação à situação anterior. A compreensão de tal produtividade do desamparo permite que, dele, apareça um afeto de coragem vindo da aposta na possibilidade de conversão da violência em processo de mudança de estado. Algo dessa coragem anima a experiência psicanalítica.

Lembremos ainda que associar o desamparo à despossessão é de certa forma apropriar-se de discussões desenvolvidas inicialmente por Judith Butler a fim de redimensionar os debates contemporâneos a respeito das dinâmicas de reconhecimento social. Como lembra Butler, o Outro não é apenas aquele que me constitui, que me garante através do reconhecimento de meu sistema individual de interesses e dos predicados que comporiam a particularidade de minha pessoa. Ele é aquele que, desde a introdução da sexualidade adulta no universo da criança, tal como descreve Jean Laplanche,[44] me despossui, ele é aquele que me desampara. Somos despossuídos por outros "em um modo que geralmente interrompe a narrativa autoconsciente sobre nós mesmos que procuramos fornecer, em um modo que muda nossa própria noção como autônomos e providos de controle".[45] Tal despossessão expõe minha vulnerabilidade estrutural aos encontros, assim como a opacidade a mim mesmo daquilo que me leva a vincular-me a outros que me despossuem e me descontrolam. Pois

> somos despossuídos de nós mesmos em virtude de alguma forma de contato com outro, em virtude de sermos movidos e mesmo surpreendidos pelo encontro com a alteridade. Tal experiência não é simplesmente episódica, mas pode e revela uma base da relacionalidade – não apenas nos movemos, mas somos movidos por aquilo que está fora de nós, por outros, mas também por algo "fora" que reside em nós.[46]

Ou seja, ligar-se a outros não é apenas confirmar-se em suas predicações supostas, mas é estar em contínua despossessão por ter algo fundamental de mim em um outro que não controlo, que não saberei como responderá ou se responderá. Por isso, a relacionalidade própria à condição humana não pode ser compreendida como garantia de cooperação. Que a despossessão possa aparecer também como expressão máxima de uma vulnerabilidade produzida pela insegurança social e civil a ser politicamente combatida com todas nossas forças, já que produção de um não ser social, isso não elimina a necessidade de uma política capaz de quebrar a substancialização do "individualismo possessivo" através da afirmação da produtividade de situações de insegurança ontológica. As formas de despossessão ligadas à insegurança social e civil são modos de sujeição. Já aquelas vinculadas à insegurança ontológica são modos de liberação.

UMA FIGURA DO PODER TEOLÓGICO-POLÍTICO

Podemos começar a abordar a importância política do desamparo se nos perguntarmos como Freud compreende o lugar da autoridade soberana, qual a estrutura fantasmática que o suporta. No caso freudiano, tal lugar tem, de forma bastante peculiar, certa fundamentação teológica. Podemos mesmo dizer que, para Freud, a possibilidade de existência da política como campo de emancipação passa pelo abandono de uma visão de mundo da qual partilharíamos e que ainda se fundamentaria em fantasias impulsionadas pelo peso surdo do universo teológico-político. Isso talvez nos explique por que Freud não cessa de combater o discurso religioso (no seu caso, fundamentalmente judaico–cristão). Longe de ser uma versão retardatária do combate entre as luzes e a superstição, tal temática justifica-se por Freud acreditar ser nossa modernidade ainda profundamente dependente de um núcleo teológico-político que não tem coragem de dizer seu nome ou, como Freud diz, de uma visão religiosa de mundo

(*Weltanschauung*) ainda partilhada que visa construir sistemas de defesa contra a afirmação do desamparo como afeto social.

A princípio, tal posição parece completamente desprovida de sentido. Pois sabemos que a modernidade compreende a si mesma como momento de ruptura com todo fundamento teológico-religioso dos vínculos sociais. Há uma articulação central entre racionalização dos vínculos sociopolíticos e crítica aos fundamentos religiosos do poder que parece indissociável da própria produção da consciência da modernidade com a autonomização de suas esferas sociais de valores, assim como de suas instituições políticas. Articulação que produziu uma noção de modernidade compreendida como momento que está necessariamente às voltas com o problema da sua *autocertificação*, isso devido, entre outras coisas, ao fato de nada lhe aparecer como substancialmente fundamentado em um poder capaz de unificar as várias esferas sociais de valores. Ela não poderia mais procurar em outras épocas, ou em explicações mítico-religiosas de mundo, os critérios para a racionalização e para a produção do sentido socialmente partilhados. Isso significa que a substancialidade que outrora enraizava os sujeitos em contextos sociais aparentemente não problemáticos estaria fundamentalmente perdida.

A perspectiva freudiana é, no entanto, diametralmente oposta a tal diagnóstico. *Para Freud, nossa modernidade não é desencantada, mas, de maneira peculiar, continua fundamentalmente vinculada à secularização de uma certa visão religiosa de mundo*. Freud fornece um *tópos* clássico para compreender a gênese da visão religiosa de mundo. Trata-se da perda das relações de imanência com a natureza devido ao excesso de sua violência (*Gewalt*) em relação às possibilidades básicas de simbolização por projeção. As estratégias projetivas de "humanização" animista de fenômenos naturais visando a sua posterior dominação, estratégias estas que forneciam a base de uma antropologia do animismo muito em circulação na época de Freud, seriam impotentes diante do estranhamento (*Unheimlichkeit*) irredutível da violência natural. Violência desamparadora que produz angústia psíquica devido à desagregação da experiência de produção de um sentido pensado como totalidade imanente de relações disponíveis à apreensão. Quando a violência expulsa o homem da crença na participação da natureza enquanto horizonte de determinação estável de sentido, aparece-lhe a experiência da *irredutibilidade da contingência de sua posição existencial*. Ou seja, há uma espécie de experiência de insegurança ontológica vinda de uma natureza que aparece agora força superior opressiva (Freud fala em *erdrückende Übermacht*) pois opaca e marcada pelo acaso, natureza do que não está mais em seu lugar.

Ao menos segundo Freud, a visão religiosa de mundo teria por característica fundamental desativar a insegurança absoluta de tal violência através da constituição de figuras de autoridade marcadas por promessas de providência que seguem um modelo infantil próprio àquele que vigora na relação entre a criança e seus pais. Tal visão religiosa seria assim uma forma de funcionamento do poder que se sustenta na generalização social de modos de demandas ligadas à representação fantasmática da autoridade paterna. Promessa de amparo que, para ter força de mobilização, precisa se lembrar a todo momento dos riscos produzidos por um desamparo iminente, deve nos aprisionar nas sendas de tal iminência, nos fazendo sentir, ao mesmo tempo, a perdição e a redenção, a fraqueza e a força, o cuidado paterno e o inimigo que espreita. Ambivalência fundadora de processos de sujeição e dependência, já que me faz depender daquele que se alimenta do medo, que ele mesmo relembra, de poder perdê-lo. O que talvez explique por que Freud precisa afirmar que a religião (basicamente em sua matriz judaico-cristã) seria "a neurose obsessiva universal da humanidade" (neste volume, p. 279).

Fica claro com isso que o fundamento do interesse freudiano na religião concentra-se não na discussão de sua dogmática, mas nas modalidades de investimento afetivo em suas figuras de autoridade, ou seja, na estrutura libidinal de seu poder pastoral.[47] Pode parecer anacrônica a hipótese freudiana de derivar a compreensão do poder pastoral das dinâmicas libidinais da autoridade paterna na família burguesa. No entanto, devemos avaliá-la a partir de sua motivação propriamente política. A sua maneira, Freud quer compreender por que tal poder pastoral permanece no presente como referência maior para a constituição da autoridade política, mesmo que tenhamos as condições materiais de sua superação. O que nos permite tematizar a estrutura necessariamente teológica do poder político nas sociedades modernas, a despeito dos discursos sociológicos sobre processos de modernização como modalidades de desencantamento do mundo. Nesse sentido, vale para Freud a pergunta lançada por Claude Lefort: "não podemos admitir que, a despeito das modificações ocorridas, o religioso se conserva sob o traço de novas crenças, novas representações, de tal maneira que ele pode retornar à superfície, sob formas tradicionais ou inéditas, quando os conflitos são muito agudos a ponto de poder quebrar o edifício do Estado?".[48] Contrariamente a Lefort e sua defesa da especificidade da democracia liberal, a resposta de Freud será, ao final, positiva.

Se esse for o caso, não podemos negligenciar que a presença de um fundamento religioso do poder não se expressa apenas na enunciação evidente da dogmática teológica como referência para questões biopolíticas concernentes à reprodução, à administração dos corpos, às famílias e à moralidade, entre tantas outras. Tal fundamento se expressará na maneira como investimos libidinalmente figuras de autoridade esperando amparo principalmente contra aquilo que faz da vida social o avesso da pretensa paz celestial, ou seja, a insegurança da divisão, do conflito, da irredutibilidade de antagonismos gerados não por alguma intervenção de elementos vindos do exterior, mas pela dinâmica imanente do político. Pois um fundamento religioso do poder é o clamor latente da representação primordial do Um, da crença na união pré-política dos homens como efeito da partilha comum do sentido. Clamor contra o desamparo das coisas ontologicamente sem lugar determinado e sem lugar natural. Coisas que trazem escritas em sua fronte a irredutibilidade de sua situação contingente. O poder pastoral é chamado para fazer face à divisão estrutural do social e à dissolução da segurança ontológica da identidade entre as coisas e seus lugares.

A hipótese freudiana a respeito de nosso pertencimento a uma era teológico-política passa assim por insistir como a força do poder pastoral está assentada em sua capacidade de retomar um processo de constituição de individualidades, ainda hegemônico, que se inicia no interior do núcleo familiar. É a repetição entre ordens distintas de socialização, a família e as instituições sociais, que dá ao poder pastoral sua resiliência. Tal continuidade faz do poder pastoral uma forma privilegiada de reforço de modos de produção de individualidades, fortalecendo o processo que inaugurou a vida psíquica através da internalização do que aparecia inicialmente como coação externa. Processo de aquiescência à norma através da internalização da autoridade e da violência que Freud descreve graças a sua teoria do Supereu.

Muito haveria a se dizer a respeito do conceito freudiano de supereu, mas para o propósito de nossa discussão basta mostrar como ele é, como disse Balibar em uma fórmula feliz, o representante da política no interior da teoria do inconsciente e o representante do psiquismo inconsciente no interior da teoria política.[49] Pois, primeiro, ele expõe de maneira clara como as relações de poder constituem sujeitos através da internalização não apenas de normas, mas de uma "instância moral de observação" que nos "pastoreia" ao mesmo tempo que nos julga implacavelmente. Perguntar-se sobre a economia libidinal do poder pastoral é, para Freud, evidenciar o ponto de interseção entre "cuidar" e "culpar", entender como o cuidado pastoral e paterno é indissociável da perpetuação de relações profundas de dependência e sujeição alimentadas não apenas pela reiteração do medo de a paz do rebanho ser, a qualquer momento, destruída pela matilha de lobos, medo que o pastor saberá bem manejar para conservar o rebanho paralisado, mas pela culpabilização do meu próprio desejo de violência contra a norma de igualdade restritiva enunciada pelo poder pastoral. Nesse sentido, se Freud pode dizer que o sentimento de culpa é o "problema mais importante do desenvolvimento da cultura" (neste volume, p. 390) é porque, entre outras coisas, ele conhece sua função decisiva na construção da coesão social e na sustentação das relações com a autoridade. Uma função que não se reduz à expressão da responsabilidade consciente diante dos impulsos de transgressão de normas aceitas como necessárias para a perpetuação da vida social. Ela indica principalmente o vínculo libidinal inconsciente com objetos que perdemos, que ainda têm a força de projetar em nós a sombra de reprimendas sem-fim e autodestruição melancólica. A culpa que sustenta os laços sociais sob a égide do poder pastoral tem uma gênese em fantasias inconscientes construídas a partir de objetos que perdemos, e muito pouco tem a ver com a expressão de uma responsabilidade diante da perpetuação da vida institucional assumida de forma consciente.

A GÊNESE DA COMUNIDADE
E O LUGAR VAZIO DO PODER

Em *Totem e tabu* Freud fornece, de maneira mais bem-acabada, a configuração da gênese de fantasias inconscientes ligadas ao vínculo a objetos perdidos e sua importância para compreendermos os impasses do vínculo social. Lembremos como o ponto fundamental do argumento freudiano nesse livro não tenta fundamentar hipóteses antropogenéticas recorrendo a uma pretensa cena originária da vida social com sua violência primordial. Melhor seria se perguntar qual perspectiva de avaliação da estrutura dos vínculos sociais, no começo do século XX, leva Freud a procurar as bases para a autorreflexão da modernidade em teorias como o totemismo, o festim totêmico e a ideia darwiniana de que o estado social originário do homem estaria marcado pela vida em pequenas hordas no interior das quais o macho mais forte e mais velho (o pai primevo) impediria a promiscuidade sexual, produzindo com isso a exogamia. Por isso, *devemos compreender a criação do mito do assassinato do pai primevo como a maneira, disponível a Freud, de dizer que, em relações sociais atuais, os sujeitos agem como quem carrega o peso do desejo de assassinato de um pai que nada mais é do que a encarnação de representações fantasmáticas de autoridade soberana.*

Essa dimensão de um "agir como" é o que deve ser salientado aqui. Ela nos leva a modos de representação fantasmática em operação nas relações de sujeitos com instâncias de autoridade e instituições. Muitos já disseram que, com o assassinato do pai primevo, Freud não fez nada mais do que escrever um mito. De nossa parte, podemos ficar com Lévi-Strauss, para quem a "grandeza [de Freud] está, por um lado, num dom que ele possui no mais alto nível:

o de pensar à maneira dos mitos".[50] De toda forma, essa não será a primeira vez que a reflexão sobre a natureza dos vínculos sociais modernos apela a um mito para dar conta da figuração do que tem, de fato, a força indestrutível de um mito − se pensarmos no mito como uma construção social que visa dar sentido a um conflito socialmente vivenciado. No caso de Freud, as consequências são enormes, pois "a constituição da cidadania (o pertencimento a uma *politeia*) pede um suplemento mítico que parece vir das constituições mais arcaicas de autoridade e que alimenta as representações patológicas da soberania".[51]

Haveria muito a se dizer a respeito dessa estratégia freudiana, mas nos restrinjamos a alguns pontos gerais. Sabemos como Freud deriva o início da sociedade da ideia de uma violência primordial. Como teríamos vivido inicialmente em pequenas hordas, cada comunidade se viu dominada por um macho mais forte que teria o monopólio das mulheres. Esse macho seria o "pai primevo". Em um dado momento, os irmãos se unem para matar tal figura. No entanto, feito o ato, um sentimento de culpa abate a todos e os leva a preencher o lugar do pai primevo com uma representação totêmica compensatória. Esse sentimento de culpa vem do fato de o pai não ser apenas responsável pela crueldade e coerção, mas ser também objeto perdido de amor e identificação. Algo de sua força parece assegurar seus filhos, nem que seja a simples crença na existência de um lugar no qual seria possível afirmar o direito natural hobbesiano em sua dinâmica de excesso. A identificação com o *pai* primevo implica crença na transmissão, na possibilidade de ocupar em algum momento o mesmo lugar.[52] Note-se como a mera possibilidade de tal lugar de exceção existir é, de maneira bastante peculiar, fonte de amparo, pois implica alcançar posição na qual as limitações normativas seriam inefetivas, na qual a decisão se afirmaria, como gostava de dizer Carl Schmitt, "em sua pureza absoluta" insubmissa à codificação prévia de suas condições, em sua indivisão teológica entre vontade e ação. Mas, com seu assassinato, instaura-se algo como uma comunidade de iguais na qual todos acabam por abrir mão de ocupar o lugar outrora preenchido pelo pai:

> Os irmãos haviam se aliado para vencer o pai, mas eram rivais uns dos outros no tocante às mulheres. Cada um desejaria, como o pai, tê-las todas para si, e na luta de todos contra todos a nova organização sucumbiria. Nenhum era tão mais forte que os outros, de modo a poder assumir o papel do pai. Assim, os irmãos não tiveram alternativa, querendo viver juntos, senão – talvez após superarem graves incidentes – instituir a proibição do incesto, com que renunciavam simultaneamente às mulheres que desejavam, pelas quais haviam, antes de tudo, eliminado o pai.[53]

Notemos inicialmente a recorrência da iminência hobbesiana da "luta de todos contra todos" produzida pela igualdade natural de forças e pela convergência de objetos de desejo. Como se antes do estado de natureza hobbesiano houvesse a soberania do pai primevo. A possibilidade recorrente da luta deve produzir o desejo pela instauração de normas responsáveis pela restrição mútua (no caso, a proibição do incesto) e pela regulação das paixões, garantindo assim as condições de possibilidade para a constituição do espaço político. Aparece, dessa forma, uma espécie de contrato social que permite a renúncia pulsional, o reconhecimento de obrigações e o estabelecimento de instituições. Ele ainda tem, como saldo, a perpetuação da condição feminina como exterior à determinação dos sujeitos agentes, já que, nessa narrativa, as mulheres se perpetuam como mero objeto de contrato.

No entanto, insistamos em outro ponto. No mito freudiano há de se levar em conta como tal constituição do espaço político produz inicialmente a abertura de um "lugar vazio" do poder, já que: "ninguém mais podia nem era capaz de alcançar a plenitude de poder do pai".[54] Tal lugar vazio, que Freud chega a descrever como próprio a uma sociedade sem pais (*vaterlose Gesellschaft*) que parece poder realizar a igualdade democrática, permitiu o aparecimento de laços comunitários baseados em "sentimentos sociais de fraternidade [...] na sacralização do sangue comum, na ênfase na solidariedade de todas as vidas do mesmo clã".[55]

Mas essa comunidade de iguais, essa sociedade sem pais, tem uma fragilidade estrutural: tal lugar vazio é suplementado por uma elaboração fantasmática. A fantasia do pai primevo não foi abolida, já que ele permanece na vida psíquica dos sujeitos sob a forma de um sentimento comum de culpa como fundamento de coesão social, que denuncia, por outro lado, o desejo que tal lugar seja ocupado. Assim, o afeto de solidariedade que a comunidade dos iguais permite circular é também responsável pela paralisia social de quem continua sustentando a "nostalgia pelo pai" (*Vatersehnsucht*) agora elevado à condição de objeto perdido. Esse pai que não está lá, mas que faz sua latência ser sentida, retornará sob uma forma sublimada. Pois sua morte se revelará posteriormente não um simples assassinato, mas "o primeiro grande ato sacrificial" capaz de estabelecer relações simbólicas de vínculo e obrigação para com um pai morto.

A sociedade sem pais deverá assim converter-se gradualmente em uma sociedade organizada de forma patriarcal. Pois o lugar vazio do poder é, ao mesmo tempo, um lugar pleno de investimento libidinal em uma figura de exceção que se coloca em posição soberana. Isso leva Freud a afirmar que "houve pais novamente, mas as realizações sociais do clã fraterno não foram abandonadas, e a efetiva distância entre os novos pais de família e o ilimitado pai primevo da horda era grande o suficiente para garantir a continuação da necessidade religiosa, a conservação da insaciada nostalgia pelo pai".[56]

"Houve pais novamente." Mas agora pais que poderiam cuidar, individualizar, pregar a renúncia pulsional, em suma, aplicar o poder pastoral e nos lembrar da importância do respeito à norma e às exigências restritivas das instituições. Pais que precisavam lembrar que estavam lá para enunciar mais uma vez a Lei porque, caso não estivessem mais lá, estaríamos vulneráveis a figuras como o pai primevo. Medo que apenas ativa a memória da identificação arcaica com um direito natural de que abri mão, mas que constituiu em minha vida psíquica os laços melancólicos com um objeto perdido, enredado nas sendas da transmissão. Assim, houve pais novamente, mas pais assombrados pela inadequação em relação a figuras de soberania que se fundamentam em posição de excepcionalidade em relação à Lei. O que nos permite pensar que a autoridade desses pais precisará reavivar periodicamente os traços do pai primevo e seu lugar de excepcionalidade, dando espaço para um jogo de reiteração constante entre a Lei e sua transgressão, pulsação pendular de retorno e distância em relação à cena primitiva, pulsação afetiva que vai da mania à depressão. Assim, se esses pais souberem como trazer periodicamente o pai primevo, a revolta contra a *Kultur* poderá servir de elemento para a perpetuação de uma ordem que todos sentem de forma restritiva. Essa pulsação entre lugar vazio e complemento fantasmático é uma das mais importantes contribuições de Freud à teoria do político.

NOTAS

[1] FREUD, Sigmund. *Gesammelte Werke*. Frankfurt: Fischer, 1999. v. XV, p. 194.

[2] LACOUE-LABARTHE, Philippe; NANCY, Jean-Luc. *La Panique politique*. Paris: Christian Bourgeois Editeurs, 2013. p. 24. Daí se segue que: "para individualistas metodológicos, a ideia de que um sentimento como a angústia ou a culpa possa ser propriedade de um grupo é quase incompreensível. Vendo o indivíduo como unidade básica da sociedade, eles estão dispostos a assumir que sentimentos, assim como significados e intenções, são de certa forma a 'propriedade' de indivíduos. Esse conceito de sujeito humano sub-socializado, partilhado por algumas tradições no interior da psicologia hegemônica, é incapaz de compreender como sentimentos sedimentam grupos, contribuindo substancialmente para sua coerência" (HOGGETT, Paul; THOMPSON, Simon [Orgs.]. *Politics and the Emotions*: The Affective Turn in Contemporary Political Studies. Nova York: Continuum, 2012. p. 3).

[3] Pois: "A identificação é, para Freud, o *sentimento* social e é, pois, o domínio do *afeto* como tal [implicado pela identificação] que deve ser interrogado" (LACOUE-LABARTHE; NANCY, 2013, p. 67).

[4] Por exemplo: BORCH-JACOBSEN, Mikkel. *Le Lien affectif*. Paris: Aubier, 1992; MONOD, Jean-Claude. *Qu'est-ce qu'un chef en démocratie? Politiques du charisme*. Paris: Seuil, 2012.

[5] Foi Ernesto Laclau quem melhor desenvolveu as consequências desse papel constituinte da liderança a partir da psicologia das massas em Freud. Ver LACLAU, Ernesto. *La razón populista*. Buenos Aires: Fondo de Cultura Económica, 2011 (ed. bras.: *A razão populista*. São Paulo: Três Estrelas, 2013).

[6] O que levou certos comentadores a afirmar que: "a análise freudiana pertence, sem dúvida, sob certos aspectos, a um momento de reafirmação polêmica da metafórica pastoral que participa de uma desilusão histórica quanto ao 'progresso moral da humanidade', de uma decepção face às tendências regressivas da dita civilização 'racional' e de uma problematização das esperanças das Luzes" (MONOD, 2012, p. 237).

[7] O que não é certamente nosso caso, ao menos se levarmos em conta elaborações como estas apresentadas em AGAMBEN, Giorgio. *Estado de exceção*. Tradução de Iraci D. Poleti. São Paulo: Boitempo, 2004.

[8] LACOUE-LABARTHE; NANCY, 2013, p. 10.

[9] BATAILLE, Georges. La Souveraineté. In: *Œuvres complètes*. Paris: Gallimard, 1976. v. VIII.

[10] HOBBES, Thomas. *Leviatã*. São Paulo: Martins Fontes, 2003. p. 109. Daí por que: "a origem de todas as grandes e duradouras sociedades

CULTURA, SOCIEDADE, RELIGIÃO **485**

não provém da boa vontade recíproca que os homens teriam uns para com os outros, mas do medo recíproco que uns tinham dos outros" (HOBBES, Thomas. *Do cidadão*. São Paulo: Martins Fontes, 2002, p. 28).

[11] HOBBES, 2002, p. 7.

[12] HOBBES, 2002, p. 30. Como lembrará Leo Strauss, a respeito de Hobbes: "o homem espontaneamente deseja infinitamente" (STRAUSS, Leo. *The Political Philosophy of Thomas Hobbes*. Chicago: University of Chicago Press, 1963. p. 10).

[13] STRAUSS, 1963, p. 30.

[14] CASTEL, Robert. *L'Insécurité sociale*: qu'est-ce qu'être protégé? Paris: Seuil, 2003. p. 13.

[15] Ninguém melhor que Carl Schmitt descreve os pressupostos dessa passagem hobbesiana do estado de natureza ao contrato fundador da vida em sociedade: "Esse contrato é concebido de maneira perfeitamente individualista. Todos os vínculos e todas as comunidades são dissolvidos. Indivíduos atomizados se encontram no medo, até que brilhe a luz do entendimento criando um consenso dirigido à submissão geral e incondicional à potência suprema" (SCHMITT, Carl. *Le Léviathan dans la doctrine de l'État de Thomas Hobbes*: sens et échec d'un symbole politique. Paris: Seuil, 2002. p. 95).

[16] BODEI, Remo. *Geometria delle passioni*: Paura, speranza, felicità – filosofia e uso político. Milão: Feltrinelli, 2003. p. 86.

[17] HOBBES, 2003, p. 119.

[18] HOBBES, 2003, p. 111.

[19] Renato Janine Ribeiro, por exemplo, insistirá que "pode-se reduzir a pares a multiplicidade das paixões: medo e esperança, aversão e desejo ou, em termos físicos, repulsão e atração. Mas não é possível escutar a filosofia hobbesiana pela nota só do medo, que não existe sem o contraponto da esperança" (RIBEIRO, Renato J. *Ao leitor sem medo*: Hobbes escrevendo contra seu tempo. Belo Horizonte: Ed. UFMG, 2004. p. 23).

[20] HOBBES, 2003, p. 253.

[21] Ver, por exemplo, RIBEIRO, 2004, p. 53.

[22] SCHMITT, Carl. *O conceito do político*: teoria do partisan. Belo Horizonte: Del Rey, 2008. p. 56.

[23] BALIBAR, Étienne. *Violence et civilité*. Paris: Galilée, 2010. p. 56.

[24] ESPOSITO, Roberto. *Communitas*: Origine e destino della communità. Turim: Einaudi, 1997. p. 12.

[25] Daí uma conclusão importante de Agamben: "A fundação não é um evento que se cumpra uma vez por todas *in illo tempore,* mas é continuamente operante no estado civil na forma da decisão

486 OBRAS INCOMPLETAS DE S. FREUD

soberana." (AGAMBEN, Giorgio. *Homo sacer*: o poder soberano e a vida nua. Belo Horizonte: Ed. UFMG, 2001, p. 115). Esse mecanismo de fundação que necessita ser continuamente reiterado diz muito a respeito da continuidade do medo como força de reiteração da relação do Estado ao seu fundamento.

[26] SCHMITT, 2002, p. 86.

[27] HOBBES, 2003, p. 147.

[28] Isso leva Macpherson a afirmar que, longe de ser uma descrição do ser humano primitivo, ou do ser humano à parte de toda característica social adquirida, o estado de natureza seria: "a abstração lógica esboçada do comportamento dos homens na sociedade civilizada" (MACPHERSON, Crawford B. *The Political Theory of Possessive Individualism*: Hobbes to Locke. Oxford: Oxford University Press, 1962. p. 26).

[29] HOBBES, 2002, p. 14.

[30] HOBBES, 2002, p. 110.

[31] SCHMITT, 2008, p. 32.

[32] Para a discussão sobre Freud e Hobbes, ver: DRASSINOWER, Abraham. *Freud's Theory of Culture*: Eros, Loss and Politics. Lanham: Rowman and Littlefield, 2003; BIRMAN, Joel. Governabilidade, força e sublimação: Freud e a filosofia política. *Revista de Psicologia USP*. São Paulo, v. 23, n. 3, 2010.

[33] O que teria levado alguém como Derrida a afirmar que, "se a pulsão de poder ou a pulsão de crueldade é irredutível, mais velha, mais antiga que os princípios (de prazer ou de realidade, que são no fundo o mesmo, como gostaria eu de dizer, o mesmo na diferença), então nenhuma política poderá erradicá-la" (DERRIDA, Jacques. *Estados de alma da psicanálise*. São Paulo: Escuta, 2001, p. 34).

[34] Daí uma afirmação importante de Mladen Dolar: "A pulsão não é apenas o que preserva uma certa ordem social. Ao mesmo tempo, ela é a razão pela qual tal ordem não pode se estabilizar e fechar-se sobre si mesma, pela qual ela não pode se reduzir ao melhor arranjo entre sujeitos existentes e instituições, mas sempre apresente um excesso que o subverte" (DOLAR, Mladen. Freud and the Political. *Unbound*. Chicago, v. 4, n. 15, p. 15-29, 2008.

[35] Como diz Aristóteles: "o medo consiste numa situação aflitiva ou numa perturbação causada pela representação de um mal iminente ruinoso ou penoso" (ARISTÓTELES. *Retórica*. Tradução de Edson Bini. São Paulo: Martins Fontes, 2012 [1382a].)

[36] FREUD, Sigmund. Inibição, sintoma e angústia. In: *Obras completas*. Tradução de Paulo César de Souza. São Paulo: Cia. das Letras, 2014. v. 17, p. 114.

[37] HOBBES, Thomas. *Os elementos da lei natural e política*. São Paulo: Martins Fontes, 2010. p. 38.

[38] HOBBES, 2010, p. 37.

[39] FREUD, 2014, p. 115.

[40] FREUD, 2014, p. 116.

[41] ANDRÉ, Jacques. Entre angústia e desamparo. *Ágora: Estudos em Teoria Psicanalítica*. Rio de Janeiro, v. 4, n. 2, 2001.

[42] Entre os psicanalistas posteriores a Freud, foi Lacan que mais insistiu na necessidade de afirmação do desamparo como condição para a resolução de uma experiência analítica que, necessariamente, precisaria levar o sujeito a certa subjetivação da pulsão de morte. Daí uma afirmação importante como: "Eu coloco a questão: o término da análise, o verdadeiro, esse que entendo preparar a condição de analista, não deveria a seu final levar este que o suporta a afrontar a realidade da condição humana? Trata-se exatamente disto que Freud, falando da angústia, designou como o fundo no qual se produz seu sinal, a saber, a *Hilflosigkeit*, o desamparo (*détresse*) no qual o homem, nesta relação a si mesmo que é a morte, não espera ajuda de ninguém. Ao final da análise didática, o sujeito deve alcançar e conhecer o campo e o nível de experiência de desnorteamento (*désarroi*) absoluto, contra o qual a angústia já é uma proteção; não *Abwarten*, mas *Erwartung*. A angústia já se desdobra deixando perfilar um perigo, enquanto não há perigo no nível da experiência última de *Hilflosigkeit*" (LACAN, Jacques. *Séminaire, livre VII*. Paris: Seuil, 1987. p. 351).

[43] Esse vínculo entre desamparo e insegurança ontológica aproxima a minha maneira de trabalhar o problema e aquela proposta por Christian Dunker a respeito do conceito de mal-estar. Lembremos sua definição: "O *mal-estar* (*Unbehagen*) remete à ausência desse pertencimento, dessa suspensão no espaço, dessa queda (*fall*) impossível fora do mundo. Ele é a impossibilidade dessa clareira na qual se poderia estar. Ora, o *mal-estar* está tanto em uma vida feita de cercamentos determinados (construções culturais, leis, formas sociais e condomínios) quanto na experiência do aberto indeterminado, como no deserto (nossa errância desencontrada, familiar-estrangeira, esquizoide)" (DUNKER, Christian. *Mal-estar, sofrimento, sintoma*: uma psicopatologia do Brasil entre muros. São Paulo: Boitempo, 2015. p. 198). São várias as figuras dos afetos da dissolução da estabilidade dos lugares que constituem mundos com sua segurança ontológica, sua direcionalidade do tempo e espaço, sua identidade dos modelos possíveis de ação. O mal-estar é um deles; o desamparo, outro. O primeiro demonstra relações profundas entre sofrimento social ligado ao processo civilizatório e sofrimento psíquico. O segundo visa principalmente articular, como gostaria de mostrar, gênese individual e estrutura de relações de reconhecimento.

[44] Sobre a natureza "intrusiva" da sexualidade a partir da teoria da sedução, ver, entre outros, LAPLANCHE, Jean. *Le Primat de l'autre en psychanalyse*. Paris: Flammarion, 1997, p. 454.

[45] BUTLER, Judith. *Precarious Life*: The Power of Mourning and Violence. Londres: Verso, 2004. p. 22.

[46] BUTLER, Judith; ATHANASIOU, Athena. *Dispossession*: The Performative in the Political. Cambridge: Polity Press, 2013, p. 3.

[47] Lembremos, a esse respeito, as três características fundamentais do poder pastoral, ao menos segundo Michel Foucault. Primeiro "o poder do pastor se exerce fundamentalmente sobre uma multiplicidade em movimento" (FOUCAULT, Michel. *Sécurité, territoire, population*. Paris: Seuil; Gallimard, 2004, p. 131 [ed. bras.: *Segurança, território, população*: curso dado no Collège de France (1977-1978). São Paulo: Martins Fontes, 2009]). Os vínculos à territorialidade são frágeis, por isso o pastor é a referência fundamental de pertencimento. Diante da ausência de vínculos naturais de pertencimento, o pastor fornece o suplemento necessário para a constituição do sentimento de comunidade. Se a temática do pastor é tão forte na tradição judaica é porque estamos diante do nomadismo de um povo que anda, que se desloca, que entra em errância. Segundo, o poder pastoral é um poder do amparo. Sua função central é o cuidado do rebanho, é seu bem-estar. Por fim, o poder pastoral é individualizador. Mesmo dirigindo todo o rebanho, o pastor é aquele que pode individualizar suas ovelhas.

[48] LEFORT, Claude. *Essais sur le politique*. Paris: Seuil, 1986, p. 278.

[49] BALIBAR, Étienne. *Citoyen Sujet et autres essais d'anthropologie philosophique*. Paris: Seuil, 2011, p. 384.

[50] LÉVI-STRAUSS, Claude. *A oleira ciumenta*. Tradução de Beatriz Perrone-Moisés. São Paulo: Brasiliense, 1986, p. 235.

[51] BALIBAR, Étienne. L'Invention du surmoi. *Revue Incidences*. Paris, n. 1, 2006, p. 32.

[52] Assim: "a imagem do pai ideal se transformou, sem que os filhos assassinos se dessem conta – logo, inconscientemente –, na imagem do ideal amado *e* da instância diretiva de seus desejos" (BAAS, Bernard. *Y a-t-il des psychanalystes sans-culottes? Philosophie, psychanalyse et politique*. Toulouse: Érès, 2012. p. 211).

[53] FREUD, Sigmund. Totem e tabu. In: *Obras completas*. Tradução de Paulo César de Souza. São Paulo: Cia das Letras, 2012. v. 11, p. 220.

[54] FREUD, 2012, p. 226.

[55] FREUD, 2012, p. 222.

[56] FREUD, 2012, p. 227.

OBRAS INCOMPLETAS
DE SIGMUND FREUD

A tradução e a edição da obra de Freud envolvem múltiplos aspectos e dificuldades. Ao lado do rigor filológico e do cuidado estilístico, ao menos em igual proporção, deve figurar a precisão conceitual. Embora Freud seja um escritor talentoso, tendo sido agraciado com o prêmio Goethe, entre outros motivos, pela qualidade literária de sua prosa científica, seus textos fundamentam uma prática: a clínica psicanalítica. É claro que os conceitos que emanam da Psicanálise também interessam, em maior ou menor grau, a áreas conexas, como a crítica social, a teoria literária, a prática filosófica, etc. Nesse sentido, uma tradução nunca é neutra ou anódina. Isso porque existem dimensões não apenas linguísticas (terminológicas, semânticas, estilísticas) envolvidas na tradução, mas também éticas, políticas, teóricas e, sobretudo, clínicas. Assim, escolhas terminológicas não são sem efeitos práticos.

A tradução de Freud – autor tão multifacetado – deve ser encarada de forma complexa. Sua tradução não envolve somente o conhecimento das duas línguas e de uma boa técnica de tradução. Do texto de Freud se traduz também o substrato teórico que sustenta uma prática clínica amparada nas capacidades transformadoras da palavra. A questão é que, na estilística de Freud e nas suas opções de vocabulário, via de regra, forma e conteúdo confluem. É fundamental, portanto, proceder à "escuta do texto" para que alguém possa desse autor se tornar "intérprete".

A coleção Obras Incompletas de Sigmund Freud não pretende apenas oferecer uma nova tradução, direta do alemão e atenta ao *uso* dos conceitos pela comunidade psicanalítica brasileira. Ela pretende ainda oferecer uma nova maneira de organizar e de tratar os textos.

Gilson Iannini
Editor e coordenador da coleção

Pedro Heliodoro Tavares
*Coordenador da coleção
e coordenador de tradução*

Conselho editorial
*Ana Cecília Carvalho
Antônio Teixeira
Claudia Berliner
Christian Dunker
Claire Gillie
Daniel Kupermann
Edson L. A. de Sousa
Emiliano de Brito Rossi
Ernani Chaves
Glacy Gorski
Guilherme Massara
Jeferson Machado Pinto
João Azenha Junior
Kathrin Rosenfield
Luís Carlos Menezes
Maria Rita Salzano Moraes
Marcus Coelen
Marcus Vinícius Silva
Nelson Coelho Junior
Paulo César Ribeiro
Romero Freitas
Romildo do Rêgo Barros
Sérgio Laia
Tito Lívio C. Romão
Vladimir Safatle
Walter Carlos Costa*

Gilson Iannini

Professor do Departamento de Psicologia da UFMG, ensinou no Departamento de Filosofia da UFOP por quase duas décadas. Doutor em Filosofia (USP) e mestre em Psicanálise (Université Paris VIII). Autor de *Estilo e verdade em Jacques Lacan* (Autêntica, 2012) e organizador de *Caro dr. Freud: respostas do século XXI a uma carta sobre homossexualidade* (Autêntica, 2019).

Pedro Heliodoro Tavares

Psicanalista, germanista, tradutor. Professor adjunto na área de Alemão no Departamento de Língua e Literatura Estrangeiras da Universidade Federal de Santa Catarina. Entre 2011 e 2018 foi Professor da Área de Alemão – Língua, Literatura e Tradução (USP). Doutor em Psicanálise e Psicopatologia (Université Paris VII). Autor de *Versões de Freud* (7Letras, 2011) e co-organizador de *Tradução e psicanálise* (7Letras, 2013).

Jésus Santiago

Psicanalista, professor aposentado do Departamento de Psicologia da UFMG, doutor em Psicopatologia e Psicanálise pela Universidade de Paris VIII, membro da Associação Mundial de Psicanálise e da Escola Brasileira de Psicanálise; publicou *A droga do toxicômano* (Zahar, 2001; reeditado pela Relicário em 2018).

Maria Rita Salzano Moraes

Professora do Departamento de Linguística Aplicada da Unicamp. Doutora em Linguística (Unicamp) e mestre em Linguística Aplicada (Unicamp). Tradutora.

Vladimir Safatle

Professor titular do Departamento de Filosofia da Universidade de São Paulo (USP). Foi professor convidado das universidades de Paris VII, Paris VIII e Toulouse; *visiting scholar* da Universidade da Califórnia (Berkeley); e *fellow* do Stellenbosch Institute for Advanced Study (África do Sul). Coordenador do Laboratório de Teoria Social, Filosofia e Psicanálise da USP. É autor, entre outros, de *O circuito dos afetos: corpos políticos, desamparo e o fim do indivíduo* (Autêntica, 2016), *Introdução a Jacques Lacan* (Autêntica, 2017), *Dar corpo ao impossível* (Autêntica, 2019).

Copyright da organização © 2020 Gilson Iannini e Pedro Heliodoro Tavares

Títulos originais: *Die "kulturelle" sexualmoral und die moderne Nervosität; Zeitgemässes über Krieg und Tod; Massenpsychologie und Ich-Analyse; Die Zukunft einer Illusion; Ein religiöses Erlebnis; Das Unbehagen in der Kultur; Zur Gewinnung des Feuers; Warum Krieg?; Ein Wort zum Antisemitismus*

Todos os direitos reservados pela Autêntica Editora Ltda. Nenhuma parte desta publicação poderá ser reproduzida, seja por meios mecânicos, eletrônicos ou em cópia reprográfica, sem a autorização prévia da Editora.

EDITOR DA COLEÇÃO
Gilson Iannini

EDITORAS RESPONSÁVEIS
Rejane Dias
Cecília Martins

ORGANIZAÇÃO
Gilson Iannini
Pedro Heliodoro Tavares

NOTAS EDITORIAIS
Gilson Iannini

CONSULTORIA CIENTÍFICA
Claudia Moreira
Cleyton Andrade
Douglas Garcia Alves Jr.

Ernani Chaves
Giovanna Bartucci
Olímpio Pimenta

REVISÃO
Aline Sobreira
Mariana Faria

PROJETO GRÁFICO
Diogo Droschi

CAPA
Alberto Bittencourt
(sobre imagem Sigmund Freud's Study –
Authenticated News)

DIAGRAMAÇÃO
Waldênia Alvarenga

Dados Internacionais de Catalogação na Publicação (CIP)
(Câmara Brasileira do Livro, SP, Brasil)

Freud, Sigmund, 1856-1939
    Cultura, sociedade, religião : O mal-estar na cultura e outros escritos / Sigmund Freud ; tradução Maria Rita Salzano Moraes. -- 1. ed.; 3. reimp.-- Belo Horizonte : Autêntica, 2023. -- (Obras incompletas de Sigmund Freud /coordenação Gilson Iannini, Pedro Heliodoro Tavares)

    ISBN 978-85-513-0711-3

    1. Civilização 2. Psicanálise 3. Psicanálise e cultura 4. Psicologia social 5. Religião e sociedade I. Iannini, Gilson. II. Tavares, Pedro Heliodoro III. Título. IV. Série.

19-31672   CDD-150.195

Índices para catálogo sistemático:
1. Psicanálise e cultura   150.195

Maria Alice Ferreira - Bibliotecária - CRB-8/7964

GRUPO **AUTÊNTICA**

Belo Horizonte
Rua Carlos Turner, 420
Silveira . 31140-520
Belo Horizonte . MG
Tel.: (55 31) 3465 4500

São Paulo
Av. Paulista, 2.073, Conjunto Nacional
Horsa I . Sala 309 . Bela Vista
01311-940 . São Paulo . SP
Tel.: (55 11) 3034 4468

www.grupoautentica.com.br
SAC: atendimentoleitor@grupoautentica.com.br

Este livro foi composto com tipografia Bembo Std e impresso
em papel Off-White 70 g/m² na Formato Artes Gráficas.